David S. Ives.
September, 1931.

LATIN SELECTIONS.

Specimens

OF

LATIN LITERATURE

EDITED BY

EDMUND H. SMITH

REVISED BY

WILLARD K. CLEMENT

UNIVERSITY OF MICHIGAN

ALLYN AND BACON
Boston and Chicago

PAR

PRINTED IN THE UNITED STATES OF AMERICA BY
THE BERWICK & SMITH CO.

PREFACE.

IN this revision of Smith's Latin Selections every passage has been compared with the corresponding text of a standard critical edition. To enumerate the works made use of would require more space than is available. The extent of the revision may be judged from the fact that in the four hundred pages of Latin in the original volume, if no account be made of punctuation, over twelve hundred changes have been made; if punctuation be included, over twenty-five hundred. Some unimportant variations in orthography have been allowed to stand.

A few foot-notes giving references on the early Latin have been added.

The thirty-seven pages of new selections contain extracts from the more important additional authors down to the sixth century. It is hoped that they will prove to be interesting as well as useful.

WILLARD K. CLEMENT.

ANN ARBOR, MICHIGAN,
  January 1, 1892.

CONTENTS.

EARLY LATIN:—   PAGE
   SONG OF THE ARVAL BROTHERS 1
   LAWS OF THE KINGS 2
   LAWS OF THE TWELVE TABLES 2
   EPITAPH OF SCIPIO BARBATUS 4
   COLUMNA ROSTRATA 4
   EPITAPH OF L. CORNELIUS SCIPIO 4
LIVIUS ANDRONICUS 5
NAEVIUS 5
PLAUTUS 8
SENATUS CONSULTUM DE BACCHANALIBUS 22
EPITAPH OF P. CORNELIUS SCIPIO 23
ENNIUS 24
ANCIENT FORMULAS:—
   FORMULA FOEDERIS FERIENDI 30
   FORMULAE RERUM REPETUNDARUM ET BELLI INDICENDI 30
   FORMULA VERIS SACRI VOVENDI 32
CATO 32
STATIUS CAECILIUS 37
PACUVIUS 38
TRABEA 40
AQUILIUS 40
TERENTIUS 41
AEMILIUS PAULUS MACEDONICUS 49
SER. FABIUS PICTOR 49
SCIPIO AFRICANUS MINOR 50
METELLUS MACEDONICUS 51
LAELIUS 52
C. GRACCHUS 52
ACCIUS 54

Lucilius 55
Afranius 57
Metellus Numidicus 58
Asellio 59
Aemilius Scaurus 59
Quadrigarius 60
Valerius Antias 61
Lutatius Catulus 62
Porcius Licinus 63
Valerius Aedituus 63
Licinius Crassus 64
Auctor ad Herennium (Cornificius) 64
Varro 70
Cicero: —
    Religion 79
    Philosophy and Morals 87
    Political Philosophy 96
    Physical Science 100
    Theory of Oratory 103
    Descriptive Passages 105
    Rhetorical Passages 111
Q. Cicero 117
Lucretius 118
Catullus 132
Laberius 139
Publilius Syrus 140
Catilina 141
Caesar 142
Cato Uticensis 149
Caelius Rufus 150
Pompeius 151
M. Antonius 152
Curio 153
D. Brutus 154
Hirtius 155
Sallustius 156
Varro Atacinus 160
Cornelius Nepos 161
Varius 162
Vergilius 163
Horatius 181

Tibullus 203
Domitius Marsus 206
Propertius 207
Asinius Pollio 214
Livius 214
Vitruvius 226
Ovidius 233
Saleius Bassus 244
Pedo Albinovanus 245
Cornelius Severus 246
Gratius 247
Manilius 248
Papirius Fabianus 252
Arellius Fuscus 252
Haterius 253
Seneca Rhetor 254
Augustus 258
Velleius Paterculus 259
Valerius Maximus 260
Phaedrus 261
Celsus 264
Persius 267
Seneca 269
Lucanus 283
Mela 290
Quintus Curtius 292
Columella 294
Calpurnius 295
Petronius 296
Auctor Aetnae (Lucilius Junior) 298
Plinius Major 299
Valerius Flaccus 306
Silius 310
Statius 312
Quintilianus 318
Frontinus 327
Martialis 329
Sulpicia 336
Juvenalis 337
Tacitus 348
Plinius Minor 360

TRAJANUS	367
FLORUS	367
SUETONIUS	369
FRONTO	377
MARCUS AURELIUS	382
AUCTOR PERVIGILII VENERIS	384
AULUS GELLIUS	385
APULEIUS	394
M. MINUCIUS FELIX	401
Q. SEPTIMIUS FLORENS TERTULLIANUS	402
THASCIUS CAECILIUS CYPRIANUS	406
M. AURELIUS OLYMPIUS NEMESIANUS	407
ARNOBIUS	408
FLAVIUS VOPISCUS	410
LACTANTIUS FIRMIANUS	411
DECIMUS MAGNUS AUSONIUS	413
AMMIANUS MARCELLINUS	414
HIERONYMUS	415
AMBROSIUS	417
AURELIUS VICTOR	419
EUTROPIUS	420
Q. AURELIUS SYMMACHUS	421
FLAVIUS VEGETIUS RENATUS	422
CLAUDIUS CLAUDIANUS	422
AURELIUS PRUDENTIUS CLEMENS	425
AURELIUS AUGUSTINUS	426
MARTIANUS CAPELLA	430
PAULUS OROSIUS	431
CLAUDIUS RUTILIUS NAMATIANUS	431
JOANNES CASSIANUS	432
SALVIANUS MASSILIENSIS	433
LEO MAGNUS	434
ANICIUS MANLIUS TORQUATUS SEVERINUS BOETHIUS	435
CORPUS IURIS CIVILIS	436

LATIN SELECTIONS.

LATIN SELECTIONS.

EARLY LATIN.

1. Song of the Arval Brothers.

(ter) Enos, Lases, iuvate.
    Ne vel verve, Marma, sins incurrere in pleores,
    Ne vel verve, Marmar, sins incurrere in pleoris,
    Ne vel verve, Marmar, sers incurrere in pleores.
(ter) Satur fu, fere Mars, limen sali, sta berber.
    Semunis alternei advocapit conctos,
    Semunis alternei advocapit conctos,
    Simunis alternei advocapit conctos.
(ter) Enos, Marmor, iuvato.
    Triumpe, triumpe, triumpe, triumpe, triumpe.[1]

Interpretation.

(ter) Nos, Lares, iuvate.
(bis) Neve febrem, Mamers, sinas incurrere in plures,
   Neve febrem, Mamers, siveris incurrere in plures.
(ter) Satur fu, fere Mars ; limen sali, sta verbere.
(ter) Semones alterni advocabitis cunctos.
(ter) Nos, Mamers, iuvato.
   Tripudia, tripudia, tripudia, tripudia, tripudia.

---

[1] See Schneider, 'Dialecti Lat. priscae et Faliscae exempla sel.,' pp.
103, 104; Ritschl, 'Priscae Latinitatis monumenta,' Pl. XXXVI, A;
'Corpus inscriptionum Latinarum,' I, 28 ; Wordsworth, 'Fragments and
Specimens of Early Latin,' p. 385 *et seq.* For references on the early
Latin in general, see Kelsey's 'Topical Outline of Latin Literature,' p. 8.

2. FRAGMENTS OF THE LAWS OF THE KINGS.

Si nurus . . . *plorassit,* sacra divis parentum estod.

Vino rogum ne respargito.

Paelex aram Iunonis ne tangito ; si tanget, Iunoni crinibus demissis agnum feminam caedito.

Si hominem fulmen Iovis occisit, ne supra genua tollito. Homo si fulmine occisus est, ei iusta nulla fieri oportet.

Cui suo auspicio classe procincta opima spolia capiuntur, Iovi Feretrio bovem caedito, et darier *aeris trecentos* oporteat. *Cuius auspicio classe procincta* secunda spolia *capta,* in Martis aram in campo solitaurilia, utra voluerit, caedito ; qui cepit, aeris ducentos *dato.* Cuius auspicio *classe procincta* tertia spolia capta, Ianui Quirino agnum marem caedito ; centum, qui ceperit, ex aere dato. Dis piaculum dato.

Si qui hominem liberum dolo sciens morti duit, paricidas esto.

Si quisquam aliuta faxit, ipsos Iovi sacer esto.

Si parentem puer verberit, ast olle plorassit, puer divis parentum sacer esto.

Ap. Fest., s. v. *plorare ; Plin., H. N.,* xiv, 14 (12) ; *et al.*

3. FRAGMENTS OF THE LAWS OF THE TWELVE TABLES.

I. Si in ius vocat, ito. Ni it, antestamino ; igitur em capito. Si calvitur pedemve struit, manum endo iacito. Si morbus aevitasve vitium escit, [qui in ius vocabit] iumentum dato ; si nolet, arceram ne sternito.

Adsiduo vindex adsiduos esto, proletario iam civi quis volet vindex esto.

Rem ubi pacunt, orato. Ni pacunt, in comitio aut in foro ante meridiem caussam coiciunto. Com peroranto ambo praesentes. Post meridiem praesenti litem addicito.

[Si ambo praesentes,] sol occasus suprema tempestas esto.

II. Morbus sonticus . . . aut status dies cum hoste . . . quid horum fuit vitium iudici arbitrove reove, eo dies diffensus esto.

Cui testimonium defuerit, is tertiis diebus ob portum obvagulatum ito.

III. Aeris confessi rebusque iure iudicatis XXX dies iusti sunto. Post deinde manus iniectio esto. In ius ducito. Ni iudicatum facit, aut quis endo eo in iure vindicit, secum ducito.

Vincito aut nervo aut compedibus. XV pondo ne minore, aut, si volet, maiore vincito. Si volet, suo vivito. Ni suo vivit, [qui eum vinctum habebit] libras farris endo dies dato ; si volet, plus dato.

Tertiis nundinis partis secanto. Si plus minusve secuerunt, se fraude esto.

Adversus hostem aeterna auctoritas *esto.*

IV. Si pater filium ter venum duuit, filius a patre liber esto.

V. Uti legassit super pecunia tutelave suae rei, ita ius esto.

Si intestato moritur, cui suos heres nec escit, adgnatus proximus familiam habeto. Si adgnatus nec escit, gentiles familiam habento.

Si furiosus escit, adgnatum gentiliumque in eo pecuniaque eius potestas esto.

VI. Cum nexum faciet mancipiumque, uti lingua nuncupassit, ita ius esto.

Tignum iunctum aedibus vineaeve e concapit ne solvito . . . quandoque sarpta donec dempta erunt.

VII. Viam muniunto. Ni sam delapidassint, qua volet iumenta agito.

VIII. Si membrum rupsit, ni cum eo pacit, talio esto. Manu fustive si os fregit libero CCC, *si* servo, CL poenam subito. Si iniuriam [alteri] faxsit, viginti quinque poenae sunto.

Si nox furtum faxsit, si im occisit, iure caesus esto.

Si adorat furto, quod nec manifestum erit, *duplione damnum decidito.*

Patronus si clienti fraudem fecerit, sacer esto.

Qui se sierit testarier libripensve fuerit, ni testimonium fariatur, inprobus intestabilisque esto.

X. Hominem mortuom in urbe ne sepelito neve urito.

Hoc plus ne facito ; rogum ascea ne polito. Mulieres genas ne radunto, neve lessum funeris ergo habento. Homini mortuo ne ossa legito, quo post funus faciat. Qui coronam parit ipse pecuniave eius *honoris* virtutisve ergo, *si* arduitur ei *parentique eius, se fraude esto.* Neve aurum addito ; cui auro dentes iuncti escunt, ast im cum illo sepeliet uretve, se fraude esto.

XII. Si vindiciam falsam tulit, sive litis . . . *prae*tor arbitros tris dato, eorum arbitrio . . . fructus duplione damnum decidito.

Ap. Porphyr. ad Hor. Sat. I, ix, 76 ; *Gell.,* XX, i ; *Fest.,* s. v. *struere, portum, vindiciae, etc. ; Cic. De Leg.,* II, iv, xxiii, xxiv ; *et al.*

4. Epitaph of L. Cornelius Scipio Barbatus, cos. 298 B. C.

Cornéliús Lucíus Scípió Barbátus,
Gnaivód patré prognátus, fórtis vír sapiénsque,
Quoiús formá vírtutei parísuma fúit,
Consól, censór, aidílis queí fuít apúd vos.
Taurásiá, Cisaúna Sámnió cépit ;
Subigít omné Loucánam ópsidésque abdoúcit.[1]

Inscr.

5. Columna Rostratá of C. Duilius, cos. 260 B. C.

. . . *Secest*anos*que* . . . *ops*idione*d* exemet, lecione*sque* Car-
*tacini*ensis *omn*is *ma*ximosque macistratos *luc*i *pa*lam *post*
*dies n*ovem castreis exfociont, Macel*a*mque *opidom p*ucnandod
cepet.   Enque eodem mac*istratud bene r*em navebos marid
consol primos *ceset*, *c*o*pias*que *c*lasesque navales primos ornavet
para*vet*que.   Cumque eis navebos claseis Poenicas omn*is*, *item*
*max*umas copias Cartaciniensis, praesente*d Hanibaled* dic-
tatored olorom, in altod marid pucn*andod vicet. At*que nav*eis*
*cep*et cum socieis septer*esmom unam, quinqueresm*osque trires-
mosque naveis XXX, *merset XIII. Auro*m captom numei
ⓍⓍⓍDCC.   *Arcen*tom, captom, praeda, numei Ⓛ [Ⓜ] . . .
*Primos q*uoque navaled praedad poplom *donavet, primosque*
Cartacin*iensis incen*uos d*uxit in triumpod* . . .

Inscr.

6. Epitaph of L. Cornelius Scipio, cos 259 B. C.

Honc oíno ploírumé coséntiónt Rom*ái*
Duonóro óptumó fuíse viró *viróro*
Lucíom Scípióne.   Fíliós Barbáti,
Consól, censór, aidílis híc fuét a*púd vos.*
Hec cépit Córsica Áleriáque urbé *pugnándod ;*
Dedét Témpestátebus aíde méreto*d vótam.*[1]

Inscr.

[1] Cf. Allen, ' Remnants of Early Latin,' pp. 22, 23.

LIVIUS ANDRONICUS, 284–204 B. C.

7. Fragments from Translation of the Odyssey.

Virúm mihí, Caména, ínsecé versútum.
>   *Hom. Od.*, I, 1; *ap. Gell.*, XVIII, ix, 5.

Ibí manéns sedéto, dónicúm vidébis
Me cárpentó vehéntem dómum venísse pátris.
>   *Id.*, VI, 295, 296 ; *ap. Charis.*, II, p. 197, K.

Namqué nullúm plus córpus mácerát humánum
Quamdé mare saévom, víres cuí sunt mágnae ; tópper
Confríngent inportúnae úndae.
>   *Id.*, VIII, 138, 139 ; *ap. Fest.*, s. v. *topper*.

Quandó diés advéniet, quem profáta Mórta est.
>   *Id.*, X, 175 ; *ap. Gell.*, III, xvi, 11.

Toppér cití ad aédis vénimús Circái.
Simúl duoná eórum pórtant ád náves ;
Milía aliá in ísdem íntersérinúntur.
>   *Id.*, XII, 9, 17–19 ; *ap. Fest.*, *ubi sup.*

CN. NAEVIUS, 269–199 B. C.

8. Fragments from Tragedies.

Laétus sum laudári me abs te, páter, a laudató viro.
>   *Hector Proficiscens ; ap. Cic.*, *Tus. Disp.*, IV, xxxi, 67.

Vos, quí regalis córporis custódias
Agitátis, ite actútum in frundiferós locos,
Ingénio arbusta ubi náta sunt, non óbsita.
>   *Lycurgus ; ap. Non.*, 323, 1.

Quod tú, mi gnate, quaéso ut in pectús tuum
Demíttas, tamquam in físcinam vindémitor.
>   *Andromacha ; ap. Serv. in Verg. G.* I, 266.

9. Fragments from Comedies.

Ego sémper pluris féci
Potióremque habui líbertatem múlto quam pecúniam.

Agitatoria ; ap. Charis., II, p. 188, P.

Cedo quí vestram rempúblicam tantam ámisistis tám cito ?
Provéniebant orátores noví, stulti adulescéntuli.

Ludus ; ap. Cic., Cat. Mai., vi, 20.

Quae ego ín theatro hic meís probavi plaúsibus,
Ea nón audere quémquam regem rúmpere :
Quantó libertatem hánc hic superat sérvitus !

Tarentilla ; ap. Charis., II, p. 192, P.

Si cúmquam quicquam fílium rescívero
Argéntum amoris caúsa sumpsé mútuum,
Extémplo illo té dúcam, ubi non déspuas.

Triphallus ; ap. Gell., II, xix, 6.

Theodótum compíles, qui [pingens] áras Compitálibus
Sedéns in cella círcumtectus tégetibus
Larés ludentis péni pinxit búbulo.

Tunicularia ; ap. Fest., s. v. *penem.*

Description of a Coquette.

Quáse pila
In choro ludéns datatim dát se et communém facit,
Álii adnutat, álii adnictat, álium amat, aliúm tenet.
Álibi manus est óccupata, álii percellít pedem,
Ánulum alii dát spectandum, á labris alium ínvocat,
Cum álio cantat, át tamen alii suó dat digito lítteras.

Tarentilla ; ap. Isidor., Orig., I, 25.

10. Fragments from the " Punic War."

Postquámde avés aspéxit ín templo Ánchísa,
Sacra ín mensá Penátium órdiné ponúntur :
Tum víctimam ímmolábat aúreám púlchram.

Lib. I., *ap. Prob. in Verg. Ecl.* vi, 31.

Ámborum úxóres
Noctú Troiád exíbant cápitibús opértis,
Flentés ambaé, abeúntes lácrimis cúm múltis.
Id., ap. Serv. in Verg. Aen. iii, 10.

Senéx fretús pietátei tum ádlocútus súmmi
Deúm regís frátrem Neptúnum régnatórem
Marúm.
Id., ap. Prisc., vii, p. 352 H. (p. 770 P.).

Blánde ét dócte pércóntat,
Aenéa quó pácto Tróiam urbém líquísset.
Id., ap. Non., 474, 6.

Ineránt expréssa signa quó modó Titáni,
Bicórporés Gigántes mágniqué Atlántes,
Runcús atqué Purpúreus fílií térras.
Incert. lib., ap. Prisc., vi, p. 198 H. (p. 679 P.).

Manúsque súsum ad caélum sústulít suás rex
Amúliús divísque grátulábátur.
Lib. I, *ap. Non.*, p. 116.

Deindé polléns sagíttis, ínclutús arquítenens,
Sanctús Delphís prognátus Pýthiús Apóllo.
Lib. II, *ap. Macrob., Sat.* vi, 5, 8.

Seséque eí períre mávolúnt ibídem
Quam cúm stupró redíre ád suós populáres.
Lib. IV, *ap. Fest.*, s. v. *stuprum.*

Sin íllos déseránt fortíssimós virórum,
Magnúm stuprúm pópulo fíeri pér géntis.
Id., ap. Fest., ibid.

Transít Melitám Románus, ínsulam íntegram ; óram
Urít, populátur, vástat ; rem hóstiúm concínnat.
Id., ap. Non., p. 90.

Conferreque aut ratem aeratam, qui perit et
Qui dum mare sudantes eunt atque sedantes.
Id., ap. Varr., L. L., vii, 23.

11. His Own Epitaph.

Inmórtalés mortáles sí forét fas flére,
Flerént divaé Caménae Naéviúm poétam.
Itaqué postquám est Órchi tráditús thesaúro,
Oblíti súnt Romaé loquiér linguá Latína.

Ap. Gell., I, xxiv, 2.

T. MACCIUS PLAUTUS, 254–184 B. C.

12. A Battle Scene.

Póstquam utrimque éxitum est máxuma cópia,
Díspertití viri, díspertiti órdines,
Nós nostros móre nostro ét modo instrúximus ;
Hóstes contrá suas légiones ínstruont.
Deínde uterque ímperatór in medium éxeunt
Éxtra turbam órdinum, cónlocuntúr simul.
Cónvenit, vícti utri sínt eo proélio,
Úrbem, agrum, arás, focos séque uti déderent.
Póstquam id actúm est, tubae cóntra utrímque óccanunt,
Cónsonat térra ; clamórem utrimque écferunt ;
Ímperatór uterque hínc et illínc Iovi
Vóta suscípere, uterque hórtari exércitum ;
Pró se quisque íd, quod quisque ét potest ét valet,
Édit, ferró ferit.　Téla frangúnt ; boat
Caélum fremitú virum.　Ex spíritu atque hálitu
Nébula constát ; cadunt vólnerum ví viri.
Dénique, ut vóluimus, nóstra superát manus ;
Vícimus ví feroces.
Hóstes crebrí cadunt ; nóstri contra íngruont,
Ín fugam séd tamen némo convórtitur,
Néc recedít loco, quín statim rém gerat.

Ánimam omittúnt prius, quám loco démigrent.
Quísque, ut steterát, iacet óbtinetque órdinem.   —   E, Suppl. ?
Hóc ubi Amphítruo erus cónspicatú'st meus,
Ílico equités iubet déxtera inváde re.
Équites parént citi ; ab déxtera máxumo
Cúm clamore ínvolant, ínpetu alacrí ruont,
Foédant et próterunt hóstium cópias
Iúre iniustas.

Amph., I, i, 64–92.

13. An Honest Old Servant is convinced that he is not Himself.

(Sosia, *Servus ;* Mercurius)

So. Sí tu Sosia és, legiones quóm pugnabant máxume,
Quíd in tabernacló fecisti ? Víctus sum, si díxeris.

Me. Cádus erat ibi víni ; índe inplevi hírneam ——   *So.* In-   ✕
    gressúst viam !

Me. Éam ego vini, ut mátre natum fúerat, eduxí meri.

So. Míra sunt, nisi látuit intus íllic in illac hírnea !
Fáctum est illud, út ego illic vini hírneam ebiberím meri.

Me. Quíd nunc ? vincon' árgumentis, té non esse Sósiam ?

So. Tú negas med ésse ?   *Me.*   Quid ego ní negem, qui egomét
    siem ?

So. Quís ego sum saltém, si non sum Sósia ? te intérrogo.

Me. Úbi ego Sosiá nolim esse, tu ésto sane Sósia ;
Núnc, quando ego sum, vápulabis, ni hínc abis, ignóbilis !

So. Cérte edepol, quom illúm contemplo et fórmam cognoscó
    meam,
Quemádmodum ego sum (saépe in speculum inspéxi), nimis
    similést mei ;
Ítidem habet petasum ác vestitum ; tám consimilest átque ego,
Súra, pes, statúra, tonsus, óculi, nasum, vél labra,
Málae, mentum, bárba, collus : tótus — quid verbís opust ?
Sí tergum cicátricosum, níhil hoc simili est símilius.
Séd quom cogito, équidem certo idém sum, qui sempér fui.
Nóvi erum, novi aédis nostras ; sáne sapio et séntio.
Nón ego illi obtémpero, quod lóquitur ; pultabó foris.

Me. Quó agis te? *So.* Domúm. *Me.* Quadrigas sí nunc in-
    scendás Iovis,
Átque hinc fugias, íta vix poteris éffugere infortúnium.
So. Nón erae meae núntiare, quód erus meus iussít, licet?
Me. Tuaé si quid vis núntiare ; hanc nóstram adire nón sinam.
Nám si me irritássis, hodie lúmbifragium hinc aúferes.
So. Ábeo potius.   Di ínmortales, óbsecro vostrám fidem,
Úbi ego perii? ubi ínmutatus sum? úbi ego formam pérdidi?
Án egomet me illíc reliqui, sí forte oblitús fui?
Nam híc quidem omnem imáginem meam, quae ántehac fuerat,
    póssidet.
Vívo fit, quod númquam quisquam mórtuo faciét mihi.

                            Amph., I, i, 271–279, 282–303.

14. A CLEVER SLAVE DEBATES HOW TO GET MONEY FOR HIS MASTER.

Hércle vero, Líbane, nunc te méliust expergíscier!
Átque argento cónparando fíngere falláciam.
Iám diust factúm, quóm discesti áb ero atque abiisti ád forum ;
Ígitur inveniúndo argento ut fíngeres falláciam,
Íbi tu ad hoc diéi tempus dórmitasti in ótio.
Quín tu abs te socórdiam omnem réicis, segnitiem ámoves,
Átque ad ingeniúm vetus vorsútum te recipís tuom?
Sérva erum ; cave tú idem faxis, álii quod serví solent,
Quí ad eri fraudátionem cállidum ingeniúm gerunt.
Únde sumam? quem íntervortam? quo hánc celocem cón-
    feram?
Ínpetritum, inaúguratum est; quóvis admittúnt aves.
Pícus et cor níx ab laeva, córvos, parra ab déxtera
Cónsuadent.   Certum hércle est, vostram cónsequi senténtiam.
Séd quid hoc, quod pícus ulmum túndit?   Haud temerárium
    est.
Cérte hercle, ego quantum éx augurio aúspicii intéllego,
Aút mihi in mundó sunt virgae, aut átriensi Saúreae.
Séd quid illuc, quod éxanimatus cúrrit huc Leónida?
Métuo, quod illic óbscaevavit méae falsae falláciae.

                                        Asin., II, i.

15. The Disadvantages of marrying for Money.

(Megadorus, Senex ; Euclio, Senex.)

Me. Nulla ígitur dicat: Équidem dotem ad te ádtuli
Maiórem multo, quám tibi eiat pecúnia ;
Enim míhi quidem aequom est púrpuram atque aurúm dari,
Ancíllas, mulos, múliones, pédisequos,
Salútigerulos púeros, vehicla, quí vehar.
Eu. Ut mátronarum hic fácta pernovít probe !
Moríbus praefectum múlierum hunc factúm velim.
Me. Nunc quóquo venias, plús plaustrorum in aédibus
Videás, quam ruri, quándo ad villam véneris.
Sed hoc étiam pulcrum est, praé quam úbi sumptús petunt ;
Stat fúllo, phrygio, aúrifex, linárius,
Caupónes, patagiárii, indusiárii,
Flammárii, violárii, carinárii,
Aut mánulearii, aút murobathárii,
Propólae, linteónes, calceolárii,
Sedentárii sutóres, diabathrárii,
Soleárii adstant, ádstant molocinárii ;
Petúnt fullones, sárcinatorés petunt ;
Strophiárii adstant, ádstant semisonárii.
Iam hosce ábsolutos cénseas : cedúnt, petunt,
Trecénti item alii ; stánt phylacistae in átriis,
Textóres, limbolárii, arculárii.
Ducúntur ; datur aes ; ábsolutos cénseas,
Quom incédunt infectóres corcotárii,
Aut áliqua mala crux sémper est, quae aliquíd petat.
Eu. Conpéllarem ego illum, ní metuam, ne désinat
Memoráre mores múlierum ; nunc síc sinam.
Me. Ubi núgigerulis rés soluta est ómnibus
Pro illís crocotis, stróphiis, sumpto uxório,
Ibi ád postremum cédit miles, aés petit.
Itúr, putatur rátio cum argentário ;
Milés inpransus ádstat, aes censét dari.
Ubi dísputata est rátio cum argentário,
Etiám plus ipsus ultro débet argentário.

Spes prórogatur míliti in aliúm diem.

Hae súnt atque aliae múltae in magnis dótibus
Incómmoditates súmptusque intolerabiles.

Nam quae índotata est, éa in potestate ést viri ;
Dotátae mactant ét malo et damnó viros.

Aul., III, v, 24–61

16. A Parasite's Complaint.

Ílicet parasíticae arti máxumam malám crucem !
Íta iuventus iám ridiculos ínopes ab se ségregat.
Níl morantur iám Lacones, ími subsellí viros,
Plágipatidas, quíbus suut verba síne penu et pecúnia ;
Eós requirunt, quí, lubenter quom éderint, reddánt domi.
Ípsi obsonaut, quaé parasitorum ánte erat província ;
Ípsi de foró tam aperto cápite ad lenonís eunt,
Quam ín tribu ante apérto capite sóntis condemnánt reos.
Néque ridiculos iám terunci fáciunt ; sese omnés amant.
Nám ego út dudum hinc ábii, accessi ad ádulescentis ín foro ;
'Sálvete,' inquam ; 'quo ímus,' inquam, 'ad prándium ? ' —
        Atque illí tacent.
'Quís ait " Huc," aut quís profitetur ? '   ínquam. — Quasi mutí
        silent,
Néque me rident.   'Úbi cenamus úna ? ' ínquam.   Atque illi
        — ábnuont.
Díco unum ridículum dictum dé dictis melióribus,
Quíbus solebam ménstrualis épulas ante adipíscier.
Némo ridet.   Scívi extemplo, rém de conpectó geri,
Né canem quidem ínritatam vóluit quisquam imitárier,
Sáltem, si non ádriderent, déntis ut restríngerent.
Ábeo ab illis, póstquam video mé sic ludificárier ;
Pérgo ad alios ; vénio ad alios, déinde ad alios : úna res !
Ómnes de conpécto rem agunt, quási in Velabro oleárii.
Ítem alii parasíti frústra obámbulabant ín foro.
Núnc barbarica lége certumst iús meum omne pérsequi ;
Qui ín consilium iére, quo nos víctu et vita próhibeant,
Ís diem dicam, ínrogabo múltam, ut mihi cenás decem
Meo árbitratu dént, quom cara annóna sit.   Sic égero !

Capt., III, i, 9–29, 31–35.

17. Casting Lots for a Wife.

(Chalinus *and* Olympio, *rival suitors ;* Lysidamus *and his wife* Cleostrata *act as Umpires.*)

Lys. Naúgaé! Cave! Conícite sortis núnciam ambo huc.
 Ol., Ch. Éccere.
Lys. Úxor, aequa. *Ol.* Nóli uxori crédere. *Lys.* Habe
 animúm bonum.
Ol. Crédo hercle, hodie dévotabit sórtis, si attigerít. *Lys.* Tace.
Ol. Táceo. Deos quaeso—— *Ch.* Út quidem tu hodie ét
 canem et furcám feras.
Ol. Míhi ut sortito evéniat——. *Ch.* Ut quidem, hércle,
 pedibus péndeas.
Ol. Át, tu ut oculos émungare ex cápite per nasúm tuos.
Ch. Quíd times? parátum oportet ésse iam laqueúm tibi.
Ol. Périisti! *Lys.* Animum advórtite ambo. *Ol.* Táceo.
 Lys. Nunc tu, Cleóstrata,
Ne á me memores málitiose de hác re factum, aut súspices,
Tíbi permitto; túte sorti. *Ol.* Pérdis me! *Ch.* Fació lucrum.
Lys. Hóc age, sis, Olýmpio! *Ol.* Si hic lítteratus mé sinat.
Lys. Quód bonum atque fórtunatum sít. *Ol.* Mihi. *Lys.* Ita
 vero; ét mihi.
Ch. Nón! *Ol.* Immo hercle! *Ch.* Immó mihi hercle!
 Cl. Hic víncet; tu vivés miser.
Lys. Pércide os tu ílli ódio! Age! ecquid fít? *Cl.* Cave
 obiexís manum!
Ol. Cómpressan' palma, án porrecta, fério? *Lys.* Age, ut vis.
 Ol. Ém tibi.
Cl. Quíd tibi istunc táctio est? *Ol.* Quia Iúppiter iussít meus.
Cl. Féri malam, ut ille. *Ch.* Em rúrsum! *Ol.* Perii, púgnis
 caedor, Iúppiter!
Lys. Quíd tibi tactio húnc fuit? *Ch.* Quia iússit haec Iunó
 mea.
Lys. Pátiundum est, siquidém me vivo mea úxor imperium
 éxhibet.
Cl. Tam húic loqui licére oportet, quam ísti. *Ol.* Cur omén
 mihi
Vítuperat? *Lys.* Maló, Chaline, tíbi cavendum cénseo.

Ch. Témperi, postquam óppugnatum est ós ! *Lys.* Age, uxor,
   núnciam
Sórti. Vos advórtite animum. *Ol.* Praé metu, ubi sim, néscio.
Lys. Périi! cor lienósum, opinor, hábeo ; iamdudúm salit ;
Dé labore péctus tundit. *Cl.* Téneo sortem. *Lys.* Ecfér
   foras !
Ch. Iámne mortuó's? *Ol.* Ostende ! Mea ést. *Ch.* Male
   excruciás. Quid est ?
Cl. Víctus es, Chalíne. *Lys.* Quom nos dí iuvere, Olýmpio,
Gaúdeo. *Ol.* Pietáte factum est mea átque maiorúm meum.
Lys. Íntro abi, uxor, átque adorna núptias.

Cas. II, vi, 34–43, 49–67.

18. A Gentleman of the Old School complains that the Old-fashioned Strictness of Educational Discipline is unduly relaxed.

(Lydus, *Paedagogus* ; Philoxenus, *Senex.*)

Phi. Éia, Lyde, léniter qui saéviunt, sapiúnt magis.
Mínus mirandum est, íllaec aetas sí quid illorúm facit,
Quám si non faciát. Feci ego istaec ítidem in adulescéntia.
Ly. Éi mihi, ei mihi ístaec illum pérdidit adsentátio !
Nam ábsque te esset, égo illum haberem réctum ad ingeniúm
   bonum ;
Núnc propter te tuámque pravos fáctus est fidúciam.

. . . .

Phi. Lýde, paulispér lubido est hómini suo animo óbsequi ;
Iam áderit tempus, quóm sese etiam ipse óderit Morém geras.
Dúm caveatur, praéter aequom né quid delinquát, sine.
Ly. Nón sino, neque équidem illum me vívo corrumpí sinam.
Séd tu, qui pro tám corrupto dícis causam fílio,
Éademne erat haec dísciplina tíbi, quom tu adulescéns eras ?
Négo, tibi hoc anní s viginti fuísse primis cópiae,
Dígitum longe a paédagogo pédem ut ecferres aédibus.
Íd quom optigerat, hóc etiam ad malum ácersebatúr malum,
Ét discipulus ét magister pérhibebantur ímprobi.
Ánte solem nísi tu exorientem ín palaestram véneras,
Haúd gymnasi praefécto mediócris poenas pénderes.

Íbi equo, cursu, lúctando, hasta, dísco, pugilatú, pila,
Sáliendo, sese éxercebant mágis, quam scorto aut sáviis.
Íbi suam aetatem éxtendebant, nón in latebrosís locis.
Índe de hippodromo ét palaestra úbi revenissés domum,
Cíncticulo praecínctus in sella ápud magistrum adsíderes
Cúm libro, ut legerés.   Si hercle unam péccavisses sýllabam,
Fíeret corium tám maculosum, quam ést nutricis pállium.

. . . .

Phi. Álii, Lyde, núnc sunt mores.   *Ly.* Íd equidem ego certó
   scio.
Nam ólim populi príus honorem cápiebat suffrágio,
Quám magistro désinebat ésse dicto obédiens ;
Át nunc priusquam séptuennis ést, si attingas eúm manu,
Éxtemplo puer paédagogo tábula disrumpít caput.
Quóm patrem adeas póstulatum, púero sic dicít pater :
' Nóster esto, dúm te poteris défensare iniúria.'
Próvocatur paédagogus : 'Ého, senex minumí preti,
Ne áttigas puerum ístac causa, quándo fecit strénue.'
Íta magister, quási lucerna, úncto expretus línteo ;
Ágitur illinc iúre dicto.   Hócine hic pactó potest
Ínhibere imperiúm magister, si ípsus primus vápulat ?

Bacch., III, iii, 4–9, 12–30, 33–44.

19. Menaechmus mistaken for his Brother.

(Menaechmus Sosicles ; Peniculus, *Parasitus.*)

Me. Aduléscens, quaeso, quíd tibi mecum ést rei,
Mihi quí male dicas, hómini hic ignoto, ínsciens ?
An tíbi malam rem vís pro maledictís dari ?
Pe. Pol eám quidem modo té dedisse intéllego.
Me. Respónde, adulescens, quaéso, quid nomén tibi est ?
Pe. Etiám derides, nón quasi nomen nóveris ?
Me. Non édepol ego te, quód sciam, umquam ante húnc diem
Vidí neque novi ; vérum certo, quísquis es,
Eás si aéquom facias, míhi odiosus né sies.
Pe. Non mé novisti ?   *Me.* Nón negem, si nóverim.
Pe. Menaéchme, vigila !   *Me.* Vígilo hercle equidem, quód
   sciam.

Pe. Tuóm parasitum nón novisti ?   *Me.* Nón tibi
Sanúm est, adulescens, sínciput, ut intéllego.
Pe. Respónde : surripuístin' uxorí tuae
Pallam ístanc hodie, atque eám dedisti Erótio ?
Me. Neque hércle ego uxorem hábeo, neque ego Erótio
Dedí, nec pallam súrpui.   Satin' sánus es ?
Pe. Occísa est haec res !   Nón ego te indutúm foras
Exíre vidi pállam ?   *Me.* Vae capití tuo !
Tun' méd indutum fuísse pallam praédicas ?
Pe. Ego hércle vero.   *Me.* Nón tu abis, quo dígnus es,
Aut té piari iúbe, homo vesaníssume ?
Pe. Numquam édepol quisquam me éxorabit, quín tuae
Uxórei rem omnem iam, út siet gesta, éloquar.
Omnés in te istaec récident contuméliae.
Faxo haúd inultus prándium comédereis.

Men., III, ii, 29–55

20. A Braggart Captain and his Parasite.

(Artotrogus, *Parasitus ;* Pyrgopolinices, *Miles.*)

Ar. Quid ín Cappadocia, úbi tu quingentós simul,
Ni hebés máchaera fóret, uno ictu occíderas ?
Py. At péditastelli quía erant, sivi víverent.
Ar. Quid tíbi ego dicam, quód omnes mortalés sciunt,
Pyrgópolinicem te únum in terra vívere
Virtúte et forma et fáctis invictíssumum?
Amánt ted omnes múlieres, neque iniúria,
Qui sís tam pulcer ; vél illae, quae here pállio
Me réprehenderunt.   *Py.* Quíd eae dixerúnt tibi ?
Ar. Rogitábant : ' Hicine Achílles est ? ' inquít mihi.
' Immo éius frater,' ínquam, ' est.'   Ibi illarum áltera :
' Ergó mecastor púlcer est,' inquít mihi,
' Et líberalis.   Víde, caesaries quám decet.
Ne illaé sunt fortunátae, quae cum istó cubant ! '
Py. Itane aíbant tandem ?   *Ar.* Quaén' me ambae obsecráverint,
Ut te hódie quasi pompam íllac praeterdúcerem ?
Py. Nimiá est miseria, nímis pulcrum esse hominem.

Ar. Molestaé sunt; orant, ámbiunt, exóbsecrant,
Vidére ut liceat; ád sese arcessí iubent,
Ut tuó non liceat óperam dare negótio.

Mil. Gl., I, i, 52–71.

21. A LADY'S TOILET.

Negóti sibí qui volét vim paráre,
Navem ét mulierem, haéc sibi duó comparáto.
Nam núllae magís res duaé plus negóti
Habént, forte si ócceperís exornáre;
Neque úmquam sat ístae duaé res ornántur,
Neque eís ulla ornándi satís satietás est.
Atque haéc ut loquór, nunc domó docta díco.
Nam nós usque ab aúrora ad hóc quod diéi est
Ex índustria ámbae númquam concessámus
Lavári, aut fricári, aut tergéri, aut ornári,
Políri, expolíri, pingí, fingi; et úna
Binaé, singulís quae dataé sunt ancíllae,
Eaé nos lavándo, eluéndo, operam déderunt;
Aggerúndaque aquá sunt virí duo deféssi.
Apáge sis, negóti quantum ín muliere úna est!

Poen., I, ii, 1–15.

22. THE DANGER OF MAKING LOVE BY PROXY.

(Agorastocles, *Adulescens;* Milphio, *Servus;* Adelphasium,
Meretrix.)

Ag. Iam hércle tu perísti, ni illam míhi tam tranquillám facis,
Quám mare olimst, quóm ibi alcedo púllos educít suos.
Mi. Quíd faciam? *Ag.* Exorá, blandire, pálpa! *Mi.* Faci-
am sédulo;
Séd vide, sis, ne tu óratorem hunc púgnis pectas póstea.
Ag. Nón faciam. *Ad.* Non aéques in me es; séd morare et
mále facis.
Béne promittis múlta ex multis; ómnia incassúm cadunt.
Líberare iúravisti me haúd semel, sed céntiens.
Dúm te exspecto, néque ego usquam aliam míhi paravi cópiam,

Néque istuc usquam appáret. Ita nunc sérvio nihiló minus.
Í, soror. Abscéde tu a me. *Ag.* Périi! Ecquid ais, Mílphio?
Mi. Méa voluptas, méa delicia, méa vita, mea amoénitas,
Méus ocellus, méum labellum, méa salus, meum sávium,
Méum mel, meum cor, méa colustra, méus molliculus cáseus —
Ag. Méne ego illaec patiár praesente díci? Discruciŏr miser,
Nísi ego íllum iubeó quadrigis cúrsim ad carnuficém rapi!

. . . .

Nón ego homo trióboli sum, nísi ego illi mastígiae
Exturbo oculos átque dentis! Ém voluptatém tibi!
Ém mel! em cor! ém labellum! ém salutem! em sávium!
Mi. Ímpias, ere, te! óratorem vérberas. *Ag.* Iam istóc magis!
Etiam ocellum addam, ét labellum, et línguam! *Mi.* Ecquid
faciés modi?
Ag. Sícine ego te oráre iussi? *Mi.* Quó modo ergo orém?
Ag. Rogas?
Síc enim dicerés, sceleste: Huíus voluptas, te ópsecro,
Huíus mel, huius cor, huíus labellum, huiús lingua, huius
sávium,
Huíus colustra, húius dulciculus cáseus, mastígia!
Ómnia illa, quaé dicebas túa esse, memorarés mea.
Mi. Ópsecro hercle té, voluptas húius atque odiúm meum,
Húius amica mámmeata, méa inimica et málevola,
Óculus huius, líppitudo méa, mel huius, fél meum,
Út tu aut huic iráta ne sis, aút, si id fieri nón potest,
Cápias restim ac té suspendas quóm ero et vostra fámilia!
Nám mihi iam videó propter te víctitandum sórbilo,
Itaque iam quasi óstreatum térgum ulceribus géstito,
Própter amorem vóstrum. *Ad.* Amabo, mén' prohibere pós-
tulas,
Né te verberét, magis quam ne méndax me advorsúm siet?
Mi. ~~*Ad.*~~ Vérum. ~~*Ad.*~~ Etiam tibi hánc amittam nóxiam unam, Agorá-
stocles.
Nón sum irata. *Ag.* Nón es? *Ad.* Non sum. *Ag.* Da érgo,
ut credam, sávium.
Ad. Móx dabo, quom ab ré divina rédiero. *Ag.* I ergo strénue.
Poen., I, ii, 142–156, 168–193.

23. Example of coining Words.

(Toxilus, Sagaristio, *Servi ;* Dordalus, *Leno.*)

To. Videór vidisse hic fórma persimilém tui,
Eadém statura. *Sa.* Quíppe qui fratér siet.
Do. Sed scíre velimus, quód tibi nomén siet.
To. Quid ádtinet non scíre? *Sa.* Ausculta ergo, út scias :
Vaníloquidorus, Vírginisvendónides,
Nugímeriloquides, Árgentiexterebrónides,
Tedígniloquides, Númmorumexpalpónides,
Quodsémelarripides, Númquampostearéddides.
Do. Heu hércle nomen múltis modis scriptúm est tuom.
Sa. Ita súnt Persarum móres ; longa nómina
Contórtiplicata habémus. Numquid céterum
Voltís ? *Do.* Vale.

Pers., IV, vi, 16–27.

24. An Escape from Shipwreck.

(Sceparnio, *Servus ;* Daemones, *Senex.*)

Sc. Sed, ó Palaemon, sáncte Neptuní comes,
Qui aerúmnae Herculeae sócius esse díceris,
Quod fácinus video ? *Da.* Quíd vides ? *Sc.* Muliérculas
Videó sedentis ín scapha solás duas.
Ut ádflictantur míserae ! — Euge, euge ! pérbene !
Ab sáxo avortit flúctus ad litús scapham,
Nequé gubernator úmquam potuit réctius.
Non vídisse undas mé maioris cénseo.
Salvaé sunt, si illos flúctus devitáverunt.
Nunc, núnc periclum est ; éia eiecit álteram.
At ín vado est ; iam fácile enabit. — Eúgepae !
Viden', álteram illam ut flúctus eiecít foras ?
Surréxit, horsum sé capessit. Sálva res !
Desíluit haec autem áltera in terram é scapha.
Ut praé timore in génua in undas cóncidit !
Salva ést, evasit éx aqua. Iam in lítore est,

Sed déxtrovorsum avórsa it in malám crucem.

Hem, errábit illaec hódie. *Da.* Quid id refért tua ?

Sc. Si ad sáxum, quo capéssit, ea deorsúm cadit,

Errátionis fécerit conpendium.

Da. Si tú de illarum cénaturus vésperi es,

Illís curandum cénseo, Scepárnio ;

Si apúd me esurus es, míhi dari operam mávolo.

Sc. Bonum aéquomque oras. *Da.* Séquere me hac ergó.

  Sc. Sequor.

Rud., I, ii, 71–94.

25. Love is too expensive a Luxury.

Ómnium primum amóris arteis, quem ád modum expediant,
  éloquar.

Númquam amor quemquám nisi cupidum póstulat se hominem
  ín plagas

Cónicere. Eos petit, eós sectatur, súbdole ab re cónsulit ;

Blandíloquentulúst, harpagó, mendax, cúppes,

Despóliator, látebricolarum hóminum corrúmptor.

Celátum indagátor.

Nám qui amat, quod amát quom extemplo eius sáviis percúlsus
  est,

Ílico rés foras lábitur, líquitur.

' Dá mihi hoc, mél meum, sí me amas, si aúdes.'

Átque ibi ille cucúlus · ' O océlle mi, fíat :

Ét istuc et si amplius vís dari, dábitur.'

Íbi pendentém ferit ; iam ámplius órat.

Nón satis id ést mali, ni ámpliust étiam,

Quód bibit, quód comest, quód facit súmpti.

Nóx datur ; dúcitur fámilia tóta :

Véstiplica, unctor, aúri custos, flábelliferae, sándaligerulae,

Cántrices, cistéllatrices, núntii, renúntii,

Raptóres panis ét peni.

Fit ípse, dum illis cómis est,

Inóps amator.

Haéc ego quom cum meo ánimo reputo et récolo,

Ubí qui eget, pretí quam sit párvi,

Ápage, amor, nón places, níl ego ted útor.

Quamquam íllud dulcést, esse et bíbere,
Amór amari dát satis quod aégrest.
Fugít forum, fugát suos cognátos.
Fugát se ipsus áp suo contútu,
Neque eum sibi amicum volunt dici.
Mílle modis amor íguoraudust, prócul abdendus átque apstandust.
Nám qui in amorem praécipitavít, péius perit quasi sáxo saliat.
Ápage te sis, amor ! tuás res tibi habéto.
Ámor, amicús mihi né fuas !
Súnt tamen, quós miseros mísere maleque hábeas,
Quós tibi fécisti obnóxios.
Cérta res ést ad frugem ádplicare ánimum.

Trin., II, i, 10-34.

26. A Purchaser frightened out of a Bargain.

(Stasimus, *Servus :* Philto, *Senex.*)

St.　Per deós atque homines díco, ne tu illúnc agrum
Tuom síris umquam fíeri, neque gnatí tui.
Ei rei árgumenta dícam. *Ph.* Audire edepól lubet.
St.　Primum ómnium, olim térra quom proscínditur,
In quíncto quoque súlco moriuntúr boves.
Ph.　Apage !
St.　Neque úmquam quisquam est, quóius ille agér fuit,
Quin péssume ei res vórterit. Quoiúm fuit,
Alii éxolatum abiérunt ; alii emórtui ;
Alií se suspendére. Em, nunc hic, quóius est,
Ut ad íncitas redáctust ! *Ph.* Apage a me ístum agrum !
St.　Magis ' ápage ' dicas, si ómnia ex me audíveris !
Nam fúlguritae súnt alternas árbores ;
Sués moriuntur ánginad acérrume ;
Ovés scabrae sunt, tám glabrae, em, quam haec ést manus.
Tum autém Surorum, génus quod patientíssumum est
Hominúm, nemo exstat, qui íbi sex menses víxerit ;
Ita cúncti solstitiáli morbo décidunt.
Ph.　Credo égo istuc, Stasime, ita ésse ; sed Campáns genus
Multó Surorum iam ántidit patiéntiam.
Sed is ést ager profécto, ut te audiví loqui,

Malós in quem omnes públice mittí decet.
Sicút fortunatórum memorant ínsulas,
Quo cúncti, qui aetatem égerínt casté suam,
Convéniant : contra istóc detrudi málefícos
Aequóm videtur, quí quidem istius sít modi.
St. Hospítium est calamitátis. Quid verbís opust ?
Quamvís malam rem quaéras, illic réperias.
Ph. At tu hércle et illi et álibi. *St.* Cave, sis, díxeris,
Me tíbi dixisse hoc. *Ph.* Díxti tu arcanó satis.
St. Quin híc quidem cupit illum ápse abalienárier,
Si quém reperire póssit, quoii os súblinat.
Ph. Meus quídem hercle numquam fíet. *St.* Si sapiés quidem.
Lepide hércle de agro ego húnc senem detérrui.

Trin., II, iv, 119–124, 132–159.

---

27. SENATUS CONSULTUM DE BACCHANA-LIBUS, 186 B. C.

Q. Marcius L. f., S. Postumius L. f., cos., senatum consolue-runt n. Octob. apud aedem Duelonai. Sc. arf. M. Claudi M. f., L. Valeri P. f., Q. Minuci C. f.

De Bacanalibus quei foideratei esent, ita exdeicendum cen-suere :

Nei quis eorum *B*acanal habuise velet. Sei ques esent, quei sibei deicerent necesus ese Bacanal habere, eeis utei ad prae-torem urbanum Romam venirent deque eeis rebus, ubei eorum *verb*a audita esent, utei senatus noster decerneret, dum ne minus senatorbus C adesent, *quom* *e*a res cosoleretur. Bacas vir nequis adiese velet ceivis Romanus neve nominus Latini neve socium quisquam, nisei praetorem urbanum adiesent, isque *d*e senatuos sententiad, dum ne minus senatoribus C adesent, quom ea res cosoleretur, iousis*e*t. Ce*n*suere :

Sacerdos nequis vir eset. Magister neque vir neque mulier quisquam eset. Neve pecuniam quisquam eorum comoine*m* *h*abuise ve*l*et, neve magistratum neve promagistratu*d* neque virum *neque mul*ierem quiquam fecise velet. Neve posthac

inter sed coniourase *nev*e comvovise neve conspondise neve con-
promesise velet, neve quisquam fidem inter sed dedise velet.
Sacra in *o*quoltod ne quisquam fecise velet, neve in poplicod
neve in preivatod neve exstrad urbem sacra quisquam fecise
velet, nisei praetorem urban'um adieset, isque de senatuos sententiad, dum ne minus senatoribus C adesent, quom ea res cosoleretur, iousiset. Censuere :

Homines plous V oinvorsei virei atque mulieres sacra ne quisquam fecise velet, neve inter ibei virei plous duobus, mulieribus
plous tribus, arfuise velent, nisei de praetoris urbani senatuosque
sententiad, utei suprad scriptum est.

Haice utei in coventionid exdeicatis ne minus trinum noundi-
num ; senatuosque sententiam utei scientes esetis, eorum sententia ita fuit : sei ques esent, quei arvorsum ead fecisent, quam
suprad scriptum est, eeis rem caputalem faciendam censuere ;
atque utei hoce in tabolam ahenam inceideretis, ita senatus
aiquom censuit ; uteique eam figier ioubeatis ubei facilumed
gnoscier potisit ; atque utei ea Bacanalia, sei qua sunt, exstrad
quam sei quid ibei sacri est, ita utei suprad scriptum est, in
diebus X, quibus vobeis tabelai datai erunt, faciatis utei dismota
sient. In agro Teurano.[1]

Inscr.

----

28. EPITAPH OF P. CORNELIUS SCIPIO, PROB-
    ABLY SON OF AFRICANUS MAJOR, AUGUR
    180 B. C.

Quei ápice insígne Diál*is fl*áminís gesístei,
Mors pérfec*it* tua ut éssent ómniá brévia,
Honós, famá virtúsque, glória átque ingénium ;
Quibús sei in lónga lícu*i*sét tibe útier víta,
Facilé facteís superáses glóriám maiórum.
Quaré lubéns te in grémiu, Scípió, récip*it*
Terrá, Publí, prognátum Públió, Cornéli.

Ins.

[1] See Allen, ‘Remnants of Early Latin,’ pp. 28–31 ; for other references see note on p. 1.

Q. ENNIUS, 239–169 B. C.

29. Dream of ~~Priam~~ Hecuba, and its Interpretation.

. . . Máter gravida párere se ardentém facem
Visa ést in somnis Hécuba ; quo fató pater
Rex ípse Priamus sómnio, mentís metu
Percúlsus, curis saúcius superántibus,
Sic sácrificabat hóstiis balántibus.
Tum cóniecturam póstulat, pacém petens,
Ut se édoceret óbsecrans Apóllinem,
Quo sése vertant tántae sortes sómnium.
Ibi éx oraclo vóce divina édidit
Apóllo, puerum prímus Priamo quí foret
Postílla natus, témperaret tóllere ;
Eum ésse exitium Tróiae, pestem Pérgamo.

Alex., fr. ap. Cic., De Div., I, xxi, 42.

30. Cassandra's Vision.

Hec.   Séd quid oculis rábere visa es dérepente ardéntibus ?
Úbi illa tua paulo ánte sapiens vírginali' modéstia?
Cas.   Máter, optumárum multo múlier melior múlierum,
Maésta sum supérstitiosis áriolatiónibus.
Námque Apollo fátis fandis démentem invitám ciet.
Vírgines aequális vereor, pátris mei meum factúm pudet,
Óptumi virí.   Mea mater, tuí me miseret, meí piget.
Óptumam progéniem Priamo péperisti extra me.   Hóc dolet !
Mén obesse, illós prodesse, me óbstare, illos óbsequi !

.   .   .   .

Ádest, adest fax óbvoluta sánguine atque incéndio !
Múltos annos látuit : cives, férte opem et restínguite !
     Iamqué mari magno clássis cita
     Texítur ; exitium exámen rapit ;
     Advéniet, fera velívolantibu'
     Navíbu' complebit mánu' litora.

Alex., fr. ap. Cic., De Div., I, xxxi, 66, 67.

31. The Sack of Troy.

Quíd petám praésidi aut éxsequár? quóve núnc
Aúxilió éxilí aút fugaé fréta sím?
Árce et úrbe órba súm. Quo áccidám? quo ápplicém?
Cuí nec arae pátriae domi stant, fráctae et disiectaé iacent,
Fána flamma déflagrata, tósti alti stant párietes
Déformati atque ábiete crispa.

O páter, o patria, o Príami domu',
Saeptum áltisono cardíne templum!
Vidi égo te astante ope bárbarica,
Tectís caelatis lácuatis,
Auro, ébore instructam régifice.
Haec ómnia videi inflámmarei,
Priamó vi vitam evítarei,
Iovis áram sanguine túrparei.

Vidí, videre quód me passa aegérrume,
Hectórem curru quádriiugo raptárier,
Hectóris natum dé muro iactárier.

Androm., fr. ap. Cic., Tusc., III, xix, 44, et al.

32. Medea's Nurse deplores Jason's Visit.

Utinám ne in nemore Pélio secúribus
Caesa áccídisset abiégna ad terrám trabes,
Neve índe navis íncohandae exórdium
Coepísset, quae nunc nóminatur nómine
Argó, quia Argívi ín ea delectí viri
Vectí petebant péllem inauratam árietis
Colchís, imperio régis Peliae, pér dolum.
Nam númquam era errans méa domo ecferrét pedem
Medéa, animo aegra, amóre saevo saúcia.

Med. Exul, fr. in Rhet. ad Herenn., II, xxii, 34.

33. Denial of Divine Providence.

Égo deum genus ésse semper díxi et dicam caélitum,
Séd eos non curáre opinor, quíd agat humanúm genus ;
Nám si curent, béne bonis sit, mále malis, quod núnc abest.

> Telam., fr. ap. Cic., De Div., II, 1, 104, et De Nat. Deor.,
> III, xxxii, 79.

34. A Warning against Religious Quacks.

Séd superstitiósi vates ínpudentesque árioli,
Aút inertes aút insani aut quíbus egestas ímperat,
Quí sibi semitám non sapiunt, álteri monstránt viam,
Quíbu' divitias póllicentur, áb eis drachumam ipsí petunt.
De hís divitiis síbi deducant dráchumam, reddant cétera.

> Telam., fr. ap. Cic., De Div., I, lviii, 132.

35. Ilia's Dream.

Eccita cum tremulis anus attulit artubu' lumen,
Talia tum memorat lacrimans, exterrita somno :
' Eurydica prognata, pater quam noster amavit,
Vires vitaque corpu' meum nunc deserit omne.
Nam me visus homo pulcher per amoena salicta
Et ripas raptare locosque novos.   Ita sola
Postilla. germana soror, errare videbar
Tardaque vestigare et quaerere te, neque posse
Corde capessere ; semita nulla pedem stabilibat.
Exim compellare pater me voce videtur
His verbis : "O gnata, tibi sunt ante ferendae
Aerumnae, post ex fluvio fortuna resistet."
Haec ecfatu' pater, germana, repente recessit
Nec sese dedit in conspectum corde cupitus,
Quamquam multa manus ad caeli caerula templa
Tendebam lacrumans et blanda voce vocabam.
Vix aegro cum corde meo me somnu' reliquit.'

> Ann., ap. Cic., De Div., I, xx, 40.

36. Romulus and Remus.

Remus auspicio se devovet atque secundam
Solus avem servat.   At Romulu' pulcher in alto
Quaerit Aventino laevum genus altivolantum.
Certabant, urbem Romam Remoramne vocarent.
Omnibu' cura viris, uter esset induperator.
Expectant veluti, consul cum mittere signum
Volt, omnes avidi spectant ad carceris oras,
Quam mox emittat pictis e faucibu' currus :
Sic exspectabat populus atque ora tenebat
Rebus, utri magni victoria sit data regni.
Interea sol albu' recessit in infera noctis.
Exin candida se radiis dedit acta foras lux ;
Et simul ex alto longe pulcherruma praepes
Laeva volavit avis, simul aureus exoritur sol.
Cedunt de caelo ter quattor corpora sancta
Avium, praepetibus sese pulchrisque locis dant.
Conspicit inde sibi data Romulus esse propritim
Auspicio regni stabilita scamna solumque.

Ann., ap. Cic., De Div., I, xlviii, 107.

37. Woodcutters at Work.

Incedunt arbusta per alta, securibu' caedunt,
Percellunt magnas quercus, exciditur ilex,
Fraxinu' frangitur atque abies consternitur alta.
Pinus proceras pervortunt.   Omne sonabat
Arbustum fremitu silvai frondosai.

Ann , ap. Macrob., Sat. VI, 2, 27.

38. Speech of Pyrrhus as to restoring the Roman Prisoners.

Nec mi aurum posco nec mi pretium dederitis !
Nec cauponantes bellum, sed belligerantes,
Ferro, non auro vitam cernamus utrique !
Vosne velit an me regnare era quidve ferat Fors,

Virtute experiamur.   Et hoc simul accipe dictum :
Quorum virtuti belli fortuna pepercit,
Eorundem me libertati parcere certumst.
Dono, ducite, doque volentibu' cum magnis dis.

Ann., ap. Cic., De Off., I, xii, 38.

39. A Character.

Haece locutu' vocat, quoi tum bene saepe libenter
Mensam sermonesque suos rerumque suarum
Inpartit cumulum, magnam cum lassu' diei
Partem fuisset de summis rebu' regundis
Consilio indu foro lato sanctoque senatu ;
Cui res audacter magnas parvasque iocumque
Eloqueretur, uti iuxta malaque et bona dictu
Evomeret, si qui vellet, tutoque locaret,
Prudenter quod dicta loquive tacereve posset ;
Quocum multa volup ac gaudia clamque palamque ;
Ingenium, cui nulla malum sententia suadet
Ut faceret facinus levis aut malu' ; doctu', fidelis,
Suavis homo, facundu', suo contentu', beatus,
Scitu', secunda loquens in tempore, commodu' verbum
Paucum, multa tenens antiqua, sepulta, vetusta ;
Quem faciunt mores veteresque novosque tenentem,
Multorum veterum *lecti simul atque recentum*
Libri, qui novit leges divumque hominumque.
Hunc inter pugnas Serviliu' sic compellat.

Ann., ap. Gell., XII, iv, 4.

40. The Military supplants the Civil Power in the State.

Pellitur e medio sapientia, vi geritur res,
Spernitur orator bonus, horridu' miles amatur.
Haud doctis dictis certantes, sed maledictis
Miscent inter sese inimicitiam minitantes.
Non ex iure manum consertum, sed magi' ferro
Rem repetunt, regnumque parant, vadunt solida vi.

Ann., ap. Gell., XX, x, 4.

41. A Staunch Soldier.

Undique conveniunt velut imber tela tribuno.
Configunt parmam, tinnit hastilibus umbo,
Aerato sonitu galeae. Sed nec pote quisquam
Undique nitendo corpus discerpere ferro.
Semper adundantes hastas frangitque quatitque.
Totum sudor habet corpus multumque laborat,
Nec respirandi fit copia ; praepete ferro
Histri tela manu iacientes sollicitabant.

Ann., ap. Macrob., Sat., **VI, 3.**

42. Calm after a Storm.

. . . Mundus caéli vastus cónstitit siléntio,
Ét Neptunus saévus undis ásperis pausám dedit;
Sól equis itér repressit úngulis volántibus,
Cónstitere amnés perennes, árbores ventó vacant.

Sat. de Scip., fr. ap. Macrob., Sat., **VI, 2.**

43. Epigrams on Scipio.

Hic est ille situs, cui nemo civi' neque hostis
    Quivit pro factis reddere opis pretium.

Ap. Sen., Ep., xviii, 5 (108), **32.**

A sole exoriente supra Maeoti' paludes
    Nemo est qui factis aequiperare queat.
Si fas endo plagas caelestum ascendere cuiquam est,
    Mi soli caeli maxima porta patet.

Ap. Cic., Tusc. Dis., **V**, xvii, 49; *Sen., Ep.*, xviii, 5 (108), **34.**

44. His own Epitaph.

Aspicite, o cives, senis Enni imagini' formam ;
    Hic vostrum panxit maxuma facta patrum.
Nemo me dacrumis decoret, nec funera fletu
    Faxit. Cur ? Volito vivo' per ora virum.

Ap. Cic., Tusc. Dis., **I, xv, 34.**

ANCIENT FORMULAS, OF UNCERTAIN DATE.

45. Formula Foederis Feriendi.

Foedera alia aliis legibus, ceterum eodem modo omnia fiunt. Tum ita factum accepimus, nec ullius vetustior foederis memoria est. Fetialis regem Tullum ita rogavit : ' Iubesne me, Rex, cum patre patrato populi Albani foedus ferire ? ' Iubente rege, ' Sagmina,' inquit, ' te, Rex, posco.' Rex ait, ' Puram tollito.' Fetialis ex arce graminis herbam puram attulit : postea regem ita rogavit : ' Rex, facisne me tu regium nuntium populi Romani Quiritium, vasa, comitesque meos ? ' Rex respondit : ' Quod sine fraude mea populique Romani Quiritium fiat, facio.' Fetialis erat M. Valerius ; is patrem patratum Sp. Fusium fecit, verbena caput capillosque tangens. Pater patratus ad iusiurandum patrandum, id est sanciendum fit foedus ; multisque id verbis, quae, longo effata carmine, non operae est referre, peragit. Legibus deinde recitatis : ' Audi,' inquit, ' Iuppiter ; audi, pater patrate populi Albani, audi tu, populus Albanus ! Ut illa palam prima postrema ex illis tabulis cerave recitata sunt sine dolo malo, utique ea hic hodie rectissime intellecta sunt, illis legibus populus Romanus prior non deficiet. Si prior defexit publico consilio, dolo malo, tum illo die, Diespiter, populum Romanum sic ferito, ut ego hunc porcum hic hodie feriam ; tantoque magis ferito, quanto magis potes pollesque.' Id ubi dixit, porcum saxo silice percussit. Sua item carmina Albani, suumque iusiurandum, per suum dictatorem suosque sacerdotes peregerunt.

Ap. Liv., I, 24.

46. Formulae Rerum Repetundarum et Belli Indicendi.

Legatus ubi ad fines eorum venit, unde res repetuntur, capite velato filo (lanae velamen est), ' Audi, Iuppiter,' inquit, ' audite fines ' (cuiuscumque gentis sunt, nominat), ' audiat Fas ! Ego sum publicus nuntius populi Romani ; iuste pieque legatus venio verbisque meis fides sit.' Peragit deinde postulata. Inde Iovem testem facit: 'Si ego iniuste inpieque illos homines illasque res dedier mihi exposco, tum patriae compo em me numquam siris esse.' Haec, cum fines suprascandit, haec, quicumque ei primus vir obvius fuerit, haec, portam ingrediens, haec, forum ingressus, paucis verbis carminis concipiendique iurisiurandi mutatis, peragit. Si non deduntur quos exposcit, diebus tribus et triginta (tot enim sollemnes sunt) peractis, bellum ita indicit: 'Audi, Iuppiter, et tu, Iane Quirine, Diique omnes caelestes, vosque terrestres, vosque inferni, audite! Ego vos testor, populum illum' (quicumque est, nominat) 'iniustum esse nequa ius persolvere. Sed de istis rebus in patria maiores natu consulemus, quo pacto ius nostrum adipiscamur.' Tum nuntius Romam ad consulendum redit. Confestim rex his ferme verbis patres consulebat: "Quarum rerum litium causa condixit pater patratus populi Romani Quiritium patri patrato Priscorum Latinorum hominibusque priscis Latinis, quas res nec dederunt nec solverunt nec fecerunt, quas res dari, fieri, solvi oportuit, dic,' inquit ei, quem primum sententiam rogabat, 'quid censes?' Tum ille: 'Puro pioque duello quaerendas censeo, itaque consentio consciscoque.' Inde ordine alii rogabantur, quandoque pars maior eorum qui aderant in eandem sententiam ibat, bellum erat consensum. Fieri solitum, ut fetialis hastam ferratam, aut praeustam sanguineam ad fines eorum ferret, et non minus tribus puberibus praesentibus, diceret: 'Quod populi Priscorum Latinorum hominesque Prisci Latini adversus populum Romanum Quiritium fecerunt, deliquerunt, quod populus Romanus Quiritium bellum cum Priscis Latinis iussit esse, senatusque populi Romani Quiritium censuit, consensit, conscivit, ut bellum cum Priscis Latinis fieret; ob eam rem ego, populusque Romanus populis Priscorum Latinorum hominibusque Priscis Latinis bellum indico facioque.' Id ubi dixisset, hastam in fines eorum emittebat. Hoc tum modo ab Latinis repetitae res, ac bellum indictum; moremque eum posteri acceperunt.[1]

Ap. Liv., I, 32.

[1] See Wordsworth, 'Fragments and Specimens of Early Latin,' pp. 276-279, 551 *et seq.*; for selection 45, also Allen, 'Remnants of Early Latin,' pp. 77-79.

47. Formula Veris Sacri Vovendi.

His senatus consultis perfectis, L. Cornelius Lentulus pontifex maximus, consulente conlegium praetore, omnium primum populum consulendum de vere sacro censet; iniussu populi voveri non posse. Rogatus in haec verba populus: 'Velitis iubeatisne haec sic fieri? Si res publica populi Romani Quiritium ad quinquennium proximum, sicut velim eam esse salvam, servata erit hisce duellis, quod duellum populo Romano cum Carthaginiensi est, quaeque duella cum Gallis sunt, qui cis Alpis sunt, tum donum duit populus Romanus Quiritium, quod ver adtulerit ex suillo, ovillo, caprino, bovillo grege, quaeque profana erunt, Iovi fieri ex qua die senatus populusque iusserit. Qui faciet, quando volet quaque lege volet, facito; quo modo faxit, probe factum esto. Si id moritur, quod fieri oportebit, profanum esto, neque scelus esto. Si quis rumpet occidetve insciens, ne fraus esto. Si quis clepsit, ne populo scelus esto, neve cui cleptum erit. Si atro die faxit insciens, probe factum esto. Si nocte sive luce, si servus sive liber faxit, probe factum esto. Si antidea, ac senatus populusque iusserit fieri, faxitur, eo populus solutus liber esto.'

Ap. Liv., XXII, 10.

M. PORCIUS CATO, 234–149 B. C.

48. Agriculture is the Best Occupation.

Est interdum praestare mercaturis rem quaerere, nisi tam periculosum siet; et item fenerari, si tam honestum siet. Maiores nostri sic habuerunt, et ita in legibus posiverunt, furem dupli condemnari, feneratorem quadrupli. Quanto peiorem civem existimarint feneratorem quam furem, hinc licet existimari. Et virum bonum quom laudabant, ita laudabant, bonum agricolam bonumque colonum. Amplissime laudari existimabatur, qui ita laudabatur. Mercatorem autem strenuum studiosumque rei quaerendae existimo; verum (ut supra dixi) periculosum et

calamitosum. At ex agricolis et viri fortissimi et milites stre-
nuissimi gignuntur, maximeque pius quaestus stabilissimusque
consequitur, minimeque invidiosus ; minimeque male cogitantes
sunt, qui in eo studio occupati sunt.

R. R., i.

49. PORTRAIT OF A GOOD STEWARD.

Haec erunt vilici officia. Disciplina bona utatur. Feriae
serventur. Alieno manum abstineat. Sua servet diligenter.
Litibus familiae supersedeat. Si quis quid deliquerit, pro noxa
bono modo vindicet. Familiae male ne sit, ne algeat, ne esuriat ;
opere bene exerceat ; facilius malo et alieno prohibebit. Vilicus
si nolet male facere, non faciet. Si passus erit, dominus inpune
ne sinat esse. Pro beneficio gratiam referat, ut aliis recte
facere libeat. Vilicus ne sit ambulator, sobrius siet semper, ad
cenam nequo eat. Familiam exerceat ; consideret, quae dominus imperaverit, fiant. Ne plus censeat sapere se, quam dominum. Amicos domini, eos habeat sibi amicos. Cui iussus siet,
auscultet. Rem divinam, nisi Conpitalibus in conpito aut in
foco, ne faciat. Iniussu domini credat nemini. Quod dominus
crediderit, exigat. Satui semen, cibaria, far, vinum, oleum mu-
tuum dederit nemini. Duas aut tres familias habeat, unde
utendo roget, et quibus det ; praeterea nemini. Rationem cum
domino crebro putet. Operarium, mercennarium politorem
diutius eundem ne habeat die. Nequid emisse velit insciente
domino, neu quid dominum celavisse velit. Parasitum nequem
habeat. Haruspicem, augurem, hariolum, Chaldaeum ne quem
consuluisse velit. Segetem ne defrudet ; nam id infelix est.
Opus rusticum omne curet uti sciat facere, et id faciat saepe,
dum ne lassus fiat. Si fecerit, scibit in mente familiae quid
siet, et illi animo aequiore facient. Si hoc faciet, minus libe-
bit ambulare, et valebit rectius, et dormibit libentius. Primus
cubitu surgat, postremus cubitum eat. Prius villam videat
clausa uti siet, et uti suo quisque loco cubet, et uti iumenta
pabulum habeant. Boves maxima diligentia curatos habeto.
Bubulcis opsequito partim, quo libentius boves curent.

R. R., v.

50. PORTRAIT OF THE STEWARD'S WIFE.

Vilicae quae sunt officia, curato faciat. Si eam tibi dederit dominus uxorem, ea esto contentus. Ea te metuat, facito. Ne nimium luxuriosa siet. Vicinas aliasque mulieres quam minimum utatur ; neve domum, neve ad sese recipiat. Ad cenam nequo eat, neve ambulatrix siet. Rem divinam ne faciat, neve mandet, qui pro ea faciat, iniussu domini aut dominae. Scito dominum pro tota familia rem divinam facere. Munda siet. Villam conversam mundamque habeat. Focum purum circumversum cotidie, priusquam cubitum eat, habeat. Kalendis, Idibus, Nonis, festus dies cum erit, coronam in focum indat. Per eosdemque dies Lari familiari pro copia supplicet. Cibum tibi et familiae curet uti coctum habeat. Gallinas multas, et ova uti habeat. Pira arida, sorba, ficos, uvas passas, sorba in sapa, et pira, et uvas in doliis, et mala strutea ; uvas in vinaceis, et in urceis, in terra obrutas ; et nuces Praenestinas recentes in urceo in terra obrutas habeat. Mala Scantiniana in doliis, et alia, quae condi solent, et silvatica. Haec omnia quotannis diligenter uti condita habeat. Farinam bonam, et far suptile sciat facere.

R. R., cxliii.

51. A VINDICATION OF HIS PUBLIC LIFE.

Iussi caudicem proferri, ubi mea oratio scripta erat de ea re, quod sponsionem feceram cum M. Cornelio. Tabulae prolatae. Maiorum benefacta perlecta, deinde quae ego pro re publica fecissem leguntur ; ubi id utrumque perlectum est, deinde scriptum erat in oratione : 'Numquam ego pecuniam neque meam neque sociorum per ambitionem dilargitus sum.' Attat, noli, noli peribere, inquam, istud, nolunt audire. Deinde recitavit, 'Numquam praefectos per sociorum vestrorum oppida inposivi, qui eorum bona, liberos diriperent.' Istud quoque dele, nolunt audire. Recita porro. 'Numquam ego praedam neque quod de hostibus captum esset, neque manubias inter pauculos amicos meos divisi, ut illis eriperem qui cepissent.' Istuc quoque dele, nihil minus volunt dici, non opus est recitato. 'Numquam ego evectionem datavi, quo amici mei per symbolos pecunias magnas

caperent.' Perge istuc quoque uti cum maxime delere. 'Numquam ego argentum pro vino congiario inter apparitores atque
amicos meos disdidi, neque eos malo publico divites feci.' Enim
vero usque istuc ad lignum dele. Videsis, quo loco res publica
siet, uti quod rei publicae bene fecissem, unde gratiam capiebam,
nunc idem illud memorare non audeo, ne invidiae siet; ita
inductum est male facere inpoene, bene facere non inpoene
licere.

Or. de Sumptu Suo, ap. Front., Ep. ad Ant., i, 1, p. 99, Naber.

52. An Insolent Noble.

Dixit, a decemviris parum sibi bene cibaria curata esse, iussit
vestimenta detrahi, atque flagro caedi. Decemviros Bruttiani
verberavere, videre multi mortales. Quis hanc contumeliam,
quis hoc imperium, quis hanc servitutem ferre potest? Nemo
hoc rex ausus est facere : eane fieri bonis, bono genere gnatis,
boni consultis? Ubi societas? Ubi fides maiorum? Insig-
nitas iniurias, plagas, verbera, vibices, eos dolores atque carnifi-
cinas per dedecus atque maximam contumeliam, inspectantibus
popularibus suis atque multis mortalibus, te facere ausum esse !
Set quantum luctum quantumque gemitum, quid lacrimarum
quantumque fletum factum audivi? Servi iniurias nimis aegre
ferunt. Quid illos, bono genere natos, magna virtute praeditos,
opinamini animi habuisse atque habituros, dum vivent?

Or. in Thermum, ap. Gell., X, iii, 17.

53. Speech on behalf of the Rhodians.

Scio solere plerisque hominibus in rebus secundis atque pro-
lixis atque prosperis animum excellere, atque superbiam atque
ferociam augescere atque crescere. Quo mihi nunc magnae
curae est, quod haec res tam secunde processit, ne quid in consulendo advorsi eveniat, quod nostras secundas res confutet, neve
haec laetitia nimis luxuriose eveniat. Advorsae res edomant et
docent, quid opus siet facto, secundae res laetitia transvorsum
trudere solent a recte consulendo atque intellegendo. Quo
maiore opere dico suadeoque, uti haec res aliquot dies profera-
tur, dum ex tanto gaudio in potestatem nostram redeamus.

Atque ego quidem arbitror, Rhodienses noluisse, nos ita depugnare, uti depugnatum est, neque regem Persen vinci. Sed non
Rhodienses modo id noluere, sed multos populos atque multas
nationes idem noluisse arbitror. Atque haut scio, an partim
eorum fuerint, qui non nostrae contumeliae causa id noluerint
evenire ; sed enim id metuere, si nemo esset homo, quem verere-
mur, quidquid luberet, faceremus. Ne sub solo imperio nostro
in servitute nostra essent, libertatis suae causa in ea sententia
fuisse arbitror. Atque Rhodienses tamen Persen publice numquam adiuvere. Cogitate, quanto nos inter nos privatim cautius
facimus. Nam unusquisque nostrum, si quis advorsus rem
suam quid fieri arbitratur, summa vi contra nititur, ne advorsus
eam fiat ; quod illi tamen perpessi.

Ea nunc derepente tanta nos beneficia ultro citroque, tantam-
que amicitiam relinquemus ? Quod illos dicimus voluisse facere,
id nos priores facere occupabimus ? Qui acerrime advorsus eos
dicit, ita dicit, ' hostes voluisse fieri.' Ecquis est tandem, qui
nostrorum, quod ad sese attineat, aequum censeat, poenas dare
ob eam rem, quod arguatur male facere voluisse ? Nemo,
opinor ; nam ego, quod ad me attinet, nolim. Quid nunc ?
Ecqua tandem lex est tam acerba, quae dicat : ' si quis illud facere
voluerit, mille, minus dimidium familiae multa esto. Si quis
plus quingenta iugera habere voluerit, tanta poena esto ; si quis
maiorem pecuum numerum habere voluerit, tantum damnas esto.'
Atqui nos omnia plura habere volumus, et id nobis impune est.
Sed si honorem non aequum est haberi ob eam rem, quod bene
facere voluisse quis dicit, neque fecit tamen, Rhodiensibus aberit
quod non male fecerunt, sed quia voluisse dicuntur facere ?
Rhodiensis superbos esse aiunt, id obiectantes, quod mihi et
liberis meis minime dici velim. Sint sane superbi. Quid id
ad vos attinet ? Idne irascimini, si quis superbior est quam
nos ?

Ap. Gell., VI, (VII), iii.

54. 'NON POSSUM FERRE, QUIRITES, GRAECAM URBEM.'

Dicam de istis Graecis suo loco, Marce fili, quid Athenis
exquisitum habeam, et quod bonum sit illorum litteras inspicere,
non perdiscere. Vincam nequissimum et indocile esse genus

illorum. Et hoc puta vatem dixisse, quandoque ista gens suas litteras dabit, omnia corrumpet, tum etiam magis, si medicos suos huc mittet. Iurarunt inter se barbaros necare omnis medicina, sed hoc ipsum mercede facient, ut fides iis sit et facile disperdant. Nos quoque dictitant barbaros et spurcius nos quam alios Opicon appellatione foedant. Interdixi tibi de medicis.

Ap. Plin., N. H., XXIX, vii, 14.

STATIUS CAECILIUS, 219–166 B. C.

55. A Hen-pecked Man.

Is démum miser est, qui aérumnam suám nequit
Óccultare. Férre ita me uxor ét forma et factís facit,
— Sí taceam, támen indicium sím, — quaé, nisi dotem, ómnia
Quaé nolis, habét ; qui sapíet, dé me díscet,
Quí quasi ad hostis cáptus liber sérvio salva úrbe atque arce.
Dum éius mortem inhio, égomet ínter vivos vivo mórtuus.
Án quae, mihi quidquid plácet, eo prívat, servatám volim ?
Éa me clam se cúm mea ancilla aít consuetum, id me árguit ;
Íta plorando, orándo, instando atque óbiurgando me óbtudit
Eam utí venderém. Nunc credo ínter suás
Aequális et cognátas sermoném serít :
' Quís vostrarúm fuit íntegra aetátula
    Quae hóc idem a viro
  Ímpetrarít suo, quód ego anús modo
  Effóci, paelice ut meúm privarém virum ? '
Haéc erunt concília hodie ; différor sermóne misere.

Plocium, fr., ap. Gell., II, xxiii, 10.

56. Old Age.

Edepól, senectus, sí nil quicquam aliúd viti
Adpórtes tecum, cum ádvenis, unum íd sat est,
Quod diú vivendo múlta, quae non vólt, videt.

Plocium, fr., ap. Cic., Cat. Mai. viii, 25.

Tum equidem in senecta hoc députo misérrimum,
Sentíre ea aetate eúmpse esse odiosum álteri.

Ephesio, fr., ap. Cic., ibid

57. WHEN A HARSH FATHER IS PREFERABLE TO A KIND
ONE.

In amóre suave est súmmo summaque ínopia,
Paréntem habere avárum, inlepidum, in líberos
Diffícilem, qui te néc amet nec studeát tui.
Aut tu íllum fui to fállas aut per lítteras
Avértas aliquod nómen aut per sérvolum
Percútias pavidum, póstremo a parcó patre
Quod súmas, quanto díssipes libéntius !

.   .   .   .

Quem néque quo pacto fállam, nec quid inde aúferam,
Nec quém dolum ad eum, aut máchinam commóliar,
Scio quícquam ; ita omnis meós dolos, fallácias,
Praestrígias prae-strínxit commoditás patris.[1]

Synephebi, fr., ap. Cic., De Nat. De., III, xxix, 72, 73.

———— ——

M. PACUVIUS, 220–132 B. C.

58. HOW THE WORLD IS GOVERNED.

Fórtunam insanam ésse et caecam et brútam perhibent phílo-
sophi,
Sáxoque instare ín globoso praédicant volúbili,
Quía, quo id saxum inpúlerit fors, eo cádere Fortunam aútu-
mant.
Ínsanam autem esse aíunt, quia atrox, íncerta instabilísque sit ;
Caécam ob eam rem esse íterant, quia nil cérnat quo sese
ádplicet ;
Brútam, quia dignum átque indignum néqueat internóscere.

[1] For references on Statius, Pacuvius, and the lesser dramatists, see
Kelsey's ' Topical Outline of Latin Literature,' pp. 11, 12.

Súnt autem alii phílosophi, qui cóntra Fortunám negant
Ésse ullam, sed témeritate rés regi omnis aútumant.
Íd magis veri símile esse usus reápse experiundo édocet ;
Vélut Orestes módo fuit rex, fáctust mendicús modo.

> Fr. incert., ap. Cornif., Rhet. ad Her., II, xxiii, 36.

59. A Storm.

Profectióne laeti píscium lascíviam
Íntuentur, néc tuendi cápere satietás potest.
Íuterea prope iam óccidente sóle inhorrescít mare,
Ténebrae conduplicántur, noctisque ét nimbum obcaecát
    nigror.
Flámma inter nubés coruscat, caélum tonitru cóntremit,
Grándo mixta imbrí largifico súbita praecipitáns cadit,
Úndique omnes vénti erumpunt, saévi exsistunt turbines,
Férvit aestu pélagus.

> Fr. incert., ap. Cic., De Div., I, xiv, 24 ; De Orat., III, xxxix, 157.

60. Description of the Tortoise.

Amphio. Quadrupés tardigrada, agréstis, humilis, áspera,
Capité brevi, cervice ánguina, aspectú truci,
Evíscerata, inánima, cum animalí sono.
Astici. Ita saéptuosa díctione abs té datur,
Quod cóniectura sápiens aegre cóntulit.
Non íntellegimus, nísi si aperte díxeris.
Amphio. Testúdo.

> Antiopa, fr., ap. Cic., De Div., II, lxiv, 133 ; Non., p. 170, 17.

61. His Own Epitaph.

Aduléscens, tametsi próperas, te hoc saxúm rogat
Ut sése aspicias, deínde, quod scriptum ést, legas.
Hic súnt poetae Pácuvi Marcí sita
Ossa. Hóc volebam néscius ne essés. Vale.

> Ap. Gell., I, xxiv, 4.

TRABEA, fl. circ. 175 B. C.

62. A Confident Lover.

Léna, deleníta argento, nútum observabít meum,
Quíd velim, quid stúdeam ; adveniens dígito inpellam iánuam,
Fóres patebunt.   De ínproviso Chrýsis ubi me aspéxerit,
Álacris obviám mihi veniet, cómplexum exoptáns meum.
Míhi se dedet.   Fórtunam ipsam anteíbo fortunís meis.

Fr. incert., ap. Cic., Tusc. Dis., IV, xxxi, 67.

AQUILIUS, fl. circ. 175 B. C.

63. A Parasite's Clock is his Belly.

Ut illúm di perdant, prímus qui horas répperit,
Quique ádeo primus státuit hic solárium,
Qui míhi comminuit mísero articulatím diem.
Nam unúm me puero vénter erat solárium,
Multo ómnium istorum óptimum et veríssumum ;
Ubivís 'ste monebat ésse, nisi quom níl erat.
Nunc étiam quom est, non éstur, nisi solí libet.
Itaque ádeo iam oppletum óppidumst soláriis,
Maiór pars populi *ut* árida reptánt fame.

Boeotia, fr., ap. Gell., III, iii, 5.

P. TERENTIUS AFER, 185–159 B. C.

64. A DEFENCE OF THE PRACTICE OF ' CONTAMINATION,' OR THE COMBINED IMITATION OF MORE THAN ONE ORIGINAL.

Poéta quom primum ánimum ad scribendum ádpulit,
Id síbi negoti crédidit solúm dari,
Populo út placerent, quás fecisset fábulas.
Verum áliter eveníre multo intéllegit;
Nam in prólogis scribúndis operam abútitur,
Non qui árgumentum nárret, sed qui málivoli
Veterís poetae máledictis respóndeat.
Nunc, quám rem vitio dént, quaeso, animum adténdite.
Menánder fecit Ándriam et Perínthiam.
Qui utrámvis recte nórit, ambas nóverit.
Non íta dissimili súnt argumento, ét tamen
Dissímili oratióne sunt factae ác stilo.
Quae cónvenere, in Ándriam ex Perínthia
Fatétur transtulísse, atque usum pró suis.
Id istí vituperant fáctum, atque in eo dísputant,
Contáminari nón decere fábulas.
Faciúntne intellegéndo, ut nil intéllegant?
Qui quom húnc accusant, Naévium, Plautum, Énnium
Accúsant, quos hic nóster auctorés habet;
Quorum aémulari exóptat neclegéntiam
Potiús, quam istorum obscúram diligéntiam.

Andr., Prol. 1–21

√ 65. SCENE AT THE FUNERAL OF CHRYSIS.

(Simo, *Senex;* Sosia, *Libertus.*)

Si. Chrysís vicina haec móritur. *So.* O factúm bene!
Beásti ei, metui a Chrýside. *Si.* Ibi tum fílius
Cum illís, qui amarant Chrýsidem, una aderát frequens;
Curábat una fúnus; tristis ínterim,
Nonnúmquam conlacrumábat. Placuit tum íd mihi.

Sic cógitabam : ' Hic párvae consuetúdinis
Causa húius mortem tám fert familiáriter,
Quid si ípse amasset ? quíd hic mihi faciét patri ? '
Haec égo putabam esse ómnia humani íngeni
Mansuétique animi offícia.   Quid multís moror ? ⸸
Egomét quoque eius caúsa in funus pródeo,
Nihil súspicans etiám mali.   So. Hem, quid id ést ?   Sí. Scies.
Ecfértur.   Imus.   Ínterea inter múlieres,
Quae ibi áderant, forte unam áspicio adulescéntulam,
Formá. . . .   So. Bona fortásse.   Sí. Et voltu, Sósia,
Adeó modesto, adeó venusto, ut níl supra.
Quia túm mihi lamentári praeter céteras
Visást, et quia erat fórma praeter céteras
Honésta et liberáli, accedo ad pédisequas ;
Quae sít, rogo.   Sorórem esse aiunt Chrýsidis.
Percússit ilico ánimum.   Attat, hoc íllud est,
Hinc íllae lacrumae, haec íllast misericórdia !
So. Quam tímeo, quorsum evádas !   Sí. Funus ínterim
Procédit.   Sequimur ; ád sepulcrum vénimus ;
In ígnem impositast ; flétur.   Interea haéc soror,
Quam díxi, ad flammam accéssit inprudéntius,
Satis cúm periclo.   Ibi tum éxanimatus Pámphilus
Bene díssimulatum amórem et celatum índicat ;
Adcúrrit, mediam múlierem compléctitur ;
' Mea Glýcerium,' inquit, ' quíd agis ? quor te is pérditum ? '
Tum illa, út consuetum fácile amorem cérneres,
Reiécit se in eum fléns quam familiáriter !

                              Andr., I, i, 78–109.

66. A NEGOTIATION BETWEEN TWO OLD GENTLEMEN CON-
CERNING THE MARRIAGE OF THEIR CHILDREN.

(Simo, *Senex ;* Chremes, *Senex.*)

Sí. Per té deos oro, et nóstram amicitiám, Chremes,
Quae, incépta a parvis, cum aétate adcrevít simul,
Perque únicam gnatám tuam, et gnatúm meum,
Quoius tíbi potestas súmma servandi datur,
Ut me ádiuves in hác re ; atque ita uti núptiae

Fueránt faturae, fíant. *Ch.* Ah, ne me óbsecra,
Quasi hóc te orando a me ímpetrare opórteat !
Alium ésse censes núnc me, atque olim quóm dabam?
Si in rémst utrique ut fíant, accersí iube.
Sed si éx ea re plús malist, quam cómmodi,
Utríque, id *ego* te oro, ín commune ut cónsulas,
Quasi ílla tua sit, Pámphilique ego sím pater.
Si. Immo íta volo, itaque póstulo ut fiát, Chremes ;
Neque póstulem abs te, ni ípsa res moneát. *Ch.* Quid est?
Si. Iraé sunt inter Glýcerium et gnatum. *Ch.* Aúdio.
Si. Ita mágnae, ut sperem pósse avelli. *Ch.* Fábulae !
Si. Profécto sic est. *Ch.* Síc hercle, ut dicám tibi;
Amántium irae amóris integrátiost.
Si. Em, id te óro, ut ante eámus. Dum tempús datur,
Dumque eíus lubido occlúsast contuméliis,
Prius quam hárum scelera et lacrumae confictaé dolis
Reddúcunt animum aegrótum ad misericórdiam,
Uxórem demus.   Spéro consuetúdine et
Coniúgio liberáli devinctúm, Chremes,
Dein fácile ex illis sése emersurúm malis.
Ch. Tibi ita hóc videtur ; át ego non posse árbitror,
Neque illum hánc perpetuo habére, neque me pérpeti.
Si. Qui scís ergo istuc, nísi periclum féceris?
Ch. At istúc periclum in fília fierí, grave est.
Si. Nempe íncommoditas dénique huc omnís redit :
—Si evéniat, quod di próhibeant, discéssio ;
At sí corrigitur, quót commoditatés, vide.
Princípio, amico fílium restítueris ;
Tibi génerum firmum, et fíliae inveniés virum.
Ch. Quid istíc? Si ita istuc ánimum indúxti esse útile,
Noló tibi ullum cómmodum in me claúdier.
Si. Meritó te semper máxumi fecí, Chremes.
Ch. Sed quíd ais? *Si.* Quid? *Ch.* Qui scís eos nunc dís-
        cordare intér se ?
Si. Ipsús mihi Davos, qui íntumust eorúm consiliis, díxit;
Et ís mihi suadet núptias quantúm queam ut matúrem.
Num cénses faceret, fílium nisi scíret eadem haec vélle ?

Andr., III, iii, 6–46.

67. NOTHING IS WORSE THAN TO PROMISE WHAT WE DO
NOT MEAN TO PERFORM.

Hócine est crédibile, aút memorábile,
Tánta vecórdia innáta quoiquam út siet,
Út malis gaúdeant átque ex incómmodis
Álteriús sua ut cómparent cómmoda ?   Ah,
Ídnest verum ?   Ímmo id hominúmst genus péssumum,
Dénegandí modo quís pudor paúlum adest ;
Póst ubist tempus promíssa iam pérfici,
Túm coactí necessário se áperiunt.
Ét timent, ét tamen rés premit dénegare.
Íbi tum eorum ínpudentíssima orátiost :
' Quís tu es ? quís mi es ? quor meám tíbi ?
Heus, próxumus sum egomét mihi.'
At támen, ' Ubi fidés,' si rogés, nil pudént hic,
Ubi ópus est ; illi, úbi nil opúst, ibi veréntur.

                                                    Andr., IV, i, 1–14.

68. A FATHER RATES HIS SON.

(Pamphilus, *Adulescens* ; Simo, Chremes, *Senes.*)

Pa. Quis mé volt ? Perii, páter est ! *Si.* Quid ais, ómnium ——
       Ch. Ah,
Rem pótius ipsam díc, ac mitte mále loqui.
Si. Quasi quícquam in hunc iam grávius dici póssiet !
Ain tándem, civis Glýceriumst ?   *Pa.* Ita praédicant.
Si. ' Ita praédicant ? ' O ingéntem confidéntiam !
Num cógitat quid dícat ? num factí piget ?
Vide, num éius color pudóris signum usquam índicat ?
Adeo ínpotenti esse ánimo, ut praeter cívium
Morem átque legem, et suí voluntatém patris,
Tamen hánc habere stúdeat cum summó probro !
Pa. Me míserum !   *Si.* Hem modone id démum sensti, Pám-
       phile ?
Olim ístuc, olim, quom íta animum induxtí tuom,
Quod cúperes, aliquo pácto efficiundúm tibi,

Eodém die istuc vérbum vere in te áccidit.
Sed quíd ego? quor me excrúcio? quor me mácero?
Quor méam senectutem huíus sollicito améntia?
An ut pro huíus peccatis égo supplicium súfferam?
Immo hábeat, valeat, vívat cum illa. *Pa.* Mí pater!
Si. Quid 'mí pater'? quasi tu húius indigeás patris!
Domus, úxor, liberi ínventi invitó patre.
Addúcti qui illam cívem hinc dicant; víceris.
Pa. Patér, licetne paúca? *Si.* Quid dicés mihi?
Ch. Tamén, Simo, audi. *Si.* Ego aúdiam? quid aúdiam,
Chremés? *Ch.* At tandem dícat. *Si.* Age, dicát sino.
Pa. Égo me amare hanc fáteor. Si id peccárest, fateor íd
  quoque.
Tíbi, pater, me dédo.   Quidvis óneris inpone : ímpera.
Vís me uxorem dúcere? hanc vis míttere? Ut poteró, feram,
Hóc modo te obsecro, út ne credas á me adlegatum húnc
  senem.
Síne me expurgem, atque íllum huc coram addúcam. *Si.* Ad-
  ducas? *Pa.* Síne, pater.
Ch. Aéquom postulát; da veniam. *Pa.* Síne te hoc exorém.
  Si. Sino.
Quídvis cupio, dúm ne ab hoc me fálli comperiár, Chremes.
Ch. Pró peccato mágno paulum súpplici satis ést patri.

Andr., V, iii.

69. ' HUMANITAS.'

(Chremes, *Senex ;* Menedemus, *Senex.*)

Ch. Numquám tam mane egrédior, neque tam vésperi
Domúm revortor, quín te in fundo cónspicer
Fodere, aút arare, aut áliquid ferre.   Dénique
Nullúm remittis témpus, neque te réspicis.
Haec nón voluptati tíbi esse, satis certó scio.
'Enim,' díces, 'quantum hic óperis fiat, paénitet.'
Quod in ópere faciundo óperae consumís tuae,
Si súmas in illis éxercendis, plús agas.
Me. Chremés, tantumne ab ré tuast otí tibi,
Aliéna ut cures éa quae nil ad te áttinent?

Ch. Homó sum; humani níl a me alienúm puto.

Vel mé monere hoc vél percontarí puta:

Rectúmst, ego ut faciam; nón est, te ut detérream.

Me. Mihi síc est usus; tíbi ut opus factóst, face.

Ch. An quoíquamst usus hómini, se ut cruciét? *Me.* Mihi.

Ch. Si quíd laborist, nóllem. Sed quid istúc malist?

Quaesó, quid de te tántum *com*meruistí? *Me.* Eheu!

Ch. Ne lácruma, atque istuc, quícquid est, fac me út sciam.

Ne rétice, ne verére; crede, inquám, mihi.

Aut cónsolando aut cónsilio aut re iúvero.

Me. Scire hóc vis? *Ch.* Hac quidem caúsa, qua dixí tibi.

Me. Dicétur. *Ch.* At istos rástros intereá tamen

Adpóne; ne labóra. *Me.* Minume! *Ch.* Quám rem agis?

Me. Sine mé, vocivom témpus ne quod dém mihi

Labóris. *Ch.* Non sinam, ínquam. *Me.* Ah, non aequóm facis.

Ch. Hui, tám gravis hos, quaéso? *Me.* Sic meritúmst meum.

Heaut., I, i, 15–40.

70. Progressive Refinement in the Art of Sycophancy.

(Gnatho, *Parasitus*; Parmeno, *Servus*.)

Gn. Cónveni hodie advéniens quendam meí loci hinc atque órdinis,

Hóminem haud inpurum, ítidem patria qui ábligurrierát bona.

Vídeo sentum, squálidum, aegrum, pánnis annisque óbsitum.

Quíd istuc, inquam, ornátist? 'Quoniam míser, quod habui, pérdidi, em

Quó redactus sum! omnes noti me átque amici déserunt.'

Híc ego illum contémpsi prae me. Quíd homo, inquam, igna-víssime?

Ítan parasti te, út spes nulla rélicua in te sít tibi?

Símul consilium cúm re amisti? Víden' me ex eodem ortúm loco?

Quí color, nitór, vestitus; quaé habitudost córporis!

Ómnia habeo, néque quicquam habeo; níl quom est, nil defít tamen.

'Át ego infelix néque ridiculus ésse neque plagás pati

Póssum.' Quid? tu his rébus credis fíeri? Tota errás via.

Ólim isti fuit géneri quondam quaéstus apud saeclúm prius.
Hóc novomst aucúpium ; ego adeo hanc prímus invení viam.
Ést genus hominum, qui ésse primos se ómnium rerúm volunt,
Néc sunt. Hos conséctor ; hisce ego nón paro me ut rídeant,
Séd eis ultro adrídeo, et eorum íngenia admirór simul.
Quídquid dicunt, laúdo ; id rursum sí negant, laudo íd quoque.
Négat quis, nego ; ait, áio ; postremo, ímperavi egomét mihi
Ómnia adsentári. Is quaestus núnc est multo ubérrimus.
Pa. Scítum hercle hominem ; hic hómines prorsum ex stúltis
    insanós facit.
Gn. Dum haec lóquimur, intereá loci ad macéllum ubi adven-
    támus,
Concúrrunt laeti mi óbviam cuppédinarii ómnes,
Cetárii, lanií, coqui, fartóres, piscatóres,
Quibus ét re salva et pérdita profúeram, et prosum saépe.
Salútant, ad cenám vocant, advéntum gratulántur.
Ille úbi miser famélicus videt mi ésse tantum honórem,
Tam fácile victum quaérere, ibi homo coépit me obsecráre,
Ut síbi liceret díscere id de mé. Sectari iússi ;
Si pótis est, tamquam philosophorum habent dísciplinae ex ípsis
Vocábula, parasíti item ut Gnathónici vocéntur.

                          Eun., II, ii, 3–33.

71. Nausistrata discovers that her Husband has married another Wife.

(Nausistrata, *Matrona ;* Chremes, Demipho, *Senes ;* Phormio,
            Parasitus.)

Nau. Qui nóminat me ? Hem, quíd istuc turbaest, óbsecro,
Mi vír ? *Ph.* Ehem, quid nunc óbstipuisti ? *Nau.* Quís hic
    homost ?
Non míhi respondes ? *Ph.* Hícine ut tibi respóndeat,
Qui hercle, úbi sit, nescit ? *Ch.* Cáve isti quicquam créduas.
Ph. Abi, tánge ; si non tótus friget, me énica.
Ch. Nil ést. *Nau.* Quid ergo ? quíd istic narrat ? *Ph.* Iám
    scies ;
Auscúlta. *Ch.* Pergin' crédere ? *Nau.* Quid, ego óbsecro,
Huic crédam, qui nil díxit ? *Ph.* Delirát miser

Timóre. *Nau.* Non pol témerest, quod tu tám times.

Ch. Egon' tímeo? *Ph.* Recte sáne; quando níl times,

Et hoc níl est quod ego díco, tu narrá. *De.* Scelus,

Tibi nárret? *Ph.* Ohe tu, fáctumst abs te sédulo

Pro frátre. *Nau.* Mi vir, nón mihi dices? *Ch.* Át ——

  Nau. Quid 'at?'

Ch. Non ópus est dicto. *Ph.* Tíbi quidem; at scito huíc opust.

In Lémno —— *Nau.* Hem, quid aïs? *Ch.* Nón taces?

  Ph. Clam te —— *Ch.* Eí mihi!

Ph. Uxórem duxit. *Nau.* Mí homo, di meliús duint!

Ph. Sic fáctumst. *Nau.* Perii mísera! *Ph.* Et inde fíliam

Suscépit iam unam, dúm tu dormis. *Ch.* Quid agimus?

Nau. Pro di ínmortales, fácinus miserandum ét malum!

Ph. Hoc áctumst. *Nau.* An quicquam hódiest factum in-

  dígnius?

Qui mi, úbi ad uxores véntumst, tum fiúnt senes.

Démipho, te appéllo; nam cum hoc ípso distaedét loqui!

Haécine erant itiónes crebrae et mánsiones diútinae

Lémni? haecine erat éa, quae nostros mínuit fructus, vílitas?

De. Égo, Nausistrata, ésse in hac re cúlpam meritum nón nego;

Séd ea quin sit ígnoscenda. *Ph.* Vérba fiunt mórtuo.

De. Nám neque neclegéntia tua néque odio id fecít tuo.

Vínolentus fére abhinc annos quíndecim muliérculam

Eám compressit, únde haec natast; néque postilla umquam

  áttigit.

Éa mortem obiit; é medio abiit, quí fuit in re hac scrúpulus.

Quamóbrem te oro, ut ália facta túa sunt, aequo animo hóc feras.

Nau. Quíd ego aequo animo? Cúpio misera in hác re iam de-

  fúngier;

Séd qui id sperem? aetáte porro mínus peccaturúm putem?

Iám tum erat senéx, senectus sí verecundós facit.

Án mea forma atque aétas nunc magis éxpetendast, Démipho?

Quíd mi hic adfers, quámobrem expectem aut spérem porro nón

  fore?

Ph. Éxsequias Cheméti quibus est cómmodum ire, hem témpus

  est.

Síc dabo; age nunc, Phórmionem quí volet lacéssito;

Fáxo tali sít mactatus, atque híc est, infortúnio.

Phorm., V, ix, 1–39.

L. AEMILIUS PAULUS MACEDONICUS,
229–160 B. C.

72. PRIVATE GRIEF SHOULD NOT INTERFERE WITH PUBLIC
REJOICING. — FRAGMENT OF A SPEECH DELIVERED
SOON AFTER HIS TRIUMPH, 167 B. C.

Cum in maximo proventu felicitatis nostrae, Quirites, timerem,
ne quid mali fortuna moliretur, Iovem Opt. Max. Iunonemque
reginam et Minervam precatus sum, ut, si quid adversi populo
Romano inmineret, totum in meam domum converteretur.　Quapropter bene habet ; annuendo enim votis meis id egerunt, ut vos
potius meo casu doleatis, quam ego vestro ingemiscerem.

Ap. Val. Max., V, x, 2.

SER. FABIUS PICTOR, FL. CIRC. 150 B. C.

73. LAWS AND REGULATIONS TO BE OBSERVED BY THE
FLAMEN DIALIS.

Equo Dialem flaminem vehi religio est ; classem procinctam
extra pomerium, id est, exercitum armatum, videre ; idcirco
rarenter flamen Dialis creatus consul est, cum bella consulibus
mandabantur.　Item iurare Dialem, fas numquam est.　Item
anulo uti, nisi pervio cassoque, fas non est.　Ignem e flaminia,
id est flaminis Dialis domo, nisi *in* sacrum, efferri ius non est.
Vinctum, si aedes eius introierit, solvi necessum est ; et vincula
per impluvium in tegulas subduci, atque inde foras in viam
demitti　Nodum in apice, neque in cinctu, neque in alia parte
ullum habet.　Si quis ad verberandum ducatur, si ad pedes eius
supplex procubuerit, eo die verberari piaculum est.　Capillum
Dialis, nisi qui liber homo est, non detonset.　Capram et carnem
incoctam et hederam et fabam neque tangere Diali mos est, neque
nominare.　Propagines e vitibus altius praetentas non succedit.

4

Pedes lecti, in quo cubat, luto tenui circumlitos esse oportet, et
de eo lecto trinoctium continuum non decubat ; neque in eo lecto
cubare alium fas est, neque . . . Apud eius lecti fulcrum capsulam esse cum strue atque ferto oportet. Unguium Dialis et
capilli segmina subter arborem felicem terra operiuntur.   Dialis
cotidie feriatus est.   Sine apice sub divo esse licitum non est.
. . . Farinam fermento inbutam adtingere ei fas non est.   Tunica intima, nisi in locis tectis, non exuit se, ne sub caelo,
tamquam sub oculis Iovis, nudus sit.   Super flaminem Dialem in
convivio, nisi rex sacrificulus, haut quisquam alius accumbit.
Uxorem si amisit, flaminio decedit.   Matrimonium flaminis, nisi
morte, dirimi non est ius.   Locum, in quo bustum est, numquam
ingreditur, mortuum numquam attingit ; funus tamen exequi,
non est religio.   Eaedem ferme caerimoniae sunt flaminicae
Dialis ; *alias* seorsum aiunt observitare, veluti est, quod vene-
nato operitur ; et quod in rica surculum de arbore felici habet ;
et quod scalas, *nisi* quae Graecae appellantur, escendere ei plus
tribus gradibus religiosum est ; atque etiam, cum it ad Argeos,
quod neque comit caput, neque capillum depectit.

De Iure Pontif., fr., ap. Gell., X, xv.

P. SCIPIO AEMILIANUS AFRICANUS MINOR,
185–129 B. C.

74. DEFENCE OF HIS ACTION AS CENSOR,· IN DEGRADING
ASELLUS FROM THE EQUITES.

Omnia mala, probra, flagitia, quae homines faciunt, in duabus rebus sunt, malitia atque nequitia.   Utrum defendis,
malitiam, an nequitiam, an utrumque simul ?   Si nequitiam
defendere vis, licet ; si tu in uno scorto maiorem pecuniam
absumpsisti, quam quanti omne instrumentum fundi Sabini in
censum dedicavisti, si hoc ita est, qui spondet mille nummum ?
Sed tu plus tertia parte pecuniae paternae perdidisti atque
absumpsisti in flagitiis ; si hoc ita est, qui spondet mille num-

mum? Non vis nequitiam. Age, malitiam saltem defendes.
Si tu verbis conceptis coniuravisti sciens, sciente animo tuo,
si hoc ita est, qui spondet mille nummum?

Fr. Orat. in Asellum, ap. Gell., VI, (VII), xi, 9.

75. On Dancing.

Docentur praestigias inhonestas ; cum cinaedulis, et sambuca
psalterioque eunt in ludum histrionum. Dicunt cantare, quae
maiores nostri ingenuis probro ducier voluerunt. Eunt, inquam,
in ludum saltatorium, inter cinaedos, virgines puerique ingenui.
Haec cum mihi quisquam narrabat, non poteram animum inducere, ea liberos suos homines nobiles docere. Sed cum ductus
sum in ludum saltatorium, plus medius fidius in eo ludo vidi
pueris virginibusque quinquaginta ; in his unum, quod me reipublicae maxime miseritum est, puerum bullatum, petitoris filium
non minorem annis duodecim, cum crotalis saltare, quam salta-
tionem impudicus servulus honeste saltare non posset.

Fr. Orat. contr. Leg. Tib. Gracch., ap. Macrob., Sat., III, xiv.

Q. CAECILIUS METELLUS MACEDONICUS,
cos. 143 B. C.

76. Fragments of Speech ' De Prole Augenda,' 131 B.C.

Si sine uxore possemus vivere, Quirites, omnes ea molestia
careremus ; sed quoniam ita natura tradidit, ut nec cum illis
satis commode, nec sine illis ullo modo vivi possit, saluti perpetuae potius, quam brevi voluptati consulendum est . . . Di
immortales plurimum possunt ; sed non plus velle debent nobis,
quam parentes. At parentes, si pergunt liberi errare, bonis
exheredant. Quid ergo nos a dis immortalibus divinitus exspec-
temus, nisi malis rationibus finem faciamus? His demum deos
propitios esse aecum est, qui sibi adversarii non sunt. Di immortales virtutem adprobare, non adhibere debent.

Ap. Gell., I, vi, 1, 8; *sub nom. ' Metellus Numidicus.'*

C. LAELIUS SAPIENS, cos. 140 B. C.

77. Fragment of Eulogy on Africanus Minor, 129 B. C.

Quapropter neque tanta diis inmortalibus gratia haberi possit,
quanta habenda est, quod is cum illo animo atque ingenio hac
civitate potissimum natus est, neque ita moleste atque aegre ferri
quam ferendum est, quom eo morbo mortem obiit et in eodem
tempore periit, quom et vobis et omnibus, qui hanc rempublicam
salvam volunt, maxime vivo opus est, Quirites.

Schol. Bob. in Cic. pro Mil., p. 283, *ed. Orell.*

C. SEMPRONIUS GRACCHUS, 154–121 B. C.

78. Defence of his Provincial Administration.

Versatus sum in provincia, quomodo ex usu vestro existima-
bam esse, non quomodo ambitioni meae conducere arbitrabar.
Nulla apud me fuit popina, neque pueri eximia facie stabant ;
et in convivio liberi vestri modestius erant, quam apud principia. . . . Ita versatus sum in provincia, uti nemo posset vere
dicere, assem aut eo plus in muneribus me accepisse, aut mea
opera quemquam sumptum fecisse.   Biennium fui in provincia ;
si ulla meretrix domum meam introivit, aut cuiusquam servulus
propter me sollicitatus est, omnium nationum postremissimum
nequissimumque existimatote.   Cum a servis eorum tam caste
me habuerim, inde poteritis considerare, quomodo me putetis
cum liberis vestris vixisse. . . . Itaque, Quirites, cum Romam
profectus sum, zonas, quas plenas argenti extuli, eas ex provincia inanes retuli.   Alii vini amphoras, quas plenas tulerunt,
eas argento repletas domum reportaverunt.

Ap. Gell., XV, xii, 2–4.

79. COMPLAINT OF THE VIOLENCE OF THE NOBLES.

Nuper Teanum Sidicinum consul venit. Uxor eius dixit in
balneis virilibus lavari velle. Quaestori Sidicino, M. Mario,
datum est negotium, uti balneis exigerentur, qui lavabantur.
Uxor renuntiat viro, parum cito sibi balneas traditas esse, et
parum lautas fuisse. Idcirco palus destitutus est in foro, eoque
adductus suae civitatis nobilissimus homo, M. Marius ; vestimenta
detracta sunt, virgis caesus est. Caleni, ubi id audierunt, edixerunt, ne quis in balneis lavisse vellet, cum magistratus Romanus
ibi esset. Ferentini ob eandem causam praetor noster quaestores
arripi iussit ; alter se de muro deiecit, alter prensus et virgis
caesus est.

Ap. Gell., X, iii, 3.

80. MEN MUST BE TAKEN AS THEY ARE.

Nam vos, Quirites, si velitis sapientia atque virtute uti, etsi
quaeritis, neminem nostrum invenietis sine pretio huc prodire.
Omnes nos, qui verba facimus, aliquid petimus ; neque ullius rei
causa quisquam ad vos prodit, nisi ut aliquid auferat. Ego ipse,
qui aput vos verba facio, uti vectigalia vestra augeatis, quo
facilius vestra commoda et rempublicam administrare possitis,
non gratis prodeo ; verum peto a vobis, non pecuniam, sed bonam
existimationem atque honorem. Qui prodeunt dissuasuri, ne
hanc legem accipiatis, petunt non honorem a vobis, verum a
Nicomede pecuniam. Qui suadent, ut accipiatis, hi quoque
petunt non a vobis bonam existimationem, verum a Mithridate
rei familiari suae pretium et praemium. Qui autem ex eodem
loco atque ordine tacent, hi vel acerrimi sunt, nam ab omnibus
pretium accipiunt, et omnis fallunt. Vos, cum putatis, eos ab
his rebus remotos esse, inpertitis bonam existimationem. Lega-
tiones autem a regibus, cum putant eos sua causa reticere, sump-
tus atque pecunias maximas praebent ; item uti in terra Graecia,
quo in tempore Graecus tragoedus gloriae sibi ducebat, talentum
magnum ob unam fabulam datum esse, homo eloquentissimus
civitatis suae Demades ei respondisse dicitur : ' Mirum tibi vide-

tur, si tu loquendo talentum quaesisti ? Ego, ut tacerem, decem
talenta a rege accepi.' Item nunc isti pretia maxima ob
tacendum accipiunt.

Or. de Lege Aufeia, ap. Gell., XI, x, 2-6.

L. ACCIUS, 170–86 B. C.

81. A Dream Interpreted.

(Tarquinius Superbus ; Augur.)

Tarqu. Quoníam quieti córpus nocturno ímpetu
Dedí, sopore plácans artus lánguidos,
Visum ést in somnis pástorem ad me adpéllere
Pecús lanigerum exímia pulchritúdine ;
Duos cónsanguineos árietes inde éligi,
Praeclárioremque álterum, immoláre me ;
Deinde eíus germanum córnibus conítier
In me árietare, eoque íctu me ad cásum dari.
Exím prostratum térra, graviter saúcium,
Resupínum in caelo cóntueri máxumum,
Miríficum facinus ; déxtrorsum orbem flámmeum
Radiátum solis líquier cursú novo.
Aug. Réx, quae in vita usúrpant homines, cógitant, couránt,
            vident,
Quaéque agunt vigilántes agitantque, éa si cui in somno ácci-
            dunt,
Mínus mirum est ; sed dí rem tantam haut témere inproviso
            ófferunt.
Proín vide, ne quém tu esse hebetem députes aeque ác pecus,
Ís sapientiá munitum péctus egregié gerat,
Téque regno expéllat ; nam id quod dé sole ostentum ést tibi,
Pópulo commutátionem rérum portendít fore,
Pérpropinquam. Haec béne verruncent pópulo ! nám quod
            déxterum
Cépit cursum ab láeva signum praépotens, pulchérrume,

Aúguratum est, rém Romanam públicam summám fore.
. . . qui recte cónsulat, consúl cluat.
Brútus, qui líbertatem cívibus stabilíverat.

> *Brut., ap. Cic., De Div.,* I, xxii, 44, 45 ; *Varr., L. L.,* v, 80 M ;
> *Cic., Pro Sest.,* lviii, 123.

82. A SHIP.

Tánta moles lábitur
Fremibúnda ex alto ingénti sonitu et spíritu.
Prae se úndas volvit, vórtices vi súscitat ;
Ruít prolapsa, pélagus respargít, reflat.
Ita dum ínterruptum crédas nimbum vólvier,
Dum quód sublime véntis expulsúm rapi
Saxum aút procellis, vél globosos túrbines
Exí-tere ictos úndis concursántibus ;
Nisi quás terrestris póntus strages cónciet,
Aut fórte Triton fúscina everténs specus
Suptér radices pénitus undante ín freto
Molem éx profundo sáxeam ad caélum erigit.

> *Med., ap. Cic., N. D.,* II, xxxv, 89.

C. LUCILIUS, 180–103 B. C.

83. A GLADIATOR DECLARES HIS EAGERNESS TO FIGHT.

' Occidam illum equidem et vincam, si id quaeritis,' inquit :
' Verum illud credo fore ; in os prius accipiam ipse,
Quam gladium in stomacho furi ac pulmonibu' s:sto.
Odi hominem, iratus pugno, nec longiu' quicquam
Nobis, quam dextrae gladium dum accommodet alter.
Usque adeo studio atque odio illius ecferor ira.'

> *Sat.* IV ; *ap. Cic., Tusc. Dis.,* IV, xxi, 48.

84. A Miser's Purse.

Cui neque iumentumst nec servos nec comes ullus,
Bulgam et quidquid habet nummorum secum habet ipse.
Cum bulga cenat, dormit, lavit ; omnis in unast
Spes homini bulga.   Bulga haec devincta lacertost.

              Sat. VI ; *ap. Non., s. v. bulga,* p. 78 M.

85. He ridicules the Superstitions sanctioned by Numa.

Terriculas Lamias, Fauni quas Pompiliique
Instituere Numae, tremit has, haec omina ponit.
Ut pueri infantes credunt signa omnia ahena
Vivere, et esse homines, sic istic omnia ficta
Vera putant, credunt signis cor inesse in ahenis.
Pergula pictorum, veri nihil, omnia ficta.

              Sat. XV ; *ap. Lact., Inst. Div.,* I, xxii.

86. A Roman Gentleman's Idea of Virtue.

Virtus, Albeine, est, pretium persolvere verum
Queis in versamur, queis vivimu' rebu' potesse ;
Virtus est, homini scirei quo quaeque abeat res.
Virtus, scirei homini rectum, utile, quid sit honestum ;
Quae bona, quae mala item, quid inutile, turpe, inhonestum ;
Virtus, quaerendae finem re scire modumque ;
Virtus, divitiis pretium persolvere posse ;
Virtus, id dare, quod re ipsa debetur, honori ;
Hostem esse atque inimicum hominum morumque malorum,
Contra defensorem hominum morumque bonorum,
Hos magni facere, his bene velle, his vivere amicum ;
Commoda praeterea patriai prima putare,
Deinde parentum, tertia iam postremaque nostra.

           Sat. Incert., ap. Lact., Inst. Div., VI, v, 2.

√87. The Arts of the Forum.

Nunc vero a mane ad noctem, festo atque profesto,
Toto itidem pariterque die populusque patresque
Iactare indu foro se omnes, decedere nusquam,
Uni se adque eidem studio omnes dedere et arti ;
Verba dare ut caute possint, pugnare dolose ;
Blanditia certare, bonum simulare virum se ;
Insidias facere, ut si hostes sint omnibus omnes.

Sat. Incert., ap. Lact., Inst. Div., V, ix, 20.

√88. Affectation of Greek Manners.

Graecum te, Albuci, quam Romanum atque Sabinum
Municipem Ponti, Tritani, centurionum,
Praeclarorum hominum ac primorum signiferumque,
Maluisti dici. Graece ergo praetor Athenis,
Id quod maluisti, te, cum ad me accedi', saluto :
Χαῖρε, inquam, Tite ! Lictores, turma omni' cohorsque,
Χαίρετε ! et hinc hostis mi Albucius, hinc inimicus !

Sat. Incert., ap. Cic., De Fin., I, iii, 8.

L. AFRANIUS, born 154 B. C.

89. Fragments from 'Togatae.'

Vigiláns ac sollers, sícca, sana, sóbria ;
Virósa non sum, et sí sum, non desúnt mihi
Qui ultró dent ; aetas íntegra est, formaé satis.

Divortium ; ap. Non., 21, 34.

Usús me genuit, máter peperit Mémoria ;
Sophiám vocant me Grái, vos Sapiéntiam.

Sella ; ap. Gell., XIII, viii, 3.

Si póssent homines délenimentís capi,
Omnés haberent núnc amatorés anus.
Aetás et corpus ténerum et morigerátio,
Haec súnt venena fórmosarum múlierum;
Mala aétas nulla délenimenta ínvenit.

Vopiscus; ap. Non., 2, 2.

Quo cásu cecidit spés reducendí domum,
Quam cúpio, cuius ego ín dies impéndio
Ex désiderio mágis magisque máceror.

Id., ap. Charis., II, 182 P.

Q. CAECILIUS METELLUS NUMIDICUS,
COS. 109 B. C.

90. FRAGMENT FROM A SPEECH AGAINST A TRIBUNE WHO HAD ATTACKED HIM IN AN ASSEMBLY OF THE PEOPLE.

Nunc quod ad illum attinet, Quirites, quoniam se ampliorem putat esse, si se mihi inimicum dictitarit, quem ego mihi neque amicum recipio neque inimicum respicio, in eum ego non sum plura dicturus. Nam cum indignissimum arbitror, cui a viris bonis benedicatur, tum ne idoneum quidem, cui a probis maledicatur. Nam si in eo tempore huiusmodi homunculum nomines, in quo punire non possis, maiore honore quam contumelia adficias.

Ap. Gell., VII, (VI), xi, 3.

91. FRAGMENT FROM A SPEECH ON HIS TRIUMPH:—WAR AGAINST JUGURTHA, 107 B. C.

Qua in re quanto universi me unum antistatis, tanto vobis quam mihi maiorem iniuriam atque contumeliam facit, Quirites; et quanto probi iniuriam facilius accipiunt, quam alteri tradunt, tanto ille vobis quam mihi peiorem honorem habuit; nam me

iniuriam ferre, vos facere vult, Quirites; ut hic conquestio, istic
vituperatio relinquatur.

Ap. Gell., XII, ix, 4.

SEMPRONIUS ASELLIO, FL. CIRC. 100 B. C.

92. HISTORY DIFFERS FROM CHRONICLE.

Verum inter eos, qui annales relinquere voluissent, et eos, qui
res gestas a Romanis perscribere conati essent, omnium rerum
hoc interfuit. Annales libri tantummodo quod factum, quoque
anno gestum sit, ea demonstrabant; id est, quasi qui diarium
scribunt, quam Graeci ἐφημερίδα vocant. Nobis non modo satis
esse video, quod factum esset, id pronuntiare, sed etiam, quo
consilio quaque ratione gesta essent, demonstrare. . . . Nam
neque alacriores ad rempublicam defendundam, neque segniores
ad rem perperam faciundam annales libri commovere quicquam
possunt. Scribere autem, bellum initum quo consule, et quo
confectum sit, et quis triumphans introierit ex eo, et eo libro
quae in bello gesta sint, iterare; non praedicere aut interea
quid senatus decreverit, aut quae lex rogatiove lata sit, neque
quibus consiliis ea gesta sint iterare, id fabulas pueris est
narrare, non historias scribere.

Ap. Gell., V, xviii, 8, 9.

M. AEMILIUS SCAURUS, 163–90 B. C.

93. FRAGMENT OF HIS DEFENCE, WHEN ACCUSED OF RE-
CEIVING BRIBES FROM MITHRIDATES.

Est quidem inicum, Quirites, cum inter alios vixerim, apud
alios me rationem vitae reddere. Sed tamen audebo, vos, quorum maior pars honoribus et actis meis interesse non potuit,

interrogare : Varius Severus Sucronensis, Aemilium Scaurum, regia mercede corruptum, imperium populi Romani prodidisse, ait ; Aemilius Scaurus, huic se adfinem esse culpae, negat. Utri creditis ?

Ap. Val. Max., III, vii, 8.

Q. CLAUDIUS QUADRIGARIUS, FL. CIRC.
100 B. C.

94. A SINGLE COMBAT.

Cum interim Gallus quidam nudus praeter scutum et gladios duos torque atque armillis decoratus processit ; qui et viribus, et magnitudine, et adulescentia, simulque virtute ceteris antistabat. Is, maxime proelio commoto, atque utrisque summo studio pugnantibus, manu significare coepit utrisque, quiescerent. Pugnae facta pausa est. Extemplo, silentio facto, cum voce maxima conclamat, si quis secum depugnare vellet, uti prodiret. Nemo audebat, propter magnitudinem atque inmanitatem facies. Deinde Gallus inridere coepit, atque linguam exertare. Id subito perdolitum est cuidam T. Manlio, summo genere nato, tantum flagitium civitati adcidere, e tanto exercitu neminem prodire. Is, ut dico, processit, neque passus est virtutem Romanam ab Gallo turpiter spoliari. Scuto pedestri, et gladio Hispanico cinctus, contra Gallum constitit. Metu magno ea congressio in ipso ponti, utroque exercitu inspectante, facta est. Ita, ut ante dixi, constiterunt : Gallus, sua disciplina scuto proiecto, cunctabundus ; Manlius, animo magis, quam arte, confisus, scutum scuto percussit, atque statum Galli conturbavit. Dum se Gallus iterum eodem pacto constituere studet, Manlius iterum scuto scutum percutit, atque de loco hominem iterum deiecit ; eo pacto ei sub Gallicum gladium successit, atque Hispanico pectus hausit ; deinde continuo umerum dextrum eodem concessu incidit, neque recessit usquam, donec subvertit, ne Gallus impetum icti haberet. Ubi eum evertit, caput praecaedit ; torquem detraxit, eamque sanguinulentam sibi in collum inponit. Quo ex facto ipse posterique eius Torquati sunt cognominati.

Annal. I, *ap. Gell.*, IX, xiii, 7–19.

95. LETTER TO KING PYRRHUS.

Consules Romani salutem dicunt Pyrrho regi. Nos pro tuis iniuriis continuis animo tenus, commoti inimiciter, tecum bellare studemus. Sed communis exempli et fidei ergo visum *est*, ut te salvum velimus ; ut esset, quem armis vincere possimus. Ad nos venit Nicias, familiaris tuus, qui sibi praemium a nobis peteret, si te clam interfecisset. Id nos negavimus velle, neve ob eam rem quicquam commodi exspectaret ; et simul visum est, ut te certiorem faceremus, ne quid eiusmodi si accidisset, nostro consilio civitates putarent factum ; et quod nobis non placet, pretio aut praemio aut dolis pugnare. Tu, nisi caves, iacebis.

Annal. III, *ap. Gell.*, III, viii, 8.

VALERIUS ANTIAS, FL. CIRC. 100 B. C.

96. DIALOGUE BETWEEN NUMA POMPILIUS AND JUPITER.

Numam illum regem, cum procurandi fulminis scientiam non haberet, essetque illi cupido noscendi, Egeriae monitu castos duodecim iuvenes apud aquam concelasse cum vinculis, ut, cum Faunus et Martius Picus ad id locorum venissent haustum — nam illis aquandi sollemne iter huc fuit — invaderent, constringerent, conligarent. Sed quo res fieri expeditius posset, regem pocula non parva mero vino mulsoque complesse circaque accessus fontis insidiosam venturis opposuisse fallaciam. Illos more de solito bibendi adpetitione correptos ad hospitia nota venisse. Sed cum liquoribus odoratis offendissent fragrantia pocula, vetustioribus anteposuisse res novas, invasisse aviditer, dulcedine potionis captos hausisse plus nimio, obdormivisse factos graves. Tum bis senos incubuisse sopitis, iniecisse madidatis

vincula, expergitosque illos statim perdocuisse regem, quibus ad
terras modis Iuppiter posset et sacrificiis elici, et accepta regem
scientia rem in Aventino fecisse divinam, elexisse ad terras
Iovem, ab eoque quaesisse rectum procurationis morem; Iovem
diu cunctatum, ' Expiabis,' dixe, ' capite fulgurita ; ' regem respondisse, ' caepicio ; ' Iovem rursus, ' humano ; ' rettulisse
regem, ' sed capillo ; ' deum contra, ' animali ; ' ' maena,'
subiecisse Pompilium. Tunc ambiguis Iovem propositionibus
captum extulisse hanc vocem : ' Decepisti me, Numa ; nam ego
humanis capitibus procurari constitueram fulgurita, tu maena,
capillo, caepicio. Quoniam me tamen tua circumvenit astutia,
quem voluisti, habeto morem ; et his rebus, quas pactus es, procu-
rationem semper suscipies fulguritorum.'[1]

Annal. II, *ap. Arnob.*, v, 1.

Q. LUTATIUS CATULUS, cos. 102 B. C.

97. Epigrams.

Constiteram exorientem Auroram forte salutans,
  Cum subito a laeva Roscius exoritur.
Pace mihi liceat, caelestes, dicere vestra,
  Mortalis visust pulcrior esse deo.

Ap. Cic., De Nat. Deor., I, xxviii, 79

Aufugit mi animus ; credo, ut solet, ad Theotimum
  Devenit. Sic est ; perfugium illud habet.
Qui si non interdixem, ne illunc fugitivum
  Mitteret ad se intro, sed magis eiceret ?
Ibimu' quaesitum. Verum, ne ipsi teneamur,
  Formido. Quid ago ? Da, Venu', consilium.[2]

Ap Gell., XIX, ix, 14.

---

[1] Cf. Peter, ' Veterum historicorum Rom. relliquiae,' pp cccv, 238 ;
also, his ' Historicorum Rom. Fragmenta,' p 153.

[2] For different readings cf. Baehrens, ' Fragmenta poetarum Romanorum,' pp 275, 276.

PORCIUS LICINUS, fl. circ. 100 B. C.

98. Epigram.

Custodes ovium vernae propaginis agnum,
    Quaeritis ignem? Ite huc. Quaeritis? Ignis homost.
Si digito attigero, incendam silvam simul omnem,
    Omne pecus; flammast, omnia qua video.[1]

Ap. Gell., XIX, ix, 13.

VALERIUS AEDITUUS, fl. circ. 100 B. C.

99. Epigrams.

Dicere cum conor curam tibi, Pamphila, cordis,
    Quid mi abs te quaeram? verba labris abeunt.
Per pectus miserum manat subito mihi sudor.
    Sic tacitus, subidus; dum pudeo, pereo.[2]

Qui faculam praefers, Phileros, quae nil opu' nobis?
    Ibimus; sic lucet pectore flamma satis.
Istam nam potis est vis saeva extinguere venti,
    Aut imber caelo candidu' praecipitans.
At contra, hunc ignem Veneris, nisi si Venus ipsa,
    Nullast quae possit vis alia opprimere.[2]

Ap. Gell., XIX, ix, 11, 12

---

[1] Cf. Baehrens, 'Fragmenta poetarum Romanorum,' pp. 278, 279.
[2] Cf. *id.*, p. 275.

L. LICINIUS CRASSUS, 140–91 B. C.

100. Fragment of Speech in the Senate against Philippus, the Consul.

An tu, cum omnem auctoritatem universi ordinis pro pignore putaris eamque in conspectu populi Romani concideris, me his existimas pignoribus posse terreri? Non tibi illa sunt caedenda, si Crassum vis coercere; haec tibi est excidenda lingua; qua vel evulsa, spiritu ipso libidinem tuam libertas mea refutabit. . . . Ego te consulem putem, cum tu me non putes senatorem?

Ap. Cic., De Orat., III, i, 4; *Quint., Inst. Orat.*, VIII, iii, 89.

AUCTOR AD HERENNIUM, 80 B. C.; probably CORNIFICIUS.

101. The Six Formal Divisions of a 'Controversia.'

Quoniam demonstratum est, quas causas oratorem recipere, quas res habere conveniret, nunc, quem ad modum ad orationem possint officia oratoris adcommodari, dicendum videtur.

Inventio in sex partis orationis consumitur: exordium, narrationem, divisionem, confirmationem, confutationem, conclusionem. Exordium est principium orationis, per quod animus auditoris constituitur ad audiendum; narratio est rerum gestarum aut proinde ut gestarum expositio; divisio est, per quam aperimus, quid conveniat, quid in controversia sit, et per quam exponimus, quibus de rebus simus dicturi; confirmatio est nostrorum argumentorum expositio cum adseveratione; confutatio est contrariorum locorum dissolutio; conclusio est artificiosus terminus orationis.

Rhet. ad Herenn., I, iii, 4.

102. Hints for rendering the Introduction to a Speech ('Exordium') effective.

Principium est, cum statim auditoris animum nobis idoneum reddimus ad audiendum. Id ita sumitur, ut attentos, ut dociles, ut benevolos auditores habere possimus. Si genus causae dubium habebimus, a benevolentia principium constituemus, ne quid illa turpitudinis pars nobis obesse possit; sin humile erit genus causae, faciemus attentos; sin turpe causae genus erit, insinuatione utendum est, — de qua posterius dicemus, — nisi quid nacti erimus, qua re adversarios criminando benevolentiam capere possimus; si honestum causae genus erit, licebit recte vel uti vel non uti principio. Si uti volemus, aut id oportebit ostendere, qua re causa sit honesta, aut breviter, quibus de rebus simus dicturi, exponere; sin principio uti nolemus, ab lege, ab scriptura, ab aliquo nostrae causae adiumento principium capere oportebit. Quoniam igitur docilem, benevolum, attentum habere auditorem volumus, quo modo quidque confici possit, aperiemus. Docilis auditores habere poterimus, si summam causae breviter exponemus, et si attentos eos faciemus; nam docilis est, qui attente volt audire. Attentos habebimus, si pollicebimur, nos de rebus magnis, novis, inusitatis verba facturos, aut de eis rebus, quae ad rempublicam pertineant, aut ad eos ipsos, qui audient, aut ad deorum inmortalium religionem; et si rogabimus, ut attente audiant; et si numero exponemus res, quibus de rebus dicturi sumus.

Rhet. ad Herenn., I, iv, 6, 7.

103. Main Heads of Treatment applicable to all Cases alike: the Question of Fact, the Question of Interpretation, and Application of Law.

Causarum constitutiones alii quattuor fecerunt : noster doctor [Hermes] tris putavit esse, non ut de illorum quicquam detraheret inventione, sed ut ostenderet, id, quod oportuisset simpliciter ac singulari modo docere, illos distribuisse dupliciter et bipertito. Constitutio est prima deprecatio defensoris cum accusatoris insimulatione coniuncta. Constitutiones itaque, ut ante diximus, tres sunt : coniecturalis, legitima, iuridicialis. Coniecturalis est, cum de facto controversia est, hoc modo : Aiax in silva, postquam resciit, quae fecisset per insaniam, gladio incubuit. Ulixes intervenit, occisum conspicatur, e corpore telum cruentum educit. Teucer intervenit, fratrem occisum, inimicum fratris cum gladio cruento videt, capitis arcessit. Hic, coniectura verum quaeritur, de facto erit controversia, ex eo constitutio causae coniecturalis nominatur. Legitima est constitutio, cum ex scripto aliquid controversiae nascitur. Ea dividitur in partis sex : scriptum et sententiam, contrarias leges, ambiguum, definitionem, translationem, ratiocinationem. Ex scripto et sententia nascitur controversia, cum videtur scriptoris voluntas cum scripto ipso dissentire, hoc modo : Sit lex, quae iubeat eos, qui propter tempestatem navem reliquerint, omnia perdere, eorum navem ceteraque esse, si navis conservata sit, qui remanserint in navi. Magnitudine tempestatis omnes perterriti navem reliquerunt, in scapham conscenderunt, praeter unum aegrotum. Is propter morbum exire et fugere non potuit. Casu et fortuitu navis in portum incolumis delata est ; ille aegrotus possedit navem ; petit, cuius fuerat. Haec constitutio legitima est ex scripto et sententia. Ex contrariis legibus controversia constat, cum alia lex iubet aut permittit, alia vetat quidpiam fieri hoc modo : lex vetat eum, qui de pecuniis repetundis damnatus sit, in contione orationem habere ; altera lex iubet augurem, in demortui locum qui petat, in contione nominare. Cuiusmodi partes essent legitimae constitutionis, ostendimus ; nunc de iuridiciali constitutione dicamus. Iuridicialis constitutio est, cum factum convenit, sed iure an iniuria factum sit, quaeritur. Eius constitutionis partes sunt duae, quarum una absoluta, altera adsumptiva nominatur. Absoluta est, cum id ipsum, quod factum est, ut aliud nihil foris adsumatur, recte factum esse dicemus. Ea est huius modi : Mimus quidam nominatim Accium poetam compellavit in scena. Cum eo Accius iniuriarum agit. Hic nihil aliud defendit, nisi licere nominari eum, cuius nomine scripta dentur agenda. Adsumptiva pars est, cum per se defensio infirma est, adsumpta extraria re comprobatur.

Rhet. ad Herenn., I, xi, 18–20 ; xiii, 23 ; xiv. 21.

104. On the most Effective Arrangement of the
Proof ('Probatio').

Quoniam satis ostendisse videmur, quibus argumentationibus
in uno quoque genere causae iudicialis uti conveniret, consequi
videtur, ut doceamus, quemadmodum ipsas argumentationes or-
nate et absolute tractare possimus. Nam fere non difficile est
invenire, quid sit causae adiumento; difficillimum vero est, inventum expedire et expedite pronuntiare. Haec enim res facit,
ut neque diutius. quam satis sit, in eisdem locis commoremur,
neque eodem identidem revolvamur, neque inchoatam argumentationem relinquamus, neque incommode ad aliam deinceps
transeamus. Itaque hac ratione et ipsi meminisse poterimus,
quid quoque loco dixerimus, et auditor cum totius causae,
tum unius cuiusque argumentationis distributionem percipere
et meminisse poterit. Ergo absolutissima et perfectissima est
argumentatio ea, quae in quinque partis est distributa, proposi-
tionem, rationem, rationis confirmationem, exornationem, com-
plexionem. Propositio est, per quam ostendimus summatim,
quid sit, quod probare volumus. Ratio est, quae causam demon-
strat veram esse, in quam intendimus, brevi subiectione. Rationis confirmatio est ea, quae pluribus argumentis conroborat
breviter expositam rationem. Exornatio est, qua utimur rei
honestandae et conlocupletandae causa, confirmata argumentatione. Complexio est, quae concludit breviter, conligens partis
argumentationis.

Rhet. ad Herenn., II, xviii, 27, 28.

105. An Example of such Arrangement applied to
the Imaginary Case of Ulysses being found
near the dead Ajax.

Hisce igitur quinque partibus ut absolutissime utamur, hoc
modo tractabimus argumentationem. Causam ostendemus Ulixi
fuisse, quare interfecerit Aiacem; 'inimicum enim acerrimum de
medio tollere volebat, a quo sibi non iniuria summum periculum
metuebat. Videbat, illo incolumi se incolumem non futurum;
sperabat illius morte se salutem sibi comparare; consueverat, si

iure non poterat, quavis iniuria inimico exitium machinari, cui
rei mors indigna Palamedis testimonium dat. Ergo et metus
periculi hortabatur, eum interimere, a quo supplicium verebatur,
et consuetudo peccandi maleficii suscipiendi removebat dubita-
tionem. Omnes enim cum minima peccata cum causa suscipi-
unt, tum vero illa, quae multo maxima sunt maleficia, aliquo
certe emolumento inducti suscipere conantur. Si multos induxit
in peccatum pecuniae spes, si complures scelere se contamina-
runt imperii cupiditate, si multi leve compendium fraude maxima
commutarunt, cui mirum videbitur, istum a maleficio propter
acerrimam formidinem *sibi* non temperasse? Virum fortissimum,
integerrimum, inimicitiarum persequentissimum, iniuria lacessi-
tum, ira exsuscitatum homo timidus, nocens, conscius sui peccati,
insidiosus, inimicum incolumem esse noluit; cui tandem hoc
mirum videbitur? Nam cum feras bestias videamus alacris et
erectas vadere, ut alteri bestiae noceant, non est incredibile
putandum, istius quoque animum ferum, crudelem atque inhu-
manum cupide ad inimici perniciem profectum; praesertim cum
in bestiis nullam neque bonam neque malam rationem videamus,
in isto plurimas et pessimas rationes semper fuisse intelligamus.
Si ergo pollicitus sum, me daturum causam, qua inductus Ulixes
accesserit ad maleficium, et si inimicitiarum acerrimam rationem
et periculi metum intercessisse demonstravi, non est dubium,
quin confiteatur causam maleficii fuisse.' Ergo absolutissima
est argumentatio ea, quae ex quinque partibus constat; sed ea
non semper necesse est uti. Est cum complexione supersed+en-
dum est, si res brevis est, ut facile memoria comprehendatur;
est cum exornatio praetermittenda est, si parum locuples ad am-
plificandum et exornandum res videtur esse. Sin et brevis erit
argumentatio, et res tenuis aut humilis, tum et exornatione et
complexione supersedendum est. In omni argumentatione de
duabus partibus postremis haec, quam exposui, ratio est habenda.
Ergo amplissima est argumentatio quinquepertita; brevissima est
tripertita; mediocris, sublata aut exornatione aut complexione,
quadripertita.

Rhet. ad Herenn., II, xix.

106. Gesture should be accommodated to the Nature of the Pleading.

De figura vocis satis dictum est ; nunc de corporis motu
dicendum videtur. Motus est corporis gestus et voltus moderatio quaedam, quae pronuntianti convenit et probabiliora reddit
ea, quae pronuntiantur. Convenit igitur in voltu pudorem et
acrimoniam esse ; in gestu nec venustatem conspicuam nec turpitudinem esse, ne aut histriones aut operarii videamur esse. Ad
easdem igitur partis, in quas vox est distributa, motus quoque
corporis ratio videtur esse adcommodanda. Nam si erit sermo
cum dignitate, stantis in vestigio, levi dexterae motu loqui
oportebit, hilaritate, tristitia, mediocritate voltus ad sermonis
sententias adcommodata ; sin erit in demonstratione sermo,
paululum corpus a cervicibus demittemus ; nam hoc est a
natura datum, ut quam proxime tum voltum admoveamus ad
auditores, si quam rem docere eos et vehementer instigare velimus ; sin erit in narratione sermo, idem motus poterit idoneus
esse, qui paulo ante demonstrabatur in dignitate ; sin in ioca-
tione, voltu quandam debebimus hilaritatem significare, sine
commutatione gestus. Si contendemus per continuationem,
brachio celeri, mobili voltu, acri aspectu utemur ; sin contentio
fiet per distributionem, celeri proiectione brachii, inambulatione,
pedis dexteri rara supplosione, acri et defixo aspectu uti oportebit.
Si utemur amplificatione per cohortationem, paulo tardiore et
consideratiore gestu conveniet uti, similibus ceteris rebus, atque
in contentione per continuationem ; sin utemur amplificatione
per conquestionem, feminis plangore et capitis ictu, nonnumquam sedato et constanti gestu, maesto et conturbato voltu uti
oportebit. Non sum nescius, quantum susceperim negotii, qui
motus corporis exprimere verbis, et imitari scriptura conatus sim
voces. Verum nec hoc confisus sum posse fieri, ut de his rebus
satis commode scribi posset ; nec, si id fieri non posset, hoc quod
feci fore inutile putabam, propterea quod hic admonere volui-
mus, quod oportet ; reliqua trademus exercitationi. Hoc scire
tamen oportet, pronuntiationem bonam id perficere, ut res ex
animo agi videatur.

Rhet. ad Herenn., III, xv.

M. TERENTIUS VARRO, 116–28 B. C.

107. Description of a Storm.

Repente noctis circiter meridie,
Cum pictus aer fervidis late ignibus
Caeli chorean astricen ostenderet,
Nubes aquali frigido velo leves
Caeli cavernas aureas obduxerant,
Aquam vomentes inferam mortalibus ;
Ventique frigido se ab axe eruperant,
Phrenetici septentrionum filii,
Secum ferentes tegulas, ramos, σύρους.
At nos caduci naufragi ut ciconiae,
Quarum bipinnis fulminis plumas vapor
Perussit, alte maesti in terram cecidimus.

Sat. Menipp. Marcipor, fr. ap. Non., 451, 11 ; 46, 10.

108. Host and Guest.

Lepidissimus liber est M. Varronis ex satiris Menippeis, qui
inscribitur *Nescis quid vesper serus vehat*, in quo disserit de apto
convivarum numero deque ipsius convivii habitu cultuque.
Dicit autem convivarum numerum incipere oportere a Gratiarum
numero et progredi ad Musarum, id est proficisci a tribus et
consistere in novem, ut, cum paucissimi convivae sunt, non
pauciores sint quam tres, cum plurimi, non plures quam novem.
Nam multos, inquit, esse non convenit, quod turba plerumque
est turbulenta, et Romae quidem stat, sedet Athenis, nusquam
autem cubat. Ipsum deinde convivium constat, inquit, ex rebus
quattuor, et tum denique omnibus suis numeris absolutum est,
si belli homunculi conlecti sunt, si electus locus, si tempus
lectum, si apparatus non neglectus. Nec loquaces autem, inquit,
convivas nec mutos legere oportet, quia eloquentia in foro et
apud subsellia, silentium vero non in convivio sed in cubiculo
esse debet. Sermones igitur id temporis habendos, censet, non
super rebus anxiis aut tortuosis, sed iucundos atque invitabiles

et cum quadam inlecebra et voluptate utiles, ex quibus ingenium nostrum venustius fiat et amoenius. Quod profecto, inquit, eveniet, si de id genus rebus ad communem vitae usum pertinentibus confabulemur, de quibus in foro atque in negotiis agendi non est otium. Dominum autem, inquit, convivii esse oportet non tam lautum, quam sine sordibus, et in convivio legi non omnia debent, sed ea potissimum quae simul sint βιωφελῆ et delectent. Neque non de secundis quoque mensis, cuius modi esse eas oporteat, praecipit. His enim verbis utitur: bellaria, inquit, ea maxime sunt mellita, quae mellita non sunt; πέμμασιν enim cum πέψει societas infida. Quod Varro in loco hoc dixit bellaria, ne quis forte in ista voce haereat, significat id vocabulum omne mensae secundae genus; nam quae πέμματα Graeci aut τραγήματα dixerunt, ea veteres nostri bellaria appellaverunt.

Sat. Menipp., ap. Gell., XIII, xi.

109. The Difficulties which beset the Scientific Etymologist.

Quae ideo sunt obscuriora, quod neque omnis impositio verborum exstat, quod vetustas quasdam delevit; nec quae exstat, sine mendo omnis imposita; nec quae recte est imposita, cuncta manet (multa enim verba litteris commutatis sunt interpolata); neque omnis origo est nostrae linguae e vernaculis verbis; et multa verba aliud nunc ostendunt, aliud ante significabant, ut hostis; nam tum eo verbo dicebant peregrinum, qui suis legibus uteretur, nunc dicunt eum, quem tum dicebant perduellem. In quo genere verborum aut casu erit illustrius unde videri possit origo, inde repetam. Ita fieri oportere apparet, quod recto casu quom dicimus inpos, obscurius est esse a potentia, quam cum dicimus inpotem; et eo obscurius fit, si dicas pos, quam inpos, videtur enim pos significare potius pontem quam potentem. Vetustas pauca non depravat, multa tollit. Quem puerum vidisti formonsum, hunc vides deformem in senecta. Tertium seculum non videt eum hominem, quem vidit primum. Quare illa quae iam maioribus nostris ademit oblivio, fugitiva secuta sedulitas Muti et Bruti retrahere nequit. Non, si non potuero indagare, eo ero tardior; sed velocior ideo si quiero; non

mediocris enim tenebrae in silva, ubi haec captanda; neque eo
quo pervenire volumus, semitae tritae; neque non in tramitibus
quaedam obiecta, quae euntem retinere possent. Quom verborum
novorum ac veterum discordia omnis in consuetudine communi,
quot modis litterarum commutatio sit facta, qui animadverterit,
facilius scrutari origines patietur verborum; reperiet enim esse
commutata, ut in superioribus libris ostendi, maxime propter
bis quaternas causas. Litterarum enim fit demptione aut addi-
tione, et propter earum tralationem aut commutationem, item
syllabarum productione; quae quoniam in superioribus libris,
quoiusmodi essent, exemplis satis demonstravi, hic ammonendum
esse modo putavi.

L. L., V, i, 3-6.

110. An Example of Varro's Method of investigating Etymologies ('Terra.')

'Terra' dicta ab eo, ut Aelius scribit, quod teritur; itaque
tera in augurum libris scripta cum R uno. Ab eo colonis
locus communis, qui prope oppidum relinquitur, 'teritorium,'
quod maxime teritur; hinc linteum, quod teritur corpore, 'ex-
termentarium;' hinc in messi 'tritura,' quod tum frumentum
teritur; et 'trivolum,' qui teritur; hinc fines agrorum 'ter-
mini,' quod eae partis propter limitare iter maxime teruntur;
itaque hoc cum I in Latio aliquot locis dicitur, ut apud Accium,
non terminus sed termen, hoc Graeci quod τέρμονα, pote vel
illinc; Evander enim, qui in Palatium venit, e Graecia Arcas.
'Vias' quidem 'iter,' quod ea vehendo teritur, item 'actus,'
quod agendo teritur; etiam 'ambitus,' quod circumeundo teritur; nam ambitus circuitus; ab eoque XII Tabularum interpretes ambitus parietis circuitum esse describunt. Igitur tera
'terra,' et ab eo poëtae appellarunt summa terrae, quae sola
teri possunt, 'sola terrae.' Terra ut putant eadem et humus;
ideo Ennium in terram cadentis dicere:

Cubitis pinsibant humum,

quod terra sit humus. Ideo is humatus mortuus, qui terra
obrutus.

L. L., V, iv, 21-23.

111. An Example of Varro's Method of investigating Etymologies ('Ager.')

Ager dictus in quam terram quid agebant, et unde quid agebant fructus causa; alii, quod id Graeci dicunt ἀγρόν. Ut ager quo agi poterat, sic qua agi 'actus.' Eius finis minimus constitutus in latitudinem pedes quattuor, fortasse an ab eo quattuor, quod ea quadrupes agitur; in longitudinem pedes CXX, in quadratum actum et latum et longum esset CXX. Multa antiqui duodenario numero finierunt, ut XII decuriis actus. 'Iugerum' dictum iunctis duobus actibus quadratis. 'Centuria' primo a centum iugeribus dicta, post duplicata retinuit nomen, ut 'tribus' multiplicatae idem tenent nomen. Ut qua agebant, 'actus,' sic qua vehebant, 'viae' dictae; quo fructus convehebant, 'villae'; qua ibant, ab itu 'iter' appellarunt, qua id anguste, 'semita' ut semiter dictum. Ager 'cultus' ab eo quod ibi cum terra semina coalescebant, et ab inconsitus, 'incultus.' Quod primum ex agro plano fructus capiebant, 'campus' dictus; posteaquam proxuma superiora loca colere coeperunt, a colendo 'colles' appellarunt; quos agros non colebant propter silvas aut id genus, ubi pecus possit pasci, et possidebant, ab usu suo 'saltus' nominarunt. Haec etiam Graeci νέμη nostri 'nemora.' Ager, quod videbatur pecudum ac pecuniae esse fundamentum, 'fundus' dictus, aut quod fundit quotquot annis multa. 'Vineta' ac 'Vineae' a vite multa. Vitis a vino, id a vi; hinc 'vindemia,' quod est vinidemia aut vitidemia. 'Seges' ab 'satu,' id est semine. 'Semen' quod non plane id quod inde; hinc 'seminaria, sementis,' item alia. Quod segetes ferunt, 'fruges'; a fruendo 'fructus'; a spe 'spicae,' ubi et 'culmi,' quod in summo campo nascuntur, et summum culmen. Ubi frumenta secta, ut terantur, arescunt, 'area.' Propter horum similitudinem, in urbe loca pura, 'areae'; a quo potest etiam 'ara' deum, quod pura; nisi potius ab ardore, ad quem ut sit, fit ara; a quo ipso area non abest, quod qui arefacit ardor est solis. Ager 'restibilis,' qui restituitur ac reseritur quotquot annis; contra qui intermittitur, a novando 'novalis ager.' 'Arvus' et 'arationes' ab arando; ab eo, quod aratri vomer sustulit, 'sulcus'; quo ea terra iacta, id est proiecta, 'porca.'

112. Grammatical Theory must be based upon an Analysis of the spoken Idiom: hence Custom and Analogy are not necessarily opposed.

Ii qui in loquendo partim sequi iubent nos consuetudinem,
partim rationem, non tam discrepant, quod consuetudo et analogia coniunctiores sunt inter se, quam iei credunt. Quod est
nata ex quadam consuetudine analogia, et ex hac consuetudine
item anomalia; itaque consuetudo ex dissimilibus et similibus
verbis eorumque declinationibus constat; neque anomalia neque
analogia est repudianda, nisi si non est homo ex anima, quo l
est homo ex corpore et anima. Sed ea, quae dicam, quo facilius pervideri possint, prius de trinis copulis discernendum;
nam confusim ex utraque parte pleraque dicuntur, quorum alia
ad aliam referri debent summam. Primum, de copulis naturae
et usuis; haec enim duo sunt, quod neclegunt, diversa, quod
aliud est dicere verborum analogias, aliud dicere uti oportere
analogiis; secundum de copulis multitudinis ac finis, utrum
omnium verborum dica'ur esse analogia an usus, an maioris
partis; tertium de copulis personarum, qui eis debent uti, quae
sunt plures. Alia enim populi universi, alia singulorum, et
de ieis non eadem oratoris et poëtae, quod eorum non idem
ius. Itaque populus universus debet in omnibus verbis uti
analogia, et si perperam est consuetus, corrigere se ipsum, cum
orator non debeat in omnibus uti, quod sine offensione non
potest facere, cum poetae transilire lineas impune possint.
Populus enim in sua potestate, singuli in illius; itaque ut
suam quisque consuetudinem, si mala est, corrigere debet, sic
populus suam. Ego populi consuetudinis non sum ut dominus,
at ille meae est. Ut rationi optemperare debet gubernator,
gubernatori unusqui que in navi, sic populus rationi, nos singuli
populo. Quare ad quamcumque summam in dicendo referam,
si animadvertes, intelleges, utrum dicatur analogia esse, an uti
oporteret redigeretur dici id in populum aliter ac inde omnibus
dici in eum qui sit in populo.

L. L, IX, i, 2–6.

113. CUSTOM BEING A THING WHICH IS PERPETUALLY FORM-
ING ITSELF, A POPULAR WRITER WHO USES HIS
OPPORTUNITIES IS ABLE MATERIALLY TO INFLU-
ENCE IT.

Cum duo peccati genera sint in declinatione, unum quod in
consuetudinem perperam receptum est, alterum quod nondum
est, et perperam dicatur; unum dant non oportere dici, quod
non sit in consuetudine, alterum non conceditur quin ita dicatur; ut sit similiter, cum id faciant, ac, si quis puerorum per delicias pedes male ponere atque imitari vatias coeperit, hos corrigi
oportere si concedant; contra si quis in consuetudine ambulandi
iam factus sit vatia aut conpernis, si eum corrigi non concedant.   Non sequitur ut stulte faciant, qui pueris in geniculis
alligent serperastra. ut eorum depravata corrigant crura?   Cum
vituperandus non sit medicus, qui e longinqua mala consuetudine
aegrum in meliorem traducit, quare reprehendendus sit, qui
orationem minus valentem propter malam consuetudinem tra-
ducat in meliorem? . . . Sed ut nutrix pueros a lacte non subito
avellit a consuetudine, cum a cibo pristino in meliorem traducit, sic maiores in loquendo a minus commodis verbis ad ea
quae sunt cum ratione, modice traducere oportet.   Cum sint in
consuetudine contra rationem alia verba ita ut ea facile tolli
possint, alia ut videantur esse fixa; quae leviter haerent, ac sine
offensione commutari possint, statim ad rationem corrigi oportet;
quae autem sunt ita, ut in praesentia corrigere nequeas, quin ita
dicas, his oportet, si possis, non uti; sic enim obsolescent, ac
postea iam obliterata facilius corrigi poterunt.   Quas novas
verbi declinationes ratione introductas respuet forum, his boni
poëtae, maxime scenici, consuetudine subigere aures populi
debent. quod poëtae multum possunt in hoc; propter eos quaedam verba in declinatione melius, quaedam deterius dicuntur.
Consuetudo l quendi est in motu; itaque solet fieri ex meliore
deterior, ex deteriore melior.   Ac verba perperam dicta apud
antiquos aliquos propter poëtas non modo nunc dicuntur recte,
sed etiam quae ratione dicta sunt tum, nunc perperam dicuntur.
Quare qui ad consuetudinem nos vocant, si ad rectam, sequemur; in eo quoque enim est analogia: si ad eam invitant, quae

est depravata, nihilo magis sequemur, nisi cum erit necesse, quam in ceteris rebus mala exempla ; cum aliqua vis urget, inviti sequemur. Neque enim Lysippus artificum priorum potius est vitia secutus quam artem. Sic populus facere debet, etiam singuli, sine offensione quod fiat populi.

L. L., IX, v, 10, 11 ; x–xiii, 16–18.

114. There is traceable in Grammatical Forms an Analogy of Natural as well as of Artificial Correspondence.

Qui autem duo genera esse dicunt analogiae, unum naturale, quod ut ex lenti nascatur lentis, sic ex lupino lupinum ; alterum voluntarium, ut in fabrica, cum vident scenam, ut in dexteriore parte sint ostia, sic esse in sinisteriore simili ratione factam ; de his duobus generibus naturalem esse analogiam ut sit in motibus caeli, voluntariam non esse, quod ut quoique fabro lubitum sit, possit facere partis scenae ; sic in hominum partibus esse analogias, quod eas natura faciat, in verbis non esse, quod ea homines ad suam quisque voluntatem fingat, itaque de eisdem rebus alia verba habere Graecos, alia Syros, alia Latinos : ego declinatus verborum et voluntarios et naturalis esse puto, voluntarios quibus homines vocabula imposierint rebus quaedam, ut ab Romulo Roma, ab Tibure Tiburtes ; naturales, ut ab impositis vocabulis quae inclinantur in tempora aut in casus, ut ab Romulus Romulo, Romuli, Romulum, et ab dico dicebam, dixeram. Itaque in voluntariis declinationibus inconstantia est, in naturalibus constantia ; quas utrasque quoniam iei non debeant negare esse in oratione, quom in mundi partibus omnibus sint, et declinationes verborum innumerabiles, dicendum est, esse in his analogias. Neque ideo statim ea in omnibus verbis est sequenda ; nam si qua perperam declinavit verba consuetudo, ut ea aliter efferri non possint sine offensione multorum, hinc rationem verborum praetermittendam ostendit loquendi ratio.

L. L., IX, xxvii, 34, 35.

115. The Gods of the Farmer.

Et quoniam, ut aiunt, dei facientes adiuvant, prius invocabo
eos; nec, ut Homerus et Ennius, Musas, sed XII deos consentis;
neque tamen eos urbanos, quorum imagines ad forum auratae
stant, sex mares et feminae totidem, sed illos XII deos, qui
maxime agricolarum duces sunt. Primum, qui omnis fructus
agriculturae caelo et terra continent, Iovem et Tellurem. Itaque, quod ii parentes magni dicuntur, Iuppiter pater appellatur,
Tellus terra mater. Secundo Solem et Lunam, quorum tempora
observantur, cum quaedam seruntur et conduntur. Tertio Cererem et Liberum, quod horum fructus maxime necessarii ad
victum. Ab his enim cibus et potio venit e fundo. Quarto
Robigum et Floram, quibus propitiis neque robigo frumenta
atque arbores corrumpit, neque non tempestive florent. Itaque
publicae Robigo feriae Robigalia; Florae ludi Floralia instituti.
Item adveneror Minervam et Venerem, quarum unius procuratio oliveti, alterius hortorum; quo nomine rustica Vinalia
instituta. Nec non etiam precor Lympham ac Bonum Eventum, quoniam sine aqua omnis arida ac misera agricultura, sine
successu ac bono eventu frustratio est, non cultura. Iis igitur
deis ad venerationem advocatis, ego referam sermones eos quos
de agricultura nuper habuimus.

R. R., I, i, 4–7.

116. The Best Oxen for Farm Work.

Igitur de omnibus quadripedibus prima est probatio, qui
idonei sint boves, qui arandi causa emuntur, quos rudis, neque
minoris trimos, neque maioris quadrimos parandum, ut viribus
magnis sint ac pares, ne in opere firmior inbecilliorem conficiat;
amplis cornibus, et nigri potius quam aliter ut sint, lata fronte,
naribus simis, lato pectore, crassis coxendicibus. Hos veteranos
ex campestribus locis non emendum in dura ac montana: nec
non, ita si incidit ut sit, vitandum. Novellos cum quis emerit
iuvencos, si eorum colla in furcas destitutas incluserit, ac dederit
cibum, diebus paucis erunt mansueti, et ad domandum proni.
Tum ita subigendum, ut minutatim adsuefaciant, et ut tironem

cum veterano adiungant (imitando enim facilius domatur), et
primum in aequo loco, et sine aratro, tum eo levi, principio
per harenam aut molliorem terram. Quos ad vecturas item in-
stituendum, ut inania primum ducant plaustra, et si possis, per
vicum aut oppidum. Creber crepitus, ac varietas rerum consuetudine celeberima ad utilitatem adducit. Neque pertinaciter,
quem feceris dextrum, in eo manendum. Quod si alternis fit
sinister, fit laboranti in alterutra parte requies. Ubi terra levis,
ut in Campania, ibi non bubus gravibus, sed vaccis aut asinis
quod arant, eo facilius ad aratrum leve adduci possunt, ad
molas, et ad ea, si quae sunt, quae in fundo convehuntur. In
qua re alii asellis, alii vaccis ac mulis utuntur, exinde ut pabuli
facultas est. Nam facilius asellus, quam vacca alitur; sed
fructuosior haec. In eo agricolae hoc spectandum, quo fastigio
sit fundus. In confragoso enim ac difficili haec valentiora
parandum, et potius ea, quae plus fructum reddere possint,
cum idem operis faciant.

R. R., I, xx.

117. Directions for making a Duck-Pond. ✓

Qui autem volunt greges anatium habere, ac constituere
nessotrophion primum locum, quoi est facultas, eligere oportet
palustrem, quod eo maxime delectantur. Si id non, potissimum
ibi, ubi sit naturalis aut lacus, aut stagnum, aut manufacta
piscina, quo gradatim descendere possint. Saeptum altum esse
oportet, ubi versentur, ad pedes XV, ut vidistis ad villam Sei,
quod uno ostio claudatur. Circum totum parietem intrinsecus
crepido lata, in qua secundum parietem sint tecta cubilia; ante
eas vestibulum earum exaequatum tectorio opere testaceo. In
eo perpetua canalis, in quam et cibus ponitur et inmittitur
aqua. Sic enim cibum capiunt. Omnes parietes tectorio levi-
gantur, ne faeles, aliave quae bestia introire ad nocendum possit,
idque saeptum totum rete grandibus maculis integitur, ne eo
involare aquila possit, neve evolare anas. Pabulum iis datur
triticum, hordeum, vinacei, uvae, non numquam etiam ex aqua
cammari, et quaedam eiusmodi aquatilia. Quae in eo saepto
erunt piscinae, in eas aquam large influere oportet, ut semper
recens sit. Sunt item non dissimilia alia genera, ut querque-

dulae, phalerides.   Sic perdices, quae, ut Archelaus scribit,
voce maris audita, concipiunt.   Quae, ut superiores, neque
propter fecunditatem, neque propter suavitatem saginantur, et
sic pascendo fiunt pingues.   Quod ad villaticarum pastionum
primum actum pertinere sum ratus, dixi.

R. R., III, xi.

M. TULLIUS CICERO, 106–43 B. C.

RELIGION.

118. Existence of God inferred from the Contemplation of Nature.

Cum videmus speciem primum candoremque caeli ; dein con-
versionis celeritatem tantam, quantam cogitare non possumus ;
tum vicissitudines dierum atque noctium, commutationesque
temporum quadrupertitas, ad maturitatem frugum et ad tem-
perationem corporum aptas, eorumque omnium moderatorem
et ducem solem ; lunamque accretione et deminutione luminis,
qua i fastorum notantem et signantem dies ; tum in eodem orbe,
in XII partis distributo, quinque stellas ferri, eosdem cursus
constantissime servantis, disparibus inter se motibus, noctur-
namque caeli formam undique sideribus ornatam ; tum globum
terrae eminentem e mari, fixum in medio mundi universi loco,
duabus oris distantibus habitabilem et cultum, quarum altera,
quam nos incolimus,

'Sub áxe posita ad stéllas septem, unde hórrifer
   Aquilónis stridor gélidas molitúr nives ;'

altera australis, ignota nobis, quam vocant Graeci ἀντίχθονα ;
ceteras partis incultas, quod aut frigore rigeant aut urantur
calore ; hic autem, ubi habitamus, non intermittit suo tempore

'Caelúm nitescere, árbores frondéscere,
   Vités laetificae pámpinis pubéscere,
   Ramí bacarum ubértate incurvéscere,
   Segetés largiri frúges, florere ómnia,
   Fontés scatere. herbis práta convestírier ;

tum multitudinem pecudum, partim ad vescendum, partim ad
cultus agrorum, partim ad vehendum, partim ad corpora vesti-
enda; hominemque ipsum quasi contemplatorem caeli ac deorum
ipsorumque cultorem, atque hominis utilitati agros omnis et
maria parentia : haec igitur et alia innumerabilia cum cernimus, possumusne dubitare, quin iis praesit aliquis vel effector, si
haec nata sunt, ut Platoni videtur, vel, si semper fuerunt, ut
Aristoteli placet, moderator tanti operis et muneris?

Tusc. Disp., I, xxxviii, 68–70.

119. Existence of God inferred from the Evidence of Design in Nature.

Quod si omnes mundi partes ita constitutae sunt, ut neque ad
usum meliores potuerint esse, neque ad speciem pulchriores,
videamus, utrum ea fortuitane sint, an eo statu, quo cohaerere
nullo modo potuerint, nisi sensu moderante divinaque providen-
tia. Si igitur meliora sunt ea, quae natura, quam illa, quae arte
perfecta sunt, nec ars efficit quicquam sine ratione, ne natura
quidem rationis expers est habenda. Qui igitur convenit, signum aut tabulam pictam cum aspexeris, scire adhibitam esse
artem, cumque procul cursum navigii videris, non dubitare, quin
id ratione atque arte moveatur ; aut, cum solarium aut descrip-
tum aut ex aqua contemplere, intellegere declarari horas arte,
non casu ; mundum autem, qui et has ipsas artis et earum artifices et cuncta conplectatur, consilii et rationis esse expertem
putare? Quod si in Scythiam aut in Britanniam sphaeram aliquis tulerit hanc, quam nuper familiaris noster effecit Posidonius,
cuius singulae conversiones idem efficiunt in sole et in luna et in
quinque stellis errantibus, quod efficitur in caelo singulis diebus
et noctibus, quis in illa barbaria dubitet, quin ea sphaera sit
perfecta ratione? Hi autem dubitant de mundo, ex quo et
oriuntur et fiunt omnia, casune ipse sit effectus aut necessitate
aliqua, an ratione ac mente divina, et Archimedem arbitrantur
plus valuisse in imitandis sphaerae conversionibus, quam naturam
in efficiendis, praesertim cum multis partibus sint illa perfecta,
quam haec simulata, sollertius. Atque ille apud Accium pastor,
qui navem numquam ante vidisset, ut procul divinum et novum
vehiculum Argonautarum e monte conspexit, primo admirans

et perterritus, . . . inanimum quiddam sensuque vacuum se
putat cernere; post autem signis certioribus, quale sit id, de quo
dubitaverat, incipit suspicari; sic philosophi debuerunt, si forte
eos primus aspectus mundi conturbaverat, postea, cum vidissent
motus eius finitos et aequabilis, omniaque ratis ordinibus mode-
rata inmutabilique constantia, intellegere inesse aliquem non
solum habitatorem in hac caelesti ac divina domo, sed etiam
rectorem et moderatorem et tamquam architectum tanti operis
tantique muneris.

Nat. Deor., II, xxxiv, xxxv, 87–90.

120. Existence of God inferred from the Principle of Life within us.

Sed huius beneficii gratiam, iudices, fortuna populi Romani et
vestra felicitas et di immortales sibi deberi putant. Nec vero
quisquam aliter arbitrari potest, nisi qui nullam vim esse ducit
numenve divinum, quem neque imperii nostri magnitudo, neque
sol ille, nec caeli signorumque motus, nec vicissitudines rerum
atque ordines movent, neque, id quod maximum est, maiorum
nostrorum sapientia; qui sacra, qui caerimonias, qui auspicia et
ipsi sanctissime coluerunt, et nobis, suis posteris, prodiderunt.
Est, est profecto illa vis; neque in his corporibus, atque in hac
imbecillitate nostra, inest quiddam, quod vigeat et sentiat, et non
inest in hoc tanto naturae tam praeclaro motu. Nisi forte idcirco esse non putant, quia non apparet, nec cernitur; proinde
quasi nostram ipsam mentem, qua sapimus, qua providemus, qua
haec ipsa agimus ac dicimus, videre, aut plane, qualis, aut ubi
sit, sentire possimus.

Milo, xxx, xxxi, 83, 84.

121. On the Possibility of God's Attributes.

Qualem autem deum intellegere nos possumus nulla virtute
praeditum? Quid enim? Prudentiamne deo tribuemus, quae
constat ex scientia rerum bonarum et malarum, et nec bonarum
nec malarum? Cui mali nihil est nec esse potest, quid huic
opus est delectu bonorum et malorum? quid autem ratione?
quid intellegentia? quibus utimur ad eam rem, ut apertis ob-

scura adsequamur; at obscurum deo nihil potest esse. **Nam**
iustitia, quae suum cuique distribuit, quid pertinet ad deos?
Hominum enim societas et communitas, ut vos dicitis, iustitiam
procreavit. Temperantia autem constat ex praetermittendis
voluptatibus corporis, cui si locus in caelo est, est etiam voluptatibus. Nam fortis deus intellegi qui potest in dolore, an in
labore, an in periculo, quorum deum nihil attingit? Nec ratione
igitur utentem nec virtute ulla praeditum deum intellegere qui
possumus?

Nat. Deor., III, xv, 38.

122. Law in its Highest Form is the Expression of the Divine Mind.

Neque enim esse mens divina sine ratione potest, nec ratio
divina non hanc vim in rectis pravisque sanciendis habet; nec,
quia nusquam erat scriptum, ut contra omnis hostium copias in
ponte unus adsisteret a tergoque pontem interscindi iuberet,
idcirco minus Coclitem illum rem gessisse tantam fortitudinis
lege atque imperio putabimus; nec, si regnante Tarquinio nulla
erat Romae scripta lex de stupris, idcirco non contra illam legem
sempiternam Sex. Tarquinius vim Lucretiae, Tricipitini filiae,
attulit. Erat enim ratio profecta a rerum natura, et ad recte
faciendum inpellens et a delicto avocans, quae non tum denique
incipit lex esse, cum scripta est, sed tum, cum orta est. Orta
est autem simul cum mente divina. Quamobrem lex vera atque
princeps apta ad iubendum et ad vetandum ratio est recta summi
Iovis.

Leg., II, iv, 10.

123. The Divine Providence watches over Nations and Individuals.

Neo vero universo generi hominum solum, sed etiam singulis
a dis inmortalibus consuli et provideri solet. Licet enim contrahere universitatem generis humani, eamque gradatim ad
pauciores, postremo deducere ad singulos. Nam si omnibus
hominibus, qui ubique sunt, quacumque in ora ac parte terrarum,
ab huiusce terrae, quam nos incolimus, continuatione distantium,

deos consulere censemus ob eas causas. quas ante diximus, his
quoque hominibus consuluut, qui has nobiscum terras ab oriente
ad occidentem colunt. Sin autem his consulunt, qui quasi magnam quandam insulam incolunt, quam nos orbem terrae vocamus, etiam illis consulunt, qui partis eius insulae tenent,
Europam, Asiam, Africam. Ergo et earum partis diligunt, ut
Romam, Athenas, Spartam, Rhodum, et earum urbium separa-
tim ab universis singulos diligunt, ut Pyrrhi bello Curium,
Fabricium, Coruncanium, primo Punico Calatinum, Duellium,
Metellum, Lutatium ; secundo Maxumum, Marcellum, Africanum ; post hos Paulum, Gracchum, Catonem, patrum vero memoria Scipionem, Laelium ; multosque praeterea et nostra civitas
et Graecia tulit singularis viros ; quorum neminem, nisi iuvante
deo, talem fuisse credendum est. . . . Praeterea ipsorum deorum saepe praesentiae, qualis supra commemoravi, declarant, ab
iis et civitatibus et singulis hominibus consuli ; quod quidem
intellegitur etiam significationibus rerum futurarum, quae tum
dormientibus, tum vigilantibus portenduntur. Multa praeterea
ostentis, multa extis admonemur, multisque rebus aliis ; quas
diuturnus usus ita notavit, ut artem divinationis efficeret. Nemo
igitur vir magnus sine aliquo afflatu divino umquam fuit. Nec
vero id ita refellendum est, ut. si segetibus aut vinetis cuiuspiam
tempestas nocuerit, aut si quid e vitae commodis casus abstulerit,
eum, cui quid horum acciderit, aut invisum deo aut neglectum a
deo iudicemus. Magna di curant, parva neglegunt.

Nat. Deor., II, lxv, lxvi, 164–167.

124. Superstition is not Religion.

Explodatur igitur haec quoque somniorum divinatio pariter
cum ceteris. Nam ut vere loquamur, superstitio, fusa per gentis,
oppressit omnium fere animos atque hominum inbecillitatem
occupavit. Quod et in iis libris dictum est. qui sunt de natura
deorum, et hac disputatione id maxime egimus. Multum enim
et nobismet ipsis, et nostris profuturi videbamur, si eam funditus
sustulissemus. Nec vero (id enim diligenter intellegi volo)
superstitione tollenda religio tollitur. Nam et maiorum instituta tueri sacris caerimoniisque retinendis sapientis est ; et esse
praestantem aliquam aeternamque naturam, et eam suspiciendam

admirandamque hominum generi, pulchritudo mundi ordoque
rerum caelestium cogit confiteri. Quamobrem, ut religio propa-
ganda etiam est, quae est iuncta cum cognitione naturae, sic
superstitionis stirpes omnes eligendae. Instat enim et urguet et,
quo te cumque verteris, persequitur; sive tu vatem, sive tu omen
audieris; sive inmolaris, sive avem aspexeris; si Chaldaeum, si
haruspicem videris; si fulserit, si tonuerit, si tactum aliquid erit
de caelo; si ostenti simile natum factumve quippiam, quorum
necesse est plerumque aliquid eveniat; ut numquam liceat quieta
mente consistere.

De Divin., II, lxxii, 148, 149.

125. Utility of Religion to the Commonwealth.

Sit igitur hoc a principio persuasum civibus, dominos esse
omnium rerum ac moderatores deos, eaque, quae gerantur, eorum
geri dicione ac numine, eosdemque optime de genere hominum
mereri et, qualis quisque sit, quid agat, quid in se admittat, qua
mente, qua pietate colat religiones, intueri, piorumque et inpi-
orum habere rationem. His enim rebus inbutae mentes haud
sane abhorrebunt ab utili aut a vera sententia. Quid est enim
verius, quam neminem esse oportere tam stulte adrogantem, ut
in se rationem et mentem putet inesse, in caelo mundoque non
putet? aut ut ea, quae vix summa ingenii ratione conprehendat,
nulla ratione moveri putet? Quem vero astrorum ordines, quem
dierum noctiumque vicissitudines, quem mensum temperatio,
quemque ea, quae gignuntur nobis ad fruendum, non gratum
esse cogant; hunc hominem omnino numerari qui decet? Cumque omnia, quae rationem habent, praestent iis, quae sint rationis
expertia, nefasque sit dicere, ullam rem praestare naturae omnium rerum, rationem inesse in ea confitendum est. Utilis esse
autem opiniones has quis neget, cum intellegat, quam multa fir-
mentur iureiurando? quantae salutis sint foederum religiones?
quam multos divini supplicii metus a scelere revocarit? quamque sancta sit societas civium inter ipsos, dis inmortalibus
interpositis tum iudicibus, tum testibus?

Leg., II, vii, 15, 16.

126. The Soul is Immortal.

Nemo umquam mihi, Scipio, persuadebit, aut patrem tuum Paulum aut duos avos, Paulum et Africanum, aut Africani patrem, aut patruum, aut multos praestantis viros, quos enumerare non est necesse, tanta esse conatos, quae ad posteritatis memoriam pertinerent, nisi animo cernerent posteritatem ad se pertinere. . . . Quod quidem ni ita se haberet, ut animi inmortales essent, haud optimi cuiusque animus maxime ad inmortalitatem gloriae niteretur. Quid? quod sapientissimus quisque aequissimo animo moritur, stultissimus iniquissimo? Nonne vobis videtur animus is, qui plus cernat et longius, videre, se ad meliora proficisci, ille autem, cuius obtusior sit acies, non videre? Equidem efferor studio patres vestros, quos colui et dilexi, videndi; neque vero eos solum convenire aveo, quos ipse cognovi, sed illos etiam de quibus audivi et legi et ipse conscripsi. Quo quidem me proficiscentem haud sane quis facile retraxerit, neque tamquam Peliam recoxerit. . . . Neque me vixisse paenitet, quoniam ita vixi, ut non frustra me natum existimem; et ex vita ita discedo, tamquam ex hospitio, non tamquam ex domo. Commorandi enim natura devorsorium nobis, non habitandi dedit. O praeclarum diem, cum ad illud divinum animorum concilium coetumque proficiscar, cumque ex hac turba et conluvione discedam! Proficiscar enim non ad eos solum viros, de quibus ante dixi; verum etiam ad Catonem meum, quo nemo vir melior natus est, nemo pietate praestantior; cuius a me corpus crematum est (quod contra decuit ab illo meum), animus vero non me deserens, sed respectans, in ea profecto loca discessit, quo mihi ipsi cernebat esse veniendum. Quem ego meum casum fortiter ferre visus sum; non quo aequo animo ferrem, sed me ipse consolabar, existumans, non longinquum inter nos digressum et discessum fore.

De Senect., **xxiii, 82–84.**

127. Death not an Evil.

Quae cum ita sint, magna tamen eloquentia est utendum, atque ita velut superiore e loco contionandum, ut homines mortem vel optare incipiant, vel certe timere desistant. Nam si supremus ille dies non exstinctionem, sed commutationem adfert loci, quid optabilius? Sin autem peremit ac delet omnino, quid melius, quam in mediis vitae laboribus obdormiscere, et ita coniventem somno consopiri sempiterno? Quod si fiat, melior Ennii, quam Solonis oratio. Hic enim noster,

'Nemo me dacrumis decoret,' inquit, 'nec funera fletu faxit.'

At vero ille sapiens,

   'Mors mea ne careat lacrimis; linquamus amicis
     Maerorem, ut celebrent funera cum gemitu.'

Nos vero, si quid tale acciderit, ut a deo denuntiatum videatur, ut exeamus e vita, laeti et agentes gratias pareamus, emittique nos e custodia et levari vinclis arbitremur, ut aut in aeternam et plane in nostram domum remigremus, aut omni sensu molestiaque careamus; sin autem nihil denuntiabitur, eo tamen simus animo, ut horribilem illum diem aliis, nobis faustum putemus; nihilque in malis ducamus, quod sit vel a dis inmortalibus vel a natura parente omnium constitutum. Non enim temere nec fortuito sati et creati sumus, sed profecto fuit quaedam vis, quae generi consuleret humano, nec id gigneret aut aleret, quod, cum exanclavisset omnis labores, tum incideret in mortis malum sempiternum; portum potius paratum nobis et perfugium putemus. Quo utinam velis passis pervehi liceat! Sin reflantibus ventis reiciemur, tamen eodem paulo tardius referamur necesse est. Quod autem omnibus necesse est, idne miserum esse uni potest?

Tusc. Disp., I, xlix, 117–119.

128. On Suicide.

Cato autem sic abiit e vita, ut causam moriendi nactum se
esse gauderet. Vetat enim dominans ille in nobis deus, iniussu
hinc nos suo demigrare ; cum vero causam iustam deus ipse
dederit, ut tunc Socrati, nunc Catoni, saepe multis ; ne ille,
me dius fidius, vir sapiens laetus ex his tenebris in lucem illam
excesserit. Nec tamen illa vincla carceris ruperit ; leges enim
vetant ; sed tamquam a magistratu aut ab aliqua potestate
legitima, sic a deo evocatus atque emissus exierit. Tota enim
philosophorum vita, ut ait idem, commentatio mortis est. Nam
quid aliud agimus, cum a voluptate, id est a corpore, cum a re
familiari, quae est ministra et famula corporis, cum a republica,
cum a negotio omni sevocamus animum ? Quid, inquam, tum
agimus, nisi animum ad se ipsum advocamus, secum esse cogi-
mus maximeque a corpore abducimus ? Secernere autem a
corpore animum ecquid aliud est, quam mori discere.

Tusc. Disp., I, xxx, xxxi, 74, 75.

PHILOSOPHY AND MORALS.

129. We cannot overrate the Value of Philosophy.

Sed et huius culpae et ceterorum vitiorum peccatorumque
nostrorum omnis a philosophia petenda correctio est. Cuius in
sinum cum a primis temporibus aetatis nostra voluntas studium-
que nos compulisset, his gravissimis casibus in eundem portum,
ex quo eramus egressi, magna iactati tempestate confugimus.
O vitae philosophia dux, o virtutis indagatrix, expultrixque
vitiorum ! quid non modo nos, sed omnino vita hominum sine
te esse potuisset ! Tu urbis peperisti ; tu dissipatos homines
in societatem vitae convocasti ; tu eos inter se primo domi-
ciliis, deinde coniugiis, tum litterarum et vocum communione
iunxisti ; tu inventrix legum, tu magistra morum et disciplinae
fuisti. Ad te confugimus, a te opem petimus ; tibi nos, ut
antea magna ex parte, sic nunc penitus totosque tradimus.
Est autem unus dies, bene et ex praeceptis tuis actus, peccanti

inmortalitati anteponendus. Cuius igitur potius opibus utamur, quam tuis, quae et vitae tranquillitatem largita nobis es, et terrorem mortis sustulisti?

Tusc. Disp., V, ii, 5.

130. A Sketch of the Progress of Philosophy.

Nec vero Pythagoras nominis solum inventor, sed rerum etiam ipsarum amplificator fuit. Qui cum post hunc Phliasium sermonem in Italiam venisset, exornavit eam Graeciam, quae magna dicta est, et privatim et publice praestantissimis et institutis et artibus. Cuius de disciplina aliud tempus fuerit fortasse dicendi. Sed ab antiqua philosophia usque ad Socratem, qui Archelaum, Anaxagorae discipulum, audierat, numeri motusque tractabantur, et unde omnia orirentur, quove reciderent; studioseque ab his siderum magnitudines, intervalla, cursus anquirebantur et cuncta caelestia. Socrates autem primus philosophiam devocavit e caelo, et in urbibus conlocavit, et in domos etiam introduxit, et coegit de vita et moribus rebusque bonis et malis quaerere. Cuius multiplex ratio disputandi rerumque varietas et ingenii magnitudo, Platonis memoria et litteris consecrata, plura genera effecit dissentientium philosophorum. E quibus nos id potissimum consecuti sumus, quo Socratem usum arbitrabamur, ut nostram ipsi sententiam tegeremus, errore alios levaremus et in omni disputatione, quid esset simillimum veri, quaereremus. Quem morem cum Carneades acutissime copiosissimeque tenuisset, fecimus et alias saepe, et nuper in Tusculano, ut ad eam consuetudinem disputaremus.

Tusc. Disp., V, iv, 10, 11.

131. Criticism of the Epicurean Logic.

Hoc persaepe facitis, ut, cum aliquid non verisimile dicatis et effugere reprehensionem velitis, adferatis aliquid, quod omnino ne fieri quidem possit; ut satius fuerit illud ipsum, de quo ambigebatur, concedere, quam tam inpudenter resistere. Velut Epicurus, cum videret, si atomi ferrentur in locum inferiorem suopte pondere, nihil fore in nostra potestate, quod esset earum motus certus et necessarius; invenit, quo modo necessitatem

effugeret, quod videlicet Democritum fugerat. Ait atomum,
cum pondere et gravitate directo deorsus feratur, declinare paululum. Hoc dicere turpius est, quam illud, quod volt, non posse
defendere. Idem facit contra Dialecticos; a quibus cum traditum sit, in omnibus diiunctionibus, in quibus, aut etiam, aut
non, poneretur, alterutrum verum esse: pertimuit, ne, si concessum esset huiusmodi aliquid, Aut vivet cras aut non vivet Epicurus, alterutrum fieret necessarium; totum hoc, aut etiam, aut
non, negavit esse necessarium. Quo quid dici potest obtusius?
Urgebat Arcesilas Zenonem, cum ipse falsa omnia diceret, quae
sensibus viderentur; Zeno autem, nonnulla visa esse falsa, non
omnia. Timuit Epicurus, ne, si unum visum esset falsum, nullum esset verum; omnis sensus veri nuntios dixit esse. Nihil
horum, nimis callide. Graviorem enim plagam accipiebat, ut
leviorem repelleret. Idem facit in natura deorum. Dum indi-
viduorum corporum concretionem fugit, ne interitus et dissipatio
consequatur, negat esse corpus deorum, sed tamquam corpus,
nec sanguinem, sed tamquam sanguinem.

Nat. Deor., I, xxv, 69–71.

132. An Attitude of Independent Criticism is more Philosophical than an Unquestioning Acceptance of any System.

Etsi enim omnis cognitio multis est obstructa difficultatibus,
eaque est et in ipsis rebus obscuritas et in iudiciis nostris infirmitas, ut non sine causa et antiquissimi et doctissimi invenire se
posse, quod cuperent, diffisi sint. Tamen nec illi defecerunt,
neque nos studium exquirendi defatigati relinquemus; neque
nostrae disputationes quicquam aliud agunt, nisi ut, in utramque
partem dicendo, eliciant et tamquam exprimant aliquid, quod
aut verum sit, aut ad id quam proxime accedat. Neque inter
nos et eos, qui se scire arbitrantur, quicquam interest, nisi quod
illi non dubitant, quin ea vera sint, quae defendunt; nos probabilia multa habemus, quae sequi facile, adfirmare vix possumus.
Hoc autem liberiores et solutiores sumus, quod integra nobis est
iudicandi potestas; nec, ut omnia, quae praescripta et quasi im-
perata sint, defendamus, necessitate ulla cogimur. Nam ceteri
primum ante tenentur adstricti, quam, quid esset optimum, iudi-

care potuerunt; deinde infirmissimo tempore aetatis aut obsecuti
amico cuidam aut una alicuius, quem primum audierunt, oratione
capti, de rebus incognitis iudicant, et, ad quamcumque sunt
disciplinam quasi tempestate delati, ad eam, tamquam ad saxum,
adhaerescunt.　Nam, quod dicunt omnia se credere ei, quem
iudicent fuisse sapientem, probarem, si id ipsum rudes et indocti
iudicare potuissent; statuere enim, qui sit sapiens, vel maxime
videtur esse sapientis; sed aut, ut potuerunt, omnibus rebus
auditis, cognitis etiam reliquorum sententiis iudicaverunt, aut re
semel audita atque ad unius se auctoritatem contulerunt.　Sed,
nescio quo modo, plerique errare malunt, eamque sententiam,
quam adamaverunt, pugnacissime defendere, quam sine pertinacia, quid constantissime dicatur, exquirere.

Acad. Prior, II, iii, 7–9.

133.　A Denial of Absolute Certainty is not Incom-
patible with an Earnest Search after Truth.

Occurritur autem nobis, et quidem a doctis et eruditis quae-
rentibus, satisne constanter facere videamur, qui, cum percipi
nihil posse dicamus, tamen et aliis de rebus disserere soleamus, et
hoc ipso tempore praecepta officii persequamur.　Quibus vellem
satis cognita esset nostra sententia! Non enim sumus ii, quorum
vagetur animus errore, nec habeat umquam, quid sequatur.
Quae enim esset ista mens, vel quae vita potius, non modo disputandi, sed vivendi ratione sublata?　Nos autem, ut ceteri alia
certa, alia incerta esse dicunt, sic ab his dissentientes alia probabilia, contra alia [esse] dicimus.　Quid est igitur, quod me
impediat, ea, quae probabilia mihi videantur, sequi; quae contra,
improbare, atque adfirmandi adrogantiam vitantem, fugere teme-
ritatem, quae a sapientia dissidet plurimum?　Contra autem
omnia disputatur a nostris, quod hoc ipsum probabile elucere
non possit, nisi ex utraque parte causarum esset facta contentio.
Sed haec explanata sunt in Academicis nostris satis, ut arbitror, diligenter.　Tibi autem, mi Cicero, quamquam in antiquis-
sima nobilissimaque philosophia, Cratippo auctore, versaris, iis
simillimo, qui ista praeclara pepererunt, tamen haec nostra, fini-
tima vestris, ignota esse nolui.

De Off., II, ii, 7, 8.

134. The Love of Knowledge Natural to Man.

Tantus est igitur innatus in nobis cognitionis amor et scientiae,
ut nemo dubitare possit, quin ad eas res hominum natura nullo
emolumento invitata rapiatur. Videmusne, ut pueri ne verberibus quidem a contemplandis rebus perquirendisque deterreantur?
ut pulsi recurrant, ut aliquid scire se gaudeant? ut id aliis narrare gestiant? ut pompa, ludis atque eiusmodi spectaculis teneau-
tur, ob eamque rem vel famem et sitim perferant? Quid vero?
Qui ingenuis studiis atque artibus delectantur, nonne videmus
eos nec valetudinis, nec rei familiaris habere rationem, omniaque
perpeti, ipsa cognitione et scientia captos, et cum maximis curis
et laboribus compensare eam, quam ex discendo capiant, voluptatem? Mihi quidem Homerus huius modi quiddam vidisse
videtur in iis, quae de Sirenum cantibus finxit. Neque enim
vocum suavitate videntur, aut novitate quadam et varietate can-
tandi revocare eos solitae, qui praetervehebantur, sed quia multa
se scire profitebantur; ut homines ad earum saxa discendi cupiditate adhaerescerent. Ita enim invitant Ulixem (nam verti, ut
quaedam Homeri, sic istum ipsum locum):

O decus Argolicum, quin puppim flectis, Ulixes,
Auribus ut nostros possis agnoscere cantus!
Nam nemo haec umquam est transvectus caerula cursu,
Quin prius astiterit, vocum dulcedine captus,
Post, variis avido satiatus pectore Musis,
Doctior ad patrias lapsus pervenerit oras.
Nos grave certamen belli clademque tenemus,
Graecia quam Troiae divino numine vexit,
Omniaque e latis rerum vestigia terris.

Vidit Homerus, probari fabulam non posse, si cantiunculis
tantus vir inretitus teneretur. Scientiam pollicentur; quam non
erat mirum sapientiae cupido patria esse cariorem. Atque omnia
quidem scire, cuiuscumque modi sint, cupere curiosorum; duci
vero maiorum rerum contemplatione ad cupiditatem scientiae,
summorum virorum est putandum.

De Fin., V, xviii, 48, 49.

135. PHILOSOPHY MORE OFTEN THEORY THAN PRACTICE.

Efficit hoc philosophia; medetur animis, inanis sollicitudines
detrahit, cupiditatibus liberat, pellit timores. Sed haec eius vis
non idem potest apud omnis; tamen valet multum, cum est
idoneam conplexa naturam. Fortis enim non modo fortuna
adiuvat, ut est in vetere proverbio, sed multo magis ratio, quae
quibusdam quasi praeceptis confirmat vim fortitudinis. Te
natura excelsum quendam videlicet, et altum, et humana de-
spicientem genuit. Itaque facile in animo forti contra mortem
habita insedit oratio. Sed haec eadem num censes apud eos
ipsos valere, nisi admodum paucos, a quibus inventa, disputata,
conscripta sunt? Quotus enim quisque philosophorum invenitur, qui sit ita moratus, ita animo ac vita constitutus, ut ratio
postulat? qui disciplinam suam non ostentationem scientiae, sed
legem vitae putet? qui obtemperet ipse sibi et decretis suis pa-
reat? Videre licet alios tanta levitate et iactatione, iis ut fuerit
non didicisse melius; alios pecuniae cupidos, gloriae nonnullos,
multos libidinum servos; ut cum eorum vita mirabiliter pugnet
oratio; quod quidem mihi videtur esse turpissimum. Ut enim,
si grammaticum se professus quispiam barbare loquatur, aut si
absurde canat is, qui se haberi velit musicum, hoc turpior sit,
quod in eo ipso peccet, cuius profitetur scientiam; sic philoso-
phus in ratione vitae peccans, hoc turpior est, quod in officio,
cuius magister esse vult, labitur, artemque vitae professus, de-
linquit in vita. Nonne verendum igitur, si est ita, ut dicis, ne
philosophiam falsa gloria exornes? Quod est enim maius argumentum, nihil eam prodesse quam quosdam perfectos philosophos turpiter vivere?

Tusc. Disp., II, iv, v, 11, 12.

136. HAPPINESS BY MEANS OF VIRTUE IS THE NATURAL
END OF MAN.

Unde igitur rectius ordiri possumus, quam a communi parente
natura? quae, quicquid genuit, non modo animal, sed etiam quod
ita ortum esset e terra, ut stirpibus suis niteretur, in suo quidque
genere perfectum esse voluit. Itaque et arbores et vites et ea.

quae sunt humiliora, neque se tollere a terra altius possunt; alia
semper virent, alia, hieme nudata, verno tempore tepefacta fron-
descunt; neque est ullum, quod non ita vigeat interiore quodam
motu, et suis in quoque seminibus inclusis, ut aut flores aut
fruges fundat aut bacas, omniaque in omnibus, quantum in ipsis
sit, nulla vi inpediente, perfecta sint. Facilius vero etiam in
bestiis, quod iis sensus a natura est datus, vis ipsius naturae perspici potest. Namque alias bestias nantis aquarum incolas esse
voluit; alias volucres caelo frui libero; serpentis quasdam, quasdam esse gradientis; earum ipsarum partim solivagas, partim
congregatas; inmanis alias, quasdam autem cicures; nonnullas
abditas terraque tectas. Atque earum quaeque suum tenens
munus, cum in disparis animantis vitam transire non possit,
manet in lege naturae. Et ut bestiis aliud alii praecipui a
natura datum est, quod suum quaeque retinet, nec discedit ab
eo, sic homini multo quiddam praestantius. Etsi praestantia
debent ea dici, quae habent aliquam comparationem; humanus
autem animus, decerptus ex mente divina, cum alio nullo, nisi
cum ipso deo, si hoc fas est dictu, comparari potest. Hic igitur,
si est excultus, et si eius acies ita curata est, ut ne caecaretur
erroribus; fit perfecta mens, id est absoluta ratio; quod est
idem virtus. Et, si omne beatum est, cui nihil deest et quod in
suo genere expletum atque cumulatum est, idque virtutis est
proprium; certe omnes virtutis conpotes beati sunt.

Tusc. Disp., V, xiii, 37–39.

137. An Analysis of the Emotions founded on the Psychology of the Stoics.

Est igitur Zenonis haec definitio, ut perturbatio sit, quod πάθος
ille dicit, aversa a recta ratione, contra naturam, animi commotio.
Quidam brevius, perturbationem esse adpetitum vehementiorem;
sed vehementiorem eum volunt esse, qui longius discesserit a
naturae constantia. Partis autem perturbationum volunt ex
duobus opinatis bonis nasci, et ex duobus opinatis malis; ita esse
quattuor: ex bonis libidinem et laetitiam, ut sit laetitia praesentium bonorum, libido futurorum; ex malis metum et aegritudinem nasci censent, metum futuris, aegritudinem praesentibus.
Quae enim venientia metuuntur, eadem adficiunt aegritudine

instantia. Laetitia autem et libido in bonorum opinione versantur, cum libido ad id, quod videtur bonum, inlecta et inflammata rapiatur, laetitia, ut adepta iam aliquid concupitum, ecferatur et gestiat. Natura enim omnes ea, quae bona videntur, sequu..tur, fugiuntque contraria. Quamobrem simul obiecta species cuiuspiam est, quod bonum videatur, ad id adipiscendum impellit ipsa natura. Id cum constanter prudenterque fit, eiusmodi adpetitionem Stoici βούλησιν appellant, nos appellemus voluntatem· Eam illi putant in solo esse sapiente, quam sic d finiunt: Voluntas est, quae quid cum ratione desiderat. Quae autem, *a* ratione adversa, incitata est vehementius, ea libido est vel cupiditas effrenata; quae in omnibus stultis invenitur. Itemque, cum ita movemur, ut in bono simus aliquo, dupliciter id contingit. Nam cum ratione animus movetur placide atque constanter, tum illud gaudium dicitur; cum autem inaniter et effuse animus exsultat, tum illa laetitia gestiens vel nimia dici potest, quam ita definiunt, sine ratione animi elationem. Quoniamque, ut bona natura adpetimus, sic a malis natura declinamus; quae declinatio, si cum ratione fiet, cautio appelletur, eaque intellegatur in solo esse sapiente; quae autem sine ratione et cum exanimatione humili atque fracta, nominetur metus; est igitur metus, *a* ratione adversa, cautio. Praesentis autem mali sapientis affectio nulla est. Stultorum aegritudo est eaque adficiuntur in malis opinatis, animosque demittunt et contrahunt, rationi non obtemperantes. Itaque haec prima definitio est, ut aegritudo sit animi, adversante ratione, contractio. Sic quattuor perturbationes sunt, tres constantiae, quoniam aegritudini nulla constantia opponitur.

Tusc. Disp., IV, vi.

138. THE IDEAL OF FRIENDSHIP.

Quanta autem vis amicitiae sit, ex hoc intellegi maxime potest, quod ex infinita societate generis humani, quam conciliavit ipsa natura, ita contracta res est et adducta in angustum, ut omnis caritas aut inter duos aut inter paucos iungeretur. Est enim amicitia nihil aliud, nisi omnium divinarum humanarumque rerum cum benevolentia et caritate summa consensio; qua quidem haud scio an, excepta sapientia, nihil melius homini sit a dis inmortalibus datum. . . . *Bonos* igitur inter viros amicitia

tantas opportunitates habe', quantas vix queo dicere. Principio,
qui potest esse vita vitalis, ut ait Ennius, quae non in amici
mutua benevolentia conquiescit? Quid dulcius. quam habere,
quicum omnia audeas sic loqui, ut tecum? Qui esset tautus
fructus in prosperis rebus, nisi haberes, qui illis aeque, ac tu ipse,
gauderet? Adversas vero ferre difficile esset sine eo, qui illas
gravius etiam, quam tu, ferret. Denique ceterae res, quae expe-
tuntur, opportunae sunt singulae rebus fere singulis: divitiae, ut
utare ; opes, ut colare ; honores, ut laudere ; voluptates, ut gau-
deas ; valetudo, ut dolore careas et muneribus fungare corporis.
Amicitia res plurimas continet ; quoque te verteris, praesto est ;
nullo loco excluditur ; numquam intempestiva, numquam molesta
est. Itaque non aqua, non igni, ut aiunt, pluribus locis utimur,
quam amicitia. Neque ego nunc de volgari aut de mediocri,
quae tamen ipsa et delectat et prodest, sed de vera et perfecta
loquor, qualis eorum, qui pauci nominantur, fuit. Nam et
secundas res splendidiores facit amicitia, et adversas partiens
communicansque leviores.

De Am., v, vi, 20-22.

139. Friendship Indispensable to Mankind.

Una est enim amicitia in rebus humanis, de cuius utilitate
omnes uno ore consentiunt ; quamquam a multis ipsa virtus con-
temnitur et venditatio quaedam atque ostentatio esse dicitur.
Multi divitias despiciunt, quos parvo contentos tenuis victus
cultusque delectat ; honores vero, quorum cupiditate quidam
inflammantur. quam multi ita contemnunt, ut nihil inanius, nihil
sese levius existiment ; itemque cetera, quae quibusdam admi-
rabilia videntur, permulti sunt, qui pro nihilo putent. De amicitia omnes ad unum idem sentiunt, et ii, qui ad rempublicam se
contulerunt, et ii, qui rerum cognitione doctrinaque delectantur,
et ii, qui suum negotium gerunt otiosi, postremo ii, qui se totos
tradiderunt voluptatibus, sine amicitia vitam esse nullam, si modo
velint aliqua ex parte liberaliter vivere. Serpit enim nescio
quo modo per omnium vitas amicitia, nec ullam aetatis degendae
rationem patitur esse expertem sui. Quin etiam si quis ea
asperitate est et inmanitate naturae, congressus ut hominum
fugiat atque oderit, qualem fuisse Athenis Timonem nescio

quem accepimus; tamen is pati non possit, ut non anquirat
aliquem, apud quem evomat virus acerbitatis suae. Atque hoc
maxime iudicaretur, si quid tale posset contingere, ut aliquis nos
deus ex hac hominum frequentia tolleret et in solitudine uspiam
conlocaret, atque ibi subpeditans omnium rerum, quas natura
desiderat, abundantiam et copiam, hominis omnino aspiciendi potestatem eriperet. Quis tam esset ferreus, qui eam vitam ferre
posset, cuique non auferret fructum voluptatum omnium solitudo?
Verum ergo illud est, quod a Tarentino Archyta, ut opinor, dici
solitum nostros senes commemorare audivi, ab aliis senibus auditum: Si quis in caelum ascendisset naturamque mundi et
pulchritudinem siderum perspexisset, insuavem illam admirationem ei fore, quae iucundissima fuisset, si aliquem, cui narraret,
habuisset. Sic natura solitarium nihil amat, semperque ad aliquod tamquam adminiculum adnititur; quod in amicissimo quoque dulcissimum est.

De Am., xxiii, 86–88.

POLITICAL PHILOSOPHY.

140. A CLASSIFICATION OF GOVERNMENTS.

Hi coetus igitur hac, de qua exposui, causa instituti sedem
primum certo loco domiciliorum causa constituerunt; quam
cum locis manuque saepsissent, eiusmodi coniunctionem tectorum
oppidum vel urbem appellaverunt, delubris distinctam spatiisque
communibus. Omnis ergo populus, qui est talis coetus multitudinis, qualem exposui; omnis civitas, quae est constitutio populi;
omnis res publica, quae, ut dixi, populi res est, consilio quodam
regenda est, ut diuturna sit. Id autem consilium primum semper
ad eam causam referendum est, quae causa genuit civitatem.
Deinde aut uni tribuendum est aut delectis quibusdam, aut sus-
cipiendum est multitudini atque omnibus. Quare cum penes
unum est omnium summa rerum, regem illum unum vocamus et
regnum eius rei publicae statum. Cum autem est penes delec-
tos, tum illa civitas optimatium arbitrio regi dicitur. Illa autem
est civitas popularis (sic enim appellant), in qua in populo sunt
omnia. Atque horum trium generum quodvis, si teneat illud
vinclum, quod primum homines inter se rei publicae societate

devinxit, non perfectum illud quidem neque mea sententia optimum, sed tolerabile tamen ; et aliud ut alio possit esse praestantius. Nam vel rex aequus ac sapiens, vel delecti ac principes
cives, vel ipse populus, quamquam id est minime probandum,
tamen nullis interiectis iniquitatibus, aut cupiditatibus, posse
videtur aliquo esse non incerto statu.

De Rep., I, xxvi, 41, 42.

141. The Duties of Rulers.

Omnino, qui reipublicae praefuturi sunt, duo Platonis praecepta teneant : unum, ut utilitatem civium sic tueantur, ut,
quaecumque agunt, ad eam referant, obliti commodorum suorum ;
alterum, ut totum corpus reipublicae curent, ne, dum partem aliquam tuentur, reliquas deserant. Ut enim tutela, sic procuratio
reipublicae ad utilitatem eorum, qui commissi sunt, non ad
eorum, quibus commissa, gerenda est. Qui autem parti civium
consulunt, partem neglegunt, rem perniciosissimam in civitatem inducunt, seditionem atque discordiam ; ex quo evenit, ut
alii populares, alii studiosi optimi cuiusque videantur, pauci uni-
versorum. Hinc apud Atheniensis magnae discordiae, in nostra
republica non solum seditiones, sed etiam pestifera bella civilia ;
quae gravis et fortis civis et in republica dignus principatu fu-
giet atque oderit, tradetque se totum reipublicae, neque opes aut
potentiam consectabitur, totamque eam sic tuebitur ut omnibus
consulat.

De Off., I, xxv, 85, 86.

142. There are two Political Parties, the Support-ers of Aristocratic and of Popular Govern-ment.

Duo genera semper in hac civitate fuerunt eorum, qui versari
in republica, atque in ea se excellentius gerere studuerunt ; quibus ex generibus alteri se populari, alteri optimates et haberi
et esse voluerunt. Qui ea, quae faciebant, quaeque dicebant,
multitudini iucunda esse volebant, populares ; qui autem ita se
gerebant, ut sua consilia optimo cuique probarent, optimates
habebantur. Quis ergo iste optimus quisque ? Numero si

quaeris, innumerabiles ; neque enim aliter stare possemus. Sunt
principes consilii publici ; sunt, qui eorum sectam sequuntur ;
sunt maximorum ordinum homines, quibus patet curia ; sunt
municipales rusticique Romani ; sunt negotia gerentes ; sunt
etiam libertini optimates. Numerus, ut dixi, huius generis, late
et varie diffusus est ; sed genus universum, ut tollatur error,
brevi circumscribi et definiri potest. Omnes optimates sunt,
qui neque nocentes sunt, nec natura improbi, nec furiosi nec
malis domesticis impediti. Est igitur, ut ei sint, quam tu na-
tionem appellasti, qui integri sunt, et sani, et bene de rebus
domesticis constituti. Horum qui voluntati, commodis, opinioni
in gubernanda republica serviunt, defensores optimatium, ipsique
optimates gravissimi et clarissimi cives numerantur et principes
civitatis. Quid est igitur propositum his reipubl cae gubernato-
ribus, quod intueri, et quo cursum suum derigere debeant ? Id
quod est praestantissimum, maximeque optabile omnibus sanis,
et bonis, et beatis, cum dignitate otium. Hoc qui, volunt, omnes
optimates ; qui efficiunt, summi viri et conservatores civitatis
putantur. Neque enim rerum gerendarum dignitate homines
efferri ita convenit, ut otio non prospiciant ; neque ullum am-
plexari otium, quod abhorreat a dignitate.

Sest., xlv.

143. A Public Life calls out the Noblest Qualities of Men.

Sed iis, qui habent a natura adiumenta rerum gerendarum,
abiecta omni cunctatione, adipiscendi magistratus et gerenda respublica est ; nec enim aliter aut regi civitas aut declarari animi
magnitudo potest. Capessentibus autem rempublicam nihil
minus quam philosophis, haud scio au magis etiam, et magnifi-
centia et despicientia adhibenda est rerum humanarum, quam
saepe dico, et tranquillitas animi atque securitas ; si quidem
nec anxii futuri sunt, et cum gravitate constantiaque victuri.
Quae faciliora sunt philosophis, quo minus multa patent in
eorum vita, quae fortuna feriat, et quo minus multis rebus egent ;
et qui, si quid adversi eveniat, tam graviter cadere non possunt.
Quocira non sine causa maiores motus animorum concitantur,
maiorque cura efficiendi rempublicam gereutibus, quam quietis ;

quo magis iis et magnitudo est animi adhibenda et vacuitas ab
augoribus. Ad rem gerendam autem qui accedit, caveat, ne id
modo consideret, quam illa res honesta sit, sed etiam, ut habeat
efficiendi facultatem; in quo ipso considerandum est, ne aut
temere desperet propter ignaviam, aut nimis confidat propter
cupiditatem. In omnibus autem negotiis prius quam adgrediare,
adhibenda est praeparatio diligens.

De Off., I, xxi, 72, 73.

144. INFLUENCE OF A MARITIME POSITION IN DETERMINING THE CHARACTER OF STATES.

Est autem maritimis urbibus etiam quaedam corruptela ac
demutatio morum. Admiscentur enim novis sermonibus ac disciplinis, et inportantur non merces solum adventiciae, sed etiam
mores, ut nihil possit in patriis institutis manere integrum. Iam
qui incolunt eas urbis, non haerent in suis sedibus, sed volucri
semper spe et cogitatione rapiuntur a domo longius; atque etiam
cum manent corpore, animo tamen exsulant et vagantur. Nec
vere ulla res magis labefactatam diu et Carthaginem et Corinthum pervertit aliquando, quam hic error ac dissipatio civium,
quod mercandi cupiditate et navigandi et agrorum et armorum
cultum reliquerant. Multa etiam ad luxuriam invitamenta perniciosa civitatibus subpeditantur mari, quae vel capiuntur vel
inportantur; atque habet etiam amoenitas ipsa vel sumptuosas
vel desidiosas inlecebras multas cupiditatum. Et quod de Corintho dixi, id haud scio an liceat de cuncta Graecia verissime
dicere. Nam et ipsa Peloponnesus fere tota in mari est; nec
praeter Phliuntios ulli sunt, quorum agri non contingant mare;
et extra Peloponnesum Aenianes et Doris et Dolopes soli absunt a mari. Quid dicam insulas Graeciae? quae fluctibus
cinctae natant paene ipsae simul cum civitatium institutis et
moribus. Atque haec quidem, ut supra dixi, veteris sunt Graeciae. Coloniarum vero quae est deducta a Graiis in Asiam,
Thracam, Italiam, Siciliam, Africam, praeter unam Magnesiam,
quam unda non adluat? Ita barbarorum agris quasi attexta
quaedam videtur ora esse Graeciae. Nam e barbaris quidem
ipsis nulli erant antea maritumi, praeter Etruscos et Poenos;
alteri mercandi causa, latrocinandi alteri. Quae causa per-

spicua est malorum commutationumque Graeciae, propter ea
vitia maritimarum urbium quae ante paulo perbreviter attigi.
Sed tamen in his vitiis inest illa magna commoditas; et, quod
ubique gentium est, ut ad eam urbem, quam incolas, possit
adnare; et rursus, ut id, quod agri efferant sui, quascumque
velint in terras portare possint ac mittere.

De Rep., II, iv.

PHYSICAL SCIENCE.

145. In the Sphere of Physical Speculation Certainty is Unattainable.

'Latent ista omnia,' Luculle,
'Crassis occultata et circumfusa tenebris,'

ut nulla acies humani ingenii tanta sit, quae penetrare in caelum,
terram intrare possit. Corpora nostra non novimus; qui sint
situs partium, quam vim quaeque pars habeat, ignoramus. Itaque medici ipsi, quorum intererat ea nosse, aperuerunt, ut viderentur. Nec eo tamen aiunt empirici notiora esse illa; quia
possit fieri, ut patefacta et detecta mutentur. Sed ecquid nos
eodem modo rerum naturas persecare, aperire, dividere possumus, ut videamus, terra penitusne defixa sit, et quasi radicibus
suis haereat; an media pendeat? Habitari ait Xenophanes in
luna, eamque esse terram multarum urbium et montium. Por-
tenta videntur; sed tamen neque ille, qui dixit, iurare posset, ita
se rem habere, neque ego non ita. Vos etiam dicitis esse e regione
nobis, in contraria parte terrae, qui adversis vestigiis stent contra
nostra vestigia, quos ἀντίποδας vocatis; cur mihi magis suscen-
setis, qui ista non aspernor, quam eis, qui, cum audiunt, desipere
vos arbitrantur? Hicetas Syracosius, ut ait Theophrastus, caelum, solem, lunam, stellas, supera denique omnia stare censet,
neque praeter terram rem ullam in mundo moveri; quae cum
circum axem se summa celeritate convertat et torqueat, eadem
effici omnia, quae, si stante terra caelum moveretur. Atque hoc
etiam Platonem in Timaeo dicere quidam arbitrantur, sed paulo
obscurius. Quid tu, Epicure? Loquere. Putas solem esse
tantulum? 'Egone? ne bis quidem tantum!' Et vos ab illo
inridemini, et ipsi illum vicissim eluditis. Liber igitur a tali

mrisione Socrates, liber Aristo Chius, qui nihil istorum sciri
putat posse. . . . Nec tamen istas quaestiones physicorum
exterminandas puto. Est enim animorum ingeniorumque naturale quoddam quasi pabulum consideratio contemplatioque
naturae. Erigimur; elatiores fieri videmur, humana despicimus;
cogitantesque supera atque caelestia, haec nostra, ut exigua et
minima, contemnimus. Indagatio ipsa rerum cum maximarum,
tum etiam occultissimarum, habet oblectationem. Si vero aliquid occurrit, quod verisimile videatur, humanissima conpletur
animus voluptate. Quaeret igitur haec et vester sapiens et hic
noster; sed vester, ut adsentiatur, credat, adfirmet; noster, ut
vereatur temere opinari, praeclareque agi secum putet, si in
eiusmodi rebus, verisimile quod sit, invenerit.

Acad. Prior, II, xxxix, xli.

146. The Sphere is the most Perfect Figure: the Regular Motions and Unchanging Order of the several Parts of the Universe are due to the Fact of its Spherical shape.

Conum tibi ais et cylindrum et pyramidem pulchriorem, quam
sphaeram videri. Novum etiam oculorum iudicium habetis.
Sed sint ista pulchriora dumtaxat aspectu; quod mihi tamen
ipsum non videtur. Quid enim pulchrius ea figura, quae sola
omnis alias figuras conplexa continet, quaeque nihil asperitatis
habere, nihil offensionis potest, nihil incisum angulis, nihil an-
fractibus, nihil eminens, nihil lacunosum? cumque duae formae
praestantes sint, ex solidis globus (sic enim σφαῖραν interpretari
placet); ex planis autem circulus aut orbis, qui κύκλος Graece
dicitur; his duabus formis contingit solis, ut omnes earum partes
sint inter se simillumae, a medioque tantum absit extremum
[quantum idem a summo]; quo nihil fieri potest aptius. Sed
si haec non videtis, quia numquam eruditum illum pulverem
attigistis, an hoc quidem physici intellegere potuistis, hanc
aequabilitatem motus constantiamque ordinum in alia figura non
potuisse servari? Itaque nihil potest esse indoctius, quam quod
a vobis adfirmari solet. Nec enim hunc ipsum mundum pro
certo rutundum esse dicitis; nam posse fieri, ut alia sit figura;
innumerabilisque mundos alios aliarum esse formarum. Quae,

si, bis bina quot essent, didicisset Epicurus, certe non diceret.
Sed dum, palato quid sit optimum, iudicat, caeli palatum (ut ait
Ennius) non suspexit. Nam, cum duo sint genera siderum,
quorum alterum, spatiis inmutabilibus ab ortu ad occasum com-
means, nullum umquam cursus sui vestigium inflectat, alterum
autem continuas conversiones duas isdem spatiis cursibusque
conficiat; ex utraque re et mundi volubilitas, quae nisi in
globosa forma esse non posset, et stellarum rutundi ambitus
cognoscuntur.

Nat. Deor., II, xviii, 47–49.

147. ONLY A SMALL PORTION OF THE EARTH'S SURFACE IS HABITABLE.

Vides habitari in terra raris et angustis in locis, et in ipsis
quasi maculis, ubi habitatur, vastas solitudines interiectas; eosque, qui incolunt terram, non modo interruptos ita esse ut nihil
inter ipsos ab aliis ad alios manare possit, sed partim obliquos,
partim transversos, partim etiam adversos stare vobis; a quibus
exspectare gloriam certe nullam potestis. Cernis autem eandem
terram quasi quibusdam redimitam et circumdatam cingulis; e
quibus duos maxime inter se diversos, et caeli verticibus ipsis ex
utraque parte subnixos, obriguisse pruina vides; medium autem
illum et maximum solis ardore torreri; duo sunt habitabiles,
quorum australis ille, in quo qui insistunt, adversa vobis urgent
vestigia, nihil ad vestrum genus; hic autem alter subiectus aqui-
loni, quem incolitis, cerne quam tenui vos parte contingat; omnis
enim terra, quae colitur a vobis, angusta verticibus, lateribus latior,
parva quaedam insula est, circumfusa illo mari, quod Atlanticum,
quod magnum, quem Oceanum appellatis in terris; qui tamen
tanto nomine quam sit parvus, vides. Ex his ipsis cultis notisque
terris num aut tuum aut cuiusquam nostrum nomen vel Caucasum hunc, quem cernis, transcendere potuit vel illum Gangen
tranatare? Quis in reliquis orientis aut obeuntis solis ultimis
aut aquilonis austrive partibus tuum nomen audiet? Quibus
amputatis, cernis profecto, quantis in angustiis vestra gloria se
dilatari velit. Ipsi autem, qui de vobis loquuntur, quam
loquentur diu?

Somn. Scip., vi.

THEORY OF ORATORY.

148. THERE IS AN IDEAL ORATOR, AND AN IDEAL ELO-
QUENCE, WHICH ARE FAR MORE PERFECT THAN
ANYTHING THAT HAS EVER BEEN REALIZED.

Atque ego in summo oratore fingendo talem informabo, qualis
fortasse nemo fuit. Non enim quaero, quis fuerit, sed quid sit
illud, quo nihil possit esse praestantius, quod in perpetuitate
dicendi non saepe atque haud scio an numquam, in aliqua autem
parte eluceat aliquando, idem apud alios densius, apud alios
fortasse rarius. Sed ego sic statuo, nihil esse in ullo genere tam
pulchrum, quo non pulchrius id sit, unde illud ut ex ore aliquo
quasi imago exprimatur, quod neque oculis neque auribus neque
ullo sensu percipi potest, cogitatione tantum et mente complectimur. Itaque et Phidiae simulacris, quibus nihil in illo genere
perfectius videmus, et eis picturis, quas nominavi, cogitare tamen
possumus pulcriora. Nec vero ille artifex, cum faceret Iovis
formam aut Minervae, contemplabatur aliquem, e quo similitudinem duceret, sed ipsius in mente insidebat species pulchritudinis eximia quaedam, quam intuens in eaque defixus ad illius
similitudinem artem et manum dirigebat. Ut igitur in formis
et figuris est aliquid perfectum et excellens, cuius ad cogitatam
speciem imitando referuntur ea, quae sub oculos ipsa cadunt, sic
perfectae eloquentiae speciem animo videmus, effigiem auribus
quaerimus. Has rerum formas appellat ἰδέας ille non intelle-
gendi solum, sed etiam dicendi gravissimus auctor et magister,
Plato, easque gigni negat et ait semper esse ac ratione et intellegentia contineri ; cetera nasci, occidere, fluere, labi, nec diutius
esse uno et eodem statu. Quicquid est igitur, de quo ratione et
via disputetur, id est ad ultimam sui generis formam speciemque
redigendum.

Or., ii, 7–iii, 10.

149. Qualifications of the Perfect Orator. — The Power of arousing the Emotions.

Duo sunt, quae bene tractata ab oratore admirabilem eloquentiam faciunt ; quorum alterum est, quod Graeci ἠθικόν vocant, ad naturas et ad mores et ad omnem vitae consuetudinem adcommodatum ; alterum, quod eidem παθητικόν nominant, quo perturbantur animi et concitantur, in quo uno regnat oratio. Illud superius, come, iucundum, ad benevolentiam conciliandam paratum ; hoc, vehemens, incensum, incitatum, quo causae eripiuntur, quod cum rapide fertur, sustineri nullo pacto potest. Quo genere nos mediocres aut multo etiam minus ; sed magno semper usi impetu, saepe adversarios de statu omni deiecimus. Nobis pro familiari reo summus orator non respondit Hortensius. A nobis homo audacissimus Catilina in senatu accusatus obmutuit. Nobis privata in causa magna et gravi cum coepisset Curio pater respondere, subito adsedit, cum sibi venenis ereptam memoriam diceret. Quid ego de miserationibus loquar? quibus eo sum usus pluribus, quod, etiam si plures dicebamus, perorationem mihi tamen omnes relinquebant ; in quo ut viderer excellere, non ingenio, sed dolore adsequebar. Quae qualiacumque in me sunt (me enim ipsum paenitet, quanta sint) ; sed apparent in orationibus, etsi carent libri spiritu illo, propter quem maiora eadem illa cum aguntur, quam cum leguntur, videri solent. Nec vero miseratione solum mens iudicum permovenda est ; qua nos ita dolenter uti solemus, ut puerum infantem in manibus perorantes tenuerimus, ut alia in causa, excitato reo nobili, sublato etiam filio parvo, plangore et lamentatione complerimus forum ; sed est faciendum etiam, ut irascatur iudex, mitigetur, invideat, faveat, contemnat, admiretur, oderit, diligat, cupiat, satietate adficiatur, speret, metuat, laetetur, doleat ; qua in varietate duriorum accusatio suppeditabit exempla, mitiorum defensiones meae. Nullo enim modo animus audientis aut incitari aut leniri potest, qui modus a me non temptatus sit : dicerem perfectum, si ita iudicarem ; nec in veritate crimen adrogantiae extimescerem ; sed, ut supra dixi, nulla me ingenii, sed magna vis animi inflammat, ut me ipse non teneam ; nec umquam is, qui audiret, incenderetur, nisi ardens ad eum perveniret oratio.

Or., xxxvii, xxxviii, 128–132.

150. Criticism of the Oratory of Julius Caesar.

De Caesare ita iudico, illum omnium fere oratorum Latine
loqui elegantissime ; nec id solum domestica consuetudine, ut
dudum de Laeliorum et Muciorum familiis audiebamus, sed,
quamquam id quoque credo fuisse, tamen, ut esset perfecta illa
bene loquendi laus, multis litteris et eis quidem reconditis et ex-
quisitis summoque studio et diligentia est consecutus. . . . Solum
quidem, et quasi fundamentum oratoris vides, locutionem emen-
datam et Latinam. . . . Caesar autem rationem adhibens consuetudinem vitiosam et corruptam pura et incorrupta consuetudine
emendat. Itaque cum ad hanc elegantiam verborum Latinorum,
quae, etiamsi orator non sis, et sis ingenuus civis Romanus,
tamen necessaria est, adiungit illa oratoria ornamenta dicendi ;
tum videtur tamquam tabulas bene pictas conlocare in bono
lumine. Hanc cum habeat praecipuam laudem in communibus,
non video cui debeat cedere. Splendidam quandam, minimeque
veteratoriam rationem dicendi tenet, voce, motu, forma etiam
magnifica et generosa quodammodo. Tum Brutus : Orationes
quidem eius mihi vehementer probantur, compluris autem legi.
Atque etiam commentarios quosdam scripsit rerum suarum :
valde quidem, inquam, probandos ; nudi enim sunt, recti et venusti, omni ornatu orationis tamquam veste detracta. Sed dum
voluit alios habere parata, unde sumerent, qui vellent scribere
historiam, ineptis gratum fortasse fecit, qui volent illa calamistris inurere ; sanos quidem homines a scribendo deterruit.
Nihil enim est in historia pura et illustri brevitate dulcius.

Brut., lxxii, 252 ; lxxiv, 258 ; lxxv, 261, 262.

DESCRIPTIVE PASSAGES.

151. Description of Syracuse.

Urbem Syracusas maximam esse Graecarum urbium pulcher-
rimamque omnium, saepe audistis. Est, iudices, ita, ut dicitur :
nam et situ est cum munito, tum ex omni aditu vel terra vel
mari praeclaro ad aspectum ; et portus habet prope in aedifica-
tione aspectuque urbis inclusos ; qui cum diversos inter se aditus

habeant, in exitu coniunguntur et confluunt. Eorum coniunctione pars oppidi, quae appellatur Insula, mari disiuncta angusto,
ponte rursus adiungitur et continetur. Ea tanta est urbs, ut
ex quattuor urbibus maximis constare dicatur, quarum una est
ea, quam dixi, Insula, quae duobus portubus cincta, in utriusque
portus ostium aditumque proiecta est, in qua domus est, quae
Hieronis regis fuit, qua praetores uti solent. In ea sunt aedes
sacrae complures, sed duae, quae longe ceteris antecellant;
Dianae una, et altera, quae fuit ante istius adventum ornatissima,
Minervae. In hac insula extrema est fons aquae dulcis, cui
nomen Arethusa est, incredibili magnitudine, plenissimus piscium;
qui fluctu totus operiretur, nisi munitione ac mole lapidum dis-
iunctus esset a mari. Altera autem est urbs Syracusis, cui
nomen Achradina, est; in qua forum maximum, pulcherrimae
porticus, ornatissimum prytanium, amplissima est curia tem-
plumque egregium Iovis Olympii, ceteraeque urbis partes, quae
una lata via perpetua multisque transversis divisae, privatis aedificiis continentur. Tertia est urbs, quae, quod in ea parte
Fortunae fanum antiquum fuit, Tycha nominata est, in qua et
gymnasium amplissimum est et complures aedes sacrae; colitur-
que ea pars et habitatur frequentissime. Quarta autem est urbs,
quae quia postrema coaedificata est, Neapolis nominatur, quam
ad summam theatrum est maximum; praeterea duo templa sunt
egregia, Cereris unum, alterum Liberae, signumque Apollinis,
qui Temenites vocatur, pulcherrimum et maximum, quod iste si
portare potuisset, non dubitasset auferre.

Verr., II, iv, 117–119.

152. A Letter written on the Death of Caesar.

O mi Attice, vereor, ne nobis Idus Mart. nihil dederint praeter
laetitiam et odii poenam ac doloris. Quae mihi istim adferuntur?
quae hic video? Ὦ πράξεως καλῆς μέν, ἀτελοῦς δέ. Scis, quam
diligam Siculos, et quam illam clientelam honestam iudicem.
Multa illis Caesar, neque me invito, etsi Latinitas erat non
ferenda; verumtamen ———. Ecce autem Antonius, accepta
grandi pecunia, fixit legem, a dictatore comitiis latam, qua Siculi
cives Romani; cuius rei vivo illo mentio nulla. Quid? Deio-
tari nostri causa non similis? Dignus ille quidem omni regno,

sed non per Fulviam. Sescenta similia. Verum illuc refero:
tam claram, tamque testatam rem, tamque iu-tam, Buthrotiam,
non tenebimus aliqua ex parte? et eo quidem magis, quo iste
plura? Nobiscum hic perhonorifice et amice Octavius, quem
quidem sui Caesarem salutabant, Philippus non, itaque ne nos
quidem; quem nego posse *esse* bonum civem: ita multi circum-
stant, qui quidem nostris mortem minitantur. Negat haec ferri
posse. Quid censes, cum Romam puer venerit, ubi nostri libe-
ratores tuti esse non possunt? qui quidem semper erunt clari,
conscientia vero facti sui etiam beati. Sed nos, nisi me fallit,
iacebimus. Itaque exire aveo,

> ' Ubi nec Pelopidarum,'

inquit. Haud amo vel hos designatos, qui etiam declamare me
coëgerunt, ut ne apud aquas quidem adquiescere liceret. Sed
hoc meae nimiae facilitatis. Nam id erat quondam quasi necesse; nunc, quoquo modo se res habet, non est item. Quam-
quam dudum nihil habeo, quod ad te scribam, scribo tamen, non
ut te delectem his litteris, sed ut eliciam tuas. Tu, si quid erit
de ceteris, de Bruto utique, quicquid. Haec conscripsi X Kal.,
accubans apud Vestorium, hominem remotum a dialecticis, in
arithmeticis satis exercitatum.

Ad Att., XIV, xii.

153. Cicero's Consulship was foretold by Prophecy

Haec, tardata diu species multumque morata,
Consule te tandem celsa est in sede locata;
Atque una fixi ac signati temporis hora
Iuppiter excelsa clarabat sceptra columna,
Ac clades patriae, flamma ferroque parata,
Vocibus Allobrogum patribus populoque patebat.
Rite igitur veteres, quorum monumenta tenetis,
Qui populos urbisque modo ac virtute regebant;
Rite etiam vestri, quorum pietasque fidesque
Praestitit ac longe vicit sapientia cunctos,
Praecipue coluere vigenti numine divos,
Haec adeo penitus cura videre sagaci,
Otia qui studiis laeti tenuere decoris,

Inque Academia umbrifera nitidoque Lyceo
Fuderunt claras fecundi pectoris artis.
E quibus ereptum primo iam a flore iuventae,
Te patria in media virtutum mole locavit.
Tu tamen anxiferas curas requiete relaxans,
Quod patriae vacat, id studiis nobisque sacrasti.

Poëm. De suo Consul., II, 60–78.

154. An Omen.

Hic Iovis altisoni subito pinnata satelles,
Arboris e trunco serpentis saucia morsu,
Subrigit ipsa feris transfigens unguibus anguem
Semanimum et varia graviter cervice micantem,
Quem se intorquentem lanians rostroque cruentans,
Iam satiata animos, iam duros ulta dolores,
Abicit ecflantem et laceratum adfligit in unda,
Seque obitu a solis nitidos convertit ad ortus.
Hanc ubi praepetibus pennis lapsuque volantem
Conspexit Marius, divini numinis augur,
Faustaque signa suae laudis reditusque notavit,
Partibus intonuit caeli pater ipse sinistris.
Sic aquilae clarum firmavit Iuppiter omen.

Poëm. De Mario ; De Div., I, xlvii, 106.

155. Ingenious Detection of a Thief.

Hoc ipso fere tempore Strato ille medicus domi furtum fecit
et caedem eiusmodi. Cum esset in aedibus armarium, in quo
sciret esse nummorum aliquantum et auri, noctu duos conservos
dormientis occidit in piscinamque deiecit ; ipse armarii fundum
exsecuit, et HS. . . , et auri quinque pondo abstulit, uno ex
servis puero non grandi conscio. Furto postridie cognito, omnis
suspitio in eos servos, qui non comparebant, commovebatur.
Cum exsectio illa fundi in armario animadverteretur, quaerebant
homines, quonam modo fieri potuisset. Quidam ex amicis Sas-
siae recordatus est, se nuper in auctione quadam vidisse in rebus
minutis aduncam, ex omni parte dentatam et tortuosam venire
serrulam, qua illud potuisse ita circumsecari videretur. Ne

multa ; perquiritur a coactoribus ; invenitur ea serrula ad Stra-
tonem pervenisse. Hoc initio suspitionis orto, et aperte insimu-
lato Stratone, puer ille conscius pertimuit; rem omnem dominae
indicavit, homines in piscina inventi sunt, Strato in vincula
coniectus est, atque etiam in taberna eius nummi, nequaquam
omnes, reperiuntur.

Clu., lxiv, 179, 180.

156. A Roman Citizen scourged.

Ipse inflammatus scelere et furore in forum venit. Ardebant
oculi ; toto ex ore crudelitas eminebat. Exspectabant omnes,
quo tandem progressurus aut quidnam acturus esset, cum repente hominem proripi atque in foro medio nudari ac deligari et
virgas expediri iubet. Clamabat ille miser se civem esse Romanum, municipem Consanum : meruisse cum L. Raecio, splen-
didissimo equite Romano, qui Panhormi negotiaretur, ex quo haec
Verres scire posset. Tum iste se comperisse ait, eum speculandi
causa in Siciliam ab ducibus fugitivorum esse missum, cuius rei
neque index neque vestigium aliquod neque suspitio cuiquam
esset ulla ; deinde iubet undique hominem vehementissime verberari. Caedebatur virgis in medio foro Messanae civis Romanus, iudices, cum interea nullus gemitus, nulla vox alia illius
miseri, inter dolorem crepitumque plagarum audiebatur, nisi
haec : civis Romanus sum. Hac se commemoratione civitatis
omnia verbera depulsurum cruciatumque a corpore deiecturum
arbitrabatur. Is non modo hoc non perfecit, ut virgarum vim
deprecaretur, sed, cum imploraret saepius, usurparetque nomen
civitatis, crux, crux, inquam, infelici et aerumnoso, qui numquam istam pestem viderat, comparabatur. O nomen dulce
libertatis ! o ius eximium nostrae civitatis ! o lex Porcia leges-
que Semproniae ! o graviter desiderata et aliaquando reddita plebi
Romanae tribunicia potestas ! Hucine tandem omnia recide-
runt, ut civis Romanus in provincia populi Romani, in oppido
foederatorum, ab eo, qui beneficio populi Romani fascis et securis haberet, deligatus in foro virgis caederetur ? Quid ? cum
ignes candentesque laminae ceterique cruciatus admovebantur,
si te illius acerba imploratio et vox miserabilis non inhibebat, ne
civium quidem Romanorum, qui tum aderant, fletu et gemitu

maximo commovebare? In crucem tu agere ausus es quemquam, qui se civem Romanum esse diceret? Nolui tam vehementer agere hoc prima actione, iudices, nolui. Vidistis enim,
ut animi multitudinis in istum dolore et odio et communis periculi metu concitarentur.

Verr., II, V, lxii, lxiii, 161–163.

157. The Battle of Mutina.

Cum equites Antonii adparuissent, contineri neque legio
Martia neque cohortes praetoriae potuerunt ; quas sequi coepimus coacti, quando eas retinere non potueramus. Antonius ad
Forum Gallorum suas copias continebat, neque sciri volebat se
legiones habere ; tantum equitatum et levem armaturam ostendebat. Postea quam vidit, se invito, legionem ire, Pansa sequi
se duas legiones iussit tironum. Postea quam angustias
paludis et silvarum transiimus, acies est instructa a nobis duodecim cohortium. Nondum venerant legiones duae ; repente
Antonius in aciem suas copias de vico produxit et sine mora
concurrit. Primo ita pugnatum est, ut acrius non posset ex
utraque parte pugnari ; etsi dexterius cornu, in quo eram cum
Martiae legionis cohortibus octo, impetu primo fugaverat legionem XXXV Antonii, ut amplius passus quingentos ultra aciem,
quo loco steterat, processerit. Itaque cum equites nostrum
cornu circuire vellent, recipere me coepi et levem armaturam
opponere Maurorum equitibus ne aversos nostros adgrederentur.
Interim video me esse inter Antonianos Antoniumque post me
esse aliquanto. Repente equum inmisi ad eam legionem tironum, quae veniebat ex castris scuto reiecto. Antoniani me
insequi ; nostri pila conicere velle. Ita nescio quo fato sum
servatus, quod sum cito a nostris cognitus. In ipsa Aemilia
ubi cohors Caesaris praetoria erat, diu pugnatum est. Cornu
sinisterius, quod erat infirmius, ubi Martiae legionis duae cohortes erant, et cohors praetoria pedem referre coeperunt, quod
ab equitatu circuibantur, quo vel plurimum valet Antonius.
Cum omnes se recepissent nostri ordines, recipere me novissi-
mus coepi ad castra. Antonius, tamquam victor, castra putavit
se posse capere. Quo cum venit, conpluris ibi amisit nec egit
quidquam. Audita re, Hirtius cum cohortibus viginti veteranis

redeunti Antonio in sua castra occurrit, copiasque eius omnis
delevit, fugavitque eodem loco, ubi erat pugnatum, ad Forum
Gallorum. Antonius cum equitibus hora noctis quarta se in
castra sua ad Mutinam recepit. Hirtius in ea castra rediit,
unde Pansa exierat, ubi duas legiones reliquerat, quae ab Antonio erant oppugnatae. Sic partem maiorem suarum copiarum
Antonius amisit veteranarum. Nec id tamen sine aliqua iactura
cohortium praetorianarum nostrarum et legionis Martiae fieri
potuit. Aquilae duae, signa sexaginta sunt relata Antonii. Res
bene gesta est. A. d. XVI Kalendas Maii ex castris.

Letter of Galba to Cicero, Ad Fam., X, xxx.

RHETORICAL PASSAGES.

158. Catiline's Guilt.

Nunc vero, quae tua est ista vita? Sic enim iam tecum
loquar, non ut odio permotus esse videar, quo debeo, sed ut
misericordia, quae tibi nulla debetur. Venisti paulo ante in
senatum. Quis te ex hac tanta frequentia, ex tot tuis amicis
ac necessariis salutavit? Si hoc post hominum memoriam contigit nemini, vocis exspectas contumeliam, cum sis gravissimo
iudicio taciturnitatis oppressus? Quid, quod adventu tuo ista
subsellia vacuefacta sunt? quod omnes consulares, qui tibi persaepe ad caedem constituti fuerunt, simul atque adsedisti, partem
istam subselliorum nudam atque inanem reliquerunt? Quo tandem animo hoc tibi ferendum putas? Servi mehercule mei si me
isto pacto metuerent, ut te metuunt omnes cives tui, domum
meam relinquendam putarem; tu tibi urbem non arbitraris? et,
si me meis civibus iniuria suspectum tam graviter atque offen-
sum viderem, carere me aspectu civium, quam infestis oculis
omnium conspici mallem; tu, cum conscientia scelerum tuorum
agnoscas odium omnium iustum et iam tibi diu debitum, dubitas,
quorum mentis sensusque volneras, eorum aspectum praesenti-
amque vitare? Si te parentes timerent atque odissent tui, neque
eos ulla ratione placare posses, tu, opinor, ab eorum oculis aliquo
concederes; nunc te patria, quae communis est omnium nostrum
parens, odit ac metuit, et iamdiu te nihil iudicat nisi de parricidio
suo cogitare. Huius tu neque auctoritatem verebere, neque

iudicium sequere, neque vim pertimesces? Quae tecum, Catilina, sic agit, et quodam modo tacita loquitur : ' Nullum aliquot
iam annis facinus exstitit, nisi per te, nullum flagitium sine te ;
tibi uni multorum civium neces, tibi vexatio direptioque sociorum impunita fuit ac libera ; tu non solum ad neglegendas leges
ac quaestiones, verum etiam ad evertendas perfringendasque
valuisti. Superiora illa, quamquam ferenda non fuerunt, tamen,
ut potui, tuli ; nunc vero me totam esse in metu propter te
unum, quidquid increpuerit, Catilinam timeri, nullum videri
contra me consilium iniri posse, quod a tuo scelere abhorreat,
non est ferendum. Quamobrem discede atque hunc mihi timo-
rem eripe · si est verus, ne opprimar; sin falsus, ut tandem aliquando timere desinam.'

Cat., I, vii.

159. Catiline's Flight.

Tandem aliquando, Quirites, L. Catilinam, furentem audacia,
scelus anhelantem, pestem patriae nefarie molientem, vobis atque
huic urbi ferro flammaque minitantem, ex urbe vel eieci-
mus, vel emisimus, vel ipsum egredientem verbis prosecuti sumus.
Abiit, excessit, evasit, erupit ; nulla iam pernicies a monstro illo
atque prodigio moenibus ipsis intra moenia comparabitur. Atque
hunc quidem unum huius belli domestici ducem sine controversia
vicimus. Non enim iam inter latera nostra sica illa versabitur ;
non in campo, non in foro, non in curia, non denique intra
domesticos parietes pertimescemus. Loco ille motus est, cum
est ex urbe depulsus. Palam iam cum hoste, nullo impediente,
bellum iustum geremus. Sine dubio perdidimus hominem, mag-
nificeque vicimus, cum illum ex occultis insidiis in apertum
latrocinium coniecimus. Quod vero non cruentum mucronem,
at voluit, extulit, quod vivis nobis egressus est, quod ei ferrum
de manibus extorsimus, quod incolumis civis, quod stantem
urbem reliquit, quanto tandem illum maerore afflictum esse et
profligatum putatis? Iacet ille nunc prostratus, Quirites, et se
perculsum atque abiectum esse sentit, et retorquet oculos profecto saepe ad hanc urbem, quam ex suis faucibus ereptam esse
luget; quae quidem laetari mihi videtur, quod tantam pestem
evomuerit forasque proiecerit.

Cat., II, i.

160. An Invective.

Quod si non tuis nefariis in hunc ordinem contumeliis in perpetuum tibi curiam praeclusisses, quid tandem erat actum aut gestum in illa provincia, de quo ad senatum cum gratulatione aliqua scribi abs te oporteret? Vexatio Macedoniae? an oppidorum turpis amissio? an sociorum direptio? an agrorum depopulatio? an munitio Thessalonicae? an obsessio militaris viae? an exercitus nostri interitus ferro, fame, frigore, pestilentia? Tu vero, qui ad senatum nihil scripseris, ut in urbe nequior inventus es, quam Gabinius, sic in provincia paulo tamen, quam ille, demissior. Nam ille gurges atque helluo, natus abdomini suo, non laudi atque gloriae, cum equites Romanos in provincia, cum publicanos, nobiscum et voluntate et dignitate coniunctos, omnis fortunis, multos fama vitaque privasset, cum egisset aliud nihil in illo exercitu, nisi ut urbis depopularetur, agros vastaret, exhauriret domos, ausus est (quid enim ille non audeat?) a senatu supplicationem per litteras postulare. O di immortales! tune etiam, atque adeo vos, geminae voragines scopulique reipublicae, vos meam fortunam deprimitis? vestram extollitis? cum de me ea senatusconsulta absente facta sint, eae contiones habitae, is motus fuerit municipiorum et coloniarum omnium, ea decreta publicanorum, ea conlegiorum, ea denique generum ordinumque omnium, quae ego non modo optare numquam auderem, sed cogitare non possem: vos autem sempiternas foedissimae turpitudinis notas subieritis?

Pis., xvii, 40, 41.

161. An Indictment.

Hic tu etiam dicere audebis, 'Est in iudicibus ille familiaris meus, est paternus amicus ille.' Non, ut quisque maxime est, quicum tibi aliquid sit, ita te in huiuscemodi crimine maxime eius pudet? 'Paternus amicus est.' Ipse pater si iudicaret, per deos immortalis, quid facere posses, cum tibi haec diceret: 'Tu in provincia populi Romani praetor, cum tibi maritimum bellum esset administrandum, Mamertinis, ex foedere quam deberent navem, per triennium remisisti; tibi apud eosdem privatim navis

oneraria maxima publice est aedificata ; tu a civitatibus pecunias
classis nomine coëgisti ; tu pretio remiges dimisisti ; tu, cum
navis esset a quaestore et ab legato capta praedonum, archipiratam ab omnium oculis removisti ; tu, qui cives Romani esse
dicerentur, qui a multis cognoscerentur securi ferire potuisti ; tu
tuam domum piratas abducere, in iudicium archipiratam domo
producere ausus es ; tu in provincia tam splendida, apud socios
fidelissimos, civis Romanos honestissimos, in metu periculoque
provinciae, dies continuos compluris in litore conviviisque iacu-
isti ; te per eos dies nemo domi tuae convenire, nemo in foro
videre potuit ; tu sociorum atque amicorum ad ea convivia ma-
tresfamilias adhibuisti ; tu inter eiusmodi mulieres praetextatum
tuum filium, nepotem meum, conlocavisti, ut aetati maxime lubri-
cae atque incertae exempla nequitiae parentis vita praeberet, tu,
praetor in provincia, cum tunica pallioque purpureo visus es ; tu
propter amorem libidinemque tuam imperium navium legato
populi Romani ademisti, Syracusano tradidisti ; tui milites in
provincia Sicilia frugibus frumentoque caruerunt ; tua luxuria
atque avaritia classis populi Romani a praedonibus capta et
incensa est ; post Syracusas conditas quem in portum numquam
hostis accesserat, in eo, te praetore, primum piratae navigave-
runt ; neque haec tot tantaque dedecora dissimulatione tua neque
oblivione hominum ac taciturnitate tegere voluisti, sed etiam
navium praefectos sine ulla aura de complexu parentum suorum, hospitum tuorum ad mortem cruciatumque rapuisti. Neque
in parentum luctu atque lacrimis te mei nominis commemoratio
mitigavit ; tibi hominum innocentium sanguis non modo voluptati, sed etiam quaestui fuit.' Haec si tibi tuus parens diceret,
posses ab eo veniam petere ? posses ut tibi ignosceret, postulare ?

Verr. II, V, lii, liii.

162. A Last Appeal.

Recordare igitur illum, M. Antoni, diem, quo dictaturam sustulisti. Pone ante oculos laetitiam senatus populique Romani,
confer cum hac immani mutatione tua tuorumque ; tum intelleges, quantum inter laudem et lucrum intersit. Sed nimirum, ut
quidam morbo aliquo et sensus stupore suavitatem cibi non sen-

tiunt, sic libidinosi, avari, facinorosi verae laudis gustatum non
habent. Sed, si te laus adlicere ad recte faciendum non potest,
ne metus quidem a foedissimis factis potest avocare? Iudicia
non metuis. Si propter innocentiam, laudo; siu propter vim,
non intelleges, qui isto modo iudicia non timeat, ei quid timendum
sit? Respice, quaeso, aliquando rempublicam, M. Antoni; quibus ortus sis, non quibuscum vivas, considera. Mecum, ut voles;
cum republica redi in gratiam. Sed de te tu ipse videris; ego
de me ipso profitebor. Defendi rempublicam adulescens, non
deseram senex; contempsi Catilinae gladios, non pertimescam
tuos. Quin etiam corpus libenter obtulerim, si repraesentari
morte mea libertas civitatis potest, ut aliquando dolor populi
Romani pariat, quod iamdiu parturit! Etenim si abhinc annos
prope viginti hoc ipso in templo negavi posse mortem immaturam
esse consulari, quanto verius nunc negabo seni? Mihi vero,
patres conscripti, iam etiam optanda mors est, perfuncto rebus
eis, quas adeptus sum quasque gessi. Duo modo haec opto,
unum, ut moriens populum Romanum liberum relinquam; hoc
mihi maius a dis immortalibus dari nihil potest; alterum, ut ita
cuique eveniat, ut de republica quisque mereatur.

Phil., II, xlv, 115; xlvi, 118, 119.

163. Praises of Caesar's Clemency.

Hunc tu igitur diem tuis maximis et innumerabilibus gratu-
lationibus iure antepones. Haec enim res unius est propria
Caesaris; ceterae duce te gestae, magnae illae quidem, sed
tamen multo magnoque comitatu. Huius autem rei tu idem
et dux es, et comes; quae quidem tanta est, ut tropaeis
monumentisque tuis adlatura finem sit aetas. Nihil est enim
opere aut manu factum, quod aliquando non conficiat et consu-
mat vetustas; at vero haec tua iustitia et lenitas animi florescet
cotidie magis, ita ut, quantum operibus tuis diuturnitas detrahet, tantum adferat laudibus. Et ceteros quidem omnis victores
bellorum civilium iam ante aequitate et misericordia viceras;
hodierno vero die te ipsum vicisti. Vereor, ut hoc, quod dicam,
perinde intellegi possit auditum, atque ipse cogitans sentio:
ipsam victoriam vicisse videris, cum ea. quae illa erat adepta,
victis remisisti. Nam cum ipsius victoriae conditione omnes

victi occidissemus, clementiae tuae iudicio conservati sumus.
Recte igitur unus invictus es, a quo etiam ipsius victoriae condicio visque devicta est.

Marcell., iv, 11, 12.

164. Love of Glory.

Atque, ut id libentius faciatis, iam me vobis, iudices, indicabo,
et de meo quodam amore gloriae, nimis acri fortasse, verum tamen honesto, vobis confitebor.   Nam, quas res nos in consulatu
nostro vobiscum simul pro salute huius urbis atque imperii et
pro vita civium proque universa republica gessimus, attigit hic
versibus atque inchoavit ; quibus auditis, quod mihi magna res et
iucunda visa est, hunc ad perficiendum adornavi.   Nullam
enim virtus aliam mercedem laborum periculorumque desiderat,
praeter hanc laudis et gloriae ; qua quidem detracta, iudices,
quid est, quod in hoc tam exiguo vitae curriculo et tam brevi
tantis nos in laboribus exerceamus ?   Certe, si nihil animus
praesentiret in posterum, et si, quibus regionibus vitae spatium
circumscriptum est, eisdem omnes cogitationes terminaret suas,
nec tantis se laboribus frangeret, nec tot curis vigiliisque ange-
retur, neque totiens de vita ipsa dimicaret.   Nunc insidet quaedam
in optimo quoque virtus, quae noctis et dies animum gloriae
stimulis concitat, atque admonet, non cum vitae tempore esse
dimittendam commemorationem nominis nostri, sed cum omni
posteritate adaequandam.   An vero tam parvi animi videamur
esse omnes, qui in republica atque in his vitae periculis labori-
busque versamur, ut, cum usque ad extremum spatium nullum
tranquillum atque otiosum spiritum duxerimus, nobiscum simul
moritura omnia arbitremur ?   An statuas et imagines, non
animorum simulacra, sed corporum, studiose multi summi homines reliquerunt, consiliorum relinquere ac virtutum nostrarum
effigiem nonne multo malle debemus, summis ingeniis expressam
et politam ?   Ego vero omnia, quae gerebam, iam tum in gerendo
spargere me ac disseminare arbitrabar in orbis terrae memoriam
sempiternam.   Haec vero sive a meo sensu post mortem afutura
est, sive, ut sapientissimi homines putaverunt, ad aliquam mei
partem pertinebit, nunc quidem certe cogitatione quadam speque
delector.

Arch., xi, xii, 28–30.

Q. TULLIUS CICERO, 102–43 B. C.

165. The Zodiac.

Flumina verna cient obscuro lumine Pisces,
Curriculumque Aries aequat noctisque dieque,
Cornua quem comunt florum praenuntia Tauri,
Aridaque aestatis Gemini primordia pandunt,
Longaque iam minuit praeclarus lumina Cancer
Languificosque Leo proflat ferus ore calores.
Post modicum quatiens Virgo fugat orta vaporem.
Autumni reserat portas aequatque diurna
Tempora nocturnis dispenso sidere Libra,
Et fetos ramos denudat flamma Nepai.
Pigra sagittipotens iaculatur frigora terris.
Bruma gelu glacians iubare spirat Capricorni,
Quam sequitur nebulas rorans liquor altus Aquari;
Tanta supra circaque vigent ubi flumina.   Mundi
At dextra laevaque ciet rota fulgida Solis
Mobile curriculum, et Lunae simulacra feruntur.
Squama sub aeterno conspectu torta Draconis
Eminet; hanc inter fulgentem sidera septem
Magna quatit stellans, quam servans serus in alta
Conditur Oceani ripa cum luce Bootes.

In Cic. Op., ed. Orelli, **IV,** pp. 1053–54;
ed. Batt. et Kayser, **XI,** p. 138.

166. Epigrams.

Crede ratem ventis, animum ne crede puellis;
  Namque est feminea tutior unda fide.

———

Femina nulla bona est, et. si bona contigit ulla,
  Nescio quo fato res mala facta bona.

Ibid.

T. LUCRETIUS CARUS, 94 (?–) 55 B. C.

167. The Influence of Venus.

Aeneadum genetrix, hominum divomque voluptas,
Alma Venus, caeli subter labentia signa
Quae mare navigerum, quae terras frugiferentis
Concelebras, per te quoniam genus omne animantum
Concipitur visitque exortum lumina solis :
Te, dea, te fugiunt venti, te nubila caeli
Adventumque tuum, tibi suavis daedala tellus
Summittit flores, tibi rident aequora ponti
Placatumque nitet diffuso lumine caelum.
Nam simul ac species patefactast verna diei
Et reserata viget genitabilis aura favoni,
Aeriae primum volucres te, diva, tuumque
Significant initum perculsae corda tua vi.
Inde ferae pecudes persultant pabula laeta
Et rapidos tranant amnis ; ita capta lepore
Te sequitur cupide quo quamque inducere pergis.
Denique per maria et montis fluviosque rapacis
Frondiferasque domos avium camposque virentis,
Omnibus incutiens blandum per pectora amorem
Efficis, ut cupide generatim saecla propagent.
Quae quoniam rerum naturam sola gubernas,
Nec sine te quicquam dias in luminis oras
Exoritur, neque fit laetum neque amabile quicquam,
Te sociam studeo scribendis versibus esse
Quos ego de rerum natura pangere conor
Memmiadae nostro, quem tu, dea, tempore in omni
Omnibus ornatum voluisti excellere rebus.

De Rerum Nat., I, 1–27.

168. Revolt against the Tyranny of Superstition.

Humana ante oculos foede cum vita iaceret,
In terris oppressa gravi sub religione,
Quae caput a caeli regionibus ostendebat
Horribili super aspectu mortalibus instans,
Primum Graius homo mortalis tollere contra
Est oculos ausus primusque obsistere contra,
Quem neque fama deum nec fulmina nec minitanti
Murmure compressit caelum, sed eo magis acrem
Inritat animi virtutem, effringere ut arta
Naturae primus portarum claustra cupiret.
Ergo vivida vis animi pervicit, et extra
Processit longe flammantia moenia mundi
Atque omne immensum peragravit mente animoque,
Unde refert nobis victor quid possit oriri,
Quid nequeat, finita potestas denique cuique
Quanam sit ratione atque alte terminus haerens.
Quare religio pedibus subiecta vicissim
Opteritur, nos exaequat victoria caelo.

I, 62–79.

169. Nothing can arise out of Nothing; but Like must arise from Like.

Nam si de nilo fierent, ex omnibu' rebus
Omne genus nasci posset, nil semine egeret.
E mare primum homines, e terra posset oriri
Squamigerum genus et volucres erumpere caelo ;
Armenta atque aliae pecudes, genus omne ferarum,
Incerto partu culta ac deserta tenerent.
Nec fructus idem arboribus constare solerent,
Sed mutarentur, ferre omnes omnia possent.
Quippe, ubi non essent genitalia corpora cuique,
Qui posset mater rebus consistere certa ?
At nunc seminibus quia certis quaeque creantur,
Inde enascitur atque oras in luminis exit,
Materies ubi inest cuiusque et corpora prima ;

Atque hac re nequeunt ex omnibus omnia gigni,
Quod certis in rebus inest secreta facultas.
Quod si de nilo fierent, subito exorerentur
Incerto spatio atque alienis partibus anni,
Quippe ubi nulla forent primordia quae genitali
Concilio possent arceri tempore iniquo.
Nec porro augendis rebus spatio foret usus
Seminis ad coitum, si e nilo crescere possent;
Nam fierent iuvenes subito ex infantibu' parvis
E terraque exorta repente arbusta salirent.
Quorum nil fieri manifestum est, omnia quando
Paulatim crescunt, ut par est, semine certo
Crescentesque genus servant; ut noscere possis
Quicque sua de materia grandescere alique.

I, 159–173, 180–191.

170. The Universe is made up of Atoms and of Void.

Omnis ut est igitur per se natura duabus
Constitit in rebus; nam corpora sunt et inane,
Haec in quo sita sunt et qua diversa moventur.
Corpus enim per se communis dedicat esse
Sensus; cui nisi prima fides fundata valebit,
Haut erit occultis de rebus quo referentes
Confirmare animi quicquam ratione queamus.
Tum porro locus ac spatium, quod inane vocamus,
Si nullum foret, haut usquam sita corpora possent
Esse neque omnino quoquam diversa meare;
Id quod iam supera tibi paulo ostendimus ante.
Praeterea nil est quod possis dicere ab omni
Corpore seiunctum secretumque esse ab inani,
Quod quasi tertia sit numero natura reperta.
Nam quodcumque erit, esse aliquid debebit id ipsum;
Cui si tactus erit, quamvis levis exiguusque,
Augmine vel grandi vel parvo denique, dum sit,
Corporis augebit numerum summamque sequetur.
Sin intactile erit, nulla de parte quod ullam
Rem prohibere queat per se transire meantem,

Scilicet hoc id erit, vacuum quod inane vocamus.
Praeterea per se quodcumque erit, aut faciet quid
Aut aliis fungi debebit agentibus ipsum
Aut erit ut possint in eo res esse gerique.
At facere et fungi sine corpore nulla potest res
Nec praebere locum porro nisi inane vacansque.
Ergo praeter inane et corpora tertia per se
Nulla potest rerum in numero natura relinqui,
Nec quae sub sensus cadat ullo tempore nostros
Nec ratione animi quam quisquam possit apisci.

I, 419–448.

171. ‘Vitae Philosophia Dux.’

Suave, mari magno turbantibus aequora ventis,
E terra magnum alterius spectare laborem ;
Non quia vexari quemquamst iucunda voluptas,
Sed quibus ipse malis careas quia cernere suave est.
Suave etiam belli certamina magna tueri
Per campos instructa tua sine parte pericli.
Sed nil dulcius est, bene quam munita tenere
Edita doctrina sapientum templa serena,
Despicere unde queas alios passimque videre
Errare atque viam palantis quaerere vitae,
Certare ingenio, contendere nobilitate,
Noctes atque dies niti praestante labore
Ad summas emergere opes rerumque potiri.
O miseras hominum mentes, o pectora caeca !
Qualibus in tenebris vitae quantisque periclis
Degitur hoc aevi quodcumquest ! nonne videre
Nil aliud sibi naturam latrare, nisi utqui
Corpore seiunctus dolor absit, mente fruatur
Iucundo sensu cura semota metuque ?

.   .   .   .

Quapropter quoniam nil nostro in corpore gazae
Proficiunt neque nobilitas nec gloria regni,
Quod superest, animo quoque nil prodesse putandum ;

.   .   .   .

Quod si ridicula haec ludibriaque esse videmus,

Re veraque metus hominum curaeque sequaces
Nec metuunt sonitus armorum nec fera tela,

. . . .

Quid dubitas quin omni' sit haec rationi' potestas?
Omnis cum in tenebris praesertim vita laboret.
Nam veluti pueri trepidant atque omnia caecis
In tenebris metuunt, sic nos in luce timemus
Interdum, nilo quae sunt metuenda magis quam
Quae pueri in tenebris pavitant finguntque futura.
Hunc igitur terrorem animi tenebrasque necessest
Non radii solis neque lucida tela diei
Discutiant, sed naturae species ratioque.

                          II, 1–19, 37–39, 48–50, 54–62.

172. The Gods do not govern the World.

At quidam contra haec, ignari materiai,
Naturam non posse deum sine numine credunt
Tanto opere humanis rationibus admoderate
Tempora mutare annorum frugesque creare,
Et iam cetera, mortalis quae suadet adire
Ipsaque deducit dux vitae dia voluptas
Et res per Veneris blanditur saecla propagent,
Ne genus occidat humanum.   Quorum omnia causa
Constituisse deos cum fingunt, omnibu' rebus
Magno opere a vera lapsi ratione videntur.
Nam quamvis rerum ignorem primordia quae sint,
Hoc tamen ex ipsis caeli rationibus ausim
Confirmare aliisque ex rebus reddere multis,
Nequaquam nobis divinitus esse creatam
Naturam mundi : tanta stat praedita culpa.
Quae tibi posterius, Memmi, faciemus aperta.
Nunc id quod superest de motibus expediemus.

. . . .

Quae bene cognita si teneas, natura videtur
Libera continuo dominis privata superbis
Ipsa sua per se sponte omnia dis agere expers.
Nam, pro sancta deum tranquilla pectora pace
Quae placidum degunt aevom vitamque serenam,

Quis regere immensi summam, quis habere profundi
Indu manu validas potis est moderanter habenas,
Quis pariter caelos omnis convertere et omnis
Ignibus aetheriis terras suffire feracis,
Omnibus inve locis esse omni tempore praesto,
Nubibus ut tenebras faciat caelique serena
Concutiat sonitu, tum fulmina mittat et aedis
Saepe suas disturbet, et in deserta recedens
Saeviat exercens telum, quod saepe nocentes
Praeterit exanimatque indignos inque merentes?

II, 167–183, 1090–1104.

173. THE EXISTING UNIVERSE IS THE RESULT OF A CER-
     TAIN OPTION OF MOVEMENT IN THE ORIGINAL
     ATOMS, BY WHICH THEY SWERVED FROM THE PER-
     PENDICULAR WHILE TRAVELLING DOWN SPACE IN
     PARALLEL STRAIGHT LINES; FROM THIS ALSO ARISE
     THE PHENOMENA OF VOLUNTARY MOTION.

Illud in his quoque te rebus cognoscere avemus,
Corpora dum deorsum rectum per inane feruntur
Ponderibus propriis, se incerto tempore ferme
Incertisque locis spatio depellere paulum,
Tantum quod momen mutatum dicere possis.
Quod nisi declinare solerent, omnia deorsum,
Imbris uti guttae, caderent per inane profundum,
Nec foret offensus natus nec plaga creata
Principiis; ita nil umquam natura creasset.
.   .   .   .

Quare etiam atque etiam paulum inclinare necessest
Corpora; nec plus quam minimum, ne fingere motus
Obliquos videamur et id res vera refutet.
.   .   .   .

Denique si semper motus conectitur omnis
Et vetere exoritur semper novus ordine certo,
Nec declinando faciunt primordia motus
Principium quoddam, quod fati foedera rumpat,
Ex infinito ne causam causa sequatur,
Libera per terras unde haec animantibus exstat

Unde est haec, inquam, fatis avolsa potestas,
Per quam progredimur quo ducit quemque voluntas,
Declinamus item motus nec tempore certo
Nec regione loci certa, sed ubi ipsa tulit mens?
Nam dubio procul his rebus sua cuique voluntas
Principium dat, et hinc motus per membra rigantur.

II, 216–224, 243–245, 251–262.

174. THOUGH THE ATOMS OF MATTER ARE THEMSELVES
    WITHOUT SENSATION, YET THEIR COMBINATIONS MAY
    GENERATE SENSATION.

Tum porro quid id est, animum quod percutit, ipsum
Quod movet et varios sensus expromere cogit,
Ex insensilibus ne credas sensile gigni?
Nimirum lapides et ligna et terra quod una
Mixta tamen nequeunt vitalem reddere sensum.
Illud in his igitur rebus meminisse decebit,
Non ex omnibus omnino, quaecumque creant res,
Sensile et extemplo me gigni dicere sensus,
Sed magni referre ea primum quantula constent,
Sensile quae faciunt, et qua sint praedita forma,
Motibus ordinibus posituris denique quae sint.
Quarum nil rerum in lignis glaebisque videmus;
Et tamen haec, cum sunt quasi putrefacta per imbres,
Vermiculos pariunt, quia corpora materiai
Antiquis ex ordinibus permota nova re
Conciliantur ita ut debent animalia gigni.

.   .   .   .

Denique uti possint sentire animalia quaeque,
Principiis si iam est sensus tribuendus eorum,
Quid, genus humanum propritim de quibu' factumst?
Scilicet et risu tremulo concussa cachinnant
Et lacrimis spargunt rorantibus ora genasque
Multaque de rerum mixtura dicere callent
Et sibi proporro quae sint primordia quaerunt;
Quandoquidem totis mortalibus adsimulata
Ipsa quoque ex aliis debent constare elementis,
Inde alia ex aliis, nusquam consistere ut ausis:

Quippe sequar, quodcumque loqui ridereque dices
Et sapere, ex aliis eadem haec facientibus ut sit.
Quod si delira haec furiosaque cernimus esse
Et ridere potest non ex ridentibu' factus
Et sapere et doctis rationem reddere dictis
Non ex seminibus sapientibus atque disertis,
Qui minus esse queant ea, quae sentire videmus,
Seminibus permixta carentibus undique sensu?

II. 886-901, 973-990.

175. Death is Annihilation.

Nil igitur mors est ad nos neque pertinet hilum,
Quandoquidem natura animi mortalis habetur,
Et velut anteacto nil tempore sensimus aegri,
Ad confligendum venientibus undique Poenis,
Omnia cum belli trepido concussa tumultu
Horrida contremuere sub altis aetheris oris,
In dubioque fuere utrorum ad regna cadendum
Omnibus humanis esset terraque marique,
Sic, ubi non erimus, cum corporis atque animai
Discidium fuerit quibus e sumus uniter apti,
Scilicet haud nobis quicquam, qui non erimus tum,
Accidere omnino poterit sensumque movere,
Non si terra mari miscebitur et mare caelo.

III, 830-842.

176. Why then should we grieve over it?

' Iam iam non domus accipiet te laeta, neque uxor
Optima nec dulces occurrent oscula nati
Praeripere et tacita pectus dulcedine tangent.
Non poteris factis florentibus esse, tuisque
Praesidium. Misero misere,' aiunt, ' omnia ademit
Una dies infesta tibi tot praemia vitae.'
Illud in his rebus non addunt, ' nec tibi earum
Iam desiderium rerum super insidet una.'
Quod bene si videant animo dictisque sequantur,
Dissoluant animi magno se angore metuque.

' Tu quidem ut es leto sopitus, sic eris aevi
Quod superest cunctis privatu' doloribus aegris ;
At nos horrifico cinefactum te prope busto
Insatiabiliter deflevimus, aeternumque
Nulla dies nobis maerorem e pectore demet.'
Illud ab hoc igitur quaerendum est, quid sit amari
Tanto opere, ad somnum si res redit atque quietem,
Cur quisquam aeterno possit tabescere luctu.

III, 894-911.

177. The Punishments of the Lower World may be endured on Earth.

Atque ea nimirum quaecumque Acherunte profundo
Prodita sunt esse, in vita sunt omnia nobis.
Nec miser inpendens magnum timet aëre saxum
Tantalus, ut famast, cassa formidine torpens ;
Sed magis in vita divom metus urget inanis
Mortalis casumque timent quem cuique ferat fors.

  .   .   .   .

Sed Tityos nobis hic est, in amore iacentem
Quem volucres lacerant atque exest anxius angor
Aut alia quavis scindunt cuppedine curae.
Sisyphus in vita quoque nobis ante oculos est,
Qui petere a populo fasces saevasque secures
Imbibit et semper victus tristisque recedit.
Nam petere imperium, quod inanest nec datur umquam,
Atque in eo semper durum sufferre laborem,
Hoc est adverso nixantem trudere monte
Saxum quod tamen e summo iam vertice rusum
Volvitur et plani raptim petit aequora campi.

  .   .   .   .

Cerberus et furiae iam vero et lucis egestas,
Tartarus horriferos eructans faucibus aestus,
Qui neque sunt usquam nec possunt esse profecto.
Sed metus in vita poenarum pro male factis
Est insignibus insignis, scelerisque luella,
Carcer et horribilis de saxo iactu' deorsum.
Verbera, carnifices, robur, pix, lammina, taedae ;

Quae tamen etsi absunt, at mens sibi conscia factis
Praemetuens adhibet stimulos terretque flagellis,
Nec videt interea, qui terminus esse malorum
Possit nec quae sit poenarum denique finis,
Atque eadem metuit magis haec ne in morte gravescant.
Hic Acherusia fit stultorum denique vita.

III, 978-983, 992-1002, 1011-1023.

178. THE SENSIBLE IMPRESSION IS THE CRITERION OF TRUTH.

Denique nil sciri siquis putat, id quoque nescit
An sciri possit, quoniam nil scire fatetur.
Hunc igitur contra mittam contendere causam,
Qui capite ipse sua in statuit vestigia sese.
Et tamen hoc quoque uti concedam scire, at id ipsum
Quaeram, cum in rebus veri nil viderit ante,
Unde sciat quid sit scire et nescire vicissim,
Notitiam veri quae res falsique crearit,
Et dubium certo quae res differre probarit.
Invenies primis ab sensibus esse creatam
Notitiem veri neque sensus posse refelli.
Nam maiore fide debet reperirier illud,
Sponte sua veris quod possit vincere falsa.
Quid maiore fide porro quam sensus haberi
Debet? an ab sensu falso ratio orta valebit
Dicere eos contra, quae tota ab sensibus orta est?
Qui nisi sunt veri, ratio quoque falsa fit omnis.
An poterunt oculos aures reprehendere, an aures
Tactus? an hunc porro tactum sapor arguet oris,
An confutabunt nares oculive revincent?
Non, ut opinor, ita est. Nam seorsum cuique potestas
Divisast, sua vis cuiquest, ideoque necesse est
Et quod molle sit et gelidum fervensve seorsum
Et seorsum varios rerum sentire colores
Et quae cumque coloribu' sint coniuncta videre.
Seorsus item sapor oris habet vim, seorsus odores
Nascuntur, sorsum sonitus. Ideoque necesse est
Non possint alios alii convincere sensus.

Nec porro poterunt ipsi reprehendere sese,
Aequa fides quoniam debebit semper haberi.
Proinde quod in quoquest his visum tempore, verumst.

IV, 469–499.

179. The Formation of the Earth.

Quippe etenim primum terrai corpora quaeque,
Propterea quod erant gravia et perplexa, coibant
In medio atque imas capiebant omnia sedes ;
Quae quanto magis inter se perplexa coibant,
Tam magis expressere ea, quae mare, sidera, solem
Lunamque efficerent et magni moenia mundi.
Omnia enim magis haec e levibus atque rotundis
Semiuibus multoque minoribu' sunt elementis
Quam tellus.   Ideo, per rara foramina, terrae
Partibus erumpens primus se sustulit aether
Ignifer et multos secum levis abstulit ignis.

. . . .

Hunc exordia sunt solis lunaeque secuta,
Interutrasque globi quorum vertuntur in auris.

. . . .

His igitur rebus retractis terra repente,
Maxuma qua nunc se ponti plaga caerula tendit,
Succidit et salso suffudit gurgite fossas.
Inque dies quanto circum magis aetheris aestus
Et radii solis cogebant undique terram
Verberibus crebris extrema ad limina in artum,
In medio ut propulsa suo condensa coiret,
Tam magis expressus salsus de corpore sudor
Augebat mare manando camposque natantis,
Et tanto magis illa foras elabsa volabant
Corpora multa vaporis et aëris altaque caeli
Densebant procul a terris fulgentia templa.
Sidebant campi, crescebant montibus altis
Ascensus ; neque enim poterant subsidere saxa
Nec pariter tantundem omnes succumbere partis.

V, 449–459, 471, 472, 480–494.

180. OWING TO THE STRUGGLE FOR EXISTENCE, SPECIES
     TEND TO BECOME EXTINCT IF NOT ARTIFICIALLY
     PRESERVED.

Multaque tum interiisse animantum saecla necessest
Nec potuisse propagando procudere prolem.
Nam quaecumque vides vesci vitalibus auris,
Aut dolus aut virtus aut denique mobilitas est
Ex ineunte aevo genus id tutata reservans.
Multaque sunt, nobis ex utilitate sua quae
Commendata manent, tutelae tradita nostrae.
Principio genus acre leonum saevaque saecla
Tutatast virtus, volpes dolus, et fuga cervos.
At levisomna canum fido cum pectore corda
Et genus omne, quod est veterino semine partum,
Lanigeraeque simul pecudes et bucera saecla
Omnia sunt hominum tutelae tradita, Memmi.
Nam cupide fugere feras pacemque secuta
Sunt et larga suo sine pabula parta labore,
Quae damus utilitatis eorum praemia causa.
At quis nil horum tribuit natura, nec ipsa
Sponte sua possent ut vivere nec dare nobis
Utilitatem aliquam quare pateremur eorum
Praesidio nostro pasci genus esseque tutum,
Scilicet haec aliis praedae lucroque iacebant,
Indupedita suis fatalibus omnia vinclis,
Donec ad interitum genus id natura redegit.

V, 855–877.

181. THE ORIGIN OF THE FAMILY.

Inde casas postquam ac pellis ignemque pararunt,
Et mulier coniuncta viro concessit in unum
Conubium, prolemque ex se videre creatam,
Tum genus humanum primum mollescere coepit.
Ignis enim curavit ut alsia corpora frigus
Non ita iam possent caeli sub tegmine ferre,

Et Venus inminuit viris puerique parentum
Blanditiis facile ingenium fregere superbum.
Tunc et amicitiem coeperunt iungere aventes
Finitimi inter se nec laedere nec violari,
Et pueros commendarunt muliebreque saeclum,
Vocibus et gestu cum balbe significarent
Imbecillorum esse aecum misererier omnis.
Nec tamen omnimodis poterat concordia gigni,
Sed bona magnaque pars servabat foedera caste ;
Aut genus humanum iam tum foret omne peremptum
Nec potuisset adhuc perducere saecla propago.

V, 1011–1027.

182. THE ORIGIN OF THE STATE.

Inque dies magis hi victum vitamque priorem
Commutare novis monstrabant rebu' benigni,
Ingenio qui praestabant et corde vigebant.
Condere coeperunt urbis arcemque locare
Praesidium reges ipsi sibi perfugiumque,
Et pecus atque agros divisere atque dedere
Pro facie cuiusque et viribus ingenioque ;
Nam facies multum valuit viresque vigentes.
Posterius res inventast aurumque repertum,
Quod facile et validis et pulchris dempsit honorem ;
Divitioris enim sectam plerumque secuntur
Quamlubet et fortes et pulchro corpore creti.

   .   .   .   .

At claros homines voluerunt se atque potentes,
Ut fundamento stabili fortuna maneret
Et placidam possent opulenti degere vitam,
Nequiquam, quoniam ad summum succedere honorem
Certantes iter infestum fecere viai,
Et tamen e summo. quasi fulmen, deicit ictos
Invidia interdum contemptim in Tartara taetra ;
Invidia quoniam, ceu fulmine, summa vaporant
Plerumque et quae sunt aliis magis edita cumque ;
Ut satius multo iam sit parere quietum
Quam regere imperio res velle et regna tenere.

Proinde sine incassum defessi sanguine sudent,
Angustum per iter luctantes ambitionis.

V, 1105–1116, 1120–1132.

183. Origin of Natural Religion.

Praeterea caeli rationes ordine certo
Et varia annorum cernebant tempora verti,
Nec poterant quibus id fieret cognoscere causis.
Ergo perfugium sibi habebant omnia divis
Tradere et illorum nutu facere omnia flecti.
In caeloque deum sedes et templa locarunt,
Per caelum volvi quia nox et luna videtur,
Luna, dies et nox et noctis signa severa
Noctivagaeque faces caeli flammaeque volantes,
Nubila, sol, imbres, nix, venti, fulmina, grando,
Et rapidi fremitus et murmura magna minarum.
O genus infelix humanum, talia divis
Cum tribuit facta atque iras adiunxit acerbas!
Quantos tum gemitus ipsi sibi, quantaque nobis
Volnera, quas lacrimas peperere minoribu' nostris!
Nec pietas ullast velatum saepe videri
Vertier ad lapidem, atque omnis accedere ad aras,
Nec procumbere humi prostratum et pandere palmas
Ante deum delubra, nec aras sanguine multo
Spargere quadrupedum, nec votis nectere vota,
Sed mage pacata posse omnia mente tueri.

V, 1183–1203.

184. Θεοὶ ῥεῖα ζώοντες.

Ignorantia causarum conferre deorum
Cogit ad imperium res et concedere regnum.
Nam bene qui didicere deos securum agere aevom,
Si tamen interea mirantur qua ratione
Quaeque geri possint, praesertim rebus in illis
Quae supera caput aetheriis cernuntur in oris,
Rursus in antiquas referuntur religionis
Et dominos acris adsciscunt, omnia posse

Quos miseri credunt, ignari quid queat esse,
Quid nequeat, finita potestas denique cuique
Quanam sit ratione atque alte terminus haerens,
Quo magis errantes caeca ratione feruntur.
Quae nisi respuis ex animo longeque remittis
Dis indigna putare alienaque pacis eorum,
Delibata deum per te tibi numina sancta
Saepe oberunt ; non quo violari summa deum vis
Possit, ut ex ira poenas petere inbibat acris,
Sed quia tute tibi placida cum pace quietos
Constitues magnos irarum volvere fluctus,
Nec delubra deum placido cum pectore adibis,
Nec de corpore quae sancto simulacra feruntur
In mentes hominum divinae nuntia formae,
Suscipere haec animi tranquilla pace valebis.
Inde videre licet qualis iam vita sequatur.

VI, 54–79.

C. VALERIUS CATULLUS, 87–54 B. C.

185. Epitaph on an Aged Bark.

Phaselus ille, quem videtis, hospites,
Ait fuisse navium celerrimus,
Neque ullius natantis impetum trabis
Nequisse praeterire, sive palmulis
Opus foret volare, sive linteo.
Et hoc negat minacis Adriatici
Negare litus, insulasve Cycladas,
Rhodumque nobilem, horridamque **Thraciam,**
Propontida, trucemve Ponticum sinum,
Ubi iste, post phaselus, antea fuit
Comata silva ; nam Cytorio in iugo
Loquente saepe sibilum edidit coma.
Amastri Pontica, et Cytore buxifer,
Tibi haec fuisse et esse cognitissima,

Ait phaselus ; ultima ex origine
Tuo stetisse dicit in cacumine,
Tuo imbuisse palmulas in aequore,
Et inde tot per inpotentia freta
Herum tulisse ; laeva, sive dextera
Vocaret aura, sive utrumque Iuppiter
Simul secundus incidisset in pedem.
Neque ulla vota litoralibus deis
Sibi esse facta, cum veniret a mari
Novissimo hunc ad usque limpidum lacum.
Sed haec prius fuere ; nunc recondita
Senet quiete, seque dedicat tibi,
Gemelle Castor, et gemelle Castoris.

Carm. iv.

186. A Bridge to throw Fools from.

O Colonia, quae cupis ponte ludere longo,
Et salire paratum habes, sed vereris inepta
Crura ponticuli assulis stantis in redivivis
Ne supinus eat, cavaque in palude recumbat ;
Sic tibi bonus ex tua pons libidine fiat,
In quo vel Salisubsili sacra suscipiantur ;
Munus hoc mihi maximi da, Colonia, risus.
Quendam municipem meum de tuo volo ponte
Ire praecipitem in lutum per caputque pedesque ;
Verum totius ut lacus putidaeque paludis
Lividissima maximeque est profunda vorago.
Insulsissimus est homo, nec sapit, pueri instar
Bimuli tremula patris dormientis in ulna.
Cui cum sit viridissimo nupta flore puella
Et puella tenellulo delicatior haedo
Adservanda nigerrimis diligentius uvis ;
Ludere hanc sinit, ut lubet, nec pili facit uni,
Nec se sublevat ex sua parte, sed velut alnus
In fossa Liguri iacet suppernata securi,
Tantundem omnia sentiens, quam si nulla sit usquam.
Talis iste meus stupor nil videt, nihil audit.
Ipse qui sit, utrum sit an non sit, id quoque nescit.

Nunc eum volo de tuo ponte mittere pronam,
Si pote stolidum repente excitare veternum,
Et supinum animum in gravi derelinquere caeno,
Ferream ut soleam tenaci in voragine mula.

Carm. xvii

187. A HAPPY PAIR.

Acmen Septimius, suos amores,
Tenens in gremio, Mea, inquit, Acme,
Ni te perdite amo, atque amare porro
Omnes sum assidue paratus annos,
Quantum qui pote plurimum perire,
Solus in Libya Indiaque tosta
Caesio veniam obvius leoni.
Hoc ut dixit, Amor sinistra, ut ante,
Dextram sternuit approbationem.
At Acme leviter caput reflectens,
Et dulcis pueri ebrios ocellos
Illo purpureo ore saviata,
Sic, inquit, mea vita Septimille,
Huic uno domino usque serviamus,
Ut multo mihi maior acriorque
Ignis mollibus ardet in medullis.
Hoc ut dixit, Amor sinistra, ut ante,
Dextram sternuit approbationem.
Nunc ab auspicio bono profecti,
Mutuis animis amant, amantur.
Unam Septimius misellus Acmen
Mavult, quam Syrias Britanniasque ;
Uno in Septimio fidelis Acme
Facit delicias libidinesque.
Quis ullos homines beatiores
Vidit ? quis Venerem auspicatiorem ?

Carm. **xlv.**

188. Before the Wedding.

Namque Vinia Manlio,
Qualis Idalium colens
Venit ad Phrygium Venus
Iudicem, bona cum bona
   Nubit alite virgo:

Floridis velut enitens
Myrtus Asia ramulis,
Quos Hamadryades deae
Ludicrum sibi roscido
   Nutriunt umore.

Quare age, huc aditum ferens
Perge linquere Thespiae
Rupis Aonios specus,
Nympha quos super irrigat
   Frigerans Aganippe:

Ac domum dominam voca,
Coniugis cupidam novi,
Mentem amore revinciens,
Ut tenax hedera huc et huc
   Arborem implicat errans.

Vos item simul, integrae
Virgines, quibus advenit
Par dies, agite, in modum
Dicite: O Hymenaee Hymen,
   Hymen o Hymenaee.
               Carm. lxi, 16–40.

189. Ariadne reproaches Theseus for his Perfidy.

Sicine me patriis avectam, perfide, ab oris,
Perfide, deserto liquisti in litore, Theseu?
Sicine discedens, neglecto numine divum,
Immemor, a! devota domum periuria portas?

Nullane res potuit crudelis flectere mentis
Consilium? tibi nulla fuit clementia praesto,
Inmite ut nostri vellet miserescere pectus?
At non haec quondam nobis promissa dedisti
Voce; mihi non hoc miserae sperare iubebas,
Sed conubia laeta, sed optatos hymenaeos.
Quae cuncta aërii discerpunt irrita venti.
Iam iam nulla viro iuranti femina credat,
Nulla viri speret sermones esse fideles.
Quis dum aliquid cupiens animus praegestit apisci,
Nil metuunt iurare, nihil promittere parcunt;
Sed simul ac cupidae mentis satiata libido est,
Dicta nihil meminere, nihil periuria curant.
Certe ego te in medio versantem turbine leti
Eripui, et potius germanum amittere crevi,
Quam tibi fallaci supremo in tempore deessem.
Pro quo dilaceranda feris dabor, alitibusque
Praeda, neque iniecta tumulabor mortua terra.
Quaenam te genuit sola sub rupe leaena?
Quod mare conceptum spumantibus expuit undis?
Quae Syrtis, quae Scylla rapax, quae vasta Charybdis,
Talia qui reddis pro dulci praemia vita?

Carm. lxiv, 132–157.

190. THE GODS HAVE CEASED TO VISIT THE EARTH AS THEY DID OF OLD.

Talia praefantes quondam, felicia Pelei
Carmina divino cecinerunt pectore Parcae.
Praesentes namque ante domos invisere castas
Heroum, et sese mortali ostendere coetu
Caelicolae, nondum spreta pietate, solebant.
Saepe pater divum templo in fulgente residens,
Annua cum festis venissent sacra diebus,
Conspexit terra centum procumbere tauros;
Saepe vagus Liber Parnasi vertice summo
Thyiadas effusis evantis crinibus egit,
Cum Delphi tota certatim ex urbe ruentes
Acciperent laeti divum fumantibus aris.

Saepe in letifero belli certamine Mavors,
Aut rapidi Tritonis era, aut Rhamnusia virgo
Armatas hominum est praesens hortata catervas.
Sed postquam tellus scelere est imbuta nefando,
Iustitiamque omnes cupida de mente fugarunt,
Perfudere manus fraterno sanguine fratres ;
Destitit extinctos natus lugere parentes,
Optavit genitor primaevi funera nati,
Liber uti innuptae poteretur flore novercae ;
Ignaro mater substernens se impia nato,
Impia non verita est divos scelerare parentes
Omnia fanda nefanda malo permixta furore
Iustificam nobis mentem avertere deorum.
Quare nec tales dignantur visere coetus,
Nec se contingi patiuntur lumine claro.

Carm. lxiv, 381–407.

191. On his Brother's Death.

Etsi me assiduo confectum cura dolore
   Sevocat a doctis, Ortale, virginibus,
Nec potis est dulcis Musarum expromere fetus
   Mens animi ; tantis fluctuat ipsa malis ;
Namque mei nuper Lethaeo gurgite fratris
   Pallidulum manans alluit unda pedem ;
Troia Rhoeteo quem subter litore tellus
   Ereptum nostris obterit ex oculis.
Alloquar ? audiero numquam tua facta loquentem ?
   Numquam ego te, vita frater amabilior,
Aspiciam posthac ? at certe semper amabo,
   Semper maesta tua carmina morte canam ;
Qualia sub densis ramorum concinit umbris
   Daulias, absumpti fata gemens Ityli.
Sed tamen in tantis maeroribus, Ortale, mitto
   Haec expressa tibi carmina Battiadae,
Ne tua dicta vagis nequiquam credita ventis
   Effluxisse meo forte putes animo :
Ut missum sponsi furtivo munere malum
   Procurrit casto virginis e gremio,

Quod miserae oblitae molli sub veste locatum,
  Dum adventu matris prosilit, excutitur ;
Atque illud prono praeceps agitur decursu,
  Huic manat tristi conscius ore rubor.

Carm. lxv.

192. A Prayer.

Siqua recordanti benefacta priora voluptas
  Est homini, cum se cogitat esse pium ;
Nec sanctam violasse fidem, nec foedere in ullo
  Divum ad fallendos numine abusum homines, —
Multa parata manent in longa aetate, Catulle,
  Ex hoc ingrato gaudia amore tibi.
Nam quaecumque homines bene cuiquam aut dicere possunt
  Aut facere, haec a te dictaque factaque sunt,
Omnia quae ingratae perierunt credita menti.
  Quare iam te cur amplius excrucies ?
Quin tu animo offirmas atque istinc teque reducis
  Et, dis invitis, desinis esse miser ?
Difficile est, longum subito deponere amorem.
  Difficile est ; verum hoc qualibet efficias.
Una salus haec est, hoc est tibi pervincendum.
  Hoc facias, sive id non pote, sive pote.
O di, si vestrum est misereri, aut si quibus umquam
  Extrema iam ipsa in morte tulistis opem,
Me miserum aspicite ! et, si vitam puriter egi,
  Eripite hanc pestem perniciemque mihi ;
Ei mihi subrepens imos, ut torpor, in artus,
  Expulit ex omni pectore laetitias.
Non iam illud quaero, contra ut me diligat illa,
  Aut, quod non potis est, esse pudica velit ;
Ipse valere opto, et taetrum hunc deponere morbum.
  O di, reddite mi hoc pro pietate mea.

Carm. lxxvi.

193. Affected Pronunciation.

Chommoda dicebat, si quando commoda vellet
  Dicere, et insidias Arrius hinsidias;
Et tum mirifice sperabat se esse locutum,
  Cum, quantum poterat, dixerat hinsidias.
Credo sic mater, sic liber avunculus eius,
  Sic maternus avus dixerat, atque avia.
Hoc misso in Syriam, requierant omnibus aures,
  Audibant eadem haec leniter et leviter,
Nec sibi postilla metuebant talia verba,
  Cum subito affertur nuntius horribilis,
Ionios fluctus, postquam illuc Arrius isset,
  Iam non Ionios esse, sed Hionios.

Carm. lxxxiv.

D. LABERIUS, 105–43 B. C.

194. Laberius resents an Indignity put upon him by Caesar.

Necéssitas, cuius cúrsus transversi ímpetum
Voluérunt multi effúgere, pauci pótuerunt,
Quo mé detrusit paéne extremis sénsibus!
Quem núlla ambitio, núlla umquam largítio,
Nullús timor, vis núlla, nulla auctóritas
Movére potuit ín iuventa dé statu,
Ecce ín senecta ut fácile labefecít loco
Viri éxcellentis ménte clemente édita
Summíssa placide blándiloquens orátio!
Etenim ípsi di negáre cui nil pótuerunt,
Hominém me denegáre quis possét pati?
Ego bís tricenis ánnis actis síne nota,
Equés Romanus é lare egressús meo,
Domúm revertar mímus. Nimirum hóc die

Unó plus vixi míhi quam vivendúm fuit.
Fortúna, inmoderata ín bono aeque atque ín malo,
Si tíbi erat libitum lítterarum laúdibus
Floréns cacumen nóstrae famae frángere,
Cur cúm vigebam mémbris praeviridántibus,
Satis fácere populo et táli cum poterám viro,
Non fléxibilem me cóncurvasti ut cárperes?
Nuncíne me deicis? quó? quid ad scaenam ádfero?
Decórem formae an dígnitatem córporis,
Animí virtutem an vócis iucundaé sonum?
Ut hédera serpens víres arboreás necat,
Ita mé vetustas ámplexu annorum énecat;
Sepúlcri similis níl nisi nomen rétineo.

Incert. Prol., ap. Macrob., Sat., II, vii.

PUBLILIUS SYRUS, FL. 45 B. C.

195. RIDICULE OF LUXURY.

Luxuriae rictu Martis marcent moenia.
Tuo palato clausus pavo pascitur
Plumato amictus aureo Babylonico,
Gallina tibi Numidica, tibi gallus spado;
Ciconia etiam, grata peregrina hospita
Pietaticultrix gracilipes crotalistria
Avis exul hiemis, titulus tepidi temporis,
Nequitiae nidum in caccabo fecit modo.
Quo margarita cara tibi bacam Indicam?
An ut matrona ornata phaleris pelagiis
Tollat pedes indomita in strato extraneo?
Smaragdum ad quam rem viridem, pretiosum **vitrum**?
Quo Carchedonios optas ignes lapideos?
Nisi ut scintillet probitas e carbunculis.
Aequum est induere nuptam ventum textilem,
Palam prostare nudam in nebula linea?

Ap. Petr., Sat., lv, 22–37.

196. Sententiae.

Malum est consilium, quod mutari non potest.
Beneficium dando accepit, qui digno dedit.
Feras, non culpes, quod vitari non potest.
Cui plus licet quam par est, plus vult quam licet.
Comes facundus in via pro vehiculo est.
Frugalitas miseria est rumoris boni.
Heredis fletus sub persona risus est.
Furor fit laesa saepius patientia.
Inprobe Neptunum accusat, qui iterum naufragium facit.
Ita amicum habeas, posse ut fieri hunc inimicum putes.
Veterem ferendo iniuriam, invites novam.
Numquam periclum sine periclo vincitur.
Nimium altercando veritas amittitur.
Pars benefici est, quod petitur si belle neges.

Ap. Gell., XVII, xiv, 4.

L. SERGIUS CATILINA.

197. Letter commending his Wife to Catulus.
Nov. 8th, B. C. 63.

L. Catilina Q. Catulo. Egregia tua fides re cognita, grata
mihi magnis in meis periculis, fiduciam commendationi meae
tribuit. Quam ob rem defensionem in novo consilio non statui
parare ; satisfactionem ex nulla conscientia de culpa proponere
decrevi, quam mediusfidius veram licet cognoscas. Iniuriis con-
tumeliisque concitatus, quod fructu laboris industriaeque meae
privatus statum dignitatis non optinebam, publicam miserorum
causam pro mea consuetudine suscepi ; non quin aes alienum
meis nominibus ex possessionibus solvere possem at alienis
nominibus liberalitas Orestillae suis filiaeque copiis persolve-
ret, sed quod non dignos homines honore honestatos videbam,

meque falsa suspicione alienatum esse sentiebam.   Hoc nomine
satis honestas pro meo casu spes reliquae dignitatis conservandae
sum secutus.   Plura cum scribere vellem, nuntiatum est vim
mihi parari.   Nunc Orestillam commendo tuaeque fidei trado ;
eam ab iniuria defendas, per liberos tuos rogatus.   Haveto.

In Sall. Catil., **xxxv.**

C. JULIUS CAESAR, 100–44 B. C.

198. A Criticism on Terence.

Tu quoque, tu in summis, o dimidiate Menander,
Poneris, et merito, puri sermonis amator.
Lenibus atque utinam scriptis adiuncta foret vis,
Comica ut aequato virtus polleret honore
Cum Graecis ; neve hac despecte ex parte iaceres !
Unum hoc maceror aureolo tibi desse, Terenti.[1]

Ap. Suet., Vit. Ter., ad fin.

199. An Epigram.

Thrax puer, astricto glacie dum ludit in Hebro,
   Frigore concretas pondere rupit aquas.
Cumque imae partes rapido traherentur ab amne,
   Abscidit tenerum lubrica testa caput.
Orba quod inventum mater dum conderet urna,
   ' Hoc peperi flammis, cetera,' dixit, ' aquis.'

In Op., ed. Delph. ad fin.

200. The Britons contest Caesar's Landing.

At barbari, consilio Romanorum cognito, praemisso equitatu
et essedariis, quo plerumque genere in proeliis uti consuerunt,
reliquis copiis subsecuti, nostros navibus egredi prohibebant.
Erat ob has causas summa difficultas, quod naves propter mag-

---

[1] Cf. Baehrens, 'Fragmenta Poet. Rom.,' p. 326.

nitudinem, nisi in alto, constitui non poterant ; militibus autem
ignotis locis, impeditis manibus, magno et gravi armorum onere
oppressis, simul et de navibus desiliendum, et in fluctibus con-
sistendum, et cum hostibus erat pugnandum, cum illi aut ex
arido, aut paulum in aquam progressi, omnibus membris
expediti, notissimis locis audacter tela conicerent et equos in-
suefactos incitarent. Quibus rebus nostri perterriti, atque huius
omnino generis pugnae imperiti, non eadem alacritate ac studio,
quo in pedestribus uti proeliis consuerant, utebantur. Quod
ubi Caesar animadvertit, naves longas, quarum et species
erat barbaris inusitatior, et motus ad usum expeditior, paulum
removeri ab onerariis navibus et remis incitari et ad latus apertum hostium constitui, atque inde fundis, sagittis, tormentis,
hostes propelli ac submoveri iussit ; quae res magno usui nostris
fuit. Nam et navium figura, et remorum motu, et inusitato
genere tormentorum permoti barbari constiterunt, ac paulum
modo pedem retulerunt. Atque nostris militibus cunctantibus,
maxime propter altitudinem maris, qui decimae legionis aquilam
ferebat, contestatus deos, ut ea res legioni feliciter eveniret,
' Desilite,' inquit, ' commilitones, nisi vultis aquilam hostibus
prodere ; ego certe meum reipublicae atque imperatori officium
praestitero.' Hoc cum magna voce dixisset, ex navi se proiecit
atque in hostes aquilam ferre coepit. Tum nostri, cohortati
inter se, ne tantum dedecus admitteretur, universi ex navi
desiluerunt ; hos item alii ex proximis navibus cum conspexis-
sent, subsecuti hostibus adpropinquarunt. Pugnatum est ab
utrisque acriter ; nostri tamen, quod neque ordines servare,
neque firmiter insistere, neque signa subsequi poterant, atque
alius alia ex navi, quibuscumque signis occurrerat, se aggre-
gabat, magno opere perturbantur. Hostes vero, notis omnibus vadis, ubi ex litore aliquos singulares ex navi egredientes
conspexerant, incitatis equis impeditos adoriebantur ; plures
paucos circumsistebant ; alii ab latere aperto in universos tela
coniciebant. Quod cum animum advertisset Caesar, scaphas
longarum navium, item speculatoria navigia militibus compleri
iussit et, quos laborantes conspexerat, his subsidia submittebat.
Nostri, simul in arido constiterunt, suis omnibus consecutis, in
hostes impetum fecerunt atque eos in fugam dederunt ; neque
longius prosequi potuerunt, quod equites cursum tenere atque

insulam capere non potuerant. Hoc unum ad pristinam fortunam Caesari defuit.

B. G., iv, 24–26.

201. A Geographical Account of Britain.

Insula natura triquetra, cuius unum latus est contra Galliam.
Huius lateris alter angulus, qui est ad Cantium, quo fere omnes
ex Gallia naves appelluntur, ad orientem solem ; inferior ad
meridiem spectat. Hoc pertinet circiter milia passuum D.
Alterum vergit ad Hispaniam atque occidentem solem, qua ex
parte est Hibernia, dimidio minor, ut aestimatur, quam Britannia ; sed pari spatio transmissus, atque ex Gallia, est in Britanniam. In hoc medio cursu est insula, quae appellatur Mona ;
complures praeterea minores obiectae insulae existimantur, de
quibus insulis nonnulli scripserunt, dies continuos XXX sub
bruma esse noctem. Nos nihil de eo percunctationibus reperie-
bamus, nisi certis ex aqua mensuris breviores esse, quam in
continente, noctes videbamus. Huius est longitudo lateris, ut
fert illorum opinio, DCC milium. Tertium est contra septem-
triones, cui parti nulla est obiecta terra ; sed eius angulus lateris
maxime ad Germaniam spectat; hoc milia passuum DCCC in
longitudinem esse, existimatur. Ita omnis insula est in circuitu
vicies centum milium passuum.

B. G., v, 13.

202. Power of the Druids.

Sed de his duobus generibus alterum est Druidum, alterum
equitum. Illi rebus divinis intersunt, sacrificia publica ac privata procurant, religiones interpretantur. Ad hos magnus adu-
lescentium numerus disciplinae causa concurrit, magnoque hi
sunt apud eos honore. Nam fere de omnibus controversiis publicis privatisque constituunt; et, si quod est admissum facinus,
si caedes facta, si de hereditate, si de finibus controversia est,
iidem decernunt ; praemia poenasque constituunt; si qui aut
privatus aut publicus eorum decreto non stetit, sacrificiis inter-
dicunt. Haec poena apud eos est gravissima. Quibus ita est
interdictum, hi numero impiorum ac sceleratorum habentur ; his

omnes decedunt, aditum eorum sermonemque defugiunt, ne quid
ex contagione incommodi accipiant; neque his petentibus ius
redditur, neque honos ullus communicatur. His autem omnibus
Druidibus praeest unus, qui summam inter eos habet auctoritatem. Hoc mortuo, si qui ex reliquis excellit dignitate, succedit,
aut, si sunt plures pares, suffragio Druidum; nonnunquam etiam
armis de principatu contendunt. Hi certo anni tempore in
finibus Carnutum, quae regio totius Galliae media habetur,
considunt in loco consecrato. Huc omnes undique, qui controversias habent, conveniunt eorumque decretis iudiciisque parent.
Disciplina in Britannia reperta atque in Galliam translata esse
existimatur; et nunc, qui diligentius eam rem cognoscere volunt,
plerumque illo discendi causa proficiscuntur.

Druides a bello abesse consuerunt, neque tributa una cum
reliquis pendunt; militiae vacationem omniumque rerum habent
immunitatem. Tantis excitati praemiis, et sua sponte multi in
disciplinam conveniunt, et a parentibus propinquisque mittuntur.
Magnum ibi numerum versuum ediscere dicuntur; itaque annos
nonnulli vicenos in disciplina permanent. Neque fas esse existimant, ea litteris mandare, cum in reliquis fere rebus, publicis
privatisque rationibus, Graecis utantur litteris. Id mihi duabus
de causis instituisse videntur; quod neque in vulgum disciplinam
efferri velint, neque eos, qui discunt, litteris confisos, minus memoriae studere; quod fere plerisque accidit, ut praesidio litterarum diligentiam in perdiscendo ac memoriam remittant. Im-
primis hoc volunt persuadere, non interire animas, sed ab aliis
post mortem transire ad alios; atque hoc maxime ad virtutem
excitari putant, metu mortis neglecto. Multa praeterea de sideribus atque eorum motu, de mundi ac terrarum magnitudine, de
rerum natura, de deorum immortalium vi ac potestate disputant
et iuventuti tradunt.

B. G., vi, 13, 14.

203. Defeat of Curio at the River Bagradas.

Quibus ex locis cum longius esset progressus, confecto iam
labore exercitu, sedecim milium spatio constitit. Dat suis signum Saburra, aciem constituit et circumire ordines atque hortari
incipit; sed peditatu dumtaxat procul ad speciem utitur, equites

in aciem mittit. Non deest negotio Curio suosque hortatur, ut
spem omnem in virtute reponant. Ne militibus quidem, ut defessis, neque equitibus, ut paucis et labore confectis, studium ad
pugnandum virtusque deerat ; sed hi erant numero ducenti, reliqui in itinere substiterant. Hi quamcumque in partem impetum
fecerant, hostes loco cedere cogebant ; sed neque longius fugientes prosequi, nec vehementius equos incitare poterant. At
equitatus hostium ab utroque cornu circumire aciem nostram et
aversos proterere incipit. Cum cohortes ex acie procucurris-
sent, Numidae integri celeritate impetum nostrorum effugiebant,
rursusque ad ordines suos se recipientes circumibant et ab acie
excludebant. Sic neque in loco manere ordinesque servare,
neque procurrere et casum subire, tutum videbatur. Hostium
copiae, submissis ab rege auxiliis, crebro augebantur; nostros
vires lassitudine deficiebant ; simul ii, qui vulnera acceperant,
neque acie excedere, neque in locum tutum referri poterant,
quod tota acies equitatu hostium circumdata tenebatur. Hi, de
sua salute desperantes, ut extremo vitae tempore homines facere
consuerunt, aut suam mortem miserabantur, aut parentes suos
commendabant, si quos ex eo periculo fortuna servare potuisset.
Plena erant omnia timoris et luctus. Curio ubi, perterritis
omnibus, neque cohortationes suas, neque preces audiri intellegit, unam, ut miseris in rebus, spem reliquam salutis esse arbitratus, proximos colles capere universos atque eo signa inferri
iubet. Hos quoque praeoccupat missus a Saburra equitatus.
Tum vero ad summam desperationem nostri perveniunt et
partim fugientes ab equitatu interficiuntur, partim integri procumbunt. Hortatur Curionem Cn. Domitius, praefectus equitum, cum paucis equitibus circumsistens, ut fuga salutem petat
atque in castra contendat ; et se ab eo non discessurum pollice-
tur. At Curio, numquam se, amisso exercitu, quem a Caesare
fidei commissum acceperit, in eius conspectum reversurum confirmat atque ita proelians interficitur. Equites perpauci ex
proelio se recipiunt ; sed ii, quos ad novissimum agmen equorum reficiendorum causa substitisse demonstratum est, fuga totius
exercitus procul animadversa, sese incolumes in castra conferunt.
Milites ad unum omnes interficiuntur.

B. C., ii, 41, 42.

204. Battle of Pharsalia.

Sed nostri milites, dato signo, cum infestis pilis procucurris-
sent atque animadvertissent non concurri a Pompeianis, usu
periti ac superioribus pugnis exercitati sua sponte cursum re-
presserunt et ad medium fere spatium constiterunt, ne consumptis viribus adpropinquarent; parvoque intermisso temporis
spatio, ac rursus renovato cursu, pila miserunt celeriterque, ut
erat praeceptum a Caesare, gladios strinxerunt. Neque vero
Pompeiani huic rei defuerunt. Nam et tela missa exceperunt,
et impetum legionum tulerunt et ordines conservaverunt, pilis-
que missis, ad gladios redierunt. Eodem tempore equites ab
sinistro Pompeii cornu, ut erat imperatum, universi procucurrerunt omnisque multitudo sagittariorum se profudit; quorum
impetum noster equitatus non tulit, sed paulatim loco motus
cessit, equitesque Pompei hoc acrius instare et se turmatim ex-
plicare aciemque nostram a latere aperto circumire coeperunt.
Quod ubi Caesar animum advertit, quartae aciei, quam insti-
tuerat sex cohortium numero, signum dedit. Illi celeriter
procucurrerunt infestisque signis tanta vi in Pompeii equites
impetum fecerunt, ut eorum nemo consisteret omnesque conversi
non solum loco excederent, sed protinus incitati fuga montes
altissimos peterent. Quibus submotis, omnes sagittarii funditoresque destituti, inermes, sine praesidio, interfecti sunt. Eodem
impetu cohortes sinistrum cornu, pugnantibus etiam tum ac
resistentibus in acie Pompeianis, circumierunt eosque a tergo
sunt adorti. Eodem tempore tertiam aciem Caesar, quae quieta
fuerat et se ad id tempus loco tenuerat, procurrere iussit. Ita,
cum recentes atque integri defessis successissent, alii autem a
tergo adorirentur, sustinere Pompeiani non potuerunt atque universi terga verterunt. Neque vero Caesarem fefellit, quin ab
iis cohortibus, quae contra equitatum in quarta acie collocatae
essent, initium victoriae oriretur, ut ipse in cohortandis militibus pronunciaverat. Ab his enim primum equitatus est pulsus,
ab isdem factae caedes sagittariorum atque funditorum, ab isdem acies Pompeiana a sinistra parte erat circumita atque
initium fugae factum. Sed Pompeius, ut equitatum suum pul-
sum vidit atque eam partem, cui maxime confidebat, perterritam

animum advertit, aliis quoque diffisus acie excessit protinusque
se in castra equo contulit et iis centurionibus, quos in statione
ad praetoriam portam posuerat, clare, ut milites exaudirent,
'Tuemini,' inquit, 'castra et defendite diligenter, si quid durius
acciderit; ego reliquas portas circumeo et castrorum praesidia
confirmo.' Haec cum dixisset, se in praetorium contulit, summae rei diffidens et tamen eventum exspectans.

B. C., iii, 93, 94.

205. Letter to Oppius and Balbus at the Commence-
ment of the Civil War.

Gaudeo mehercule vos significare litteris, quam valde probetis
ea, quae apud Corfinium sunt gesta. Consilio vestro utar libenter, et hoc libentius, quod mea sponte facere constitueram, ut
quam lenissimum me praeberem, et Pompeium darem operam
ut reconciliarem. Temptemus hoc modo, si possumus, omnium
voluntates recuperare, et diuturna victoria uti; quoniam reliqui
crudelitate odium effugere non potuerunt, neque victoriam diutius tenere praeter unum L. Sullam, quem imitaturus non sum.
Haec nova sit ratio vincendi, ut misericordia et liberalitate nos
muniamus. Id quemadmodum fieri possit, nonnulla mihi in
mentem veniunt, et multa reperiri possunt. De his rebus, rogo
vos, ut cogitationem suscipiatis. N. Magium, Pompeii praefectum, deprehendi; scilicet meo instituto usus sum, et eum
statim missum feci. Iam duo praefecti fabrum Pompeii in
meam potestatem venerunt, et a me missi sunt. Si volent grati
esse, debebunt Pompeium hortari, ut malit mihi esse amicus,
quam iis, qui et illi et mihi semper fuerunt inimicissimi; quorum artificiis effectum est, ut respublica in hunc statum perveniret.

In Cic. ad Att., IX, vii, C.

M. PORCIUS CATO UTICENSIS, 95–46 B. C.

206. LETTER WRITTEN TO CICERO, 50 B. C., IN REFERENCE TO A PUBLIC THANKSGIVING IN HIS HONOR.

Quod et respublica me et nostra amicitia hortatur, libenter facio, ut tuam virtutem, innocentiam, diligentiam cognitam in maximis rebus, domi togati, armati foris, pari industria administrare gaudeam. Itaque, quod pro meo iudicio facere potui, ut innocentia consilioque tuo defensam provinciam, servatum Ariobarzanis cum ipso rege regnum, sociorum revocatam ad studium imperii nostri voluntatem, sententia mea et decreto laudarem, feci. Supplicationem decretam, si tu, qua in re nihil fortuito, sed summa tua ratione et continentia, reipublicae provisum est, dis inmortalibus gratulari nos, quam tibi referre acceptum mavis, gaudeo. Quodsi triumphi praerogativam putas supplicationem, et idcirco casum potius, quam te laudari mavis; neque supplicationem sequitur semper triumphus, et triumpho multo clarius est, senatum iudicare, potius mansuetudine et innocentia imperatoris, provinciam, quam vi militum, aut benignitate deorum, retentam atque conservatam esse; quod ego mea sententia censebam. Atque haec ego idcirco ad te contra consuetudinem meam pluribus scripsi, ut, quod maxime volo, existimes me laborare ut tibi persuadeam me et voluisse de tua maiestate quod amplissimum sim arbitratus; et, quod tu maluisti, factum esse gaudere. Vale, et nos dilige; et instituto itinere severitatem diligentiamque sociis et reipublicae praesta.

In Cic. ad Fam., XV, v.

M. CAELIUS RUFUS, 82–48 B. C.

207. CAELIUS SENDS CICERO SOME POLITICAL NEWS. 50 B. C.

De summa republica saepe tibi scripsi, me annuam pacem non
videre ; et quo propius ea contentio, quam fieri necesse est,
accedit, eo clarius id periculum adparet. Propositum hoc est,
de quo, qui rerum potiuntur, sunt dimicaturi : quod Cn. Pompeius constituit non pati C. Caesarem consulem aliter fieri, nisi
exercitum et provincias tradiderit ; Caesari autem persuasum
est, se salvum esse non posse, si ab exercitu recesserit. Fert
illam tamen conditionem, ut ambo exercitus tradant. Sic illi
amores et invidiosa coniunctio non ad occultam recidit obtrecta-
tionem, sed ad bellum se erumpit ; neque, mearum rerum quod
consilium capiam, reperio. Quod non dubito, quin te quoque
haec deliberatio sit perturbatura. Nam mihi cum hominibus
his et gratia et necessitudo est ; causam illam, non homines
odi. Illud te non arbitror fugere, quin homines in dissensione
domestica debeant, quam diu civiliter sine armis certetur, ho-
nestiorem sequi partem ; ubi ad bellum et castra ventum sit,
firmiorem ; et id melius statuere, quo tutius sit. In hac discordia video, Cn. Pompeium senatum, quique res iudicant, secum
habiturum ; ad Caesarem omnis, qui cum timore aut mala spe
vivant, accessuros ; exercitum conferendum non esse omnino.
Satis spatii sit ad considerandas utriusque copias et ad eligendam
partem. Prope oblitus sum, quod maxime fuit scribendum.
Scis Appium censorem hic ostenta facere ? de signis et tabulis,
de agri modo, de aere alieno acerrime agere ? Persuasum est
ei, censuram lomentum aut nitrum esse. Errare mihi videtur.
Nam dum sordis eluere vult, venas sibi omnes et viscera aperit.
Curre, per deos atque homines, et quam primum haec risum
veni, legis Scantiniae iudicium apud Drusum fieri, Appium de
tabulis et signis agere. Crede mihi, est properandum. Curio
noster sapienter id, quod remisit de stipendio Pompeii, fecisse
existimatur. Ad summam, quaeris, quid putem futurum. Si
alteruter eorum ad Parthicum bellum non eat, video magnas

inpendere discordias, quas ferrum et vis diiudicabit. Uterque animo et copiis est paratus. Si sine tuo periculo fieri posset, magnum et iucundum tibi fortuna spectaculum parabat.

In Cic. ad Fam., VIII, xiv, 2-4.

CN. POMPEIUS MAGNUS, 106–48 B. C.

208. LETTERS, 49 B. C. — I. URGING CICERO TO JOIN HIM AT BRUNDISIUM.

S. V. B. E. Tuas litteras libenter legi. Recognovi enim tuam pristinam virtutem etiam in salute communi. Consules ad eum exercitum, quem in Apulia habui, venerunt. Magnopere te hortor, pro tuo singulari perpetuoque studio in rempublicam, ut te ad nos conferas, ut communi consilio reipublicae adflictae opem atque auxilium feramus. Censeo via Appia iter facias et celeriter Brundisium venias.

In Cic. ad Att., VIII, xi, C.

209. II. UPBRAIDING DOMITIUS FOR NOT HAVING JOINED FORCES WITH HIM.

Miror te ad me nihil scribere, et potius ab aliis, quam a te, de republica me certiorem fieri. Nos, disiecta manu, pares adversariis esse non possumus ; contractis nostris copiis, spero nos et reipublicae et communi saluti prodesse posse. Quamobrem cum constituisses, ut Vibullius mihi scripserat, v. d. a. Id. Feb. Corfinio proficisci cum exercitu, et ad me venire, miror quid causae fuerit, quare consilium mutaris ; nam illa causa, quam mihi Vibullius scribit, levis est, te propterea moratum esse, quod audieris Caesarem Firmo progressum in Castrum Truentinum venisse. Quanto enim magis appropinquare adversarius coepit, eo tibi celerius agendum erat ut te mecum coniungeres, priusquam Caesar aut tuum iter impedire, aut me abs te excludere posset. Quamobrem etiam et etiam te rogo et hortor, id quod

non destiti superioribus litteris a te petere, ut primo quoque
die Luceriam advenias, antequam copiae, quas instituit Caesar
contrahere, in unum locum coactae vos a nobis distrahant.　Sed
si erunt qui te impediant ut villas suas servent, aequum est me
a te impetrare ut cohortis, quae ex Piceno et Camerino venerunt, quae fortunas suas reliquerunt, ad me missum facias.

In Cic. ad Att., VIII, xii.

M. ANTONIUS, TRIUMVIR, 83–30 B. C.

210. LETTER TO CICERO, 49 B. C., URGING HIM NOT TO FOLLOW POMPEY.

Nisi te valde amarem, et multo quidem plus quam tu putas,
non extimuissem rumorem, qui de te prolatus est, cum praesertim falsum esse existimarem.　Sed quia te nimio plus diligo,
non possum dissimulare, mihi famam quoque, quamvis sit falsa,
magni esse.　Te iturum trans mare credere non possum, cum
tanti facias Dolabellam et Tulliam tuam, feminam lectissimam,
tantique ab omnibus nobis fias ; quibus mehercule dignitas am-
plitudoque tua paene carior est quam tibi ipsi.　Sed tamen non
sum arbitratus esse amici, non commoveri etiam improborum
sermone; atque eo feci studiosius quod indicabam duriores
partis mihi impositas esse ab offensione nostra, quae magis a
ζηλοτυπία mea, quam ab iniuria tua nata est.　Sic enim volo te
tibi persuadere mihi neminem esse cariorem te, excepto Caesare
meo, meque illud una iudicare, Caesarem maxime in suis M.
Ciceronem reponere.　Quare, mi Cicero, te rogo ut tibi omnia
integra serves, eius fidem improbes, qui tibi, ut beneficium
daret, prius iniuriam fecit ; contra ne profugias, qui te, etsi non
amabit, quod accidere non potest, tamen salvum amplissimum-
que esse cupiet.　Dedita opera ad te Calpurnium, familiarissimum
meum, misi ; ut mihi magnae curae tuam vitam ac dignitatem
esse scires.

In Cic. ad Att., X, 8.

C. SCRIBONIUS CURIO, Tribune 50 B. C.

211. Address to his Soldiers. 49 B. C.

Desertos enim se ac proditos a vobis dicunt et prioris sacramenti mentionem faciunt. Vosne vero L. Domitium, an vos
L. Domitius deseruit? Nonne extremam pati fortunam paratos
proiecit ille? non sibi, clam vobis, salutem fuga petivit? non,
proditi per illum, Caesaris beneficio estis conservati? Sacramento quidem vos tenere qui potuit, cum, proiectis fascibus et
deposito imperio, privatus et captus ipse in alienam venisset
potestatem? Relinquitur nova religio, ut, eo neglecto sacramento, quo nunc tenemini, respiciatis illud, quod deditione ducis
et capitis deminutione sublatum est. At, credo, si Caesarem
probatis, in me offenditis, qui de meis in vos meritis praedicatu-
rus non sum, quae sunt adhuc et mea voluntate et vestra exspectatione leviora; sed tamen sui laboris milites semper eventu
belli praemia petiverunt; qui qualis sit futurus, ne vos quidem
dubitatis. Diligentiam quidem nostram, aut quem ad finem
adhuc res processit, fortunamque cur praeteream? An paenitet
vos, quod salvum atque incolumem exercitum, nulla omnino
nave desiderata, traduxerim? quod classem hostium primo
impetu adveniens profligaverim? quod bis per biduum equestri
proelio superaverim? quod ex portu sinuque adversariorum du-
centas naves onerarias abduxerim, eoque illos compulerim, ut
neque pedestri itinere, neque navibus commeatu iuvari possint?
Hac vos fortuna atque his ducibus repudiatis, Corfiniensem
ignominiam, an Italiae fugam, an Hispaniarum deditionem, an
Africi belli praeiudicia sequimini? Equidem me Caesaris militem dici volui; vos me imperatoris nomine appellavistis. Cuius
si vos paenitet, vestrum vobis beneficium remitto; mihi meum
restituite nomen; ne ad contumeliam honorem dedisse vide-
amini.

Ap. Caes., B. C., ii, 32.

D. JUNIUS BRUTUS ALBINUS, CIRC. 90–43 B. C.

212. LETTER TO CICERO. 43 B. C.

Non mihi rempublicam plus debere arbitror, quam me tibi,
Gratiorem me esse in te posse, quam isti perversi sint in me
exploratum habes ; si tamen hoc temporis videatur dici causa
malle me tuum iudicium, quam ex altera parte omnium istorum,
Tu enim a certo sensu et vero iudicas de nobis ; quod isti ne
faciant, summa malevolentia et livore inpediuntur. Interpellent me, quo minus honoratus sim, dum ne interpellent, quo
minus respublica a me commode administrari possit. Quae
quanto sit in periculo, quam potero brevissime exponam. Primum omnium, quantam perturbationem rerum urbanarum adferat obitus consulum quantamque cupiditatem hominibus iniciat
vacuitas, non te fugit. Satis me multa scripsisse, quae litteris
commendari possint, arbitror. Scio enim, cui scribam. Rever-
tor nunc ad Antonium ; qui ex fuga cum parvulam manum
peditum haberet inermium, ergastula solvendo, omneque genus
hominum adripiendo satis magnum numerum videtur effecisse.
Huc accessit manus Ventidii, quae trans Appenninum itinere
facto difficillimo ad Vada pervenit, atque ibi se cum Antonio
coniunxit. Est numerus veteranorum et armatorum satis frequens cum Ventidio. Consilia Antonii haec sint necesse est :
aut ad Lepidum ut se conferat, si recipitur ; aut Appennino Alpi-
busque se teneat et decursionibus per equites, quos habet multos,
vastet ea loca, in quae incurrerit ; aut rursus se in Etruriam
referat, quod ea pars Italiae sine exercitu est. Quod si me
Caesar audisset atque Appenninum transisset ; in tantas angustias
Antonium conpulissem, ut inopia potius, quam ferro conficere-
tur. Sed neque Caesari imperari potest, nec Caesar exercitui
suo. Quod utrumque pessimum est. Cum haec talia sint, quo
minus, quod ad me pertinebit, homines interpellent, ut supra
scripsi, non inpedio. Haec quemadmodum explicari possint,
aut, a te cum explicabuntur, ne inpediantur, timeo. Alere iam
milites non possum. Cum ad rempublicam liberandam accessi,
HS. mihi fuit quadringenties amplius. Tantum abest, ut meae

rei familiaris liberum sit quicquam, ut omnis iam meos amicos
aere alieno obstrinxerim. Septem nunc numerum legionum alo ;
qua difficultate, tu arbitrare. Non, si Varronis thesauros haberem, subsistere sumptui possem. Cum primum de Antonio
exploratum habuero, faciam te certiorem. Tu me amabis ita, si
hoc idem me in te facere senseris. III Non. Mai, ex castris,
Dertona.

In Cic. ad Fam., XI, x.

A. HIRTIUS cos. 43 B. C., or C. OPPIUS.

213. Ganymedes ruins the Drinking Water.

Alexandria est fere tota suffossa, specusque habet ad Nilum
pertinentes, quibus aqua in privatas domos inducitur, quae paulatim spatio temporis liquescit ac subsidit. Hac uti domini
aedificiorum atque eorum familiae consueverunt. Nam quae
flumine Nilo fertur, adeo est limosa atque turbida, ut multos
variosque morbos efficiat. Sed ea plebes ac multitudo contenta
est necessario, quod fons urbe tota nullus est. Hoc tamen
flumen in ea parte urbis erat, quae ab Alexandrinis tenebatur.
Quo facto est admonitus Ganymedes, posse nostros aqua inter-
cludi ; qui distributi munitionum tuendarum causa vicatim ex
privatis aedificiis, specubus et puteis extracta aqua utebantur.

Hoc probato consilio, magnum ac difficile opus adgreditur.
Interseptis enim specubus atque omnibus urbis partibus exclusis,
quae ab ipso tenebantur, aquae magnam vim ex mari, rotis ac
machinationibus, exprimere contendit. Hanc locis superioribus
fundere in partem Caesaris non intermittebat. Quamobrem
salsior paulo praeter consuetudinem aqua trahebatur ex proximis aedificiis, magnamque hominibus admirationem praebebat,
quam ob causam id accidisset ; nec satis sibi ipsi credebant, cum
se inferiores eiusdem generis ac saporis aqua dicerent uti, atque
ante consuessent ; vulgoque inter se conferebant, et degustando,
quantum inter se differrent aquae, cognoscebant. Parvo vero

temporis spatio, haec propior bibi non poterat omnino, illa infe
rior corruptior iam, salsiorque reperiebatur.

B. Alex., v, vi.

214. Submission of the Alexandrians.

Re felicissime celerrimeque gesta, Caesar, magnae victoriae
fiducia proximo terrestri itinere Alexandriam cum equitibus
contendit; atque ea parte oppidi victor introiit, quae praesidio
hostium tenebatur. Neque eum consilium suum fefellit, quin
hostes, eo proelio audito, nihil iam de bello essent cogitaturi.
Dignum adveniens fructum virtutis et animi magnitudinis tulit.
Omnis enim multitudo oppidanorum, armis proiectis, munitioni-
busque suis relictis, veste ea sumpta qua supplices dominantes
deprecari consueverunt sacrisque omnibus prolatis, quorum religione precari offensos iratosque animos regum erant soliti, adve-
nienti Caesari occurrerunt, seque ei dediderunt. Caesar in
fidem receptos consolatus, per hostium munitiones in suam partem oppidi magna gratulatione venit suorum; qui non tantum
bellum ipsum ac dimicationem, sed etiam talem adventum eius
felicem fuisse laetabantur.

B. Alex., xxxii.

C. SALLUSTIUS CRISPUS, 86–34 B. C.

215. Catiline appears in the Senate.

At Catilinae crudelis animus eadem illa movebat, tametsi
praesidia parabantur et ipse lege Plautia interrogatus erat ab
L. Paulo. Postremo dissimulandi causa aut sui expurgandi,
sicut iurgio lacessitus foret, in Senatum venit. Tum M. Tullius
Consul, sive praesentiam eius timens, sive ira conmotus, orationem habuit luculentam atque utilem reipublicae, quam postea
scriptam edidit. Sed ubi ille adsedit, Catilina, ut erat paratus
ad dissimulanda omnia, demisso voltu, voce supplici postulare a
patribus coepit, ne quid de se temere crederent; ea familia

ortum, ita se ab adulescentia vitam instituisse, ut omnia bona in
spe haberet; ne existumarent sibi, patricio homini, cuius ipsius
atque maiorum plurima beneficia in plebem Romanam essent,
perdita republica opus esse, cum eam servaret M. Tullius, inqui-
linus civis urbis Romae. Ad hoc maledicta alia cum adderet,
obstrepere omnes, hostem atque parricidam vocare. Tum ille
furibundus: 'Quoniam quidem circumventus,' inquit, 'ab inimicis praeceps agor, incendium meum ruina restinguam.'

Catil., xxxi.

216. Comparison of Caesar and Cato.

Sed memoria mea ingenti virtute, divorsis moribus fuere viri
duo, M. Cato et C. Caesar; quos, quoniam res obtulerat, silentio
praeterire non fuit consilium, quin utriusque naturam et mores,
quantum ingenio possem, aperirem. Igitur eis genus, aetas, eloquentia prope aequalia fuere; magnitudo animi par, item gloria,
sed alia alii. Caesar beneficiis atque munificentia magnus habebatur; integritate vitae Cato. Ille mansuetudine et misericordia
clarus factus; huic severitas dignitatem addiderat. Caesar dando,
sublevando, ignoscundo; Cato nihil largiundo gloriam adeptus
est. In altero miseris perfugium erat. in altero malis pernicies;
illius facilitas, huius constantia laudabatur. Postremo Caesar in
animum induxerat laborare, vigilare; negotiis amicorum intentus, sua neglegere; nihil denegare, quod dono dignum esset;
sibi magnum imperium, exercitum, novom bellum exoptabat, ubi
virtus enitescere posset. At Catoni studium modestiae, decoris,
sed maxume severitatis erat. Non divitiis cum divite, neque
factione cum factioso; sed cum strenuo virtute, cum modesto
pudore, cum innocente abstinentia certabat; esse, quam videri,
bonus malebat; ita, quo minus gloriam petebat, eo illum magis
sequebatur.

Catil., liii, liv.

217. The Path of Progress lies through Virtue.

Falso queritur de natura sua genus humanum, quod inbecilla
atque aevi brevis. forte potius. quam virtute regatur. Nam contra reputando, neque maius aliud neque praestabilius invenias,

magisque naturae industriam hominum, quam vim aut tempus
deesse. Sed dux atque imperator vitae mortalium animus est ;
qui ubi ad gloriam virtutis via grassatur, abunde pollens potens-
que et clarus est, neque fortuna eget, quippe quae probitatem,
industriam aliasque artis bonas neque dare neque eripere cuiquam potest ; sin, captus pravis cupidinibus, ad inertiam et voluptates corporis pessum datus est, perniciosa lubidine paulisper
usus. Ubi per socordiam vires, tempus, ingenium defluxere,
naturae infirmitas accusatur, suam quisque culpam auctores ad
negotia transferunt. Quodsi hominibus bonarum rerum tanta
cura esset, quanto studio aliena ac nihil profutura multumque
etiam periculosa petunt ; neque regerentur magis, quam regerent
casus, et eo magnitudinis procederent, ubi pro mortalibus gloria
aeterni fierent.

Jug., i.

218. A Story of two Carthaginian Brothers.

Non indignum videtur, egregium atque mirabile facinus duo-
rum Carthaginiensium memorare ; eam rem nos locus admonuit.
Qua tempestate Carthaginienses pleraque Africa imperitabant,
Cyrenenses quoque magni atque opulenti fuere. Ager in medio
harenosus, una specie ; neque flumen, neque mons erat, qui finis
eorum discerneret, quae res eos in magno diuturnoque bello
inter se habuit. Postquam utrimque legiones, item classes,
saepe fusae fugataeque, et alteri alteros aliquantum adtriverant,
veriti, ne mox victos victoresque defessos alius aggrederetur, per
indutias sponsionem faciunt, uti certo die legati domo proficisce-
rentur ; quo in loco inter se obvii fuissent, is communis utriusque populi finis haberetur. Igitur Carthagine duo fratres missi,
quibus nomen Philaenis erat, maturavere iter pergere ; Cyrenenses tardius iere. Id socordiane an casu acciderit, parum
cognovi. Ceterum solet in illis locis tempestas haud secus,
atque in mari, retinere. Nam ubi per loca aequalia et nuda
gignentium ventus coortus harenam humo excitavit, ea, magna
vi agitata, ora oculosque implere solet ; ita prospectu impedito
morari iter. Postquam Cyrenenses aliquanto posteriores se
vident, et ob rem corruptam domi poenas metuunt, criminari,
Carthaginiensis ante tempus domo digressos, conturbare rem ;

denique omnia malle, quam victi abire. Sed cum Poeni aliam
condicionem, tantummodo aequam, peterent, Graeci optionem
Carthaginiensium faciunt, ut vel illi, quos finis populo suo peterent, ibi vivi obruerentur; vel eadem condicione sese, quem in
locum vellent, processuros. Philaeni condicione probata, seque
vitamque suam reipublicae condonavere; ita vivi obruti. Carthaginienses in eo loco Philaenis fratribus aras consecravere;
aliique illis domi honores instituti.

Jug., lxxix.

219. MERIT IS THE TRUE TITLE TO NOBILITY. (FROM A SPEECH OF MARIUS).

Conparate nunc, Quirites, me hominem novom cum illorum
superbia. Quae illi audire et legere solent, eorum partim vidi,
alia egomet gessi; quae illi litteris, ea ego militando didici.
Nunc vos existumate, facta an dicta pluris sint. Contemnunt
novitatem meam, ego illorum ignaviam; mihi fortuna, illis probra obiectantur. Quamquam ego naturam unam et communem
omnium existumo, sed fortissumum quemque generosissumum
esse. Ac si iam ex patribus Albini aut Bestiae quaeri posset,
mene an illos ex se gigni maluerint, quid responsuros creditis,
nisi, sese liberos quam optumos voluisse? Quodsi iure me despiciunt, faciant idem maioribus suis, quibus, uti mihi, ex virtute
nobilitas coepit. Invident honori meo; ergo invideant labori,
innocentiae, periculis etiam meis, quoniam per haec illum cepi.
Non possum fidei causa imagines neque triumphos aut consulatus maiorum meorum ostentare; at, si res postulet, hastas, vexillum, phaleras, alia militaria dona; praeterea cicatrices advorso
corpore. Hae sunt meae imagines, haec mea nobilitas, non
hereditate relicta, ut illa illis, sed quae egomet plurumis meis
laboribus et periculis quaesivi. Non sunt conposita mea verba;
parvi id facio; ipsa se virtus satis ostendit; illis artificio opus
est, ut turpia facta oratione tegant. Neque litteras Graecas
didici; parum placebat eas discere, quippe quae ad virtutem
doctoribus nihil profuerunt. At illa, multo optuma reipublicae,
doctus sum: hostem ferire, praesidium agitare; nihil metuere,
nisi turpem famam; hiemem et aestatem iuxta pati, humi re-
quiescere, eodem tempore inopiam et laborem tolerare. His

ego praeceptis milites hortabor; neque illos arte colam, me opulenter, neque gloriam meam laborem illorum faciam. Hoc est utile, hoc civile imperium.

Jug., lxxxv.

P. TERENTIUS VARRO ATACINUS, circ. 82–37 B. C.

220. Astronomical and Geographical Descriptions.

> Vidit et aetherio mundum torquerier axe
> Et septem aeternis sonitum dare vocibus orbes,
> Nitentes aliis alios, quae maxima divis
> Laetitia est. At tunc longe gratissima Phoebi
> Dextera consimiles meditatur reddere voces.

> Ergo inter solis stationem ad sidera septem
> Exporrecta iacet tellus; huic extima fluctu
> Oceani, interior Neptuno cingitur ora.

> At quinque aetheriis zonis accingitur orbis,
> Ac vastant imas hiemes mediamque calores;
> Sic terrae extremas inter mediamque coluntur,
> Quas solis rabido numquam vis adterat igne.
>
> *Chorographia; fr. ap. Prisc.*, 609, 709, P., *et al.*

---

221. Signs of Rain.

> Tum liceat pelagi volucres tardaeque paludis
> Cernere inexpleto studio certare lavandi,
> Et velut insolitum pennis infundere rorem;
> Aut arguta lacus circumvolitavit hirundo,
> Et bos suspiciens caelum (mirabile visu)

Naribus aërium patulis decerpsit odorem,
Nec tenuis formica cavis non evehit ova.
Ephemeris; (s. *Navales Libri;*) *fr. ap. Serv. in*
Verg. G. I, 375.

CORNELIUS NEPOS, 99–24 B. C.

222. How Themistocles brought on the Battle of Salamis.

At Xerxes Thermopylis expugnatis protinus accessit astu idque nullis defendentibus, interfectis sacerdotibus, quos in arce invenerat, incendio delevit. Cuius flamma perterriti classiarii cum manere non auderent, et plurimi hortarentur, ut domos suas discederent moenibusque se defenderent, Themistocles unus restitit, et universos pares esse posse aiebat, dispersos testabatur perituros, idque Eurybiadi, regi Lacedaemoniorum, qui tum summae imperii praeerat, fore adfirmabat. Quem cum minus, quam vellet, moveret, noctu de servis suis, quem habuit fidelissimum, ad regem misit, ut ei nuntiaret suis verbis adversarios eius in fuga esse ; qui si discessissent, maiore cum labore et longinquiore tempore bellum confecturum, cum singulos consectari cogeretur ; quos si statim aggrederetur, brevi universos oppressurum. Hoc eo valebat, ut ingratiis ad depugnandum omnes cogerentur. Hac re audita barbarus, nihil doli subesse credens, postridie alienissimo sibi loco, contra opportunissimo hostibus, adeo angusto mari conflixit, ut eius multitudo navium explicari non potuerit. Victus ergo est magis etiam consilio Themistocli quam armis Graeciae.

Themist., iv.

223. Character of Atticus.

Hic ita vixit, ut universis Atheniensibus merito esset carissimus. Nam praeter gratiam, quae iam in adolescentulo magna erat, saepe suis opibus inopiam eorum publicam levavit. Cum

enim versuram facere publice necesse esset neque eius condicionem aequam haberent, semper se interposuit atque ita, ut neque
usuram umquam ab iis acceperit neque longius, quam dictum
esset, debere passus sit.   Quod utrumque erat iis salutare.
Nam neque indulgendo inveterascere eorum aes alienum patie-
batur neque multiplicandis usuris crescere.   Auxit hoc officium
alia quoque liberalitate.   Nam universos frumento donavit, ita
ut singulis sex modii tritici darentur ; qui modus mensurae me-
dimnus Athenis appellatur.   Hic autem sic se gerebat, ut communis infimis, par principibus videretur.   Quo factum est, ut
hinc omnes honores, quos possent, publice haberent civemque
facere studerent ; quo beneficio ille uti noluit, quod non nulli ita
interpretantur, amitti civitatem Romanam alia ascita.

Att., ii, iii.

L. VARIUS RUFUS, 74–14 B. C.

224. A Dog on the Scent of a Stag.

Ceu canis umbrosam lustrans Gortynia vallem,
Si veteris pote sit cervae deprendere lustra,
Saevit in absentem, et circum vestigia nictens
Aethera per nitidum tenues sectatur odores ;
Non amnes illam medii, non ardua tardant,
Perdita nec serae meminit decedere nocti.

             De Morte Caes. fr. ap. Macrob., Sat., **VI**, ii.

225. In Praise of Augustus.

Tene magis salvum populus velit, an populum tu,
Servet in ambiguo, qui consulit et tibi et urbi,
Iuppiter.

             Fr. ap. Hor., Ep. **I**, xvi, 27.

P. VERGILIUS MARO, 70–19 B. C.

226. A GNAT'S GHOST BEWAILS ITS UNTIMELY DEATH.

'En quid,' ait, 'meritus, ad quae delatus acerbas
Cogor adire vices? Tua dum mihi carior ipsa
Vita fuit vita, rapior per inania Averni.
Tu lentus refoves iucunda membra quiete,
Ereptus taetris e cladibus; at mea Manes
Viscera Lethaeas cogunt transnare per undas.
Praeda Charonis agor. Viden' ut flagrantia taedis,
Limina quam lucent infernis omnia templis?
Obvia Tisiphone, serpentibus undique compta,
Et flammas et saeva quatit mihi verbera. Pone
Cerberus et diris latrantia rictibus ora,
Anguibus hinc atque hinc horrent cui colla reflexis,
Sanguineumque micant ardorem luminis orbes.
Heu! quid ab officio digressa est gratia, cum te
Restitui superis leti iam limine ab ipso?
Praemia sunt pietatis ubi, pietatis honores?
In vanas abiere vices, et rure recessit
Iustitia et prior illa fides; instantia vici
Alterius, sine respectu mea fata relinquens,
Ad pariles agor eventus; fit poena merenti;
Poena sit exitium: modo sit dum grata voluntas!
Exsistat par officium! Feror avia carpens,
Avia Cimmerios inter distantia lucos,
Quem circa tristes densentur in omnia poenae.

Culex, 210–233.

227. A PARODY ON CATULLUS IV.

Sabinus ille, quem videtis. hospites,
Ait fuisse mulio celerrimus.
Neque ullius volantis impetum cisi
Nequisse praeterire, sive Mantuam

Opus foret volare, sive Brixiam.
Neque hoc negat Tryphonis aemuli domum
Negare nobilem, insulamve Caeruli,
Ubi iste, post Sabinus, ante Quinctio
Bidente dicit attodisse forfice
Comata colla, nequod horridum, iugo
Premente, dura vulnus ederet iuba.
Cremona frigida, et lutosa Gallia,
Tibi haec fuisse, et esse, cognitissima
Ait Sabinus; ultima ex origine
Tua stetisse dicit in voragine,
Tua in palude deposisse sarcinas,
Et inde tot per orbitosa milia
Iugum tulisse; laeva, sive dextera,
Strigare mula, sive utrimque coeperat.
Neque ulla vota semitalibus deis
Sibi esse facta, praeter hoc novissimum,
Paterna lora, proximumque pectinem.
Sed haec prius fuere; nunc eburnea
Sedetque sede, seque dedicat tibi,
Gemelle Castor, et gemelle Castoris.

Catalec., viii.

228. MINE HOSTESS.

Copa Surisca, caput Graia redimita mitella,
 Crispum sub crotalo docta movere latus,
Ebria fumosa saltat lasciva taberna,
 Ad cubitum raucos excutiens calamos:
'Quid iuvat aestivo defessum pulvere abisse,
 Quam potius vivo decubuisse toro!
Sunt obbae, calices, cyathi, rosa, tibia, chordae,
 Et trichila a! umbris frigida harundineis.
En et, Maenalio quae garrit dulce sub antro,
 Rustica pastoris fistula ab ore sonat.
Est et vappa, cado nuper diffusa picato.
 Est crepitans rauco murmure rivus aquae.
Sunt et Cecropio iunctae de more coronae,
 Sertaque purpurea lutea mixta rosa;

Sunt quae virgineo libata Achelois ab amne
   Lilia vimineis adtulit in calathis.
Sunt et caseoli, quos sirpea fiscina siccat ;
   Sunt autumnalis cerea pruna deae,
Castaneaeque nuces, et suave rubentia mala ;
   Est en munda Ceres ; est Amor, et Bromius.
Sunt et mora cruenta, et lentis uva racemis,
   Et pendet iunco caeruleus cucumis.
Est tuguri custos, armatus falce saligna ;
   Sed non hic vasto est inguine terribilis.
Huc, caligate, veni ; fessus iam sudat asellus,
   Parce illi ; nostrum delicium est asinus.
Nunc cantu crebro rumpunt arbusta cicadae,
   Nunc etiam in gelida sede lacerta latet.
Si sapis, aestivo recubans te prolue vitro ;
   Seu vis crystallo ferre novos calices.
Hic, age, pampinea fessus requiesce sub umbra,
   Et gravidum roseo necte caput strophio,
Formosus tenerae decerpens ora puellae.
    A ! pereat, quoi sunt prisca supercilia !
Quid cineri ingrato servas bene olentia serta ?
    Anne coronato vis lapide ossa tegi ?
Pone merum et talos.   Pereat, qui crastina curet !
    Mors aurem vellens : ' Vivite,' ait, ' venio.' [1]

Copa.

229. The Misery of Exile.

Fortunate senex, hic, inter flumina nota
Et fontis sacros, frigus captabis opacum !
Hinc tibi, quae semper, vicino ab limite saepes,
Hyblaeis apibus florem depasta salicti,
Saepe levi somnum suadebit inire susurro.
Hinc alta sub rupe canet frondator ad auras ;
Nec tamen interea raucae, tua cura, palumbes,
Nec gemere aëria cessabit turtur ab ulmo.

   .   .   .   .

---

[1] Cf. Baehrens, 'Poetae Latini Minores,' Vol. ii, pp. 84–87.

At nos hinc alii sitientes ibimus Afros.
Pars Scythiam et rapidum Cretae veniemus Oaxen,
Et penitus toto divisos orbe Britannos.
En, umquam patrios longo post tempore finis,
Pauperis et tuguri congestum caespite culmen,
Post aliquot, mea regna videns, mirabor aristas ?
Impius haec tam culta novalia miles habebit ?
Barbarus has segetes ?　En, quo discordia civis
Produxit miseros !　His nos consevimus agros !
Insere nunc, Meliboee, piros, pone ordine vitis.
Ite meae, felix quondam pecus, ite capellae.
Non ego vos posthac, viridi proiectus in antro,
Dumosa pendere procul de rupe videbo ;
Carmina nulla canam ; non, me pascente, capellae,
Florentem cytisum et salices carpetis amaras.

Ecl., i, 52–58, 64–78

230.　A Prophecy.

Talia saecla, suis dixerunt, currite, fusis
Concordes stabili fatorum numine Parcae.
Adgredere, o magnos (aderit iam tempus) honores,
Cara deum suboles, magnum Iovis incrementum !
Aspice convexo nutantem pondere mundum,
Terrasque, tractusque maris, caelumque profundum,
Aspice, venturo laetantur ut omnia saeclo.
O mihi tum longae maneat pars ultima vitae,
Spiritus et, quantum sat erit tua dicere facta.
Non me carminibus vincat nec Thracius Orpheus,
Nec Linus ; huic mater quamvis atque huic pater adsit ;
Orphei Calliopea, Lino formosus Apollo.
Pan etiam, Arcadia mecum si iudice certet,
Pan etiam Arcadia dicat se iudice victum.
Incipe, parve puer, risu cognoscere matrem :
Matri longa decem tulerunt fastidia menses.
Incipe, parve puer ; cui non risere parentes,
Nec deus hunc mensa, dea nec dignata cubili est.

Ecl., iv, 46–63.

231. The Formation of the Earth.

Namque canebat, uti magnum per inane coacta
Semina terrarumque animaeque marisque fuissent,
Et liquidi simul ignis; ut his exordia primis
Omnia, et ipse tener mundi concreverit orbis;
Tum durare solum et discludere Nerea ponto
Coeperit et rerum paulatim sumere formas;
Iamque novum terrae stupeant lucescere solem
Altius, atque cadant submotis nubibus imbres;
Incipiant silvae cum primum surgere, cumque
Rara per ignaros errent animalia montis.

Ecl., vi, 31–40.

232. A Disappointed Lover's Lament.

Nascere, praeque diem veniens age, Lucifer, almum,
Coniugis indigno Nysae deceptus amore
Dum queror, et divos, quamquam nil testibus illis
Profeci, extrema moriens tamen adloquar hora.
Incipe Maenalios mecum, mea tibia, versus.
Maenalus argutumque nemus pinosque loquentis
Semper habet; semper pastorum ille audit amores,
Panaque, qui primus calamos non passus inertis.
Incipe Maenalios mecum, mea tibia, versus.
Mopso Nysa datur; quid non speremus amantes?
Iungentur iam grypes equis, aevoque sequenti
Cum canibus timidi venient ad pocula dammae.
Incipe Maenalios mecum, mea tibia, versus.
Mopse, novas incide faces; tibi ducitur uxor;
Sparge, marite, nuces; tibi deserit Hesperus Oetam.
Incipe Maenalios mecum, mea tibia, versus.
O digno coniuncta viro, dum despicis omnes,
Dumque tibi est odio mea fistula dumque capellae
Hirsutumque supercilium promissaque barba,
Nec curare deum credis mortalia quemquam.
Incipe Maenalios mecum, mea tibia, versus.
Saepibus in nostris parvam te roscida mala —

Dux ego vester eram — vidi cum matre legentem.
Alter ab undecimo tum me iam acceperat annus;
Iam fragilis poteram ab terra contingere ramos.
Ut vidi, ut perii! ut me malus abstulit error!
Incipe Maenalios mecum, mea tibia, versus.
Nunc scio, quid sit Amor; duris in cotibus illum
Aut Tmaros, aut Rhodope, aut extremi Garamantes.
Nec generis nostri puerum nec sanguinis edunt.
Incipe Maenalios mecum, mea tibia, versus.
Saevus Amor docuit natorum sanguine matrem
Commaculare manus; crudelis tu quoque, mater;
Crudelis mater magis, an puer inprobus ille?
Inprobus ille puer; crudelis tu quoque, mater.
Incipe Maenalios mecum, mea tibia, versus.
Nunc et ovis ultro fugiat lupus, aurea durae
Mala ferant quercus, narcisso floreat alnus,
Pinguia corticibus sudent electra myricae,
Certent et cycnis ululae, sit Tityrus Orpheus,
Orpheus in silvis, inter delphinas Arion.
Incipe Maenalios mecum, mea tibia, versus.
Omnia vel medium fiat mare. Vivite, silvae:
Praeceps aërii specula de montis in undas
Deferar; extremum hoc munus morientis habeto.
Desine Maenalios, iam desine, tibia, versus.

Ecl., viii, 17–61.

233. A STORM IN HARVEST.

Saepe ego, cum flavis messorem induceret arvis
Agricola, et fragili iam stringeret hordea culmo,
Omnia ventorum concurrere proelia vidi;
Quae gravidam late segetem ab radicibus imis
Sublime expulsam eruerent: ita turbine nigro
Ferret hiemps culmumque levem stipulasque volantis,
Saepe etiam immensum caelo venit agmen aquarum,
Et foedam glomerant tempestatem imbribus atris
Collectae ex alto nubes; ruit arduus aether,
Et pluvia ingenti sata laeta boumque labores
Diluit; implentur fossae, et cava flumina crescunt

Cum sonitu; fervetque fretis spirantibus aequor.
Ipse Pater, media nimborum in nocte, corusca
Fulmina molitur dextra ; quo maxuma motu
Terra tremit, fugere ferae, et mortalia corda
Per gentes humilis stravit pavor. Ille flagranti
Aut Athon, aut Rhodopen, aut alta Ceraunia telo
Deicit; ingeminant austri et densissimus imber ;
Nunc nemora ingenti vento, nunc litora plangunt.

G., i. 316–334.

234. The Spring of the World.

Ver adeo frondi nemorum, ver utile silvis ;
Vere tument terrae et genitalia semina poscunt.
Tum pater omnipotens fecundis imbribus Aether
Coniugis in gremium laetae descendit, et omnis
Magnus alit, magno commixtus corpore, fetus.
Avia tum resonant avibus virgulta canoris,
Et Venerem certis repetunt armenta diebus ;
Parturit almus ager, Zephyrique tepentibus auris
Laxant arva sinus, superat tener omnibus umor ;
Inque novos soles audent se germina tuto
Credere, nec metuit surgentis pampinus austros,
Aut actum caelo magnis aquilonibus imbrem,
Sed trudit gemmas, et frondes explicat omnis.
Non alios prima crescentis origine mundi
Inluxisse dies, aliumve habuisse tenorem
Crediderim ; ver illud erat, ver magnus agebat
Orbis, et hibernis parcebant flatibus Euri,
Cum primae lucem pecudes hausere, virumque
Terrea progenies duris caput extulit arvis,
Immissaeque ferae silvis, et sidera caelo.
Nec res hunc tenerae possent perferre laborem,
Si non tanta quies iret frigusque caloremque
Inter, et exciperet caeli indulgentia terras.

G., ii. 323–345.

235. A Summer Day in the Country.

At vero Zephyris cum laeta vocantibus aestas
In saltus utrumque gregem atque in pascua mittet,
Luciferi primo cum sidere frigida rura
Carpamus, dum mane novom, dum gramina canent,
Et ros in tenera pecori gratissimus herba.
Inde, ubi quarta sitim caeli collegerit hora
Et cantu querulae rumpent arbusta cicadae,
Ad puteos aut alta greges ad stagna iubebo
Currentem ilignis potare canalibus undam;
Aestibus at mediis umbrosam exquirere vallem,
Sicubi magna Iovis antiquo robore quercus
Ingentis tendat ramos, aut sicubi nigrum
Ilicibus crebris sacra nemus accubet umbra;
Tum tenuis dare rursus aquas, et pascere rursus
Solis ad occasum, cum frigidus aëra vesper
Temperat, et saltus reficit iam roscida luna,
Litoraque alcyonem resonant, acalanthida dumi.

                        G., iii, 322–338.

236. Attack on Priam's Palace.

At domus interior gemitu miseroque tumultu
Miscetur; penitusque cavae plangoribus aedes
Femineis ululant; ferit aurea sidera clamor.
Tum pavidae tectis matres ingentibus errant,
Amplexaeque tenent postis, atque oscula figunt.   490
Instat vi patria Pyrrhus; nec claustra, neque ipsi
Custodes sufferre valent.   Labat ariete crebro
Ianua, et emoti procumbunt cardine postes.
Fit via vi; rumpunt aditus, primosque trucidant
Immissi Danai, et late loca milite complent.   495
Non sic, aggeribus ruptis cum spumeus amnis
Exiit, oppositasque evicit gurgite moles,
Fertur in arva furens cumulo, camposque per omnis
Cum stabulis armenta trahit.   Vidi ipse furentem
Caede Neoptolemum, geminosque in limine Atridas;   500

Vidi Hecubam centumque nurus, Priamumque per aras
Sanguine foedantem, quos ipse sacraverat, ignis.
Quinquaginta illi thalami, spes ampla nepotum,
Barbarico postes auro spoliisque superbi,
Procubuere ; tenent Danai, qua deficit ignis.

Aen., ii, 486--505.

237. DIDO UPBRAIDS AENEAS FOR ATTEMPTING TO DESERT
HER SECRETLY.

Dissimulare etiam sperasti, perfide, tautum
Posse nefas, tacitusque mea decedere terra?
Nec te noster amor, nec te data dextera quondam,
Nec moritura tenet crudeli funere Dido?
Quin etiam hiberno moliris sidere classem,
Et mediis properas Aquilonibus ire per altum,
Crudelis?   Quid? si non arva aliena domosque
Ignotas peteres, et Troia antiqua maneret,
Troia per undosum peteretur classibus aequor?
Mene fugis? Per ego has lacrimas dextramque tuam te, —
Quando aliud mihi iam miserae nihil ipsa reliqui —
Per conubia nostra, per inceptos hymenaeos,
Si bene quid de te merui, fuit aut tibi quicquam
Dulce meum, miserere domus labentis, et istam,
Oro, si quis adhuc precibus locus, exue mentem.
Te propter Libycae gentes Nomadumque tyranni
Odere ; infensi Tyrii ; te propter eundem
Extinctus pudor, et, qua sola sidera adibam,
Fama prior. Cui me moribundam deseris, hospes?
Hoc solum nomen quoniam de coniuge restat.
Quid moror ? an, mea Pygmalion dum moenia frater
Destruat, aut captam ducat Gaetulus Iarbas ?
Saltem si qua mihi de te suscepta fuisset
Ante fugam soboles, si quis mihi parvulus aula
Luderet Aeneas, qui te tamen ore referret,
Non equidem omnino capta ac deserta viderer.

.   .   .   .

Talia dicentem iamdudum aversa tuetur,
Huc illuc volvens oculos, totumque pererrat

Luminibus tacitis ; et sic accensa profatur :
Nec tibi diva parens, generis nec Dardanus auctor,
Perfide ; sed duris genuit te cautibus horrens
Caucasus, Hyrcanaeque admorunt ubera tigres.
Nam quid dissimulo ? aut quae me ad maiora reservo ?
Num fletu ingemuit nostro ? num lumina flexit ?
Num lacrimas victus dedit, aut miseratus amantem est ?
Quae quibus anteferam ? Iam iam nec maxima Iuno,
Nec Saturnius haec oculis pater aspicit aequis.
Nusquam tuta fides. Eiectum litore, egentem
Excepi, et regni demens in parte locavi ;
Amissam classem, socios a morte reduxi ;
(Heu furiis incensa feror !) nunc augur Apollo,
Nunc Lyciae sortes, nunc et Iove missus ab ipso
Interpres divom fert horrida iussa per auras.
Scilicet is superis labor est, ea cura quietos
Sollicitat. Neque te teneo, neque dicta refello.
I, sequere Italiam ventis, pete regna per undas.
Spero equidem mediis, si quid pia numina possunt,
Supplicia hausurum scopulis, et nomine Dido
Saepe vocaturum. Sequar atris ignibus absens,
Et, cum frigida mors anima seduxerit artus,
Omnibus umbra locis adero. Dabis, improbe, poenas,
Audiam, et haec Manis veniet mihi fama sub imos.

Aen., iv, 305–330, 362–387.

238. GRIEF IN THE STILLNESS OF NIGHT.

Nox erat, et placidum carpebant fessa soporem
Corpora per terras, silvaeque et saeva quierant
Aequora, cum medio volvontur sidera lapsu,
Cum tacet omnis ager, pecudes, pictaeque volucres,
Quaeque lacus late liquidos, quaeque aspera dumis
Rura tenent, somno positae sub nocte silenti.
At non infelix animi Phoenissa, neque umquam
Solvitur in somnos, oculisve aut pectore noctem
Accipit. Ingeminant curae, rursusque resurgens
Saevit amor, magnoque irarum fluctuat aestu.
Sic adeo insistit, secumque ita corde volutat :

En, quid ago ? rursusne procos inrisa priores
Experiar, Nomadumque petam conubia supplex,
Quos ego sim totiens iam dedignata maritos ?
Iliacas igitur classes atque ultima Teucrum
Iussa sequar ? quiane auxilio iuvat ante levatos,
Et bene apud memores veteris stat gratia facti ?
Quis me autem (fac velle) sinet ? ratibusve superbis
Invisam accipiet ?   Nescis, heu perdita ! necdum
Laomedonteae sentis periuria gentis ?
Quid tum ? sola fuga nautas comitabor ovantis ?
An Tyriis omnique manu stipata meorum
Inferar, et quos Sidonia vix urbe revelli,
Rursus agam pelago, et ventis dare vela iubebo ?
Quin morere, ut merita es, ferroque averte dolorem.
Tu, lacrimis evicta meis, tu prima furentem
His, germana, malis oneras, atque obicis hosti.
Non licuit thalami expertem sine crimine vitam
Degere, more ferae, talis nec tangere curas !
Non servata fides, cineri promissa Sychaeo !

Aen., iv, 522–552

239. A BOAT-RACE.

Effugit ante alios, primisque elabitur undis
Turbam inter fremitumque Gyas ; quem deinde Cloanthus
Consequitur, melior remis ; sed pondere pinus
Tarda tenet.   Post hos aequo discrimine Pristis
Centaurusque locum tendunt superare priorem.
Et nunc Pristis habet, nunc victam praeterit ingens
Centaurus ; nunc una ambae iunctisque feruntur
Frontibus, et longa sulcant vada salsa carina.
Iamque propinquabant scopulo, metamque tenebant,
Cum princeps medioque Gyas in gurgite victor
Rectorem navis compellat voce Menoeten :
Quo tantum mihi dexter abis ? huc derige gressum,
Litus ama, et laevas stringat, sine, palmula cautes ;
Altum alii teneant !   Dixit.   Sed caeca Menoetes
Saxa timens, proram pelagi detorquet ad undas.
Quo diversus abis ? iterum : pete saxa, Menoete.

Cum clamore Gyas revocabat, et ecce Cloanthum
Respicit instantem tergo, et propiora tenentem.
Ille inter navemque Gyae scopulosque sonantis
Radit iter laevom interior, subitoque priorem
Praeterit, et metis tenet aequora tuta relictis.
Tum vero exarsit iuveni dolor ossibus ingens,
Nec lacrimis caruere genae; segnemque Menoeten,
Oblitus docorisque sui sociumque salutis,
In mare praecipitem puppi deturbat ab alta ;
Ipse gubernaclo rector subit, ipse magister,
Hortaturque viros, clavomque ad litora torquet.
At gravis, ut fundo vix tandem redditus imo est,
Iam senior, madidaque fluens in veste, Menoetes
Summa petit scopuli, siccaque in rupe resedit.
Illum et labentem Teucri et risere natantem ;
Et salsos rident revomantem pectore fluctus.

Aen., v, 151–182.

240. THE GATES OF HELL.

Ibant obscuri sola sub nocte per umbram,
Perque domos Ditis vacuas, et inania regna,
Quale per incertam lunam sub luce maligna
Est iter in silvis, ubi caelum condidit umbra
Iuppiter, et rebus nox abstulit atra colorem.
Vestibulum ante ipsum primisque in faucibus Orci
Luctus et ultrices posuere cubilia Curae ;
Pallentesque habitant Morbi, tristisque Senectus,
Et Metus, et malesuada Fames, ac turpis Egestas,
Terribiles visu formae, Letumque, Labosque ;
Tum consanguineus Leti Sopor, et mala mentis
Gaudia, mortiferumque adverso in limine Bellum,
Ferreique Eumenidum thalami, et Discordia demens,
Vipereum crinem vittis innexa cruentis.
In medio ramos annosaque bracchia pandit
Ulmus opaca, ingens, quam sedem Somnia vulgo
Vana tenere ferunt, foliisque sub omnibus haerent.
Multaque praeterea variarum monstra ferarum,
Centauri, in foribus stabulant, Scyllaeque biformes,

Et centumgeminus Briareus, ac belua Lernae
Horrendum stridens, flammisque armata Chimaera;
Gorgones, Harpyiaeque, et forma tricorporis umbrae.

Aen., vi, 268–289.

241. THE ORIGIN AND DESTINY OF THE HUMAN SPIRIT.

Principio caelum ac terras, camposque liquentis,
Lucentemque globum Lunae, Titaniaque astra,
Spiritus iutus alit, totamque infusa per artus
Mens agitat molem, et magno se corpore miscet.
Inde hominum pecudumque genus, vitaeque volantum,
Et quae marmoreo fert monstra sub aequore pontus.
Igneus est ollis vigor et caelestis origo
Seminibus, quantum non noxia corpora tardant
Terrenique hebetant artus moribundaque membra.
Hinc metuunt cupiuntque, dolent gaudentque, neque auras
Dispiciunt, clausae tenebris et carcere caeco.
Quin et supremo cum lumine vita reliquit,
Non tamen omne malum miseris, nec funditus omnes
Corporeae excedunt pestes; penitusque necesse est
Multa diu concreta modis inolescere miris.
Ergo exercentur poenis, veterumque malorum
Supplicia expendunt.   Aliae panduntur inanes
Suspensae ad ventos; aliis sub gurgite vasto
Infectum eluitur scelus, aut exuritur igni.
Quisque suos patimur Manes; exinde per amplum
Mittimur Elysium, et pauci laeta arva tenemus,
Donec longa dies, perfecto temporis orbe,
Concretam exemit labem, purumque relinquit
Aetherium sensum, atque aurai simplicis ignem.
Has omnis, ubi mille rotam volvere per annos,
Lethaeum ad fluvium deus evocat agmine magno:
Scilicet immemores super ut convexa revisant
Rursus, et incipiant in corpora velle reverti.

Aen., vi, 724–751.

242. Roman Genius is Imperial.

Quo fessum rapitis, Fabii? Tun' Maximus ille es,
Unus qui nobis cunctando restituis rem?
Excudent alii spirantia mollius aera,
Credo equidem; vivos ducent de marmore voltus;
Orabunt causas melius, caelique meatus
Describent radio, et surgentia sidera dicent.
Tu regere imperio populos, Romane, memento;
Hae tibi erunt artes, pacique imponere morem,
Parcere subiectis, et debellare superbos.

Aen., vi, 845–853.

243. Juno inveighs against the Trojans.

Heu stirpem invisam, et fatis contraria nostris
Fata Phrygum! Num Sigeis occumbere campis,
Num capti potuere capi? num incensa cremavit
Troia viros? Medias acies mediosque per ignis
Invenere viam. At, credo, mea numina tandem
Fessa iacent, odiis aut exsaturata quievi?
Quin etiam patria excussos infesta per undas
Ausa sequi, et profugis toto me opponere ponto.
Absumptae in Teucros vires caelique marisque.
Quid Syrtes aut Scylla mihi, quid vasta Charybdis
Profuit? Optato conduntur Thybridis alveo,
Securi pelagi atque mei. Mars perdere gentem
Immanem Lapithum valuit; concessit in iras
Ipse deum antiquam genitor Calydona Dianae;
Quod scelus aut Lapithis tantum, aut Calydone merente?
Ast ego, magna Iovis coniunx, nil linquere inausum
Quae potui infelix, quae memet in omnia verti,
Vincor ab Aenea! Quod si mea numina non sunt
Magna satis, dubitem haud equidem implorare, quod usquam
  est.
Flectere si nequeo Superos, Acheronta movebo.
Non dabitur regnis, esto, prohibere Latinis,
Atque immota manet fatis Lavinia coniunx;

At trahere, atque moras tantis licet addere rebus,
At licet amborum populos excindere regum.
Hac gener atque socer coëant mercede suorum.
Sanguine Troiano et Rutulo dotabere, virgo;
Et Bellona manet te pronuba. Nec face tantum
Cisseis praegnans ignis enixa iugalis;
Quin idem Veneri partus suus, et Paris alter,
Funestaeque iterum recidiva in Pergama taedae.

Aen., vii, 293–322.

244. DEATH OF NISUS AND EURYALUS.

Dixerat, et toto conixus corpore ferrum
Conicit. Hasta volans noctis diverberat umbras,
Et venit aversi in tergum Sulmonis, ibique
Frangitur, ac fisso transit praecordia ligno.
Volvitur ille vomens calidum de pectore flumen
Frigidus, et longis singultibus ilia pulsat.
Diversi circumspiciunt. Hoc acrior idem
Ecce aliud summa telum librabat ab aure.
Dum trepidant, it hasta Tago per tempus utrumque
Stridens, traiectoque haesit tepefacta cerebro.
Saevit atrox Volcens, nec teli conspicit usquam
Auctorem, nec quo se ardens inmittere possit.
Tu tamen interea calido mihi sanguine poenas
Persolves amborum, inquit; simul ense recluso
Ibat in Euryalum. Tum vero exterritus, amens
Conclamat Nisus; nec se celare tenebris
Amplius, aut tantum potuit perferre dolorem:
Me, me, adsum, qui feci, in me convertite ferrum,
O Rutuli, mea fraus omnis; nihil iste nec ausus,
Nec potuit; caelum hoc et conscia sidera testor·
Tantum infelicem nimium dilexit amicum.
Talia dicta dabat; sed viribus ensis adactus
Transabiit costas, et candida pectora rumpit.
Volvitur Euryalus leto, pulchrosque per artus
It cruor, inque umeros cervix conlapsa recumbit:
Purpureus veluti cum flos, succisus aratro,
Languescit moriens, lassove papavera collo

12

Demisere caput, pluvia cum forte gravantur.
At Nisus ruit in medios, solumque per omnis
Volcentem petit; in solo Volcente moratur.
Quem circum glomerati hostes, hinc comminus atque hinc
Proturbant.   Instant non setius, ac rotat ensem
Fulmineum; donec Rutuli clamantis in ore
Condidit advorso, et moriens animam abstulit hosti.
Tum super exanimum sese proiecit amicum
Confossus, placidaque ibi demum morte quievit.

Aen., ix, 410–445.

245. Numanus taunts the Trojans with Effeminacy.

Non pudet obsidione iterum valloque teneri,
Bis capti Phryges, et morti praetendere muros?
En, qui nostra sibi bello conubia poscunt!
Quis deus Italiam, quae vos dementia adegit?
Non hic Atridae, nec fandi fictor Ulixes.
Durum ab stirpe genus, natos ad flumina primum
Deferimus, saevoque gelu duramus et undis;
Venatu invigilant pueri, silvasque fatigant;
Flectere ludus equos, et spicula tendere cornu.
At patiens operum parvoque adsueta iuventus
Aut rastris terram domat, aut quatit oppida bello.
Omne aevom ferro teritur, versaque iuvencum
Terga fatigamus hasta; nec tarda senectus
Debilitat vires animi, mutatque vigorem.
Canitiem galea premimus, semperque recentis
Comportare iuvat praedas, et vivere rapto.
Vobis picta croco et fulgenti murice vestis,
Desidiae cordi, iuvat indulgere choreis,   .
Et tunicae manicas, et habent redimicula mitrae.
O vere Phrygiae, neque enim Phryges, ite per alta
Dindyma, ubi adsuctis biforem dat tibia cantum.
Tympana vos buxusque vocat Berecyntia Matris
Idaeae, sinite arma viris, et cedite ferro.

Aen., ix, 598–620.

246. Lament of Evander over his Son.

Non haec, o Palla, dederas promissa parenti.
Cautius ut saevo velles te credere Marti!
Haut ignarus eram, quantum nova gloria in armis
Et praedulce decus primo certamine posset.
Primitiae iuvenis miserae! bellique propinqui
Dura rudimenta! et nulli exaudita deorum
Vota precesque meae! tuque, o sanctissima coniunx,
Felix morte tua, neque in hunc servata dolorem.
Contra ego vivendo vici mea fata, superstes
Restarem ut genitor. Troum socia arma secutum
Obruerent Rutuli telis! animam ipse dedissem,
Atque haec pompa domum me, non Pallanta, referret!
Nec vos arguerim, Teucri, nec foedera, nec, quas
Iunximus hospitio, dextras; sors ista senectae
Debita erat nostrae. Quod si inmatura manebat
Mors gnatum, caesis Volscorum milibus ante,
Ducentem in Latium Teucros, cecidisse iuvabit.
Quin ego non alio digner te funere, Palla,
Quam pius Aeneas, et quam magni Phryges, et quam
Tyrrhenique duces, Tyrrhenum exercitus omnis.
Magna tropaea ferunt, quos dat tua dextera Leto.
Tu quoque nunc stares inmanis truncus in armis,
Esset par aetas et idem si robur ab annis,
Turne. Sed infelix Teucros quid demorer armis?
Vadite, et haec memores regi mandata referte:
Quod vitam moror invisam, Pallante perempto,
Dextera causa tua est, Turnum gnatoque patrique
Quam debere vides. Meritis vacat hic tibi solus
Fortunaeque locus. Non vitae gaudia quaero —
Nec fas — sed gnato Manis perferre sub imos.

Aen., **xi**, 152-181.

247. Turnus is brought to bay.

Nec plura effatus, saxum circumspicit ingens,
Saxum anticum, ingens, campo quod forte iacebat,
Limes agro positus, litem ut discerneret arvis.
Vix illud lecti bis sex cervice subirent,
Qualia nunc hominum producit corpora tellus.
Ille manu raptum trepida torquebat in hostem,
Altior insurgens, et cursu concitus, heros.
Sed neque currentem se, nec cognoscit euntem,
Tollentemve manus, saxumque immane moventem:
Genua labant, gelidus concrevit frigore sanguis.
Tum lapis ipse viri, vacuum per inane volutus,
Nec spatium evasit totum, nec pertulit ictum.
Ac velut in somnis, oculos ubi languida pressit
Nocte quies, nequiquam avidos extendere cursus
Velle videmur, et in mediis conatibus aegri
Succidimus; non lingua valet, non corpore notae
Sufficiunt vires, nec vox aut verba secuntur:
Sic Turno, quacumque viam virtute petivit,
Successum dea dira negat. Tum pectore sensus
Vertuntur varii. Rutulos aspectat, et urbem,
Cunctaturque metu, letumque instare tremiscit;
Nec, quo se eripiat, nec, qua vi tendat in hostem,
Nec currus usquam videt, aurigamve sororem.
Cunctanti telum Aeneas fatale coruscat,
Sortitus fortunam oculis; et corpore toto
Eminus intorquet. Murali concita numquam
Tormento sic saxa fremunt, nec fulmine tanti
Dissultant crepitus. Volat atri turbinis instar
Exitium dirum hasta ferens, orasque recludit
Loricae, et clipei extremos septemplicis orbes,
Per medium stridens transit femur. Incidit ictus
Ingens ad terram duplicato poplite Turnus.
Consurgunt gemitu Rutuli, totusque remugit
Mons circum, et vocem late nemora alta remittunt.

Aen., xii, 896–929.

Q. HORATIUS FLACCUS, 65–8 B.C.

248. The Love of Money.

Ille gravem duro terram qui vertit aratro,
Perfidus hic caupo, miles, nautaeque per omne
Audaces mare qui currunt, hac mente laborem
Sese ferre, senes ut in otia tuta recedant,
Aiunt, cum sibi sint congesta cibaria : sicut
Parvola, nam exemplost, magni formica laboris
Ore trahit quodcumque potest atque addit acervo,
Quem struit, haud ignara ac non incauta futuri.
Quae, simul inversum contristat Aquarius annum,
Non usquam prorepit, et illis utitur ante
Quaesitis sapiens, cum te neque fervidus aestus
Demoveat lucro, neque hiems, ignis, mare, ferrum,
Nil obstet tibi, dum ne sit te ditior alter.
Quid iuvat, inmensum te argenti pondus et auri
Furtim defossa timidum deponere terra ?
' Quod, si couminuas, vilem redigatur ad assem.'
At ni id fit, quid habet pulchri constructus acervus ?
Milia frumenti tua triverit area centum :
Non tuus hoc capiet venter plus ac meus, ut, si
Reticulum panis venales inter onusto
Forte vehas umero, nihilo plus accipias quam
Qui nil portarit.   Vel dic, quid referat intra
Naturae fines viventi, iugera centum an
Mille aret ?   ' At suavest ex magno tollere acervo.'
Dum ex parvo nobis tantundem haurire relinquas,
Cur tua plus laudes cumeris granaria nostris ?
Ut tibi si sit opus liquidi non amplius urna
Vel cyatho, et dicas, ' Magno de flumine mallem,
Quam ex hoc fonticulo tantundem sumere.'   Eo fit,
Plenior ut si quos delectet copia iusto,
Cum ripa simul avolsos ferat Aufidus acer.
At qui tantuli eget, quantost opus, is neque limo
Turbatam haurit aquam neque vitam amittit in undis.

At bona pars hominum decepta cupidine falso
'Nil satis est,' inquit, 'quia tanti quantum habeas sis.'
Quid facias illi? Iubeas miserum esse, libenter
Quatenus id facit. Ut quidam memoratur Athenis
Sordidus ac dives, populi contemnere voces
Sic solitus: 'Populus me sibilat, at mihi plaudo
Ipse domi, simul ac nummos contemplor in arca.'
Tantalus a labris sitiens fugientia captat
Flumina. Quid rides? Mutato nomine de te
Fabula narratur; congestis undique saccis
Indormis inhians et tamquam parcere sacris
Cogeris aut pictis tamquam gaudere tabellis.
Nescis quo valeat nummus? quem praebeat usum?
Panis ematur, olus, vini sextarius, adde,
Quis humana sibi doleat natura negatis.
An vigilare metu exanimem, noctesque diesque
Formidare malos fures, incendia, servos,
Ne te conpilent fugientes, hoc iuvat? Horum
Semper ego optarim pauperrimus esse bonorum.
At si condoluit temptatum frigore corpus
Aut alius casus lecto te adflixit, habes qui
Adsideat, fomenta paret, medicum roget, ut te
Suscitet ac reddat gnatis carisque propinquis?
Non uxor salvum te volt, non filius; omnes
Vicini oderunt, noti, pueri atque puellae.
Miraris, cum tu argento post omnia ponas,
Si nemo praestet, quem non merearis, amorem?
An si cognatos, nullo natura labore
Quos tibi dat, retinere velis servareque amicos,
Infelix operam perdas: ut siquis asellum
In campo doceat parentem currere frenis.

Sat., I, i, 28–91.

249. TRUTHS ARE BEST TAUGHT TO THE YOUNG BY WARNING EXAMPLES.

Insuevit pater optimus hoc me
Ut fugerem, exemplis vitiorum quaeque notando.
Cum me hortaretur, parce, frugaliter, atque

Viverem uti contentus eo, quod mi ipse parasset:
' Nonne vides, Albi ut male vivat filius ? utque
Baius inops ?   Magnum documentum, ne patriam rem
Perdere quis velit.'   A turpi meretricis amore
Cum deterreret: ' Scetani dissimilis sis.'
Ne sequerer moechas, concessa cum venere uti
Possem : ' Deprensi non bella est fama Treboni,'
Aiebat.   ' Sapiens, vitatu quidque petitu
Sit melius, causas reddet tibi ; mi satis est, si
Traditum ab antiquis morem servare tuamque,
Dum custodis eges, vitam famamque tueri
Incolumem possum.   Simul ac duraverit aetas
Membra animumque tuum, nabis sine cortice.'   Sic me
Formabat puerum dictis, et sive iubebat,
Ut facerem quid : ' Habes auctorem, quo facias hoc,'
Unum ex iudicibus selectis obiciebat ;
Sive vetabat : ' An hoc inhonestum et inutile factu
Necne sit, addubites, flagret rumore malo cum
Hic atque ille ? '   Avidos vicinum funus ut aegros
Exanimat, mortisque metu sibi parcere cogit :
Sic teneros animos aliena opprobria saepe
Absterrent vitiis.

Sat., I, iv, 105–129.

250. The Epicurean Doctrine as to Providence.

Postera tempestas melior, via peior ad usque
Bari moenia piscosi ; dein Gnatia lymphis
Iratis exstructa dedit risusque iocosque,
Dum flamma sine tura liquescere limine sacro
Persuadere cupit.   Credat Iudaeus Apella,
Non ego ; namque deos didici securum agere aevum,
Nec, siquid miri faciat natura, deos id
Tristis ex alto caeli demittere tecto.

Sat., I, v, 96–103.

251. A Bore.

Ibam forte Via Sacra, sicut meus est mos,
Nescio quid meditans nugarum, totus in illis,
Accurrit quidam notus mihi nomine tantum,
Arreptaque manu: Quid agis, dulcissime rerum?'
'Suaviter, ut nunc est,' inquam, 'et cupio omnia quae vis.'
Cum adsectaretur: 'Num quid vis?' occupo. At ille:
'Noris nos,' inquit; 'docti sumus.' Hic ego: 'Pluris
Hoc' inquam 'mihi eris.' Misere discedere quaerens,
Ire modo ocius, interdum consistere, in aurem
Dicere nescio quid puero, cum sudor ad imos
Manaret talos. 'O te, Bolane, cerebri
Felicem!' aiebam tacitus, cum quidlibet ille
Garriret, vicos, urbem laudaret. Ut illi
Nil respondebam, 'Misere cupis,' inquit, 'abire;
Iamdudum video; sed nil agis, usque tenebo;
Prosequor hinc quo nunc iter est tibi.' 'Nil opus est te
Circumagi; quendam volo visere non tibi notum.
Trans Tiberim longe cubat is, prope Caesaris hortos.'
'Nil habeo quod agam, et non sum piger, usque sequar te.'
Demitto auriculas, ut iniquae mentis asellus,
Cum gravius dorso subiit onus. Incipit ille:
'Si bene me novi, non Viscum pluris amicum,
Non Varium facies; nam quis me scribere pluris
Aut citius possit versus? quis membra movere
Mollius? invideat quod et Hermogenes, ego canto.'
Interpellandi locus hic erat: 'Est tibi mater,
Cognati, quis te salvo est opus?' 'Haud mihi quisquam;
Omnis conposui.' 'Felices! Nunc ego resto.
Confice: namque instat fatum mihi triste, Sabella
Quod puero cecinit divina mota anus urna:
"Hunc neque dira venena, nec hosticus auferet ensis,
Nec laterum dolor aut tussis, nec tarda podagra;
Garrulus hunc quando consumet cumque: loquacis,
Si sapiat vitet, simul atque adoleverit aetas."'

Sat., I, ix, 1–34.

252. Precepts of Gastronomy.

Nec sibi cenarum quivis temere adroget artem,
Non prius exacta tenui ratione saporum ;
Nec satis est cara piscis averrere mensa
Ignarum quibus est ius aptius et quibus assis
Languidus in cubitum iam se conviva reponit.
Umber et iligna nutritus glande rotundas
Curvat aper lancis carnem vitantis inertem :
Nam Laurens malus est, ulvis et arundine pinguis.
Vinea submittit capreas non semper edulis.
Fecundae leporis sapiens sectabitur armos.
Piscibus atque avibus quae natura et foret aetas,
Ante meum nulli patuit quaesita palatum.
Sunt quorum ingenium nova tantum crustula promit.
Nequaquam satis in re una consumere curam,
Ut si quis solum hoc, mala ne sint vina, laboret,
Quali perfundat piscis securus olivo.
Massica si caelo suppones vina sereno,
Nocturna, si quid crassi est, tenuabitur aura,
Et decedet odor nervis inimicus ; at illa
Integrum perdunt lino vitiata saporem.
Surrentina vafer qui miscet faece Falerna
Vina, columbino limum bene colligit ovo,
Quatenus ima petit volvens aliena vitellus.
Tostis marcentem squillis recreabis et Afra
Potorem cochlea : nam lactuca innatat acris
Post vinum stomacho ; perna magis ac magis hillis
Flagitat in morsus refici, quin omnia malit,
Quaecumque inmundis fervent adlata popinis.

Sat., II, iv, 35-62.

253. The Plagues of Life in Town.

Matutine pater, seu Iane libentius audis,
Unde homines operum primos vitaeque labores
Instituunt — sic dis placitum — tu carminis esto
Principium. Romae sponsorem me rapis : 'Eia

Ne prior officio quisquam respondeat, urgue ! '
Sive Aquilo radit terras seu bruma nivalem
Interiore diem gyro trahit, ire necesse est.
Postmodo, quod mi obsit, clare certumque locuto
Luctandum in turba et facienda iniuria tardis.
' Quid vis, insane, et quam rem agis ? ' inprobus urguet
Iratis precibus : ' tu pulses omne, quod obstat,
Ad Maecenatem memori si mente recurras ? '
Hoc iuvat et melli est, non mentiar ; at simul atras
Ventum est Esquilias, aliena negotia centum
Per caput et circa saliunt latus.   ' Ante secundam
Roscius orabat sibi adesses ad Puteal cras.'
' De re communi scribae magna atque nova te
Orabant hodie meminisses, Quinte, reverti.'
' Inprimat his, cura, Maecenas signa tabellis.'
Dixeris : ' Experiar ; ' — ' Si vis, potes,' addit et instat.

Sat., II, vi, 20–39.

254. The Town and Country Mouse.

Olim

Rusticus urbanum murem mus paupere fertur
Accepisse cavo, veterem vetus hospes amicum,
Asper et attentus quaesitis, ut tamen artum
Solveret hospitiis animum.   Quid multa ? neque ille
Sepositi ciceris nec longae invidit avenae,
Aridum et ore ferens acinum semesaque lardi
Frusta dedit, cupiens varia fastidia cena
Vincere tangentis male singula dente superbo,
Cum pater ipse domus palea porrectus in horna
Esset ador loliumque, dapis meliora relinquens.
Tandem urbanus ad hunc : ' Quid te iuvat,' inquit, ' amice,
Praerupti nemoris patientem vivere dorso ?
Vis tu homines urbemque feris praeponere silvis ?
Carpe viam, mihi crede, comes, terrestria quando
Mortales animas vivunt sortita, neque ulla est
Aut magno aut parvo leti fuga ; quo, bone, circa,
Dum licet, in rebus iucundis vive beatus.
Vive memor, quam sis aevi brevis ! '   Haec ubi dicta

Agrestem pepulere, domo levis exsilit; inde
Ambo propositum peragunt iter, urbis aventes
Moenia nocturni subrepere. Iamque tenebat
Nox medium caeli spatium, cum ponit uterque
In locuplete domo vestigia, rubro ubi cocco
Tincta super lectos canderet vestis eburnos,
Multaque de magna superessent fercula cena,
Quae procul exstructis inerant hesterna canistris.
Ergo ubi purpurea porrectum in veste locavit
Agrestem, veluti succinctus cursitat hospes
Continuatque dapes, nec non verniliter ipsis
Fungitur officiis, praelambens omne, quod adfert.
Ille cubans gaudet mutata sorte, bonisque
Rebus agit laetum convivam, cum subito ingens
Valvarum strepitus lectis excussit utrumque.
Currere per totum pavidi conclave, magisque
Exanimes trepidare, simul domus alta Molossis
Personuit canibus. Tum rusticus: 'Haud mihi vita
Est opus hac,' ait, et 'valeas; me silva cavusque
Tutus ab insidiis tenui solabitur ervo.'

Sat., II, vi, 79–117.

255. The Delights of Country Life.

Beatus ille qui procul negotiis,
    Ut prisca gens mortalium,
Paterna rura bobus exercet suis,
    Solutus omni fenore,
Neque excitatur classico miles truci,
    Neque horret iratum mare,
Forumque vitat et superba civium
    Potentiorum limina.
Ergo aut adulta vitium propagine
    Altas maritat populos,
Aut in reducta valle mugientium
    Prospectat errantis greges,
Inutilisve falce ramos amputans
    Feliciores inserit,

Aut pressa puris mella condit amphoris,
　　Aut tondet infirmas ovis;
Vel cum decorum mitibus pomis caput
　　Autumnus agris extulit,
Ut gaudet insitiva decerpens pira
　　Certantem et uvam purpurae,
Qua muneretur te, Priape, et te, pater
　　Silvane, tutor finium.
Libet iacere modo sub antiqua ilice,
　　Modo in tenaci gramine.
Labuntur altis interim ripis aquae,
　　Queruntur in silvis aves,
Frondesque lymphis obstrepunt manantibus,
　　Somnos quod invitet levis.
At cum tonantis annus hibernus Iovis
　　Imbris nivisque conparat,
Aut trudit acris hinc et hinc multa cane
　　Apros in obstantis plagas,
Aut amite levi rara tendit retia,
　　Turdis edacibus dolos,
Pavidumque leporem et advenam laqueo gruem,
　　Iucunda captat praemia.

Epod., ii, 1-36

256. THE ISLES OF THE BLESSED.

Nos manet Oceanus circum vagus; arva, beata
　　Petamus arva divites et insulas,
Reddit ubi Cererem tellus inarata quotannis
　　Et inputata floret usque vinea,
Germinat et numquam fallentis termes olivae
　　Suamque pulla ficus ornat arborem,
Mella cava manant ex ilice, montibus altis
　　Levis crepante lympha desilit pede.
Illic iniussae veniunt ad mulctra capellae
　　Refertque tenta grex amicus ubera;
Nec vespertinus circumgemit ursus ovile,
　　Neque intumescit alta viperis humus.

Nulla nocent pecori contagia, nullius astri
   Gregem aestuosa torret inpotentia.
Pluraque felices mirabimur : ut neque largis
   Aquosus Eurus arva radat imbribus,
Pinguia nec siccis urantur semina glaebis,
   Utrumque rege temperate caelitum.

Epod., xvi, 41–58.

257. The Return of Spring.

Solvitur acris hiems grata vice veris et Favoni,
   Trahuntque siccas machinae carinas,
Ac neque iam stabulis gaudet pecus aut arator igni,
   Nec prata canis albicant pruinis.

Iam Cytherea choros ducit Venus inminente luna,
   Iunctaeque Nymphis Gratiae decentes
Alterno terram quatiunt pede, dum gravis Cyclopum
   Volcanus ardens visit officinas.

Nunc decet aut viridi nitidum caput inpedire myrto
   Aut flore terrae quem ferunt solutae ;
Nunc et in umbrosis Fauno decet inmolare lucis,
   Seu poscat agna sive malit haedo.

Pallida Mors aequo pulsat pede pauperum tabernas
   Regumque turris. O beate Sesti,
Vitae summa brevis spem nos vetat incohare longam.
   Iam te premet nox fabulaeque Manes

Et domus exilis Plutonia ; quo simul mearis,
   Nec regna vini sortiere talis,
Nec tenerum Lycidan mirabere, quo calet iuventus
   Nunc omnis et mox virgines tepebunt.

Od., I, iv.

258. The Ship of State.

O navis, referent in mare te novi
Fluctus! O quid agis? Fortiter occupa
  Portum. Nonne vides ut
    Nudum remigio latus

Et malus celeri saucius Africo
Antennaeque gemant, ac sine funibus
  Vix durare carinae
    Possint imperiosius

Aequor? Non tibi sunt integra lintea,
Non di, quos iterum pressa voces malo.
  Quamvis Pontica pinus,
    Silvae filia nobilis,

Iactes et genus et nomen inutile;
Nil pictis timidus navita puppibus
  Fidit. Tu, nisi ventis
    Debes ludibrium, cave.

Nuper sollicitum quae mihi taedium,
Nunc desiderium curaque non levis,
  Interfusa nitentis
    Vites aequora Cycladas.

Od., I, xiv.

259. The Upright Man is always safe.

Integer vitae scelerisque purus
Non eget Mauris iaculis neque arcu
Nec venenatis gravida sagittis,
  Fusce, pharetra,

Sive per Syrtis iter aestuosas,
Sive facturus per inhospitalem
Caucasum vel quae loca fabulosus
  Lambit Hydaspes.

Namque me silva lupus in Sabina,
Dum meam canto Lalagen et ultra
Terminum curis vagor expeditis,
   Fugit inermem,

Quale portentum neque militaris
Daunias latis alit aesculetis,
Nec Iubae tellus generat, leonum
   Arida nutrix.

Pone me pigris ubi nulla campis
Arbor aestiva recreatur aura,
Quod latus mundi nebulae malusque
   Iuppiter urguet;

Pone sub curru nimium propinqui
Solis in terra domibus negata:
Dulce ridentem Lalagen amabo,
   Dulce loquentem.

               Od., **I, xxii.**

260. FORTUNE.

O diva, gratum quae regis Antium,
Praesens vel imo tollere de gradu
   Mortale corpus, vel superbos
      Vertere funeribus triumphos: —

Te pauper ambit sollicita prece
Ruris colonus, te, dominam aequoris,
   Quicumque Bithyna lacessit
      Carpathium pelagus carina.

Te Dacus asper, te profugi Scythae,
Urbesque gentesque et Latium ferox,
   Regumque matres barbarorum et
      Purpurei metuunt tyranni,

Iniurioso ne pede proruas
Stantem columnam, neu populus frequens
   Ad arma cessantis, ad arma
     Concitet, imperiumque frangat.

Te semper anteit saeva Necessitas,
Clavos trabales et cuneos manu
   Gestans aëna ; nec severus
     Uncus abest, liquidumque plumbum.

Te Spes et albo rara Fides colit
Velata panno, nec comitem abnegat,
   Utcumque mutata potentis
     Veste domos inimica linquis.

At volgus infidum et meretrix retro
Periura cedit ; diffugiunt cadis
   Cum faece siccatis amici,
     Ferre iugum pariter dolosi.

Od., I, xxxv, 1–28.

261. To Barine, a Heartless Coquette

Ulla si iuris tibi peierati
Poena, Barine, nocuisset umquam,
Dente si nigro fieres vel uno
   Turpior ungui,

Crederem.   Sed tu simul obligasti
Perfidum votis caput, enitescis
Pulchrior multo iuvenumque prodis
   Publica cura.

Expedit matris cineres opertos
Fallere et toto taciturna noctis
Signa cum caelo gelidaque divos
   Morte carentis.

Ridet hoc, inquam, Venus ipsa, rident
Simplices Nymphae, ferus et Cupido,
Semper ardentis acuens sagittas
    Cote cruenta.

Adde quod pubes tibi crescit omnis,
Servitus crescit nova, nec priores
Inpiae tectum dominae relinquunt,
    Saepe minati.

Te suis matres metuunt iuvencis,
Te senes parci miseraeque nuper
Virgines nuptae, tua ne retardet
    Aura maritos.

Od., II, viii.

262. THE GOLDEN MEAN.

Rectius vives, Licini, neque altum
Semper urguendo neque, dum procellas
Cautus horrescis, nimium premendo
    Litus iniquum.

Auream quisquis mediocritatem
Diligit, tutus caret obsoleti
Sordibus tecti, caret invidenda
    Sobrius aula.

Saepius ventis agitatur ingens
Pinus et celsae graviore casu
Decidunt turres feriuntque summos
    Fulgura montis.

Sperat infestis, metuit secundis
Alteram sortem bene praeparatum
Pectus. Informis hiemes reducit
    Iuppiter, idem

Submovet. Non, si male nunc, et olim
Sic erit; quondam citharae tacentem
Suscitat Musam neque semper arcum
 Tendit Apollo.

Rebus angustis animosus atque
Fortis adpare; sapienter idem
Contrahes vento nimium secundo
 Turgida vela.

       Od., II, x.

263. Exile of Regulus.

Fertur pudicae coniugis osculum,
Parvosque natos, ut capitis minor,
 Ab se removisse et virilem
  Torvus humi posuisse voltum;

Donec labantis consilio patres
Firmaret auctor numquam alias dato,
 Interque maerentis amicos
  Egregius properaret exsul.

Atqui sciebat, quae sibi barbarus
Tortor pararet; non aliter tamen
 Dimovit obstantis propinquos
  Et populum reditus morantem,

Quam si clientum longa negotia
Diiudicata lite relinqueret,
 Tendens Venafranos in agros
  Aut Lacedaemonium Tarentum.

       Od., III, v, 41-56.

264. An Amoebaeum. — 'Amantium irae amoris integratio.'

'Donec gratus eram tibi
 Nec quisquam potior bracchia candidae
Cervici iuvenis dabat,
 Persarum vigui rege beatior.'

'Donec non alia magis
  Arsisti neque erat Lydia post Chloen,
Multi Lydia nominis
  Romana vigui clarior Ilia.'

'Me nunc Thressa Chloe regit,
  Dulcis docta modos et citharae sciens,
Pro qua non metuam mori,
  Si parcent animae fata superstiti.'

'Me torret face mutua
  Thurini Calais filius Ornyti,
Pro quo bis patiar mori,
  Si parcent puero fata superstiti.'

'Quid si prisca redit Venus
  Diductosque iugo cogit aëneo?
Si flava excutitur Chloe
  Reiectaeque patet ianua Lydiae?'

'Quamquam sidere pulchrior
  Illest. tu levior cortice et inprobo
Iracundior Hadria;
  Tecum vivere amem, tecum obeam libens!'

Od., III, ix.

265. THE WORSHIP OF A PURE HEART.

Caelo supinas si tuleris manus
Nascente luna, rustica Phidyle,
  Si ture placaris et horna
    Fruge Lares avidaque porca,

Nec pestilentem sentiet Africum
Fecunda vitis, nec sterilem seges
  Robiginem aut dulces alumni
    Pomifero grave tempus anno.

Nam quae nivali pascitur Algido
Devota quercus inter et ilices
    Aut crescit Albanis in herbis
        Victima, pontificum secures

Cervice tinguet.   Te nihil attinet
Temptare multa caede bidentium
    Parvos coronantem marino
        Rore deos fragilique myrto.

Inmunis aram si tetigit manus,
Non sumptuosa blandior hostia
    Mollivit aversos Penatis
        Farre pio et saliente mica.

Od., III, xxiii.

266. The Immortality of Song.

Exegi monumentum aere perennius,
Regalique situ pyramidum altius,
Quod non imber edax, non Aquilo inpotens
Possit diruere, aut innumerabilis
Annorum series et fuga temporum.
Non omnis moriar, multaque pars mei
Vitabit Libitinam ; usque ego postera
Crescam laude recens, dum Capitolium
Scandet cum tacita virgine pontifex.
Dicar, qua violens obstrepit Aufidus
Et qua pauper aquae Daunus agrestium
Regnavit populorum, ex humili potens
Princeps Aeolium carmen ad Italos
Deduxisse modos.   Sume superbiam
Quaesitam meritis, et mihi Delphica
Lauro cinge volens, Melpomene, comam.

Od., III, xxx.

267. A Paean.

Concinet maiore poeta plectro
Caesarem, quandoque trahet ferocis
Per sacrum clivum merita decorus
  Fronde Sygambros ;

Quo nihil maius meliusve terris
Fata donavere bonique divi
Nec dabunt, quamvis redeant in aurum
  Tempora priscum.

Concinet laetosque dies et urbis
Publicum ludum super inpetrato
Fortis Augusti reditu forumque
  Litibus orbum.

Tum meae, siquid loquar audiendum,
Vocis accedet bona pars, et 'o Sol
Pulcher, o laudande !' canam recepto
  Caesare felix.

Teque dum procedis, 'io Triumphe !'
Non semel dicemus, 'io Triumphe !'
Civitas omnis dabimusque divis
  Tura benignis.

Od., IV, ii, 32–52.

268. Moral Qualities are Hereditary.

Victrices catervae
Consiliis iuvenis revictae

Sensere, quid mens rite, quid indoles
Nutrita faustis sub penetralibus
Posset, quid Augusti paternus
  In pueros animus Nerones.

Fortes creantur fortibus et bonis.
Est in iuvencis, est in equis patrum
   Virtus ; neque inbellem feroces
      Progenerant aquilae columbam.

Doctrina sed vim promovet insitam,
Rectique cultus pectora roborant;
   Utcumque defecere mores,
      Indecorant bene nata culpae.

Od., IV, iv, 23–36.

269. A Letter of Introduction to Tiberius.

Septimius, Claudi, nimirum intellegit unus,
Quanti me facias ; nam cum rogat et prece cogit,
Scilicet ut tibi se laudare et tradere coner,
Dignum mente domoque legentis honesta Neronis,
Munere cum fungi proprioris censet amici ;
Quid possim, videt ac novit me valdius ipso.
Multa quidem dixi, cur excusatus abirem ;
Sed timui, mea ne finxisse minora putarer,
Dissimulator opis propriae, mihi commodus uni.
Sic ego, maioris fugiens opprobria culpae,
Frontis ad urbanae descendi praemia.   Quodsi
Depositum laudas ob amici iussa pudorem,
Scribe tui gregis hunc, et fortem crede bonumque.

Ep. I, ix.

270. True Morality consists in the Motive, not in the Outward Act.

Falsus honor iuvat et mendax infamia terret
Quem, nisi mendosum et medicandum ?   Vir bonus est quis ?
' Qui consulta patrum, qui leges iuraque servat ;
Quo multae magnaeque secantur iudice lites ;
Quo res sponsore et quo causae teste tenentur.'
Sed videt hunc omnis domus et vicinia tota
Introrsum turpem, speciosum pelle decora.
' Nec furtum feci nec fugi,' si mihi dicit

Servus : ' Habes pretium, loris non ureris,' aio.
' Non hominem occidi.'   Non pasces in cruce corvos.
' Sum bonus et frugi.'   Renuit negitatque Sabellus :
Cautus enim metuit foveam lupus, accipiterque
Suspectos laqueos, et opertum miluus hamum.
Oderunt peccare boni virtutis amore ;
Tu nihil admittes in te formidine poenae :
Sit spes fallendi, miscebis sacra profanis.
Nam de mille fabae modiis cum surripis unum,
Damnum est, non facinus, mihi pacto lenius isto.
Vir bonus, omne forum quem spectat et omne tribunal,
Quandocumque deos vel porco vel bove placat,
' Iane pater !' clare, clare cum dixit : ' Apollo !'
Labra movet, metuens audiri : ' Pulchra Laverna,
Da mihi fallere, da iusto sanctoque videri,
Noctem peccatis et fraudibus obice nubem.'
Qui melior servo, qui liberior sit avarus,
In triviis fixum cum se demittit ob assem,
Non video.   Nam qui cupiet, metuet quoque ; porro
Qui metuens vivet, liber mihi non erit umquam.

Ep. I, xvi, 39-66.

271. HORACE'S INDEPENDENT LITERARY POSITION.

O imitatores, servum pecus, ut mihi saepe
Bilem, saepe iocum vestri movere tumultus !
Libera per vacuum posui vestigia princeps,
Non aliena meo pressi pede.   Qui sibi fidit,
Dux regit examen.   Parios ego primus iambos
Ostendi Latio, numeros animosque secutus
Archilochi, non res et agentia verba Lycamben.
Ac ne me foliis ideo brevioribus ornes,
Quod timui mutare modos et carminis artem ;
Temperat Archilochi Musam pede mascula Sappho,
Temperat Alcaeus, sed rebus et ordine dispar,
Nec socerum quaerit, quem versibus oblinat atris,
Nec sponsae laqueum famoso carmine nectit.
Hunc ego, non alio dictum prius ore, Latinus
Volgavi fidicen ; iuvat inmemorata ferentem

Ingenuis oculisque legi manibusque teneri.
Scire velis, mea cur ingratus opuscula lector
Laudet ametque domi, premat extra limen iniquus?
Non ego ventosae plebis suffragia venor
Inpensis cenarum et tritae munere vestis;
Non ego, nobilium scriptorum auditor et ultor,
Grammaticas ambire tribus et pulpita dignor.
Hinc illae lacrimae.

Ep. I, xix, 19–41.

272. A Comparative Estimate of the early Roman Dramatists, from Naevius to Afranius.

Ennius, et sapiens et fortis et alter Homerus,
Ut critici dicunt, leviter curare videtur,
Quo promissa cadant et somnia Pythagorea.
Naevius in manibus non est et mentibus haeret
Paene recens? Adeo sanctum est vetus omne poema.
Ambigitur quotiens, uter utro sit prior, aufert
Pacuvius docti famam senis, Accius alti,
Dicitur Afrani toga convenisse Menandro,
Plautus ad exemplar Siculi properare Epicharmi,
Vincere Caecilius gravitate, Terentius arte.
Hos ediscit et hos arto stipata theatro
Spectat Roma potens, habet hos numeratque poetas
Ad nostrum tempus Livi scriptoris ab aevo.

Ep. II, i, 50–62.

273. A Tranquil Mind and a Genial Temper can alone bring Contentment.

Pauperies inmunda domo procul absit; ego utrum
Nave ferar magna an parva, ferar unus et idem.
Non agimur tumidis velis Aquilone secundo;
Non tamen adversis aetatem ducimus Austris,
Viribus, ingenio, specie, virtute, loco, re,
Extremi primorum, extremis usque priores.
Non es avarus: abi. Quid? cetera iam simul isto
Cum vitio fugere? Caret tibi pectus inani

Ambitione? caret mortis formidine et ira?
Somnia, terrores magicos, miracula, sagas,
Nocturnos lemures portentaque Thessala rides?
Natalis grate numeras? ignoscis amicis?
Lenior et melior fis accedente senecta?
Quid te exempta levat spinis de pluribus una?
Vivere si recte nescis, decede peritis.
Lusisti satis, edisti satis atque bibisti ;
Tempus abire tibi est, ne potum largius aequo
Rideat et pulset lasciva decentius aetas.

Ep. II, ii, 199–217.

274. THE STANDARD OF GOOD LANGUAGE IS THE BEST
CONTEMPORARY LITERATURE.

Dixeris egregie, notum si callida verbum
Reddiderit iunctura novum.   Si forte necesse est
Indiciis monstrare recentibus abdita rerum, et
Fingere cinctutis non exaudita Cethegis
Continget dabiturque licentia sumpta pudenter.
Et nova fictaque nuper habebunt verba fidem, si
Graeco fonte cadent parce detorta.   Quid autem
Caecilio Plautoque dabit Romanus, ademptum
Vergilio Varioque?   Ego cur, adquirere pauca
Si possum, invideor, cum lingua Catonis et Enni
Sermᵕnem patrium ditaverit et nova rerum
Nomina protulerit?   Licuit semperque licebit
Signatum praesente nota producere nomen.
Ut silvae foliis pronos mutantur in annos,
Prima cadunt, ita verborum vetus interit aetas,
Et iuvenum ritu florent modo nata vigentque.
Debemur morti nos nostraque.   Sive receptus
Terra Neptunus classis Aquilonibus arcet,
Regis opus, sterilisve diu palus aptaque remis
Vicinas urbis alit et grave sentit aratrum,
Seu cursum mutavit iniquum frugibus amnis,
Doctus iter melius, mortalia facta peribunt ;
Nedum sermonum stet honos et gratia vivax.
Multa renascentur, quae iam cecidere, cadentque

Quae nunc sunt in honore, vocabula, si volet usus,
Quem penes arbitrium est et ius et norma loquendi.

A. P., 47–72.

275. THE DRAMATIC POET SHOULD REMEMBER THAT BOY-HOOD, YOUTH, MANHOOD, AND AGE HAS EACH ITS OWN SEPARATE AND PECULIAR CHARACTER.

Si plausoris eges aulaea manentis et usque
Sessuri, donec cantor ' Vos plaudite' dicat;
Aetatis cuiusque notandi sunt tibi mores,
Mobilibusque decor naturis dandus et annis.
Reddere qui voces iam scit puer et pede certo
Signat humum, gestit paribus colludere et iram
Colligit ac ponit temere et mutatur in horas.
Inberbis iuvenis, tandem custode remoto,
Gaudet equis canibusque et aprici gramine campi,
Cereus in vitium flecti, monitoribus asper,
Utilium tardus provisor, prodigus aeris,
Sublimis cupidusque et amata relinquere pernix.
Conversis studiis aetas animusque virilis
Quaerit opes et amicitias, inservit honori,
Conmisisse cavet, quod mox mutare laboret.
Multa senem circumveniunt incommoda, vel quod
Quaerit et inventis miser abstinet ac timet uti,
Vel quod res omnes timide gelideque ministrat,
Dilator, spe longus, iners avidusque futuri,
Difficilis, querulus, laudator temporis acti
Se puero, castigator censorque minorum.
Multa ferunt anni venientes commoda secum,
Multa recedentes adimunt; ne forte seniles
Mandentur iuveni partes pueroque viriles,
Semper in adiunctis aevoque morabimur aptis.

A. P., 154–178.

Villus

ALBIUS TIBULLUS, 54–19 B. C.

276. A Faithful Lover.

Ibitis Aegeas sine me, Messala, per undas ;
    O utinam memores ipse cohorsque mei !
Me tenet ignotis aegrum Phaeacia terris ;
    Abstineas avidas, Mors modo nigra, manus.
Abstineas, Mors atra, precor ! non hic mihi mater,
    Quae legat in maestos ossa perusta sinus ;
Non soror, Assyrios cineri quae dedat odores,
    Et fleat effusis ante sepulcra comis ;
Delia non usquam, quae, me cum mitteret urbe,
    Dicitur ante omnes consuluisse deos.
Illa sacras pueri sortes ter sustulit ; illi
    Rettulit e triviis omina certa puer.
Cuncta dabant reditus ; tamen est deterrita nunquam,
    Quin fleret, nostras respiceretque vias.
Ipse ego solator, cum iam mandata dedissem,
    Quaerebam tardas anxius usque moras.
Aut ego sum causatus aves aut omina dira,
    Saturnive sacram me tenuisse diem.
O quotiens, ingressus iter, mihi tristia dixi
    Offensum in porta signa dedisse pedem !
Audeat invito ne quis discedere Amore ;
    Aut sciat egressum se prohibente deo.

I, iii, 1–22.

277. The Golden Age.

Quam bene Saturno vivebant rege, priusquam
    Tellus in longas est patefacta vias !
Nondum caeruleas pinus contempserat undas,
    Effusum ventis praebueratque sinum,
Nec vagus, ignotis repetens compendia terris,
    Presserat externa navita merce ratem.

Illo non validus subiit iuga tempore taurus;
　　Non domito frenos ore momordit equus;
Non domus ulla fores habuit; non fixus in agris,
　　Qui regeret certis finibus arva, lapis.
Ipsae mella dabant quercus, ultroque ferebant
　　Obvia securis ubera lactis oves.
Non acies, non ira fuit, non bella, nec ensem
　　Immiti saevus duxerat arte faber.
Nunc Iove sub domino caedes et vulnera semper,
　　Nunc mare, nunc leti mille repente viae.

I, iii, 35–50.

278. FAITHLESSNESS WILL NOT GO UNPUNISHED.

Quid mihi, si fueras miseros laesurus amores,
　　Foedera per divos, clam violanda, dabas?
A miser! et si quis primo periuria celat,
　　Sera tamen tacitis Poena venit pedibus.
Parcite, caelestes! aequum est impune licere
　　Numina formosis laedere vestra semel.
Lucra petens habili tauros adiungit aratro
　　Et durum terrae rusticus urget opus.
Lucra petituras freta per parentia ventis
　　Ducunt instabiles sidera certa rates.
Muneribus meus est captus puer; at deus illa
　　In cinerem et liquidas munera vertat aquas.
Iam mihi persolvet poenas, pulvisque decorem
　　Detrahet et ventis horrida facta coma.
Uretur facies, urentur sole capilli,
　　Deteret invalidos et via longa pedes.
Admonui quotiens: 'Auro ne pollue formam!
　　Saepe solent auro multa subesse mala.
Divitis captus si quis violavit amorem,
　　Asperaque est illi difficilisque Venus.
Ure meum potius flamma caput, et pete ferro
　　Corpus, et intorto verbere terga seca.
Nec tibi celandi spes sit, peccare paranti.
　　Est deus, occultos qui vetat esse dolos.'

I, ix, 1–24.

279. The Joys of Peace.

Quam potius laudandus hic est, quem, prole parata,
    Occupat in parva pigra senecta casa!
Ipse suas sectatur oves, at filius agnos,
    Et calidam fesso comparat uxor aquam.
Sic ego sim, liceatque caput candescere canis,
    Temporis et prisci facta referre senem.
Interea Pax arva colat. Pax candida primum
    Duxit araturos sub iuga curva boves.
Pax aluit vites, et sucos condidit uvae,
    Funderet ut nato testa paterna merum.
Pace bidens vomerque nitent; at tristia duri
    Militis in tenebris occupat arma situs.

I, x, 39–50.

280. Rustic Plenty.

Laurus ubi bona signa dedit, gaudete, coloni!
    Distendet spicis horrea plena Ceres;
Oblitus et musto feriet pede rusticus uvas,
    Dolia dum magni deficiantque lacus.
At madidus Baccho sua festa Palilia pastor
    Concinet; a stabulis tunc procul este lupi.
Ille levis stipulae sollemnis potus acervos
    Accendet, flammas transilietque sacras;
Et fetus matrona dabit, natusque parenti
    Oscula comprensis auribus eripiet;
Nec taedebit avum parvo advigilare nepoti,
    Balbaque cum puero dicere verba senem.
Tunc operata deo pubes discumbet in herba,
    Arboris antiquae qua levis umbra cadit;
Aut e veste sua tendent umbracula sertis
    Vincta, coronatus stabit et ante calix.
At sibi quisque dapes et festas exstruet alte
    Caespitibus mensas, caespitibusque torum.

II, v, 83–100.

281. Sulpicia: a Beautiful Woman.

Sulpicia est tibi culta tuis, Mars magne, Kalendis;
  Spectatum e caelo, si sapis, ipse veni.
Hoc Venus ignoscet; sed tu, violente, caveto,
  Ne tibi miranti turpiter arma cadant.
Illius ex oculis, cum vult exurere divos,
  Accendit geminas lampadas acer Amor.
Illam, quidquid agit, quoquo vestigia movit,
  Componit furtim subsequiturque Decor.
Seu solvit crines, fusis decet esse capillis;
  Seu compsit, comptis est veneranda comis.
Urit, seu Tyria voluit procedere palla;
  Urit, seu nivea candida veste venit.
Talis in aeterno felix Vertumnus Olympo
  Mille habet ornatus, mille decenter habet.
Sola puellarum digna est, cui mollia caris
  Vellera det sucis bis madefacta Tyros,
Possideatque metit quidquid bene olentibus arvis
  Cultor odoratae dives Arabs segetis,
Et quascumque niger rubro de litore gemmas
  Proximus Eois colligit Indus aquis.
Hanc vos, Pierides, festis cantate Kalendis,
  Et testudinea Phoebe superbe lyra.
Hoc sollemne sacrum multos haec sumat in annos!
  Dignior est vestro nulla puella choro.

III, viii, (IV, ii.)

DOMITIUS MARSUS, 54–4 B. C.

282. Epigram on the Death of Tibullus.

Te quoque Vergilio comitem non aequa, Tibulle,
  Mors iuvenem campos misit ad Elysios.
Ne foret aut molles elegis qui fleret amores,
  Aut caneret forti regia bella pede.

In Tibul. Op., ad fin.

SEXTUS PROPERTIUS, 49–15 B. C.

283. 'BEAUTY UNADORNED IS ADORNED THE MOST.'

Quid iuvat ornato procedere, vita, capillo,
    Et tenues Coa veste movere sinus?
Aut quid Orontea crines perfundere murra,
    Teque peregrinis vendere muneribus,
Naturaeque decus mercato perdere cultu
    Nec sinere in propriis membra nitere bonis?
Crede mihi, non ulla tuae est medicina figurae,
    Nudus Amor formae non amat artificem.
Aspice, quos summittat humus dumosa colores,
    Ut veniant hederae sponte sua melius,
Surgat et in solis formosius arbutus antris,
    Et sciat indociles currere lympha vias.
Litora nativis collucent picta lapillis
    Et volucres nulla dulcius arte canunt.
Non sic Leucippis succendit Castora Phoebe,
    Pollucem cultu non Hilaira soror,
Non, Idae et cupido quondam discordia Phoebo,
    Eueni patriis filia litoribus,
Nec Phrygium falso traxit candore maritum
    Avecta externis Hippodamia rotis;
Sed facies aderat nullis obnoxia gemmis,
    Qualis Apelleis est color in tabulis.
Non illis studium vulgo conquirere amantes;
    Illis ampla satis forma pudicitia.
Non ego nunc vereor, ne sim tibi vilior istis;
    Uni si qua placet, culta puella sat est,
Cum tibi praesertim Phoebus sua carmina donet
    Aoniamque libens Calliopea lyram,
Unica nec desit iucundis gratia dictis,
    Omnia quaeque Venus quaeque Minerva probat.
His tu semper eris nostrae gratissima vitae,
    Taedia dum miserae sint tibi luxuriae.

                                  I, ii.

284. A Lover repents having left his Mistress.

Et merito, quoniam potui fugisse puellam,
    Nunc ego desertas adloquor alcyonas.
Nec mihi Cassiope solito visura carinam est,
    Omniaque ingrato litore vota cadunt.
Quin etiam absenti prosunt tibi, Cynthia, venti;
    Aspice, quam saevas increpat aura minas.
Nullane placatae veniet fortuna procellae?
    Haecine parva meum funus arena teget?
Tu tamen in melius saevas converte querellas;
    Sat tibi sit poenae nox et iniqua vada.
An poteris siccis mea fata reponere ocellis?
    Ossaque nulla tuo nostra tenere sinu?
A pereat, quicumque rates et vela paravit
    Primus, et invito gurgite fecit iter!
Nonne fuit melius dominae pervincere mores,
    (Quamvis dura, tamen rara puella fuit),
Quam sic ignotis circumdata litora silvis
    Cernere, et optatos quaerere Tyndaridas?
Illic si qua meum sepelissent fata dolorem,
    Ultimus et posito staret amore lapis,
Illa meo caros donasset funere crines;
    Molliter et tenera poneret ossa rosa.
Illa meum extremo clamasset pulvere nomen,
    Tum mihi non ullo pondere terra foret.
At vos aequoreae formosa Doride natae,
    Candida felici solvite vela choro.
Si quando vestras labens Amor attigit undas,
    Mansuetis socio parcite litoribus.

                      I, xvii.

285. The Death of Hylas.

Namque ferunt olim Pagasae navalibus Argon
    Egressam longe Phasidos isse viam,
Et iam praeteritis labentem Athamantidos undis
    Mysorum scopulis adplicuisse ratem.

Hic manus heroum, placidis ut constitit oris,
  Mollia composita litora fronde tegit.
At comes invicti iuvenis processerat ultra,
  Raram sepositi quaerere fontis aquam.
Hunc duo sectati fratres, Aquilonia proles,
  Hunc super et Zetes, hunc super et Calais,
Oscula suspensis instabant carpere palmis,
  Oscula et alterna ferre supina fuga.
Ille sub extrema pendens secluditur ala,
  Et volucres ramo submovet insidias.
Iam Pandioniae cessit genus Orithyiae :
  A, dolor ! ibat Hylas, ibat Enydriasin.
Hic erat Arganthi Pege sub vertice montis
  Grata domus Nymphis humida Thyniasin,
Quam supra nullae pendebant debita curae
  Roscida desertis poma sub arboribus,
Et circum irriguo surgebant lilia prato
  Candida purpureis mixta papaveribus ;
Quae modo decerpens tenero pueriliter ungui,
  Proposito florem praetulit officio,
Et modo formosis incumbens nescius undis
  Errorem blandis tardat imaginibus.
Tandem haurire parat demissis flumina palmis
  Innixus dextro plena trahens humero.
Cuius ut accensae Hydriades candore puellae
  Miratae solitos destituere choros,
Prolapsum leviter facili traxere liquore :
  Tum sonitum rapto corpore fecit Hylas.
Cui procul Alcides iterat responsa ; sed illi
  Nomen ab extremis fontibus aura refert.
His, o Galle, tuos monitus servabis amores,
  Formosum Nymphis credere tutus Hylam.

                                  I, xx, 17–52.

286. Lament for the Death of Paetus.

Ergo sollicitae tu causa, Pecunia, vitae es!
     Per te inmaturum mortis adimus iter.
Tu vitiis hominum crudelia pabula praebes;
     Semina curarum de capite orta tuo.
Tu Paetum ad Pharios tendentem lintea portus
     Obruis insano terque quaterque mari.
Nam dum te sequitur, primo miser excidit aevo
     Et nova longinquis piscibus esca natat,
Et mater non iusta piae dare debita terrae
     Nec pote cognatos inter humare rogos,
Sed tua nunc volucres adstant super ossa marinae,
     Nunc tibi pro tumulo Carpathium omne mare est.
Infelix Aquilo, raptae timor Orithyiae,
     Quae spolia ex illo tanta fuere tibi?
Aut quidnam fracta gaudes, Neptune, carina?
     Portabat sanctos alveus ille viros.
Paete, quid aetatem numeras? quid cara natanti
     Mater in ore tibi est? Non habet unda deos.
Nam tibi nocturnis ad saxa ligata procellis
     Omnia detrito vincula fune cadunt.
Reddite corpus humo, positaque in gurgite vita
     Paetum sponte tua vilis harena tegas;
Et quotiens Paeti transibit nauta sepulcrum,
     Dicat: 'Et audaci tu timor esse potes.'
Ite, rates curvate, et leti texite causas:
     Ista per humanas mors venit acta manus.
Terra parum fuerat. Fatis adiecimus undas;
     Fortunae miseras auximus arte vias.
Ancora te teneat, quem non tenuere Penates?
     Quid meritum dicas, cui sua terra parum est?
Ventorum est, quodcumque paras! haut ulla carina
     Consenuit, fallit portus et ipse fidem.
Natura insidians pontum substravit avaris:
     Ut tibi succedat, vix semel esse potest.
Saxa triumphales fregere Capharea puppes,
     Naufraga cum vasto Graecia tracta salo est.

Paulatim socium iacturam flevit Ulixes,
    In mare cui soliti non valuere doli.
Quod si contentus patrio bove vorteret agros,
    Verbaque duxisset pondus habere mea,
Viveret ante suos dulcis conviva Penates,
    Pauper, at in terra nil nisi fleret opes.
Non tulit hoc Paetus, stridorem audire procellae
    Et duro teneras laedere fune manus,
Sed Thyio thalamo aut Oricia terebintho
    Et fultum pluma versicolore caput.
Huic fluctus vivo radicitus abstulit ungues,
    Et miser invisam traxit hiatus aquam ;
Hunc parvo ferri vidit nox improba ligno.
    Paetus ut occideret, tot coiere mala.
Flens tamen extremis dedit haec mandata querellis,
    Cum moribunda niger clauderet ora liquor :
' Di maris Aegaei, quos sunt penes aequora, Venti,
    Et quaecumque meum degravat unda caput,
Quo rapitis miseros tenerae lanuginis annos ?
    Attulimus longas in freta vestra manus.
A miser ! alcyonum scopulis adfligar acutis,
    In me caeruleo fuscina sumpta deo est.
At saltem Italiae regionibus advehat aestus ;
    Hoc de me sat erit si modo matris erit.'
Subtrahit haec fantem torta vertigine fluctus ;
    Ultima quae Paeto voxque diesque fuit.
O centum aequoreae Nereo genitore puellae,
    Et tu, materno tacta dolore, Thetis,
Vos decuit lasso supponere bracchia mento :
    Non poterat vestras ille gravare manus.

III, vii, (IV, vi,) 1–20, 25–70.

287. Rome Past and Present.

Hoc, quodcumque vides, hospes, qua maxima Roma est,
    Ante Phrygem Aeneam collis et herba fuit ;
Atque ubi Navali stant sacra palatia Phoebo,
    Evandri profugae concubuere boves.
Fictilibus crevere deis haec aurea templa,
    Nec fuit obprobrio facta sine arte casa ;

Tarpeiusque pater nuda de rupe tonabat,
  Et Tiberis nostris advena bubus erat.
Qua gradibus domus ista Remi se sustulit olim,
  Unus erat fratrum maxima regna focus.
Curia, praetexto quae nunc nitet alta Senatu,
  Pellitos habuit, rustica corda, patres.
Bucina cogebat priscos ad verba Quirites :
  Centum illi in prato saepe Senatus erat.
Nec sinuosa cavo pendebant vela theatro ;
  Pulpita sollemnis non oluere crocos.
Vesta coronatis pauper gaudebat asellis,
  Ducebant macrae vilia sacra boves.
Parva saginati lustrabant compita porci ;
  Pastor et ad calamos exta litabat ovis.
Nec rudis infestis miles radiabat in armis ;
  Miscebant usta proelia ficta sude.
Prima galeritus posuit praetoria Lucmo,
  Magnaque pars Tatio rerum erat inter oves.
Hinc Titiens Ramnesque viri, Luceresque coloni,
  Quattuor hinc albos Romulus egit equos.
Quippe suburbanae parva minus urbe Bovillae,
  Et, qui nunc nulli, maxima turba Gabi ;
Et stetit Alba potens, albae suis omine nata,
  Hac, ubi Fidenas longe erat ire, via.
Nil patrium, nisi nomen, habet, Romanus alumnus :
  Sanguinis altricem nunc pudet esse lupam.

          V, (IV,) i, 1-16, 21-24, 27-38.

288. NATIONAL GREATNESS AN INCENTIVE TO PATRIOTIC
          POETRY.

Optima nutricum nostris Lupa Martia rebus,
  Qualia creverunt moenia lacte tuo !
Moenia namque pio conor disponere versu :
  Ei mihi, quod nostro est parvus in ore sonus !
Sed tamen exiguo quodcumque e pectore rivi
  Fluxerit, hoc patriae serviet omne meae.
Ennius hirsuta cingat sua dicta corona :
  Mi folia ex hedera porrige, Bacche, tua,

Ut nostris tumefacta superbiat Umbria libris,
Umbria Romani patria Callimachi.
Scandentes quisquis cernet de vallibus arces,
Ingenio muros aestimet ille meo.
Roma fave, tibi surgit opus; date candida cives
Omina, et inceptis dextera cantet avis.
Sacra diesque canam, et cognomina prisca locorum;
Has meus ad metas sudet oportet equus.

Id., 55–70.

289. The Shade of Cornelia exhorts her Husband
and Children to Mutual Affection.

Nunc tibi commendo, communia pignora, natos;
Haec cura et cineri spirat inusta meo.
Fungere maternis vicibus, pater. Illa meorum
Omnis erit collo turba fovenda tuo.
Oscula cum dederis tua flentibus, adice matris;
Tota domus coepit nunc onus esse tuum.
Et, si quid doliturus eris, sine testibus illis;
Cum venient, siccis oscula falle genis.
Sat tibi sint noctes, quas de me, Paule, fatiges,
Somniaque in faciem credita saepe meam.
Atque, ubi secreto nostra ad simulacra loqueris,
Ut responsurae singula verba iace.
Seu tamen adversum mutarit ianua lectum,
Sederit et nostro cauta noverca toro,
Coniugium, pueri, laudate et ferte paternum;
Capta dabit vestris moribus illa manus.
Nec matrem laudate nimis; conlata priori
Vertet in offensas libera verba suas.
Seu memor ille mea contentus manserit umbra
Et tanti cineres duxerit esse meos,
Discite venturam iam nunc lenire senectam,
Caelibis ad curas nec vacet nulla via.
Quod mihi detractum est, vestros accedat ad annos;
Prole mea Paulum sic iuvet esse senem.

V, (IV,) xi, 73–96.

C. ASINIUS POLLIO, 75 B. C.–4 A. D.

290. Character of Cicero.

Huius ergo viri tot tantisque operibus mansuris in omne aevum praedicare de ingenio atque industria supervacuum est. Natura autem atque fortuna pariter obsecuta est ei, si quidem facies decora ad senectutem prosperaque permansit valetudo, tum pax diutina cuius instructus erat artibus contigit. Namque ad priscam severitatem iudiciis exactis maxima noxiorum multitudo provenit, quos obstrictos patrocinio incolumes plerosque habebat. Iam felicissima consulatus ei sors petendi et gerendi magna munera deum consilio industriaque : utinam moderatius secundas res et fortius adversas ferre potuisset ! namque utraeque cum evenerant ei, mutari eas non posse rebatur. Inde sunt invidiae tempestates coortae gravissimae, eo certiorque inimicis adgrediendi fiducia ; maiore enim simultates adpetebat animo quam gerebat. Sed quando mortalium nulli virtus perfecta contigit, qua maior pars vitae atque ingenii stetit, ea iudicandum de homine est. Atque ego ne miserandi quidem exitus eum fuisse indicarem, nisi ipse tam miseram mortem putasset.

Ap. Sen. Rh., Suas., VI, xxiv.

T. LIVIUS PATAVINUS, 59 B. C.–17 A. D.

291. Transportation of the Populace of Alba.

Inter haec iam praemissi erant Albam equites, qui multitudinem traducerent Romam. Legiones deinde ductae ad diruendam urbem. Quae ubi intravere portas, non quidem fuit tumultus ille, nec pavor, qualis captarum esse urbium solet, cum effractis portis, stratisve ariete muris, aut arce vi capta, clamor hostilis et cursus per urbem armatorum omnia ferro flammaque miscet; sed silentium triste ac tacita maestitia ita defixit omnium animos, ut,

prae metu obliti, quid relinquerent, quid secum ferrent, deficiente consilio, rogitantesque alii alios, nunc in liminibus starent,
nunc errabundi domos suas ultimum illud visuri pervagarentur.
Ut vero iam equitum clamor exire iubentium instabat, iam
fragor tectorum, quae diruebantur, ultimis urbis partibus audiebatur, pulvisque, ex distantibus locis ortus, velut nube inducta
omnia inpleverat, raptim, quibus quisque poterat, elatis, cum
larem ac penates tectaque in quibus natus quisque educatusque
esset relinquentes exirent, iam continens agmen migrantium inpleverat vias; et conspectus aliorum mutua miseratione integra-
bat lacrimas; vocesque etiam miserabiles exaudiebantur, mulierum
praecipue, cum obsessa ab armatis templa augusta praeterirent,
ac velut captos relinquerent deos.   Egressis urbem Albanis,
Romanus passim publica privataque omnia tecta adaequat solo,
unaque hora quadringentorum opus annorum, quibus Alba steterat, excidio ac ruinis dedit.   Templis tamen deum (ita enim
edictum ab rege fuerat) temperatum est.

I, xxix.

292. Feats of Knightly Prowess at the Battle of Lake Regillus.

Ergo etiam proelium aliquanto, quam cetera, gravius atque
atrocius fuit.   Non enim duces ad regendam modo consilio rem
adfuere, sed, suismet ipsi corporibus dimicantes, miscuere certamina; nec quisquam procerum ferme hac aut illa ex acie sine
vulnere, praeter dictatorem Romanum, excessit.   In Postumium,
prima in acie suos adhortantem instruentemque, Tarquinius
Superbus, quamquam iam aetate et viribus erat gravior, equum
infestus admisit; ictusque ab latere, concursu suorum receptus in
tutum est.   Et ad alterum cornu Aebutius magister equitum in
Octavium Mamilium impetum dederat.   Nec fefellit veniens
Tusculanum ducem; contra quem et ille concitat equum, tantaque vis infestis venientium hastis fuit, ut bracchium Aebutio
traiectum sit, Mamilio pectus percussum.   Hunc quidem in secundam aciem Latini recepere; Aebutius, cum saucio bracchio
tenere telum non posset, pugna excessit.   M. Valerius, Publico-
lae frater, conspicatus ferocem iuvenem Tarquinium, ostentantem
se in prima exulum acie, domestica etiam gloria accensus, ut

cuius familiae decus eiecti reges erant, eiusdem interfecti forent,
subdit calcaria equo, et Tarquinium infesto spiculo petit.　Tarquinius retro in agmen suorum infenso cessit hosti.　Valerium,
invectum temere in exulum aciem, ex transverso quidam adortus transfigit : nec quicquam equitis vulnere equo retardato,
moribundus Romanus, labentibus super corpus armis, ad terram
defluxit.　Hos agmine venientes T. Herminius legatus conspicatus, interque eos insignem veste armisque Mamilium noscitans,
tanto vi maiore, quam paulo ante magister equitum, cum hostium
duce proelium iniit, ut et uno ictu transfixum per latus occiderit
Mamilium, et ipse inter spoliandum corpus hostis veruto percus-
sus, cum victor in castra esset relatus, inter primam curationem
exspiraverit.

II, xix, xx.

293. Virginius implores his Fellow-Citizens to pity him for having been forced to slay his Child.

Supinas deinde tendens manus, commilitones appellans, orabat,
ne, quod scelus Ap. Claudii esset, sibi attribuerent, neu se, ut
parricidam liberum, aversarentur.　Sibi vitam filiae sua cariorem fuisse, si liberae ac pudicae vivere licitum fuisset.　Cum,
velut servam, ad stuprum rapi videret, morte amitti melius
ratum, quam contumelia, liberos, misericordia se in speciem
crudelitatis lapsum.　Nec se superstitem filiae futurum fuisse,
nisi spem ulciscendae mortis eius in auxilio commilitonum habuisset.　Illis quoque enim filias, sorores, coniugesque esse, nec
cum filia sua libidinem Ap. Claudii extinctam esse ; sed, quo
inpunitior sit, eo effrenatiorem fore.　Aliena calamitate documentum datum illis cavendae similis iniuriae.　Quod ad se
adtineat, uxorem sibi fato ereptam ; filiam, quia non ultra vic-
tura pudica fuerit, miseram, sed honestam mortem occubuisse.
Non esse iam Appi libidini locum in domo sua ; ab alia violentia
eius eodem se animo suum corpus vindicaturum, quo vindica-
verit filiae.　Ceteri sibi ac liberis suis consulerent.

III, l.

294. THE DRAMA. ITS FIRST INTRODUCTION INTO ROME
   (364 B. C.), AND SKETCH OF ITS SUBSEQUENT DE-
   VELOPMENT.

Et hoc et insequenti anno, C. Sulpicio Petico, C. Licinio
Stolone consulibus, pestilentia fuit.   Eo nihil dignum memoria
actum, nisi quod pacis deum exposcendae causa tertio tum post
conditam urbem lectisternium fuit.   Et cum vis morbi nec
humanis consiliis nec ope divina levaretur, victis superstitione
animis, ludi quoque scenici, nova res bellicoso populo, (nam
circi modo spectaculum fuerat) inter alia caelestis irae placa-
mina instituti dicuntur.   Ceterum parva quoque (ut ferme principia omnia) et ea ipsa peregrina res fuit.   Sine carmine ullo,
sine imitandorum carminum actu, ludiones ex Etruria acciti, ad
tibicinis modos saltantes, haud indecoros motus more Tusco
dabant.   Imitari deinde eos iuventus, simul inconditis inter se
iocularia fundentes versibus, coepere ; nec absoni a voce motus
erant.   Accepta itaque res saepiusque usurpando excitata.   Vernaculis artificibus, quia ister Tusco verbo ludius vocabatur,
nomen histrionibus inditum ; qui non, sicut ante, Fescennino
versu similem incompositum temere ac rudem alternis iaciebant,
sed inpletas modis saturas, descripto iam ad tibicinem cantu,
motuque congruenti peragebant.   Livius post aliquot annos, qui
ab saturis ausus est primus argumento fabulam serere, (idem
scilicet, id quod omnes tum erant, suorum carminum actor) dicitur, cum saepius revocatus vocem obtudisset, venia petita puerum
ad canendum ante tibicinem cum statuisset, canticum egisse aliquanto magis vigente motu, quia nihil vocis usus inpediebat.
Inde ad manum cantari histrionibus coeptum, diverbiaque tantum
ipsorum voci relicta.   Postquam lege hac fabularum ab risu ac
soluto ioco res avocabatur, et ludus in artem paulatim verterat ;
iuventus, histrionibus fabellarum actu relicto, ipsa inter se more
antiquo ridicula intexta versibus iactitare coepit ; quae exodia
postea appellata, consertaque fabellis potissimum Atellanis sunt.
Quod genus ludorum ab Oscis acceptum tenuit iuventus, nec ab
histrionibus pollui passa est.   Eo institutum manet, ut actores
Atellanarum nec tribu moveantur, et stipendia, tamquam ex-
pertes artis ludicrae, faciant.   Inter aliarum parva principia

rerum, ludorum quoque prima origo ponenda visa est; ut appareret, quam ab sano initio res in hanc vix opulentis regnis tole-
rabilem insaniam venerit.

VII, ii.

295. POSTUMIUS CONTENDS FOR THE PRINCIPLE THAT IN TIME OF WAR THE CONSUL AND THE ARMY HAVE NO POWER TO PLEDGE THE STATE TO ANY COURSE OF ACTION.

' Nam quod deditione nostra negant exsolvi religione populum,
id istos magis, ne dedantur, quam quia ita se res habeat, dicere,
quis adeo iuris fetialium expers est, qui ignoret? Neque ego
infitias eo, Patres conscripti, tam sponsiones quam foedera sancta
esse apud eos homines, apud quos iuxta divinas religiones fides
humana colitur; iniussu populi nego quicquam sanciri posse,
quod populum teneat. An, si eadem superbia, qua sponsionem
istam expresserunt nobis Samnites, coegissent nos verba legitima
dedentium urbes nuncupare, deditum populum Romanum vos
tribuni diceretis, et hanc urbem, templa, delubra, fines, aquas,
Samnitium esse? Omitto deditionem, quoniam de sponsione
agitur. Quid tandem, si spopondissemus, urbem hanc relictu-
rum populum Romanum? si incensurum? si magistratus, si
senatum, si leges non habiturum? si sub regibus futurum? Di
meliora! inquis. Atqui non indignitas rerum sponsionis vinculum levat. Si quid est, in quo obligari populus possit, in omnia
potest; et ne illud quidem, quod quosdam forsitan moveat,
refert, consul, an dictator, an praetor spoponderit. Et hoc ipsi
etiam Samnites iudicaverunt, quibus non fuit satis consules
spondere, sed legatos, quaestores, tribunos militum spondere
coegerunt. Nec a me nunc quisquam quaesiverit, quid ita spo-
ponderim? cum id nec consulis ius esset; nec illis spondere
pacem, quae mei non erat arbitrii, nec pro vobis, qui nihil man-
daveratis, possem. Nihil ad Caudium, Patres conscripti, humanis consiliis gestum est. Di inmortales et vestris et hostium
imperatoribus mentem ademerunt. Nec nos in bello satis cavi-
mus: et illi male partam victoriam male perdiderunt, dum vix
locis, quibus vicerant, credunt, dum quacumque conditione arma
viris in arma natis auferre festinant. An, si sana mens fuisset,

difficile illis fuit, dum senes ab domo ad consultandum accersunt,
mittere Romam legatos? cum senatu, cum populo, de pace ac
foedere agere? Tridui iter expeditis erat. Interea in indutiis
res fuisset, donec ab Roma legati aut victoriam illis certam, aut
pacem adferrent. Ea demum sponsio esset, quam populi iussu
spopondissemus. Sed neque vos tulissetis, nec nos spopondissemus; nec fas fuit alium rerum exitum esse, quam ut illi, velut
somnio laetiore, quam quod mentes eorum capere possent, nequiquam eluderentur, et nostrum exercitum eadem, quae inpe-
dierat, fortuna expediret; vanam victoriam vanior inritam faceret
pax; sponsio interponeretur, quae neminem, praeter sponsorem,
obligaret. Quid enim vobiscum, Patres conscripti, quid cum
populo Romano actum est? quis vos appellare potest? quis se a
vobis dicere deceptum? Hostis? an civis? Hosti nihil spo-
pondistis; civem neminem spondere pro vobis iussistis. Nihil
ergo vobis nec nobiscum est, quibus nihil mandastis, nec cum
Samnitibus, cum quibus nihil egistis. Samnitibus sponsores nos
sumus, rei satis locupletes, in id, quod nostrum est, in id, quod
praestare possumus, corpora nostra et animos. In haec saeviant,
in haec ferrum, in haec iras acuant. Quod ad tribunos attinet,
consulite, utrum praesens deditio eorum fieri possit, an in diem
differatur. Nos interim, T. Veturi, vosque ceteri, vilia haec
capita luendae sponsionis feramus, et nostro supplicio liberemus
Romana arma.'

IX, ix.

296. The Samnite General contends that the Prin-
ciples of International Right should be Par-
amount over all Considerations of Technical
Formality.

' Quin tu, Sp. Postumi, si deos esse censes, aut omnia inrita
facis, aut pacto stas? Samniti populo omnes, quos in potestate
habuit, aut pro iis pax debetur. Sed quid ego te appello, qui te
captum victori, cum qua potes fide, restituis? Populum Romanum appello; quem si sponsionis ad Furculas Caudinas factae
paenitet, restituat legiones intra saltum, quo saeptae fuerunt.
Nemo quemquam deceperit, omnia pro infecto sint; recipiant
arma, quae per pactionem tradiderunt, redeant in castra sua.

Quicquid pridie habuerunt, quam in conloquium est ventum, habeant. Tum bellum et fortia consilia placeant, tum sponsio et pax repudietur. Ea fortuna, iis locis, quae ante pacis mentionem habuimus, geramus bellum ; nec populus Romanus consulum sponsionem, nec nos fidem populi Romani accusemus. . . . Non probat populus Romanus ignominiosa pace legiones servatas ? Pacem sibi habeat, legiones captas victori restituat ; hoc fide, hoc foederibus, hoc fetialibus caerimoniis dignum erat. Ut tu quidem, quod petisti, per pactionem habeas, tot cives incolumes ; ego pacem, quam hos tibi remittendo pactus sum, non habeam : hoc tu, A. Corneli, hoc vos, fetiales, iuris gentibus dicitis ? Ego vero istos, quos dedi simulatis, nec accipio, nec dedi arbitror ; nec moror, quo minus in civitatem obligatam sponsione commissa, iratis omnibus dis, quorum eluditur numen, redeant. Gerite bellum, quando Sp. Postumius modo legatum fetialem genu perculit. Ita di credent, Samnitem civem Postumium, non civem Romanum esse, et a Samnite Romanum legatum violatum ; eo vobis iustum in nos factum esse bellum. Haec ludibria religionum non pudere in lucem proferre, et vix pueris dignas ambages senes ac consulares fallendae fidei exquirere ! I, lictor, deme vincla Romanis ; moratus sit nemo, quo minus, ubi visum fuerit, abeant.'

IX, ix.

297. The Dictator Fabius tells his Troops that their only Chance of Escape is to cut their way through the Enemy.

' Locis,' inquit, ' angustis, milites, deprehensi, nisi quam victoria patefecerimus, viam nullam habemus. Stativa nostra munimento satis tuta sunt ; sed inopia eadem infesta. Nam et circa omnia defecerunt, unde subvehi commeatus poterant, et si omnes iuvare velint, iniqua loca sunt. Itaque non frustrabor ego vos, castra hic relinquendo, in quae, infecta victoria, sicut pristino die, vos recipiatis. Armis munimenta, non munimentis arma tuta esse debent. Castra habeant repetantque, quibus operae est trahere bellum ; nos omnium rerum respectum, praeterquam victoriae, nobis abscidamus. Ferte signa in hostem ; ubi extra vallum cesserit agmen, castra, quibus imperatum est, incendent ;

damna vestra, milites, omnium circa, qui defecerunt, populorum
praeda sarcientur.'

IX, xxiii.

298. Character of Hannibal.

Numquam ingenium idem ad res diversissimas, parendum atque
imperandum, habilius fuit. Itaque haud facile discerneres, utrum
imperatori an exercitui carior esset. . . . Plurimum audaciae ad
pericula capessenda, plurimum consilii inter ipsa pericula erat;
nullo labore aut corpus fatigari, aut animus vinci poterat. Caloris ac frigoris patientia par ; cibi potionisque desiderio naturali,
non voluptate, modus finitus ; vigiliarum somnique nec die nec
nocte discriminata tempora. Id, quod gerendis rebus superesset,
quieti datum ; ea neque molli strato, neque silentio accersita.
Multi saepe militari sagulo opertum, humi iacentem inter custo-
dias stationesque militum, conspexerunt. Vestitus nihil inter
aequales excellens, arma atque equi conspiciebantur. Equitum
peditumque idem longe primus erat. Princeps in proelium ibat ;
ultimus conserto proelio excedebat. Has tantas viri virtutes
ingentia vitia aequabant : inhumana crudelitas, perfidia plus
quam Punica, nihil veri, nihil sancti, nullus deum metus, nullum iusiurandum, nulla religio.

XXI, iv.

299. Character of Scipio Africanus Major.

Fuit enim Scipio non veris tantum virtutibus mirabilis, sed
arte quoque quadam ab iuventa in ostentationem earum compositus, pleraque apud multitudinem, aut per nocturnas visa
species, aut velut divinitus mente monita, agens ; sive et ipse
capti quadam superstitione animi, sive ut imperia consiliaque,
velut sorte oraculi missa, sine cunctatione exsequerentur. Ad
hoc iam inde ab initio praeparans animos, ex quo togam virilem
sumpsit, nullo die prius ullam publicam privatamque rem egit,
quam in Capitolium iret, ingressusque aedem consideret, et plerumque solus in secreto ibi tempus tereret. Hic mos, quem per
omnem vitam servabat, seu consulto, seu temere, vulgatae
opinioni fidem apud quosdam fecit, stirpis eum divinae virum

esse; rettulitque famam, in Alexandro Magno prius vulgatam, et
vanitate et fabula parem, anguis immanis concubitu conceptum,
et in cubiculo matris eius persaepe visam prodigii eius speciem,
interventuque hominum evolutam repente, atque ex oculis elap-
sam. His miraculis numquam ab ipso elusa fides est; quin potius
aucta arte quadam, nec abnuendi tale quicquam, nec palam adfirmandi. Multa alia eiusdem generis, alia vera, alia adsimulata,
admirationis humanae in eo iuvene excesserant modum; quibus
freta tunc civitas, aetati haudquaquam maturae tantam molem
rerum, tantumque imperium permisit.

XXVI, xix.

300. Battle of Lake Trasimene.

Consul, perculsis omnibus, ipse satis, ut in trepida re, inpavi-
dus, turbatos ordines, vertente se quoque ad dissonos clamores,
instruit, ut tempus locusque patitur; et quacumque adire audiri-
que potest, adhortatur, ac stare ac pugnare iubet; 'nec enim
inde votis aut inploratione deum, sed vi ac virtute, evadendum
esse; per medias acies ferro viam fieri, et, quo timoris minus
sit, eo minus ferme periculi esse.' Ceterum prae strepitu ac
tumultu nec consilium nec imperium accipi poterat; tantumque
aberat, ut sua signa atque ordinem et locum noscerent, ut
vix ad arma capienda aptandaque pugnae conpeteret animus,
opprimerenturque quidam, onerati magis iis, quam tecti; et erat
in tanta caligine maior usus aurium quam oculorum. Ad gemitum vulneratorum ictusque corporum aut armorum, et mixtos stre-
pentium paventiumque clamores, circumferebant ora oculosque.
Alii fugientes pugnantium globo inlati haerebant; alios redeuntes
in pugnam avertebat fugientium agmen. Deinde, ubi in omnis
partis nequiquam impetus facti, et ab lateribus montes ac lacus,
a fronte et a tergo hostium acies claudebat, apparuitque, nullam,
nisi in dextera ferroque, salutis spem esse; tum sibi unusquisque
dux adhortatorque factus ad rem gerendam, et nova de integro
pugna exorta est; non illa ordinata per principes hastatosque ac
triarios, nec ut pro signis antesignani, post signa alia pugnaret
acies; nec ut in sua legione miles, aut cohorte, aut manipulo
esset. Fors conglobabat, et animus suus cuique ante aut post
pugnandi ordinem dabat; tantusque fuit ardor armorum, adeo

intentus pugnae animus, ut eum motum terrae, qui multarum
urbium Italiae magnas partes prostravit, avertitque cursu rapidos
amnis, mare fluminibus invexit, montes lapsu ingenti proruit,
nemo pugnantium senserit. . . . Magnae partis fuga inde primum
coepit ; et iam nec lacus nec montes obstabant pavori. Per
omnia arta praeruptaque velut caeci evadunt ; armaque et viri
super alium alii praecipitantur. Pars magna, ubi locus fugae
deest, per prima vada paludis in aquam progressi, quoad capitibus umerisque extare possunt, sese inmergunt. Fuere, quos
inconsultus pavor nando etiam capessere fugam inpulerit. Quae
ubi immensa ac sine spe erat, aut deficientibus animis haurie-
bantur gurgitibus, aut nequiquam fessi vada retro aegerrime
repetebant, atque ibi ab ingressis aquam hostium equitibus passim
trucidabantur.

XXII, v, vi.

301. ENGINEERING SKILL OF ARCHIMEDES IN THE DEFENCE OF SYRACUSE.

Et habuisset tanto impetu coepta res fortunam, nisi unus
homo Syracusis ea tempestate fuisset, Archimedes. Is erat uni-
cus spectator caeli siderumque ; mirabilior tamen inventor ac
machinator bellicorum tormentorum operumque, quibus quicquid
hostes ingenti mole agerent, ipse perlevi momento ludificaretur.
Murum per inaequales ductum colles, (pleraque alta et difficilia
aditu, submissa quaedam, et quae planis vallibus adiri possent) ut
cuique aptum visum est loco, ita omni genere tormentorum in-
struxit. Achradinae murum, qui, ut ante dictum est, mari ad-
luitur, sexaginta quinqueremibus Marcellus oppugnabat. Ex
ceteris navibus sagittarii funditoresque, et velites etiam, quorum
telum inhabile ad remittendum imperitis est, vix quemquam sine
volnere consistere in muro patiebantur. Hi, quia spatio missi-
libus opus est, procul muro tenebant naves. Iunctae aliae binae
quinqueremes, demptis interioribus remis, ut latus lateri adplica-
retur, cum exteriore ordine remorum velut una navis agerentur,
turres contabulatas machinamentaque alia quatiendis muris por-
tabant. Adversus hunc navalem apparatum Archimedes variae
magnitudinis tormenta in muris disposuit. In eas, quae procul
erant, naves saxa ingenti pondere emittebat ; propiores leviori-

bus, eoque magis crebris, petebat telis; postremo, ut sui volnere
intacti tela in hostem ingererent, murum ab imo ad summum
crebris cubitalibus fere cavis aperuit, per quae cava pars sagittis, pars scorpionibus modicis ex occulto petebant hostem.   Quae
propius quaedam subibant naves, quo interiores ictibus tormentorum essent, in eas tollenone super murum eminente ferrea manus
firmae catenae inligata cum iniecta prorae esset, gravique libramento plumbi recelleret ad solum, suspensa prora, navem in
puppim statuebat; dein, remissa subito, velut ex muro cadentem
navim cum ingenti trepidatione nautarum ita undae adfligebat, ut,
etiamsi recta reciderat, aliquantum aquae acciperet.   Ita mari-
tima oppugnatio est elusa, omnisque vis est eo versa, ut totis
viribus terra adgrederentur.   Sed ea quoque pars eodem omni
apparatu tormentorum instructa erat, Hieronis inpensis curaque
per multos annos, Archimedis unica arte.   Natura etiam adiu-
vabat loci, quod saxum, cui inposita muri fundamenta sunt,
magna parte ita proclive est, ut non solum missa tormento, sed
etiam quae pondere suo provoluta essent, graviter in hostem in-
ciderent.   Eadem causa ad subeundum arduum aditum instabi-
lemque ingressum praebebat.   Ita, consilio habito, quoniam omnis
conatus ludibrio esset, absistere oppugnatione, atque obsidendo
tantum arcere terra marique commeatibus hostem placuit.

XXIV, xxxiv.

302. Speech of the Locrian Ambassadors before the Roman Senate (204 B.C.), showing the inevitable Punishment of Sacrilege.

' Unum est, de quo nominatim et nos queri religio infixa
animis cogat, et vos audire, et exsolvere rempublicam vestram
religione, si ita vobis videbitur, velimus, Patres conscripti.
Vidimus enim, cum quanta caerimonia non vestros solum colatis
deos, sed etiam externos accipiatis.   Fanum est apud nos Proserpinae, de cuius sanctitate templi credo aliquam famam ad vos
pervenisse Pyrrhi bello: qui cum, ex Sicilia rediens, Locros
classe praeterveheretur, inter alia foeda, quae propter fidem erga
vos in civitatem nostram facinora edidit, thensauros quoque Proserpinae, intactos ad eam diem, spoliavit; atque ita, pecunia in
naves imposita, ipse terra est profectus.   Quid ergo evenit,

Patres conscripti ? Classis postero die foedissima tempestate
lacerata, omnesque naves, quae sacram pecuniam habuerunt, in
litora nostra eiectae sunt. Qua tanta clade edoctus tandem deos
esse superbissimus rex, pecuniam omnem conquisitam in thensauros Proserpinae referri iussit. Nec tamen illi umquam postea
prosperi quicquam evenit ; pulsusque Italia, ignobili atque inho-
nesta morte, temere nocte ingressus Argos, occubuit. Haec cum
audisset legatus vester, tribunique militum, et mille alia, quae
non augendae religionis causa, sed praesentis deae numine saepe
conperta nobis maioribusque nostris, referebantur, ausi sunt
nihilo minus sacrilegas admovere manus intactis illis thensauris,
et nefanda praeda se ipsos ac domos contaminare suas et milites
vestros. Quibus, per vos fidemque vestram, Patres conscripti,
priusquam eorum scelus expietis, neque in Italia neque in Africa
quicquam rei gesseritis, ne, quod piaculum commiserunt, non suo
solum sanguine, sed etiam publica clade luant.'

XXIX, xviii.

303. Livy's Respect for Ancestral Belief.

Non sum nescius, ab eadem neglegentia, qua nihil deos porten-
dere vulgo nunc credunt, neque nuntiari admodum ulla prodigia
in publicum, neque in annales referri. Ceterum et mihi, vetustas res scribenti, nescio quo pacto anticus fit animus ; et quaedam religio tenet, quae illi prudentissimi viri publice suscipienda
censuerint, ea pro indignis habere, quae in meos annales referam.
Anagnia duo prodigia eo anno sunt nuntiata ; facem in caelo
conspectam, et bovem feminam locutam ; eam publice ali. Men-
turnis quoque per eos dies caeli ardentis species adfulserat. Reate
imbri lapidavit. Cumis in arce Apollo triduum ac tris noctis
lacrimavit. In urbe Romana duo aeditui nuntiarunt, alter, in
aede Fortunae anguem iubatum a conpluribus visum esse ; alter,
in aede Primigeniae Fortunae, quae in colle est, duo diversa
prodigia ; palmam in area enatam, et sanguine interdiu pluvisse.
Duo non suscepta prodigia sunt, alterum, quod in privato loco
factum esset, palmam enatam in inpluvio suo T. Marcius Figu-
lus nuntiabat ; alterum, quod in loco peregrino, Fregellis in
domo L. Atrei, hasta, quam filio militi emerat, interdiu plus duas
horas arsisse, ita ut nihil eius ambureret ignis, dicebatur. Pub-

licorum prodigiorum causa libri a decemviris aditi.   Quadraginta
maioribus hostiis quibus dis consules sacrificarent, ediderunt, et
ut supplicatio fieret, cunctique magistratus circa omnia pulvina-
ria victumis maioribus sacrificarent, populusque coronatus esset.
Omnia, uti decemviri praeierunt, facta.

XLIII, xiii.

VITRUVIUS POLLIO, FL. CIRC. 14 B. C.

304. THE PROVINCES OF THEORETICAL AND APPLIED SCIENCE ARE DISTINCT.

Igitur in hac re Pytheos errasse videtur, quod non animadverterit ex duabus rebus singulas artes esse compositas, ex opere et
eius ratiocinatione; ex his autem unum proprium esse eorum,
qui singulis rebus sunt exercitati, id est operis effectus, alterum
commune cum omnibus doctis, id est ratiocinatio; uti medicis
et musicis et de venarum rythmo et ad pedes motu.   At si
vulnus mederi aut aegrum eripere de periculo oportuerit, non
accedet musicus, sed id opus proprium erit medici.   Item in
organo non medicus sed musicus modulabitur, ut aures suam
cantionibus recipiant iucunditatem.   Similiter cum astrologis
et musicis est disputatio communis de sympathia stellarum et
symphoniarum in quadratis et trigonis, diatessaron et diapente;
et geometris de visu, qua Graece λόγος ὀπτικός appellatur,
ceterisque omnibus doctrinis multae res vel omnes communes
sunt dumtaxat ad disputandum.   Operum vero ingressus, qui manu
ac tractationibus ad elegantiam perducuntur, ipsorum sunt, qui
proprie una arte ad faciendum sunt instituti.   Ergo satis abunde
videtur fecisse, qui ex singulis doctrinis partes et rationes earum
mediocriter habet notas, easque quae necessariae sunt ad archi-
tecturam; uti si quid de his rebus et artibus indicare et probare
opus fuerit, ne deficiatur.

I, i, 15, 16.

305. There are Eight Main Quarters from which Winds blow.

Nonnullis placuit esse ventos quattuor, ab oriente aequinoctiali Solanum, a meridie Austrum, ab occidente aequinoctiali
Favonium, a septentrionali Septentrionem. Sed qui diligentius
perquisierunt, tradiderunt eos esse octo, maxime quidem Andronicus Cyrrestes, qui etiam exemplum conlocavit Athenis,
turrim marmoream octagonon, et in singulis lateribus octagoni
singulorum ventorum imagines exculptas contra suos cuiusque
designavit, supraque eam turrim metam marmoream perfecit, et
insuper Tritonem aereum conlocavit, dextra manu virgam porri-
gentem ; et ita est machinatus, uti vento circumageretur, et
semper contra flatum consisteret, supraque imaginem flantis
venti indicem virgam teneret. Itaque sunt conlocati inter Solanum et Austrum ab oriente hiberno Eurus, inter Austrum et
Favonium ab occidente hiberno Africus, inter Favonium et Septentrionem Caurus, (quem plures vocant Corum) inter Septentrionem et Solanum Aquilo. Hoc modo videtur esse expressum,
uti capiatur numerus et nomina et partes, unde flatus ventorum
certi spirent.

I, vi, 4, 5.

306. An Analysis of the different Properties of Stone-producing Soils.

Omnibus locis et regionibus non eadem genera terrae nec
lapides nascuntur, sed nonnulla sunt terrena, alia sabulosa, itemque glareosa, aliis locis harenosa non minus materia ; et omnino
dissimili disparique genere in regionum varietatibus qualitates
insunt in terra. Maxime autem id sic licet considerare, quod,
qua mons Appenninus regiones Italiae Etruriaeque circa cingit,
prope in omnibus locis non desunt fossicia arenaria ; trans Appenninum vero, quae pars est ad Hadriaticum mare, nulla inve-
niuntur ; item Achaia, Asia et omnino trans mare ne nominantur
quidem. Igitur non in omnibus locis, quibus effervent aquae
calidae crebri fontes, eaedem opportunitates possunt similiter concurrere, sed omnia uti natura rerum constituit, non ad voluntatem

hominum sed ut fortuito disparata procreantur. Ergo quibus locis non sunt terrosi montes, sed tenerae materiae, ignis vis per eius venas egrediens adurit eam, et quod molle est et tenerum, exurit ; quod autem asperum, relinquit : itaque uti in Campania exusta terra cinis, sic in Etruria excocta materia efficitur carbunculus. Utraque autem sunt egregia in structuris ; sed alia in terrenis aedificiis, alia etiam in maritimis molibus habent virtutem. Est autem materiae potestas mollior quam tofus, solidior quam terra ; qua penitus ab imo vehementia vaporis adusta, nonnullis locis procreatur id genus harenae, quod dicitur carbunculus.

II, vi, 5, 6.

307. A Description of some of the best known and most serviceable Woods.

Et primum abies aëris habens plurimum et ignis minimumque umoris et terreni, levioribus rerum naturae potestatibus comparata non est ponderosa. Itaque rigore naturali contenta non cito flectitur ab onere, sed directa permanet in contignatione ; sed ea quod habet in se plus caloris, procreat et alit cariem, ab eaque vitiatur ; etiamque ideo celeriter accenditur, quod quae inest in eo corpore raritas aëris, ea ut est patens accipit ignem, et ita vehementem ex se mittit flammam. . . . Contra vero quercus terrenis principiorum satietatibus abundans parumque habens umoris et aëris et ignis, cum in terrenis operibus obruitur, infinitam habet aeternitatem, ex eo cum tangitur umore, non habens foraminum raritates propter spissitatem non potest in corpus recipere liquorem, sed fugiens ab umore resistit et torquetur, et efficit in quibus est operibus ea rimosa. Aesculus vero, quod est omnibus principiis temperata, habet in aedificiis magnas utilitates ; sed ea cum in umore conlocatur, recipiens penitus per foramina liquorem, eiecto aëre et igni, operatione umidae potestatis vitiatur. Cerrus, et fagus, quod pariter habent mixtionem umoris et ignis et terreni, aëris plurimum, pervia raritate humores penitus recipiendo celeriter marcescunt. Populus alba et nigra, item salix, tilia, vitex, ignis et aëris habendo satietatem, umoris temperate, parum autem terreni, leviori temperatura comparatae egregiam habere videntur in usu rigiditatem. Ergo cum non sint durae terreni

mixtione, propter raritatem sunt candidae, et in sculpturis com-
modam praestant tractabilitatem.

II, ix, 6, 8, 9.

308. The Principles of Geometrical Proportion are based upon the Proportional Relations which obtain in the Human Body.

Corpus enim hominis ita natura composuit, uti os capitis a
mento ad frontem summam et radices imas capilli esset decimae
partis, item manus palma ab articulo ad extremum medium
digitum tantundem; caput a mento ad summum verticem
octavae, cum cervicibus imis; ab summo pectore ad imas radices capillorum sextae, *a medio pectore* ad summum verticem
quartae. Ipsius autem oris altitudinis tertia pars est ab imo
mento ad imas nares; nasum ab imis naribus ad finem medium
superciliorum tantundem; ab ea fine ad imas radices capilli,
frons efficitur, item tertiae partis. Pes vero altitudinis corporis
sextae, cubitus quartae, pectus item quartae. Reliqua quoque
membra suos habent commensus, proportiones, quibus etiam
antiqui pictores et statuarii nobiles usi magnas et infinitas
laudes sunt adsecuti. Similiter vero sacrarum aedium membra
ad universam totius magnitudinis summam ex partibus singulis
convenientissimum debent habere commensus responsum. Item
corporis centrum medium naturaliter est umbilicus. Namque
si homo conlocatus fuerit supinus, manibus et pedibus pansis,
circinique conlocatum centrum in umbilico eius, circumagendo
rotundationem utrarumque manuum et pedum digiti linea tan-
gentur. Non minus quemadmodum schema rotundationis in
corpore efficitur, item quadrata designatio in eo invenietur.
Nam si a pedibus imis ad summum caput mensum erit, eaque
mensura relata fuerit ad manus pansas, invenietur eadem lati-
tudo uti altitudo, quemadmodum areae, quae ad normam sunt
quadratae.

III, i, 2, 3.

309. Rules for the Construction of a Theatre.

Ipsius autem theatri conformatio sic est facienda, uti quam magna futura est perimetros imi, centro medio conlocata circumagatur linea rotundationis, in eaque quattuor scribantur trigona paribus lateribus et intervallis, quae extremam lineam circinationis tangant; quibus etiam in duodecim signorum caelestium astrologia ex musica convenientia astrorum ratiocinantur. Ex his trigonis cuius latus fuerit proximum scaenae ea regione, qua praecidit curvaturam circinationis, ibi finiatur scaenae frons, et ab eo loco per centrum parallelos linea ducatur, quae disiungat proscaenii pulpitum et orchestrae regionem. Ita latius factum fuerit pulpitum quam Graecorum, quod omnes artifices in scaena dant operam; in orchestra autem senatorum sunt sedibus loca designata, et eius pulpiti altitudo sit ne plus pedum quinque, uti qui in orchestra sederint, spectare possint omnium agentium gestus. Cunei spectaculorum in theatro ita dividantur, uti anguli trigonorum, qui currunt circum curvaturam circinationis, dirigant ascensus scalasque inter cuneos ad primam praecinctionem. Supra autem alternis itineribus superiores cunei medii dirigantur. Ei autem, qui sunt in imo et dirigunt scalaria, erunt numero septem reliqui quinque scaenae designabunt compositionem; et unus medius contra se valvas regias habere debet, et qui erunt dextra ac sinistra hospitalium designabunt compositionem; extremi duo spectabunt itinera versurarum. Gradus spectaculorum, ubi subsellia componantur, ne minus alti sint palmo, ne plus pede et digitis sex; latitudines eorum ne plus pedes duos semis, ne minus pedes duo constituantur. Tectum porticus, quod futurum est in summa gradatione, cum scaenae altitudine libratum perficiatur ideo, quod vox crescens aequaliter ad summas gradationes et tectum perveniet. Namque si non erit aequale, quo minus fuerit altum, vox praeripietur ad eam altitudinem, ad quam perveniet primo. Orchestra inter gradus imos quam diametron habuerit, eius sexta pars sumatur, et in cornibus utrimque aditus ad eius mensurae perpendiculo inferiores sedes praecidantur, et qua praecisio fuerit, ibi constituantur itinerum supercilia; ita enim satis altitudinem habebunt eorum conformicationes. Scaenae longitudo ad orchestrae diame-

trun duplex fieri debet; podii altitudo ab libramento pulpiti cum
corona et lysi duodecuma orchestrae diametri; supra podium
columnae cum capitulis et spiris altae quarta parte eiusdem
diametri; epistylia et ornamenta earum columnarum altitudinis
quinta parte; pluteum insuper cum unda et corona inferioris
plutei dimidia parte; supra id pluteum columnae quarta parte
minore altitudine sint quam inferiores; epistylia et ornamenta
earum columnarum quinta parte. Item si tertia episcaenos futura
erit, mediani plutei summum sit dimidia parte; columnae summae medianarum minus altae sint quarta parte; epistylia cum
coronis earum columnarum item habeant altitudinis quintam
partem. Nec tamen in omnibus theatris symmetriae ad omnes
rationes et effectus possunt respondere; sed oportet architectum
animadvertere, quibus proportionibus necesse sit sequi symme-
triam, et quibus rationibus ad loci naturam aut magnitudinem
operis temperari.

V, vi (vii).

310. Climate determines the Mental Qualities of
Nations.

Hoc autem verum esse, ex umidis naturae locis graviora fieri
et ex fervidis acutiora, licet ita experiendo animadvertere. Calices duo in una fornace aeque cocti aequoque pondere ad crepitumque uno sonitu sumantur; ex his unus in aquam demittatur,
postea ex aqua eximatur; tunc utrique tangantur. Cum enim
ita factum fuerit, largiter inter eos sonitus discrepabit, aequoque
pondere non poterunt esse. Ita et hominum corpora uno genere
figurationis et una mundi coniunctione concepta alia propter
regionis ardorem acutum spiritum aëris exprimunt tactu, alia
propter umoris abundantiam gravissimas effundunt sonorum
qualitates. Item propter tenuitatem caeli meridianae nationes
ex acuto fervore mente expeditius celeriusque moventur ad consiliorum cogitationes. Septentrionales autem gentes, infusae
crassitudine caeli, propter obstantiam aëris umore refrigeratae,
stupentes habent mentes. Hoc autem ita esse, a serpentibus
licet aspicere, quae per calorem cum exhaustam habent umoris
refrigerationem, tunc acerrime moventur; per brumalia autem
et hiberna tempora mutatione caeli refrigeratae, inmotae sunt

stupore. Ita non est mirandum, si acutiores efficit calidus aër
hominum mentes, refrigeratus autem contra tardiores. Cum
sint autem meridianae nationes animis acutissimis infinitaque
sollertia consiliorum, simul ad fortitudinem ingrediuntur, ibi
succumbunt; quod habent exsuctas ab sole animorum virtutes.
Qui vero refrigeratis nascuntur regionibus, ad armorum vehe-
mentiam paratiores sunt, magnisque virtutibus sine timore,
sed tarditate animi sine considerantia inruentes, sine sollertia,
suis consiliis refragantur.

VI, i, 8–10.

311. A Description of the Zodiac.

Mundus autem est omnium naturae rerum conceptio summa
caelumque sideribus conformatum. Id volvitur continenter circum terram atque mare per axis cardines extremos. Namque
in his locis naturalis potestas ita architectata est conlocavitque
cardines tamquam centra, unum a terra et mari in summo
mundo ac post ipsas stellas septentrionum, alterum trans contra
sub terra in meridianis partibus; ibique circum eos cardines
orbiculos, circum centra uti in torno, perfecit, qui Graece
πόλοι nominantur; per quos pervolitat sempiterno caelum:
ita media terra cum mari centri loco naturaliter est conlocata. His natura dispositis ita, uti septentrionali parte a terra
excelsius habeat altitudinem centrum, in meridiana autem parte
in inferioribus locis subiectum a terra obscuretur; tunc etiam
per medium transversa et inclinata in meridiem circuli lata zona
duodecim signis est conformata; quae eorum species stellis dispositis duodecim partibus peraequatis exprimit depictam ab
natura figurationem. Itaque lucentia cum mundo reliquoque
siderum ornatu circum terram mareque pervolantia cursus
perficiunt ad caeli rotunditatem.

IX, i (iv), 2, 3.

P. OVIDIUS NASO, 43 B. C.–17 A. D.

312. A Lover chides a Stream which bars his Path.

Amnis, harundinibus limosas obsite ripas,
  Ad dominam propero ; siste parumper aquas.
Nec tibi sunt pontes, nec quae sine remigis ictu
  Concava traiecto cumba rudente vehat.
Parvus eras, memini ; nec te transire refugi,
  Summaque vix talos contigit unda meos.
Nunc ruis adposito nivibus de monte solutis,
  Et turpi crassas gurgite volvis aquas.
Quid properasse iuvat ? quid parca dedisse quieti
  Tempora ? quid nocti conseruisse diem ?
Tu potius, ripis effuse capacibus amnis,
  Sic aeternus eas, labere fine tuo.
Non eris invidiae, torrens, mihi crede, ferendae,
  Si dicar per te forte retentus amans.
Flumina debebant iuvenes in amore iuvare ;
  Flumina senserunt ipsa, quid esset amor.
Inachus in Melie Bithynide pallidus isse
  Dicitur, et gelidis incaluisse vadis.
Te quoque credibile est aliqua caluisse puella ;
  Sed nemora et silvae crimina vestra tegunt.
Dum loquor, increvit latis spatiosius undis,
  Nec capit admissas alveus altus aquas.
Quid mecum, furiose, tibi ? quid mutua differs
  Gaudia ? quid coeptum, rustice, rumpis iter ?
Quid ? si legitimum flueres, si nobile flumen ?
  Si tibi per terras maxima fama foret ?
Nomen habes nullum, rivis collecte caducis ;
  Nec tibi sunt fontes, nec tibi certa domus.
Fontis habes instar pluviamque nivesque solutas ;
  Quas tibi divitias pigra ministrat hiemps.
Aut lutulentus agis brumali tempore cursus,
  Aut premis arentem pulverulentus humum.

Quis te iam potuit sitiens haurire viator?
 Quis dixit grata voce, 'Perennis eas?'
Damnosus pecori curris, damnosior agris.
 Forsitan haec alios; me mea damna movent.
Huic ego vae! demens narrabam fluminum amores?
 Iactasse indigne nomina tanta pudet.

Amor., III, vi, 1–10, 19–26, 83–102.

313. ELEGY ON THE DEATH OF TIBULLUS.

Tene, sacer vates, flammae rapuere rogales?
 Pectoribus pasci nec timuere tuis?
Aurea sanctorum potuissent templa deorum
 Urere, quae tantum sustinuere nefas.
Avertit vultus, Erycis quae possidet arces.
 Sunt quoque, qui lacrimas continuisse negant.
Sed tamen hoc melius, quam si Phaeacia tellus
 Ignotum vili supposuisset humo.
Hinc certe madidos fugientis pressit ocellos
 Mater, et in cineres ultima dona tulit.
Hinc soror in partem misera cum matre doloris
 Venit, inornatas dilaniata comas;
Cumque tuis sua iunxerunt Nemesisque priorque
 Oscula, nec solos destituere rogos.
Delia descendens, 'Felicius,' inquit, 'amata
 Sum tibi: vixisti, dum tuus ignis eram.'
Cui Nemesis, 'Quid,' ait, 'tibi sunt mea damna dolori?
 Me tenuit moriens deficiente manu.'
Si tamen e nobis aliquid, nisi nomen et umbra,
 Restat, in Elysia valle Tibullus erit.
Obvius huic venias, hedera iuvenilia cinctus
 Tempora, cum Calvo, docte Catulle, tuo;
Tu quoque, si falsum est temerati crimen amici,
 Sanguinis atque animae prodige, Galle, tuae.
His comes umbra tua est, si qua est modo corporis umbra
 Auxisti numeros, culte Tibulle, pios.

Amor., III, ix, 41–66.

314. Medea to Jason.

Est nemus et piceis et frondibus ilicis atrum;
  Vix illuc radiis solis adire licet.
Sunt in eo, fuerant certe, delubra Dianae;
  Aurea barbarica stat dea facta manu.
Scisne, an exciderunt mecum loca? Venimus illuc;
  Orsus es infido sic prior ore loqui:
'Ius tibi et arbitrium nostrae Fortuna salutis
  Tradidit, inque tua est vitaque morsque manu.
Perdere posse sat est, si quem iuvet ipsa potestas.
  Sed tibi servatus gloria maior ero.
Per mala nostra precor, quorum potes esse levamen,
  Per genus et numen cuncta videntis avi,
Per triplicis voltus arcanaque sacra Dianae,
  Et si forte aliquos gens habet ista deos,
O virgo, miserere mei; miserere meorum!
  Effice me meritis tempus in omne tuum.
Quod si forte virum non dedignare Pelasgum,
  (Sed mihi tam faciles unde meosque deos?)
Spiritus ante meus tenues vanescat in auras,
  Quam thalamo, nisi tu, nupta sit ulla meo.
Conscia sit Iuno, sacris praefecta maritis,
  Et dea, marmorea cuius in aede sumus.'
Haec animum (et quota pars haec sunt?) movere puellae
  Simplicis, et dextrae dextera iuncta meae.
Vidi etiam lacrimas: ac pars est fraudis in illis.
  Sic cito sum verbis capta puella tuis.

Her., xii, 67-92

315. 'Ceratis ope Daedalea nititur pennis.'

Iamque volaturus parvo dedit oscula nato,
  Nec patriae lacrimas continuere genae.
Monte minor collis, campis erat altior aequis;
  Hinc data sunt miserae corpora bina fugae.
Et movet ipse suas, et nati respicit alas
  Daedalus, et cursus sustinet usque suos.

Iamque novum delectat iter; positoque timore
    Icarus audaci fortius arte volat.
Hos aliquis, tremula dum captat arundine pisces,
    Vidit, et inceptum dextra reliquit opus.
Iam Samos a laeva fuerant Naxosque relictae,
    Et Paros, et Clario Delos amata deo,
Dextra Lebynthos erat, silvisque umbrosa Calymne,
    Cinctaque piscosis Astypalaea vadis,
Cum puer incautis nimium temerarius annis
    Altius egit iter, deseruitque patrem.
Vincla labant; et cera deo propiore liquescit,
    Nec tenues ventos bracchia mota tenent.
Territus a summo despexit in aequora caelo:
    Nox oculis pavido venit oborta metu.
Tabuerant cerae; nudos quatit ille lacertos,
    Et trepidat; nec, quo sustineatur, habet.
Decidit; atque cadens, 'Pater, o, pater, auferor,' inquit.
    Clauserunt virides ora loquentis aquae.
At pater infelix, nec iam pater, 'Icare,' clamat,
    'Icare,' clamat, 'ubi es? quove sub axe volas?'
'Icare,' clamabat; pennas aspexit in undis.
    Ossa tegit tellus; aequora nomen habent.

Art. Am., ii, 69–96.

316. The Formation of the Earth.

Ante mare et terras et, quod tegit omnia, caelum,
Unus erat toto naturae vultus in orbe,
Quem dixere chaos; rudis indigestaque moles,
Nec quicquam nisi pondus iners, congestaque eodem
Non bene iunctarum discordia semina rerum.
Frigida pugnabant calidis, umentia siccis,
Mollia cum duris, sine pondere habentia pondus.
Hanc deus et melior litem natura diremit.
Nam caelo terras, et terris abscidit undas,
Et liquidum spisso secrevit ab aëre caelum.
Quae postquam evolvit caecoque exemit acervo,
Dissociata locis concordi pace ligavit.
Ignea convexi vis et sine pondere caeli

Emicuit summaque locum sibi fecit in arce.
Proximus est aër illi levitate locoque;
Densior his tellus, elementaque grandia traxit,
Et pressa est gravitate sui.   Circumfluus umor
Ultima possedit solidumque coërcuit orbem.
Sic ubi dispositam quisquis fuit ille deorum,
Congeriem secuit, sectamque in membra redegit.
Principio terram, ne non aequalis ab omni
Parte foret, magni speciem glomeravit in orbis.
Tunc freta diffudit, rapidisque tumescere ventis
Iussit et ambitae circumdare litora terrae.
Addidit et fontes et stagna immensa lacusque,
Fluminaque obliquis cinxit declivia ripis.
Iussit et extendi campos, subsidere valles,
Fronde tegi silvas, lapidosos surgere montes.
Utque duae dextra caelum totidemque sinistra
Parte secant zonae, quinta est ardentior illis,
Sic onus inclusum numero distinxit eodem
Cura dei, totidemque plagae tellure premuntur.
Quarum quae media est, non est habitabilis aestu;
Nix tegit alta duas; totidem inter utramque locavit,
Temperiemque dedit mixta cum frigore flamma.
Imminet his aër; qui, quanto est pondere terrae
Pondus aquae levius, tanto est onerosior igni.
Illic et nebulas, illic consistere nubes
Iussit, et humanas motura tonitrua mentes,
Et cum fulminibus facientes frigora ventos.
Haec super imposuit liquidum et gravitate carentem
Aethera, nec quicquam terrenae faecis habentem.
Vix ea limitibus dissaepserat omnia certis,
Cum, quae pressa diu massa latuere sub ipsa,
Sidera coeperunt toto effervescere caelo.
Neu regio foret ulla suis animalibus orba,
Astra tenent caeleste solum formaeque deorum,
Cesserunt nitidis habitandae piscibus undae,
Terra feras cepit, volucres agitabilis aër.

Metam., i, 5–9, 19–39, 43–56, 67–75.

317. Phaethon is struck by a Thunderbolt.

At pater omnipotens, superos testatus et ipsum,
Qui dederat currus, nisi opem ferat, omnia fato
Interitura gravi, summam petit arduus arcem,
Unde solet nubes latis inducere terris,
Unde movet tonitrus vibrataque fulmina iactat.
Sed neque quas posset terris inducere, nubes
Tunc habuit, nec quos caelo demitteret imbres.
Intonat et dextra libratum fulmen ab aure
Misit in aurigam, pariterque animaque rotisque
Expulit, et saevis compescuit ignibus ignes.
Consternantur equi et saltu in contraria facto
Colla iugo eripiunt, abruptaque lora relinquunt.
Illic frena iacent, illic temone revulsus
Axis, in hac radii fractarum parte rotarum,
Sparsaque sunt late laceri vestigia currus.
At Phaëthon, rutilos flamma populante capillos,
Volvitur in praeceps, longoque per aëra tractu
Fertur, ut interdum de caelo stella sereno,
Etsi non cecidit, potuit cecidisse videri.
Quem procul a patria diverso maximus orbe
Excipit Eridanus, fumantiaque abluit ora.
Naiades Hesperiae trifida fumantia flamma
Corpora dant tumulo signantque hoc carmine saxum :
' Hic situs est Phaëthon, currus auriga paterni ;
Quem si non tenuit, magnis tamen excidit ausis.'

Metam., ii, 304–328.

318. Narcissus and Echo.

Ergo ubi Narcissum per devia rura vagantem
Vidit et incaluit, sequitur vestigia furtim ;
Quoque magis sequitur, flamma propiore calescit,
Non aliter, quam cum summis circumlita taedis
Admotas rapiunt vivacia sulfura flammas.
O quotiens voluit blandis accedere dictis
Et molles adhibere preces !   Natura repugnat,

Nec sinit incipiat. Sed, quod sinit, illa parata est
Exspectare sonos, ad quos sua verba remittat.
Forte puer, comitum seductus ab agmine fido,
Dixerat : ' Ecquis adest ? ' et ' Adest ' responderat Echo.
Hic stupet, atque aciem partes dimittit in omnes ;
Voce ' Veni' clamat magna. Vocat illa vocantem.
Respicit, et rursus nullo veniente : ' Quid,' inquit,
' Me fugis ? ' et totidem, quot dixit, verba recepit.
Perstat, et alternae deceptus imagine vocis,
' Huc coëamus ' ait, nullique libentius umquam
Responsura sono ' Coëamus ' rettulit Echo,
Et verbis favet ipsa suis, egressaque silva
Ibat, ut iniceret sperato bracchia collo.
Ille fugit, fugiensque : ' Manus complexibus aufer !
Ante,' ait, ' emoriar, quam sit tibi copia nostri.'
Rettulit illa nihil, nisi ' Sit tibi copia nostri.'
Spreta latet silvis, pudibundaque frondibus ora
Protegit, et solis ex illo vivit in antris.
Sed tamen haeret amor, crescitque dolore repulsae.
Extenuant vigiles corpus miserabile curae,
Adducitque cutem macies, et in aëra sucus
Corporis omnis abit ; vox tantum atque ossa supersunt.
Vox manet ; ossa ferunt lapidis traxisse figuram.

Metam., iii, 370–399.

319. MEDEA'S SOLILOQUY.

' Frustra, Medea, repugnas ;
Nescio quis deus obstat,' ait : ' mirumque, nisi hoc est,
Aut aliquid certe simile huic, quod amare vocatur.
Nam cur iussa patris nimium mihi dura videntur ?
Sunt quoque dura nimis. Cur, quem modo denique vidi,
Ne pereat, timeo ? Quae tanti causa timoris ?
Excute virgineo conceptas pectore flammas,
Si potes, infelix. Si possem, sanior essem.
Sed gravat invitam nova vis ; aliudque cupido,
Mens aliud suadet. Video meliora proboque :
Deteriora sequor. Quid in hospite, regia virgo,
Ureris, et thalamos alieni concipis orbis ?

Haec quoque terra potest, quod ames, dare. Vivat, an ille
Occidat, in dis est; vivat tamen; idque precari
Vel sine amore licet. Quid enim commisit Iason?
Quem, nisi crudelem, non tangat Iasonis aetas,
Et genus, et virtus? Quem non, ut cetera desint,
Ore movere potest? Certe mea pectora movit.
At nisi opem tulero, taurorum adflabitur ore,
Concurretque suae segeti tellure creatis
Hostibus, aut avido dabitur fera praeda draconi.
Hoc ego si patiar, tum me de tigride natam,
Tum ferrum et scopulos gestare in corde fatebor.
Cur non et specto pereuntem? oculosque videndo
Conscelero? cur non tauros exhortor in illum,
Terrigenasque feros, insopitumque draconem?
Di meliora velint. Quamquam non ista precanda,
Sed facienda mihi. Prodamne ego regna parentis,
Atque ope nescio quis servabitur advena nostra,
Ut per me sospes sine me det lintea ventis,
Virque sit alterius, poenae Medea relinquar?
Si facere hoc, aliamve potest praeponere nobis,
Occidat ingratus. Sed non is vultus in illo,
Non ea nobilitas animo est, ea gratia formae,
Ut timeam fraudem, meritique oblivia nostri.
Et dabit ante fidem; cogamque in foedera testes
Esse deos. Quid tuta times? Accingere et omnem
Pelle moram.

Metam., vii, 11–48.

320. CAVE OF SLEEP.

Est prope Cimmerios longo spelunca recessu,
Mons cavus, ignavi domus et penetralia Somni;
Quo numquam radiis oriens mediusve cadensve
Phoebus adire potest. Nebulae caligine mixtae
Exhalantur humo, dubiaeque crepuscula lucis.
Non vigil ales ibi cristati cantibus oris
Evocat Auroram, nec voce silentia rumpunt
Sollicitive canes canibusve sagacior anser.
Non fera, non pecudes, non moti flamine rami,

Humanaeve sonum reddunt convicia linguae.
Muta quies habitat. Saxo tamen exit ab imo
Rivus aquae Lethes, per quem cum murmure labens
Invitat somnos crepitantibus unda lapillis.
Ante fores antri fecunda papavera florent
Innumeraeque herbae, quarum de lacte soporem
Nox legit, et spargit per opacas umida terras.
Ianua, ne verso stridores cardine reddat,
Nulla domo tota, custos in limine nullus.
At medio torus est ebeno sublimis in antro,
Plumeus, unicolor, pullo velamine tectus,
Quo cubat ipse deus membris languore solutis.
Hunc circa passim varias imitantia formas
Somnia vana iacent totidem, quot messis aristas,
Silva gerit frondes, eiectas litus harenas.

Metam., xi, 592–615.

321. PANEGYRIC OF AUGUSTUS.

Nunc mihi mille sonos, quoque est memoratus Achilles,
    Vellem, Maeonide, pectus inesse tuum,
Dum canimus sacras alterno pectine Nonas.
    Maximus hinc Fastis accumulatur honos.
Deficit ingenium, maioraque viribus urgent;
    Haec mihi praecipuo est ore canenda dies.
Quid volui demens elegis imponere tantum
    Ponderis? Heroi res erat ista pedis.
Sancte Pater patriae, tibi Plebs, tibi Curia nomen
    Hoc dedit; hoc dedimus nos tibi nomen, Eques.
Res tamen ante dedit. Sero quoque vera tulisti
    Nomina: iam pridem tu Pater orbis eras.
Hoc tu per terras, quod in aethere Iuppiter alto,
    Nomen habes. Hominum tu pater, ille deum.
Romule, concedes! facit hic tua magna tuendo
    Moenia; tu dederas transilienda Remo.
Te Tatius, parvique Cures, Caeninaque sensit.
    Hoc duce Romanum est Solis utrumque latus.
Tu breve nescio quid victae telluris habebas;
    Quodcumque est alto sub Iove, Caesar habet.

16

Tu rapis, hic castas duce se iubet esse maritas.
　　Tu recipis luco, reppulit ille nefas.
Vis tibi grata fuit; florent sub Caesare leges.
　　Tu Domini nomen, Principis ille tenet.
Te Remus incusat; veniam dedit hostibus ille.
　　Caelestem fecit te pater; ille patrem.

Fast., ii, 119–144.

322. Proserpine carried off by Pluto.

Terra tribus scopulis vastum procurrit in aequor
　　Trinacris, a positu nomen adepta loci;
Grata domus Cereri. Multas ea possidet urbes;
　　In quibus est culto fertilis Henna solo.
Frigida caelestum matres Arethusa vocarat.
　　Venerat ad sacras et dea flava dapes.
Filia, consuetis ut erat comitata puellis,
　　Errabat nudo per sua prata pede.
Valle sub umbrosa locus est, aspergine multa
　　Uvidus ex alto desilientis aquae.
Fulgebant illic, quot habet natura, colores,
　　Pictaque dissimili flore nitebat humus.
Quam simul aspexit, ' Comites, accedite,' dixit,
　　' Et mecum plenos flore referte sinus.'
Praeda puellares animos prolectat inanis;
　　Et non sentitur sedulitate labor.
Haec implet lento calathos e vimine nexos,
　　Haec gremium, laxos degravat illa sinus.
Illa legit calthas, huic sunt violaria curae;
　　Illa papavereas subsecat ungue comas.
Has, hyacinthe, tenes; illas, amarante, moraris;
　　Pars thyma, pars casiam, pars meliloton amat.
Plurima lecta rosa est; sunt et sine nomine flores.
　　Ipsa crocos tenues liliaque alba legit.
Carpendi studio paulatim longius itur,
　　Et dominam casu nulla secuta comes.
Hanc videt, et visam patruus velociter aufert,
　　Regnaque caeruleis in sua portat equis.

Fast., iv, 419–446.

323. Ovid beseeches Augustus to relent.

His precor exemplis tua nunc, mitissime Caesar,
  Fiat ab ingenio mollior ira meo.
Illa quidem iusta est, nec me meruisse negabo.
  Non adeo nostro fugit ab ore pudor.
Sed, nisi peccassem, quid tu concedere posses?
  Materiam veniae sors tibi nostra dedit.
Si, quotiens peccant homines, sua fulmina mittat
  Iuppiter, exiguo tempore inermis erit.
Nunc, ubi detonuit, strepituque exterruit orbem,
  Purum discussis aëra reddit aquis.
Iure igitur geni orque deum rectorque vocatur;
  Iure capax mundus nil Iove maius habet.
Tu quoque, cum patriae rector dicare paterque,
  Utere more dei nomen habentis idem.
Idque facis; nec te quisquam moderatius umquam
  Imperii potuit frena tenere sui.
Tu veniam parti superatae saepe dedisti,
  Non concessurus quam tibi victor erat.
Divitiis etiam multos et honoribus auctos
  Vidi, qui tulerant in caput arma tuum,
Quaeque dies bellum, belli tibi sustulit iram.
  Parsque simul templis utraque dona tulit;
Utque tuus gaudet miles, quod vicerit hostem,
  Sic, cur se victum gaudeat, hostis habet.
Causa mea est melior, qui nec contraria dicor
  Arma nec hostiles esse secutus opes.
Per mare, per terras, per tertia numina iuro,
  Per te, praesentem conspicuumque deum,
Hanc animam favisse tibi, vir maxime; meque,
  Quo sola potui, mente fuisse tuum.

Tr., ii, 27–56.

SALEIUS BASSUS, Contemporary of Ovid.

324. Panegyric on Calpurnius Piso.

O decus, in totum merito venerabilis aevum
Pierii tutela chori, quo praeside tuti
Non umquam vates inopi metuere senectae.
Quod si quis nostris precibus locus, et mea vota
Si mentem subiere tuam, memorabilis olim
Tu mihi Maecenas tereti cantabere versu.
Possumus aeternae nomen committere famae,
Si tamen hoc ulli de se promittere fas est,
Et deus ultor abest; superest animosa voluntas,
Ipsaque nescio quid mens excellentius audet.
Tu nanti protende manum; tu, Piso, latentem
Exsere; nos humilis domus at sincera, parentum,
Et tenuis fortuna sua caligine celat,
Possumus impositis caput exonerare tenebris
Et lucem spectare novam, si quid modo laetus
Annuis, et nostris subscribis, candide, votis.
Est mihi, crede, meis animus constantior annis;
Quamvis nunc iuvenile decus mihi pingere malas
Coeperit et nondum vicesima venerit aestas.
Quod si iam validae mihi robur mentis inesset
Et solidus primos impleret spiritus annos,
Auderem voces per carmina nostra referre,
Piso, tuas; sed fessa labat mihi pondere cervix,
Et tremefacta cadant succiso poplite membra.
Sic nec olorinos audet Pandionis ales
Parva referre sonos, nec, si velit improba, possit.
Sic et aedonia superantur voce cicadae,
Stridula cum rabido faciunt convicia soli.
Quare age, Calliope, posita gravitate forensi,
Lumina Pisonis mecum pete; plura supersunt,
Quae laudare velis inventa penatibus ipsis.

Paneg., 243–261, 72–83 (*ed. Baehrens*).

PEDO ALBINOVANUS, CONTEMPORARY OF OVID.

325. THE BOUNDLESS DEEP.

Iam pridem post terga diem solemque relinquunt,
Iam pridem notis extorres finibus orbis
Per non concessas audaces ire tenebras
Ad rerum metas extremaque litora mundi ;
Nunc illum pigris immania monstra sub undis
Qui ferat Oceanum, qui saevas undique pistris
Aequoreosque canes, ratibus consurgere prensis.
Accumulat fragor ipse metus.   Iam sidere limo
Navigia et rapido desertam flamine classem
Seque feris credunt per inertia fata marinis
Tam non felici laniandos sorte relinqui.
Atque aliquis prora caecum sublimis ab alta
Aëra pugnaci luctatus rumpere visu,
Ut nihil erepto valuit dinoscere mundo,
Obstructa in talis effundit pectora voces :
Quo ferimur ? fugit ipse dies orbemque relictum
Ultima perpetuis claudit natura tenebris.
Anne alio positas ultra sub cardine gentes
Atque alium flabris intactum quaerimus orbem ?
Di revocant rerumque vetant cognoscere finem
Mortales oculos ; aliena quid aequora remis
Et sacras violamus aquas divumque quietas
Turbamus sedes ?

Ap. Sen. Rh., Suas. I, xv

CORNELIUS SEVERUS, CONTEMPORARY OF OVID.

326. A LAMENT FOR CICERO.

Oraque magnanimum spirantia paene virorum
In rostris iacuere suis ; sed enim abstulit omnis,
Tamquam sola foret, rapti Ciceronis imago.
Tunc redeunt animis ingentia consulis acta
Iurataeque manus deprensaque foedera noxae
Patriciumque nefas extinctum ; poena Cethegi
Deiectusque redit votis Catilina nefandis.
Quid favor aut coetus, pleni quid honoribus anni
Profuerant ? sacris exculta quid artibus aetas ?
Abstulit una dies aevi decus, ictaque luctu
Conticuit Latiae tristis facundia linguae.
Unica sollicitis quondam tutela salusque,
Egregium semper patriae caput, ille senatus
Vindex, ille fori, legum ritusque togaeque,
Publica vox saevis aeternum obmutuit armis.
Informes voltus sparsamque cruore nefando
Canitiem sacrasque manus operumque ministras
Tantorum pedibus civis proiecta superbis
Proculcavit ovans nec lubrica fata deosque
Respexit.   Nullo luet hoc Antonius aevo.
Hoc nec in Emathio mitis victoria Perse,
Nec te, dire Syphax, non fecerat hoste Philippo ;
Inque triumphato ludibria cuncta Iugurtha
Afuerant, nostraeque cadens ferus Hannibal irae
Membra tamen Stygias tulit inviolata sub umbras.

Ap. Sen. Rh., Suas. **VI, xxvi.**

GRATIUS FALISCUS, Contemporary of Ovid.

327. Training of Young Dogs of a Hunting Breed
   (Metagon), with a Digression on the Evils
   of Luxury.

                              Tum deinde monebo,
Ne matrem indocilis natorum turba fatiget,
Percensere notis, iamque inde excernere pravos.
Signa dabunt ipsi. Teneris vix artibus haeret
Ille tuos olim non defecturus honores.
Iamque illum inpatiens aequae vehementia sortis
Extulit; adfectat materna regna sub alvo,
Ubera tota tenetque a tergo liber aperto,
Dum tepida indulget terris clementia mundi.
Vernum ubi Caurino perstrinxit frigore Vesper
Ira iacet, turbaque potens operitur inerti.
Illius et manibus vires sit cura futuras
Perpensare; levis deducet pondere fratres.
Haec de pignoribus, nec te mea carmina fallent.
Protinus et cultus alios et debita fetae
Blandimenta feres, curaque sequere merentem;
Illa perinde suos, ut erit pellecta, minores
Ac longam praestabit opem. Tum denique, fetu
Cum desunt operis, fregitque industria matres,
Transeat in catulos omnis tutela relictos.
Lacte novam pubem facilique tuebere maza,
Nec luxus alios avidaeque impendia vitae
Noscant. Haec magno redit indulgentia damno.
Nec mirum : humanos non est magis altera sensus . . .
Tollit se ratio et vitiis adeuntibus opstat.
Haec illa est, Pharios quae fregit noxia reges,
Dum servata cavis potant Mareotica gemmis,
Nardiferumque metunt Gangen, vitiisque ministrant.
Sic et Achaemenio cecidisti, Lydia, Cyro ;
Atqui dives eras, ac fluminis aurea venis.
Scilicet, ad summam ne quid restaret habendum,

Tu quoque, luxuriae fictas dum colligis artis,
Et sequeris demens alienam, Graecia, culpam.
O quantum et quotiens decoris frustrata paterni!
At qualis nostris, quam simplex mensa, Camillis!
Qui tibi cultus erat post tot, Serrane, triumphos!
Ergo illi ex habitu virtutisque indole priscae
Inposuere orbi Romam caput, actaque ab illis
Ad caelum virtus summosque tetendit honores.
Scilicet exiguis magna sub imagine rebus
Prospicies, quae sit ratio et quo fine regenda.

Cynegetica, 287–327.

———

M. MANILIUS, Late in Augustan Age.

328. The Universe is Spherical in Form.

Nec vero tibi natura admiranda videri
Pendentis terrae debet, cum pendeat ipse
Mundus et in nullo ponat vestigia fundo.
Quod patet ex ipso motu cursuque volantis.
Cum suspensus eat Phoebus cursumque reflectat
Huc illuc, agiles et servet in aethere metas,
Cum luna et stellae volitent per inania mundi,
Terra quoque aërias leges imitata pependit.
Est igitur tellus mediam sortita cavernam
Aëris et toto pariter sublata profundo;
Nec patulas distenta plagas, sed condita in orbem
Undique surgentem pariter pariterque cadentem.
Haec est naturae facies; sic mundus et ipse
In convexa volans teretes facit esse figuras
Stellarum; solique orbem lunaeque rotundum
Aspicimus, tumido quaerentis corpore lumen,
Quod globus obliquos totus non accipit ignes.
Sic tellus glomerata manet mundumque figurat.

I, 194–210, 214.

329. Existence of God inferred from the Order observable in Nature.

Nec quicquam in tanta magis est mirabile mole,
Quam ratio et certis quod legibus omnia parent.
Nusquam turba nocet, nihil ullis partibus errat,
Laxius aut brevius mutatove ordine fertur.
Quid tam confusum specie, quid tam vice certum est?
Ac mihi tam praesens ratio non ulla videtur,
Qua pateat mundum divino numine verti,
Atque ipsum esse deum, nec forte coisse magistra,
Ut voluit credi qui primus moenia mundi
Seminibus struxit minimis, inque illa resolvit;
E quis et maria et terras et sidera caeli
Aetheraque immensis fabricantem finibus orbes
Solventemque alios constare, et cuncta reverti
In sua principia et rerum mutare figuras.
Quis credat tantas operum sine numine moles
Ex minimis, caecoque creatum foedere mundum?
Si fors ista dedit nobis, fors ipsa gubernet.
At cur dispositis vicibus consurgere signa,
Et velut imperio praescriptos reddere cursus
Cernimus, ac nullis properantibus ulla relinqui?
Cur eadem aestivas exornant sidera noctes
Semper, et hibernas eadem? certamque figuram
Quisque dies reddit mundo, certamque relinquit?

I. 476–498.

330. The Five Zones.

Circulus ad Boream fulgentem sustinet Arcton,
Sexque fugit solidas a caeli vertice partes.
Alter ad extremi decurrens sidera Cancri,
In quo consummat Phoebus lucemque moramque,
Tardaque per longos circumfert lumina flexus,
Aestivum medio nomen sibi sumit ab aestu;
Temporis et titulo potitur metaque volantis
Solis, et extremos designat fervidus actus,

Et quinque in partes aquilonis distat ab orbe.
Tertius in media mundi regione locatus
Ingenti spira totum praecingit Olympum,
Parte ab utraque videns axem; quo culmine Phoebus
Componit paribus numeris noctemque diemque,
Veris et autumni currens per tempora mixta,
Cum medium aequali distinguit limite caelum,
Quattuor et gradibus sua fila reducit ab aestu.
Proximus hunc ultra brumalis nomine cingens
Ultima designat fugientis lumina solis,
Inviaque obliqua radiorum munera flamma
Dat per iter minimum nobis; sed finibus illis,
Quos super incubuit, longa stant tempora luce,
Vixque dies transit candentem extenta per aestum,
Bisque iacet binis summotus partibus orbis.

I, 566–588.

331. Comets arise from the Ubiquity of Fiery Substance.

Sunt autem cunctis permixti partibus ignes,
Qui gravidas habitant fabricantes fulmina nubes,
Et penetrant terras Aetnamque minantur Olympo,
Et calidas reddunt ipsis in fontibus undas,
Ac silice in dura viridique in cortice sedem
Inveniunt, cum silva sibi collisa crematur;
Ignibus usque adeo natura est omnis abundans.
Ne mirere faces subitas erumpere caelo,
Aëraque accensum flammis lucere coruscis,
Arida complexum spirantis semina terrae,
Quae volucer pascens ignis sequiturque fugitque;
Fulgura cum videas tremulum vibrantia lumen
Imbribus e mediis et caelum fulmine ruptum,
Sive igitur ratio praebentis semina terrae
In volucres ignes potuit generare cometas,
Sive illas natura faces ut cuncta creavit
Sidera per tenues caelo lucentia flammas,
Sed trahit ad semet rapido Titanius aestu,
Involvitque suo flammantis igne cometas,

Ac modo dimittit, (sicut Cyllenius orbis
Et Venus, accenso cum ducit vespere noctem,
Saepe nitent, falluntque oculos rursusque revisunt;)
Seu deus instantis fati miseratus in orbem
Signa per affectus caelique incendia mittit;
Numquam futilibus excanduit ignibus aether.

I, 850–874.

332. The Dignity of Man.

Quid mirum, noscere mundum
Si possunt homines, quibus est et mundus in ipsis,
Exemplumque dei quisque est in imagine parva?
An quoquam genitos nisi caelo credere fas est
Esse homines? proiecta iacent animalia muta
In terra vel mersa vadis vel in aëre pendent;
Omnibus una quies venter, sensusque per artus,
Et quia consilium non est, et lingua remissa,
Unus et inspectus rerum, viresque loquendi,
Ingeniumque capax, varias educit in artes.
Hic partus, qui cuncta regit, secessit in urbes,
Edomuit terram ad fruges, animalia cepit,
Imposuitque viam ponto, stetit unus in arcem
Erectus capitis, victorque ad sidera mittit
Sidereos oculos, propiusque aspectat Olympum.
Inquiritque Iovem; nec sola fronte deorum
Contentus manet, et caelum scrutatur in alvo,
Cognatumque sequens corpus se quaerit in astris.
Huic in tanta fidem petimus, quam saepe volucres
Accipiunt, trepidaeque suo sub pectore fibrae.
An minus est sacris rationem ducere signis,
Quam pecudum mortes, aviumque attendere cantus,
Atque ideo faciem caeli non invidet orbi
Ipse deus, vultusque suos corpusque recludit
Semper volvendo, seque ipsum inculcat et offert;
Ut bene cognosci possit, doceatque videndo,
Qualis eat, cogatque suas attendere leges.

IV, 886–912.

PAPIRIUS FABIANUS, Late in Augustan Age.

333. A Suasoria. — Alexander has arrived at the Limits of the Earth: He knows not what to conquer next.

Quid? ista toto pelago infusa caligo navigantem tibi videtur admittere, quae prospicientem quoque excludit? Non haec India est nec ferarum terribilis ille conventus. Inmanes propone beluas, aspice quibus procellis fluctibusque saeviat, quas ad litora undas agat. Tantus ventorum concursus, tanta convulsi funditus maris insania est; nulla praesens navigantibus statio est, nihil salutare, nihil notum; rudis et inperfecta natura penitus recessit. Ista maria ne illi quidem petierunt qui fugiebant Alexandrum. Sacrum quidem terris natura circumfudit Oceanum. Illi qui etiam siderum collegerunt metas et annuas hiemis atque aestatis vices ad certam legem redegerunt, quibus nulla pars ignota mundi est, de Oceano tamen dubitant utrumne terras velut vinculum circumfluat, an in suum colligatur orbem, et in hos per quos navigatur sinus quasi spiramenta quaedam magnitudinis exaestuet; ignem post se cuius augmentum ipse sit habeat, an spiritum. Quid agitis, conmilitones? domitoremne generis humani, magnum Alexandrum, eo dimittitis quod adhuc quid sit disputatur? Memento Alexander: matrem in orbe victo adhuc magis quam pacato relinquis.

Ap. Sen. Rh., Suas. I, iv.

ARELLIUS FUSCUS. Late in Augustan Age.

334. A Suasoria. — Alexander hesitates whether to enter Babylon after an Augur had predicted that he should die there.

Quis est qui futurorum scientiam sibi vindicet? novae oportet sortis is sit qui iubente deo canat, non eodem contentus utero quo inprudentes nascimur; quandam imaginem dei praeferat,

qui iussa exhibeat dei. Sic est, tantum enim regem tantique
rectorem orbis in metum cogit. Magnus iste et supra humanae
sortis habitum sit cui liceat terrere Alexandrum : ponat iste suos
inter sidera patres et originem caelo trahat, agnoscat suum vatem deus ; non eodem vitae fine, aetate magna, extra omnem
fatorum necessitatem caput sit, quod gentibus futura praecipiat.
Si vera sunt ista, quid ita non huic studio servit omnis aetas ? cur
non ab infantia rerum naturam deosque qua licet visimus, cum
pateant nobis sidera et interesse numinibus liceat ? quid ita inu-
tili desudamus facundia aut periculosis atteritur armis manus ?
an melius alio pignore quam futuri scientia ingenia surrexerint ?
Qui vero in media se, ut praedicant, fatorum misere pignora
natales inquirunt et primam aevi horam omnium annorum habent nuntiam, quo ierint motu sidera, in quas discucurrerint partes, contrane deus steterit, an placidus adfulserit sol ; an plenam
lucem (an) initia surgentis acceperit, an abdiderit in noctem
obscurum caput luna ; Saturnus nascentem, an ad bella Mars
militem, an negotiosum in quaestus Mercurius exceperit, an
blanda adnuerit nascenti Venus, an ex humili in sublime Iuppiter tulerit aestimant : tot circa unum caput tumultuantis deos !
Futura nuntiant : plerosque dixere victuros, at nihil metuentis
oppressit dies ; aliis dedere finem propinquum, at illi superfuere
agentes inutilis animas ; felices nascentibus annos spoponderunt,
at fortuna in omnem properavit iniuriam. Incertae enim sortis
vivimus ; unicuique ista pro ingenio finguntur, non ex fide scientiae. Erit aliquis orbe toto locus qui te victorem non viderit ?
Babylon ei cluditur, cui patuit Oceanus !

Ap. Sen. Rh., Suas., IV, i–iii.

Q. HATERIUS, 64 B. C.–25 A. D.

335. A Suasoria. — Cicero deliberates whether to
burn his Philippics on the condition that his
Life shall be spared.

Non feres Antonium ; intolerabilis in malo ingenio felicitas est
nihilque cupientis magis accendit quam prosperae turpitudinis

conscientia. Difficile est; non feres, inquam, et iterum inritare
inimicum in mortem tuam cupies. Quod ad me quidem pertinet,
multum a Cicerone absum; tamen non taedet tantum me vitae
meae, sed pudet. Ne propter hoc quidem ingenium tuum amas,
quod illud Antonius plus odit quam te? remittere ait se tibi ut
vivas, commentus quemadmodum eripiat etiam quod vixeras.
Crudelior est pactio Antonii quam proscriptio. Ingenium erat
in quo nihil iuris haberent triumviralia arma. Commentus est
Antonius quemadmodum quod non poterat cum Cicerone (pro-
scribere, a Cicerone) proscriberetur. Hortarer te, Cicero, ut vitam magni aestimares, si libertas suum haberet in civitate locum,
si suum in libertate eloquentia, si non civili ense cervicibus lue-
rentur; nunc ut scias nihil esse melius quam mori, vitam tibi
Antonius promittit. Pendet nefariae proscriptionis tabula; tot
praetorii, tot consulares, tot equestris ordinis viri periere; nemo
relinquitur nisi qui servire possit. Nescio an hoc tempore vivere velis, Cicero; nemo est cum quo velis. Merito, hercules,
illo tempore vixisti quo Caesar ultro te rogavit ut viveres sine
ulla pactione, quo tempore non quidem stabat respublica, sed in
boni principis sinum ceciderat.

Ap. Sen. Rh., Suas. VII, i.

M. ANNAEUS SENECA, Rhetor, circ.
54 B. C.–38 A. D. *

336. Description of the Eloquence of the Rhetori-
cians Arellius Fuscus and Fabianus.

Erat explicatio Fusci Arelli splendida quidem sed operosa et
implicata, cultus nimis adquisitus, compositio verborum mollior
quam ut illam tam sanctis fortibusque praeceptis praeparans se
animus pati posset; summa inaequalitas orationis, quae modo
exilis erat, modo nimia licentia vaga et effusa; principia, argumenta, narrationes aride dicebantur, in descriptionibus extra legem omnibus verbis, dummodo niterent, permissa libertas; nihil
acre, nihil solidum, nihil horridum; splendida oratio et magis

lasciva quam laeta. Ab hac cito se Fabianus separavit et luxuriam quidem cum voluit abiecit, obscuritatem non potuit evadere;
haec illum usque in philosophiam prosecuta est; saepe minus
quam audienti satis est eloquitur, et in summa eius ac simplicis-
sima facultate dicendi antiquorum tamen vitiorum remanent
vestigia, quaedam tam subito desinunt, ut non brevia sint, sed
abrupta. Dicebat autem Fabianus fere dulces sententias et
quotiens inciderat aliqua materia quae convitium seculi reciperet,
inspirabat magno magis quam acri animo. Deerat illi oratorium
robur et ille pugnatorius mucro, splendor vero velut voluntarius
non elaboratae orationi aderat. Vultus dicentis lenis et pro
tranquillitate morum remissus; vocis nulla contentio, nulla corporis adseveratio, cum verba velut iniussa fluerent. Iam videlicet conpositus et pacatus animus, cum veros conpressisset
affectus et iram doloremque procul expulisset, parum bene imitari poterat quae effugerat. Suasoriis aptior erat; locorum habitus fluminumque decursus et urbium situs moresque populorum
nemo descripsit abundantius, numquam inopia verbi substitit,
sed velocissimo ac facillimo cursu omnes res beata circumfluebat
oratio.

Contr., II, *Praef.* 1–3.

337. Ovid's Genius for Poetry and Rhetoric
characterized.

Hanc controversiam memini ab Ovidio Nasone declamari apud
rhetorem Arellium Fuscum, cuius auditor fuit; nam Latronis ad-
mirator erat, cum diversum sequeretur dicendi genus. Habebat
ille comptum et decens et amabile ingenium. Oratio eius iam
tum nihil aliud poterat videri quam solutum carmen. Adeo autem studiose Latronem audiit, ut multas illius sententias in versus suos transtulerit. Tunc autem, cum studeret, habebatur bonus
declamator. Hanc certe controversiam ante Arellium Fuscum
declamavit, ut mihi videbatur, longe ingeniosius, excepto eo quod
sine certo ordine per locos discurrerat. . . . Declamabat autem
Naso raro controversias et non nisi ethicas; libentius dicebat
suasorias, molesta illi erat omnis argumentatio. Verbis minime
licenter usus est nisi in carminibus, in quibus non ignoravit vitia
sua sed amavit. Manifestum potest esse, quod rogatus aliquando

ab amicis suis, ut tolleret tres versus, invicem petiit, ut ipse tres
exciperet in quos nihil illis liceret.　Aequa lex visa est ; scripserant illi quos tolli vellent secreto, hic quos tutos esse vellet.　In
utrisque codicillis idem versus erant, ex quibus primum fuisse
narrabat Albinovanus Pedo, qui inter arbitros fuit :

> Semibovemque virum semivirumque bovem ;

Secundum :

> Et gelidum Borean egelidumque Notum.

Ex quo adparet summi ingenii viro non iudicium defuisse ad
compescendam licentiam carminum suorum sed animum ; aiebat
interim decentiorem faciem esse, in qua aliquis naevos fuisset.

Contr., II, ii, 8, 9, 12.

338. Asinius Pollio first introduced the Practice of Recitations.

Pollio Asinius numquam admissa multitudine declamavit, nec
illi ambitio in studiis defuit.　Primus enim omnium Romanorum
advocatis hominibus scripta sua recitavit, et inde est quod Labie-
nus, homo mentis quam linguae amarioris, dicit : ' Ille triumpha-
lis senex ἀκροάσεις suas (id est declamationes) numquam populo
commisit ; ' sive quia parum in illis habuit fiduciam, sive — quod
magis crediderim — tantus orator inferius id opus ingenio suo
duxit, et exerceri quidem illo volebat, gloriari fastidiebat.　Audivi autem illum et viridem et postea iam senem cum Marcello
Aesernino nepoti suo quasi praeciperet ; audiebat illum dicentem
et primum disputabat de illa parte quam Marcellus dixerat ;
praetermissa ostendebat, leviter tacta implebat, vitiosa coargue-
bat, deinde dicebat partem contrariam.　Floridior erat aliquanto
in declamando quam in agendo ; illud strictum eius et asperum
et nimis iratum ingenio suo iudicium adeo cessabat, ut in multis
illi venia opus esset, quae ab ipso vix inpetrabatur.　Marcellus,
quamvis puer, iam tantae indolis erat, ut Pollio ad illum pertinere successionem eloquentiae suae crederet, cum filium Asinium
Gallum relinqueret, magnum oratorem, nisi illum, quod semper
evenit, magnitudo patris non produceret, sed obrueret.　Memini
intra quartum diem, quam Herium filium amiserat, declamare eum
nobis, sed tanto vehementius quam umquam, ut appareret homi-

nem natura contumacem cum fortuna sua rixari ; nec quicquam
ex ordine vitae solito remisit, itaque cum mortuo in Syria Gaio
Caesare per codicillos questus esset divus Augustus, ut erat mos
illi clementissimo viro, non civiliter tantum sed etiam familiariter, quod in tam magno et recenti luctu suo homo carissimus
sibi pleno convivio cenasset, rescripsit Pollio : ' Eo die cenavi
quo Herium filium amisi.' Quis exigeret maiorem ab amico
dolorem quam a patre ? O magnos viros, qui fortunae succumbere nesciunt et adversas res suas virtutis experimenta faciunt!
declamavit Pollio Asinius intra quartum diem quam filium
amiserat ; praeconium illud ingentis animi fuit malis suis insul-
tantis.

Contr., IV, *Praef.* 2–6.

339. A CONTROVERSIA. — FILIA CONSCIA IN VENENO PRIVIGNI.

Venefica torqueatur, donec conscios indicet. Quidam, mortua
uxore ex qua filium habebat, duxit alteram uxorem, et ex ea sustulit filiam. Decessit adulescens, accusavit maritus novercam
venefici. Damnata, dum torqueretur, dixit consciam filiam. Petitur ad supplicium puella. Pater defendit. Non prodesset tibi,
puella, quod te amavit frater, nisi mater odisset. Nefaria mulier,
etiam filiae noverca, ne mori quidem potuit, nisi ut occideret.
Inter gladiatores quoque condicio pessuma victoris est cum moriente pugnantis. Nullum magis adversarium timeas quam qui vivere non potest, occidere potest. Concitatissima est rabies in
desperatione et morte ultima in furorem animus impellitur. Quaedam ferae tela ipsa commordent et in mortis auctorem per vulnera ruunt. Gladiator quem armatus fugerat nudus insequitur, et
praecipitati non quod impulit tantum trahunt, sed quod occurrit.
Naturali quodam deploratae mentis adfectu morientibus gratissimum est commori ! Veneficio mendacium simile dum novercae meminit, matris oblita est. Peto ne quia filium vindicavi,
filiam perdam. Nisi succurritis, noverca vicit, ego victus sum.
Ne inter supplicia quidem desiit occidere. Prosit illi puellae
quod illam pater laudat, et prosit quod talis mater accusat.
Conscia, inquit, est filia. Ego torqueri coepi, noverca torquere.
Habui filium talem, ut illum amare posset noverca, nisi in eam

incidisset quae odisse etiam filiam posset. Servus furti tortus
Catonem conscium dixit. Utrum plus tormentis creditis an
Catoni ? Quod noverca tam sero, puella tam cito ? In hoc
poenas veneficii dabat, ut accusationis exigeret.

Contr., IX, vi.

AUGUSTUS IMPERATOR.

340. THE EMPEROR CONGRATULATES HIMSELF ON HAVING
     PASSED THE GRAND CLIMACTERIC. — LETTER TO
     HIS GRANDSON CAIUS, 2 A. D.

IX Kalend. Octobr. Ave mi Gai, meus asellus iucundissi-
mus, quem semper me dius fidius desidero cum a me abes, set
praecipue diebus talibus, qualis est hodiernus, oculi mei requirunt meum Gaium, quem, ubicumque hoc die fuisti, spero laetum
et bene valentem celebrasse quartum et sexagesimum natalem
meum. Nam, ut vides, κλιμακτῆρα communem seniorum omnium
tertium et sexagesimum annum evasimus. Deos autem oro, ut
mihi quantumcumque superest temporis, id salvis vobis traducere
liceat in statu reipublicae felicissimo, ἀνδραγαθούντων ὑμῶν καὶ
διαδεχομένων stationem meam.

Ap. Gell., XV, vii, 3.

341. EXTRACTS FROM LETTERS TO LIVIA, 12 A. D.,
     SHOWING HIS OPINION OF CLAUDIUS.

Collocutus sum cum Tiberio, ut mandasti, mea Livia, quid
nepoti tuo Tiberio faciendum esset ludis Martialibus. Consentit
autem uterque nostrum, semel nobis esse statuendum, quod consilium in illo sequamur. Nam si est artius, ut ita dicam, ho-
locleros, quid est quod dubitemus, quin per eosdem articulos
et gradus producendus sit, per quos frater eius productus fuit ?
Sin autem ἠλαττῶσθαι sentimus eum, καὶ βεβλάφθαι καὶ εἰς τὴν
τοῦ σώματος καὶ εἰς τὴν τῆς ψυχῆς ἀρτιότητα, praebenda materia
deridendi et illum et nos non est hominibus τὰ τοιαῦτα σκώπτειν
καὶ μυκτηρίζειν εἰωθόσιν. Nam semper aestuabimus, si de singu-

lis articulis temporum deliberabimus, μὴ προυποκείμενον ἡμῖν,
posse arbitremur eum gerere honores necne. In praesentia
tamen quibus de rebus consuiis, curare eum ludis Martialibus
triclinium sacerdotum, non displicet nobis, si est passurus, se ab
Silani filio, homine sibi affini, admoneri, ne quid faciat, quod
conspici et derideri possit. Spectare eum Circenses ex pulvi-
nari, non placet nobis. Expositus enim in prima fronte spectaculorum conspicietur. In Albanum montem ire eum, non placet
nobis, aut esse Romae Latinarum diebus. Cur enim non prae-
ficitur urbi, si potest fratrem suum sequi in montem? Habes
nostras, mea Livia, sententias, quibus placet semel de tota re
aliquid constitui, ne semper inter spem et metum fluctuemus.
Licebit autem, si voles, Antoniae quoque nostrae des hanc partem
epistolae huius legendam. . . . Tiberium adolescentem ego vero,
dum tu aberis, cotidie invitabo ad caenam, ne solus caenet cum
suo Sulpicio et Athenodoro ; qui vellem diligentius et minus
μετεώρως deligeret sibi aliquem, cuius motum et habitum et in-
cessum imitaretur. Misellus

ἀτυχεῖ — nam ἐν τοῖσι σπουδαίοις.

Ubi non aberravit eius animus, satis apparet ἡ τῆς ψυχῆς αὐτοῦ
εὐγένεια. . . . Tiberium nepotem tuum placere mihi declaman-
tem potuisse, peream nisi, mea Livia, admiror. Nam qui tam
ἀσαφῶς loquatur, qui possit, cum declamat, σαφῶς dicere, quae
dicenda sunt, non video.

Ap. Suet., Claud., iv.

M. VELLEIUS PATERCULUS, 18 B.C.–31 A.D.

342. Character of Julius Caesar.

Hic, nobilissima Iuliorum genitus familia, et, quod inter omnis antiquitatis studiosos constabat, ab Anchise ac Venere dedu-
cens genus, forma omnium civium excellentissimus, vigore animi
acerrimus, munificentia effusissimus, animo super humanam et
naturam et fidem evectus, magnitudine cogitationum, celeritate
bellandi, patientia periculorum, Magno illi Alexandro, sed sobrio,

neque iracundo, simillimus, qui denique semper et somno et cibo
in vitam, non in voluptatem, uteretur, cum fuisset C. Mario sanguine coniunctissimus, atque idem Cinnae gener, cuius filiam ut
repudiaret, nullo metu compelli potuit (cum M. Piso consularis
Anniam, quae Cinnae uxor fuerat, in Sullae dimisisset gratiam),
habuissetque fere XVIII annos eo tempore, quo Sulla rerum
potitus est; magis ministris Sullae adiutoribusque partium, quam
ipso, conquirentibus eum ad necem, mutata veste, dissimilemque
fortunae suae indutus habitum, nocte urbe elapsus est. Idem
postea admodum iuvenis cum a piratis captus esset, ita se per
omne spatium, quo ab iis retentus est, apud eos gessit, ut pariter
iis terrori venerationique esset, neque umquam aut nocte aut die
(cur enim, quod vel maximum est, si narrari verbis speciosis non
potest, omittatur?) aut excalcearetur aut discingeretur; in hoc
scilicet, ne, si quando aliquid ex solito variaret, suspectus iis, qui
oculis tantummodo eum custodiebant, foret.

II, xli.

VALERIUS MAXIMUS, Time of Tiberius.

343. The Roman Religion owed much to Etruscan
Influence.

Maiores statas sollemnesque caeremonias, Pontificum scientia;
bene gerendarum rerum auctoritates, augurum observatione;
Apollinis praedictiones, vatum libris; portentorum depulsiones
Etrusca disciplina explicari voluerunt. Prisco etiam instituto
rebus divinis opera datur, cum aliquid commendandum est,
precatione; cum exposcendum, voto; cum solvendum, gratulatione; cum inquirendum vel extis vel sortibus, inpetrito; cum
sollemni ritu peragendum, sacrificio. Quo etiam ostentorum ac
fulgurum denuntiationes procurantur. Tantum autem studium
antiquis non solum servandae, sed etiam amplificandae religionis fuit, ut florentissima tum et opulentissima civitate decem
principum filii S. C. singulis Etruriae populis percipiendae sacrorum disciplinae gratia traderentur.

I, i, 1.

344. The Gods will not endure to be slighted.

Non sinit nos M. Crassus, inter gravissimas Romani imperii
iacturas numerandus, hoc loco de se silentium agere, plurimis
et evidentissimis ante tantam ruinam monstrorum pulsatus ictibus. Ducturus erat a Carris adversus Parthos exercitum. Pul-
lum ei traditum est paludamentum, cum in proelium exeuntibus
album aut purpureum dari soleret. Maesti et taciti milites ad
principia convenerunt, qui vetere instituto cum clamore alacri
adcurrere debebant. Aquilarum altera vix convelli a primipilo
potuit ; altera aegerrime extracta in contrariam, ac ferebatur,
partem se ipsa convertit. Magna haec prodigia ; sed illae clades aliquanto maiores, tot pulcherrimarum legionum interitus,
tam multa signa hostilibus intercepta manibus, tantum Romanae
militiae decus barbarorum obtritum equitatu, optimae indolis
filii cruore paterni respersi oculi, corpusque imperatoris inter
promiscuas cadaverum strues, avium ferarumque laniatibus ob-
iectum. Vellem quidem placidius, sed relatum verum est. Sic
deorum monitus spreti excandescunt ; sic humana consilia casti-
gantur, ubi se caelestibus praeferunt.

I, vi, 11.

PHAEDRUS, Time of Tiberius and Claudius.

345. The Frogs ask for a King.

Athénae cum florérent aequis légibus,
Procáx libertas cívitatem míscuit,
Frenúmque solvit prístinum licéntia.
Hinc cónspiratis fáctionum pártibus,
Arcém tyrannus óccupat Pisístratus.
Cum trístem servitútem flerent Áttici,
Non quía crudelis ílle, sed quoniám grave
Omne ínsuëtis ónus, et coepissént queri,
Aesópus talem túm fabellam rétulit.

Ranaé, vagantes líberis palúdibus,
Clamóre magno régem petiere á Iove,
Qui díssolutos móres vi compésceret.
Patér deorum rísit, atque illís dedit
Parvúm tigillum, míssum quod subitó vadi
Motú sonoque térruit pavidúm genus.
Hoc mérsum limo cúm iaceret díutius,
Forte úna tacite prófert e stagnó caput,
Et éxplorato rége cunctas évocat.
Illaé, timore pósito, certatim ádnatant,
Lignúmque supra túrba petulans ínsilit.
Quod cum ínquinassent ómni contumélia,
Aliúm rogantes régem misere ád Iovem,
Inútilis quoniam ésset, qui fuerát datus.
Tum mísit illis hýdrum, qui dente áspero
Corrípere coepit síngulas.　Frustrá necem
Fugitánt inertes ; vócem praecludít metus.
Furtim ígitur dant Mercúrio mandata ád Iovem,
Adflíctis ut succúrrat.　Tunc contrá deus :
' Quia nóluistis véstrum ferre,' inquít, ' bonum,
Malúm perferte.'　Vósque, o civés, ait,
Hoc sústinete, máius ne veniát, malum.

I, ii.

346. The Fox and the Crow.

Qui sé laudari gaúdent verbis súbdolis
Será dant poenas túrpes paeniténtia.
Cum dé fenestra córvus raptum cáseum
Comésse vellet, célsa residens árbore,
Vulpés hunc vidit, deínde sic coepít loqui :
' O quí tuarum, córve, pennarum ést nitor !
Quantúm decoris córpore et vultú geris !
Si vócem haberes, núlla prior alés foret.'
At ílle stultus, dúm vult vocem osténdere,
Emísit ore cáseum ; quem céleriter
Dolósa vulpes ávidis rapuit déntibus.
Tum démum ingemuit córvi deceptús stupor.

I, xiii.

347. Tiberius indulges in a Jest.

Est árdelionum quaédam Romae nátio,
Trepidé concursans, óccupata in ótio,
Gratís anhelans, múlta agendo níhil agens,
Sibí molesta et áliis odiosíssima.
Hanc émendare, sí tamen possúm, volo
Verá fabella; prétium est operae atténdere.
Caesár Tiberius, cúm, petens Neápolim,
In Mísenensem víllam venissét suam,
Quae, mónte summo pósita Lucullí manu,
Prospéctat Siculum, et déspicit Tuscúm mare,
Ex álticinctis únus atriénsibus,
Cui túnica ab humeris línteo Pelúsio
Erát destricta, círris dependéntibus,
Perámbulante laéta domino víridia,
Alvéolo coepit lígneo conspérgere
Humum aéstuantem, come officium iáctitans;
Sed déridetur. Índe notis fléxibus
Praecúrrit alium in xýstum, sedans púlverem.
Agnóscit hominem Caésar, remque intéllegit.
Is út putavit ésse nescio quíd boni:
Heus! inquit dominus. Ílle enimvero ádsilit,
Donátionis álacer certae gaúdio.
Tum síc iocata est tánta maiestás ducis:
'Non múltum egisti, et ópera nequiquám perit;
Multó maioris álapae mecum véneunt.'

II, v.

348. The Lion and the Mouse.

Ne quís minores laédat, fabula haéc monet.
Leóne in silva dórmiente, rústici
Luxúriabant murés, et unus éx iis
Supér cubantem cásu quodam tránsiit.
Expérgefactus míserum leo celeri ímpetu
Arrípuit. Ille véniam sibi darí rogat;
Crimén fatetur, péccatum imprudéntiae.

Hoc réx ulcisci glóriosum nón putans,
Ignóvit et dimísit. Post paucós dies
Leo, dúm vagatur nóctu, in foveam décidit.
Captum út se agnovit láqueis, voce máxima
Rugíre coepit ; cúius immanem ád sonum
Mus súbito accurrens. 'Nón est, quod timeás,' ait,
'Benefício magno grátiam reddám parem.'
Mox ómnes artus ártuum et ligámina
Lustráre coepit, cógnitosque déntibus
Nervós rodendo, láxat ingenia ártuum.
Sic cáptum mus leónem silvis réddidit.

App., I, iv.

A. CORNELIUS CELSUS, FROM TIBERIUS TO NERO.

349. A SHORT HISTORY OF THE ART OF MEDICINE.

Vetustissimus auctor Aesculapius celebretur. Qui, quoniam
adhuc rudem et vulgarem hanc scientiam paulo subtilius exco-
luit, in deorum numerum receptus est. Huius deinde duo
filii, Podalirius et Machaon, bello Troiano ducem Agamemno-
nem secuti, non mediocrem opem commilitonibus suis attulerunt.
Quos tamen Homerus non in pestilentia, neque in variis generibus morborum aliquid attulisse auxilii, sed vulneribus tantummodo ferro et medicamentis mederi solitos esse, proposuit. Ex
quo apparet, has partes medicinae solas ab iis esse tractatas, easque esse vetustissimas. Eodemque auctore disci potest, morbos
tum ad iram deorum immortalium relatos esse, et ab iisdem
opem posci solitam. Verique simile est, inter nulla auxilia adversae valetudinis, plerumque tamen eam bonam contigisse ob bonos
mores, quos neque desidia, neque luxuria vitiarant ; siquidem
haec duo corpora, prius in Graecia, deinde apud nos, afflixerunt.
Ideoque multiplex ista medicina neque olim apud Graecos, neque
apud alias gentes necessaria, vix aliquos ex nobis ad senectutis
principia perducit. Ergo etiam post eos, de quibus retuli, nulli

clari viri medicinam exercuerunt, donec maiore studio litterarum
disciplina agitari coepit, quae, ut animo praecipue omnium necessaria, sic corpori inimica est. Primoque medendi scientia sapientiae pars habebatur, ut et morborum curatio et rerum naturae
contemplatio sub iisdem auctoribus nata sit, scilicet iis hanc
maxime requirentibus, qui corporum suorum robora quieta cogitatione, nocturnaque vigilia minuerant. Ideoque multos ex
sapientiae professoribus peritos eius fuisse accepimus; clarissi-
mos vero ex iis Pythagoram, et Empedoclem, et Democritum.
Huius autem, ut quidam crediderunt, discipulus Hippocrates
Cous, primus quidem ex omnibus memoria dignis, ab studio
sapientiae disciplinam hanc separavit, vir et arte et facundia
insignis. Post quem Diocles Carystius, deinde Praxagoras
et Chrysippus, tum Herophilus et Erasistratus sic artem hanc
exercuerunt, ut etiam in diversas curandi vias processerint.

De Medic., I, *Prooem.*

350. The Arguments for Vivisection were, in the First Century of the Empire, extended so as to include the Human Subject.

Necessarium ergo esse incidere corpora mortuorum, eorumque
viscera atque intestina scrutari; longeque optime fecisse Hero-
philum et Erasistratum, qui nocentes homines a regibus ex carcere acceptos, vivos inciderint, considerarintque, etiamnum spiritu
remanente, ea quae natura ante clausisset, eorumque positum,
colorem, figuram, magnitudinem, ordinem, duritiem, mollitiem,
laevorem, contactum; processus deinde singulorum et recessus,
et sive quid inseritur alteri, sive quid partem alterius in se recipit. Neque enim, cum dolor intus incidit, scire quid doleat,
eum, qui, qua parte quodque viscus intestinumve sit, non cog-
noverit, neque curari id, quod aegrum est, posse ab eo, qui, quid
sit ignoret. Et cum per vulnus alicuius viscera patefacta sunt,
eum qui sanae cuiusque colorem partis ignoret, nescire quid integrum, quid corruptum sit; ita ne succurrere quidem posse
corruptis. Aptiusque extrinsecus imponi remedia, compertis
interiorum et sedibus et figuris, cognitaque eorum magnitudine;
similesque omnia, quae intus posita sunt, rationes habere. Neque esse crudele, sicut plerique proponunt, hominum nocentium,

et horum quoque paucorum, suppliciis, remedia populis innocen-
tibus saeculorum omnium quaeri.

De Medic., I, *Prooem.*

351. A Few Remarks on Surgery, with the Qualifications of a Good Surgeon.

Haec autem pars, cum sit vetustissima, magis tamen ab illo
parente omnis medicinae Hippocrate, quam a prioribus exculta
est ; deinde, posteaquam diducta ab aliis habere professores suos
coepit, in Aegypto quoque increvit, Philoxeno maxime auctore,
qui plurimis voluminibus hanc partem diligentissime comprehen-
dit. Gorgias quoque et Sostratus et Heron et Apollonii duo et
Ammonius Alexandrinus, multique alii celebres viri, singuli quaedam repererunt. Ac Romae quoque non mediocres professores,
maximeque nuper Tryphon pater, et Euelpistus, et, ut ex scriptis
eius intellegi potest, horum eruditissimus Meges, quibusdam in
melius mutatis aliquantum ei disciplinae adiecerunt. Esse autem chirurgus debet adolescens, aut certe adolescentiae propior ;
manu strenua, stabili, nec umquam intremiscente, eaque non minus sinistra, quam dextra promptus ; acie oculorum acri clara-
que ; animo intrepidus, misericors sic, ut sanari velit eum, quem
accepit, non ut clamore eius motus vel magis, quam res desiderat,
properet, vel minus, quam necesse est, secet ; sed perinde faciat
omnia, ac si nullus ex vagitibus alterius affectus oriatur. Potest
autem requiri, quid huic parti proprie vindicandum sit ; quia
vulnerum quoque ulcerumque multorum curationes, quas alibi
exsecutus sum, chirurgi sibi vindicant. Ego eumdem quidem
hominem posse omnia ista praestare concipio ; atque ubi se divi-
serunt, eum laudo, qui quamplurimum percipit. Ipse autem huic
parti ea reliqui, in quibus vulnus facit medicus, non accipit ; et
in quibus vulneribus ulceribusque plus profici manu, quam medi-
camento, credo ; tum quidquid ad ossa pertinet. Quae deinceps
exsequi aggrediar ; dilatisque in aliud volumen ossibus, in hoc
cetera explicabo ; praepositisque iis, quae in qualibet parte corporis fiunt, ad ea, quae proprias sedes habent transibo.

De Medic., VII, *Praef.*

A. PERSIUS FLACCUS, 34–62 A. D.

352. The Commonplace Man does not appreciate Philosophy.

Discite, o miseri, et causas cognoscite rerum!
Quid sumus, et quidnam victuri gignimur? ordo
Quis datus, aut metae qua mollis flexus, et unde?
Quis modus argento? quid fas optare? quid asper
Utile nummus habet?   Patriae carisque propinquis
Quantum elargiri deceat, quem te deus esse
Iussit, et humana qua parte locatus es in re,
Disce, neque invideas, quod multa fidelia putet
In locuplete penu, defensis pinguibus Umbris,
Et piper, et pernae, Marsi monumenta clientis,
Maenaque quod prima nondum defecerit orca.
  Hic aliquis de gente hircosa centurionum
Dicat: Quod satis est, sapio mihi.   Non ego curo
Esse, quod Arcesilas aerumnosique Solones,
Obstipo capite, et figentes lumine terram,
Murmura cum secum et rabiosa silentia rodunt,
Atque exporrecto trutinantur verba labello
Aegroti veteris meditantes somnia : 'Gigni
De nihilo nihilum, in nihilum nil posse reverti.'
Hoc est, quod palles? cur quis non prandeat, hoc est?
His populus ridet; multumque torosa iuventus
Ingeminat tremulos naso crispante cachinnos.

Sat., iii, 66–87.

353. The Tyranny of Ambition.

Mane piger stertis. 'Surge,' inquit avaritia ; 'heia
Surge!' Negas. Instat, 'Surge!' inquit. 'Non queo.' 'Surge!
'Et quid agam?' 'Rogas? en saperdas advehe Ponto,
Castoreum, stuppas, hebenum, tus, lubrica Coa.
Tolle recens primus piper e sitiente camelo.
Verte aliquid, iura.' 'Sed Iuppiter audiet.' 'Eheu,

Baro, regustatum digito terebrare salinum
Contentus perages, si vivere cum Iove tendis.'
Iam pueris pellem succinctus et oenophorum aptas:
'Ocius ad navem!'   Nihil obstat, quin trabe vasta
Aegaeum rapias, ni sollers Luxuria ante
Seductum moneat; 'Quo deinde insane ruis? quo?
Quid tibi vis?   Calido sub pectore mascula bilis
Intumuit, quam non extinxerit urna cicutae?
Tu mare transilias? tibi, torta cannabe fulto,
Cena sit in transtro?   Veientanumque rubellum
Exhalet, vapida laesum pice, sessilis obba?
Quid petis? ut nummi, quos hic quincunce modesto
Nutrieras, pergant avidos sudare deunces?
Indulge genio; carpamus dulcia; nostrum est,
Quod vivis; cinis et manes et fabula fies.
Vive memor leti; fugit hora; hoc, quod loquor, inde est.'
En quid agis?   Duplici in diversum scinderis hamo.
Huncine, an hunc sequeris?   Subeas alternus oportet
Ancipiti obsequio dominos, alternus oberres.
Nec tu, cum obstiteris semel, instantique negaris
Parere imperio: 'Rupi iam vincula!' dicas.
Nam et luctata canis nodum abripit; et tamen illi,
Cum fugit, a collo trahitur pars longa catenae.

v, 132–160.

354. Charity begins at Home.

Messe tenus propria vive, et granaria, fas est,
Emole.   Quid metuas? — Occa; et seges altera in herba est.—
Ast vocat officium; trabe rupta Bruttia saxa
Prendit amicus inops; remque omnem surdaque vota
Condidit Ionio; iacet ipse in litore, et una
Ingentes de puppe dei, iamque obvia mergis
Costa ratis lacerae. — Nunc et de caespite vivo
Frange aliquid; largire inopi, ne pictus oberret
Caerulea in tabula. — Sed cenam funeris heres
Negleget iratus, quod rem curtaveris; urnae
Ossa inodora dabit, seu spirent cinnama surdum,
Seu ceraso peccent casiae, nescire paratus.

'Tune bona incolumis minuas?'—Et Bestius urget
Doctores Graios: 'Ita fit, postquam sapere urbi
Cum pipere et palmis venit nostrum hoc maris expers;
Faenisecae crasso vitiarunt unguine pultes.'—
Haec cinere ulterior metuas.

vi, 25–41.

L. ANNAEUS SENECA, CIRC. 4 B. C.–65 A. D.

355. ARGUMENTS SHOWING THAT EXILE IS NOT AN EVIL.

'Carere patria, intolerabile est.' Aspice agedum hanc fre-
quentiam, cui vix urbis inmensae tecta sufficiunt. Maxima pars
istius turbae patria caret; ex municipiis et coloniis suis, ex toto
denique orbe terrarum confluxerunt. Alios adduxit ambitio,
alios necessitas officii publici, alios inposita legatio, alios luxuria,
opulentum et opportunum vitiis locum quaerens; alios liberalium
studiorum cupiditas, alios spectacula; quosdam traxit amicitia,
quosdam industria, laxam ostendendae virtuti nacta materiam;
quidam venalem formam adtulerunt, quidam venalem eloquentiam. Nullum non hominum genus concurrit in urbem, et virtutibus et vitiis magna pretia ponentem. Iube omnes istos ad
nomen citari, et, unde domo quisque sit, quaere: videbis maiorem
partem esse, quae relictis sedibus suis, venerit in maximam quidem ac pulcherrimam urbem, non tamen suam. Deinde ab hac
civitate discede, quae velut communis patria potest dici, omnes
urbes circumi; nulla non magnam partem peregrinae multitudinis habet. Transi ab iis, quarum amoena positio et opportu-
nitas regionis plures adlicit; deserta loca, et asperrimas insulas,
Sciathum et Seriphum, Gyarum et Corsicam percense: nullum
invenies exilium, in quo non aliquis animi causa moretur.

Ad Helv. De Consol., vi, 2–4.

356. RELAXATION IS ABSOLUTELY NECESSARY FOR A HEALTHY MENTAL CONDITION.

Nec in eadem intentione aequaliter retinenda mens est, sed ad iocos devocanda. Cum puerulis Socrates ludere non erubescebat, et Cato vino laxabat animum, curis publicis fatigatum; et Scipio triumphale illud et militare corpus movit ad numeros, non molliter se infringens, ut nunc mos est etiam incessu ipso ultra muliebrem mollitiam fluentibus, sed ut illi antiqui viri solebant, inter lusum ac festa tempora, virilem in modum tripudiare, non facturi detrimentum, etiam si ab hostibus suis spectarentur. Danda est remissio animis; meliores acrioresque requieti surgent. Ut fertilibus agris non est imperandum, cito enim exhauriet illos numquam intermissa fecunditas, ita animorum inpetus adsiduus labor frangit. Vires recipient paulum resoluti et emissi. Nascitur ex adsiduitate laborum, animorum hebetatio quaedam, et languor; nec ad hoc tanta hominum cupiditas tenderet, nisi naturalem quandam voluptatem haberet lusus iocusque, quorum frequens usus omne animis pondus omnemque vim eripiet. Nam et somnus refectioni necessarius est; hunc tamen semper si per diem noctemque continues, mors erit. Multum interest, remittas aliquid, an solvas. Legum conditores festos instituerunt dies, ut ad hilaritatem homines publice cogerentur; tamquam necessarium laboribus interponentes temperamentum. Et magni, ut didici, viri quidam sibi menstruas certis diebus ferias dabant; quidam nullum non diem inter et otium et curas dividebant, qualem Pollionem Asinium, oratorem magnum, meminimus, quem nulla res ultra decimam retinuit; ne epistulas quidem post eam horam legebat, ne quid novae curae nasceretur, sed totius diei lassitudinem duabus illis horis ponebat. Quidam medio die interiunxerunt, et in postmeridianas horas aliquid levioris operae distulerunt. Maiores quoque nostri novam relationem, post horam decimam, in senatu fieri vetabant. Miles vigilias dividit, et nox inmunis est ab expeditione redeuntium. Indulgendum est animo, dandumque subinde otium, quod alimenti ac virium loco sit.

De Tr. An., xvii, 4–8.

357. The Secret of Happiness.

Idem est ergo beate vivere, et secundum naturam. Hoc quid
sit, iam aperiam. Si corporis dotes, et apta naturae conserva-
bimus diligenter et inpavide, tamquam in diem data et fugacia;
si non subierimus eorum servitutem, nec nos aliena possederint;
si corpori grata et adventicia eo nobis loco fuerint quo sunt in
castris auxilia, et armaturae leves. Serviant ista, non imperent;
ita demum utilia sunt menti. Incorruptus vir sit externis, et
insuperabilis, miratorque tantum sui; fidens animi, atque in
utrumque paratus, artifex vitae. Fiducia eius non sine scientia
sit, scientia non sine constantia; maneant illi semel placita, nec
ulla in decretis eius litura sit. Intellegitur, etiamsi non adiecero,
conpositum ordinatumque fore talem virum, et in iis quae aget
cum comitate, magnificum. Erit vera ratio sensibus insita, et
capiens inde principia; nec enim habet aliud unde conetur, aut
unde ad verum inpetum capiat, in se revertatur. Nam mundus quoque cuncta conplectens rectorque universi deus, in ex-
teriora quidem tendit, sed tamen in totum undique in se redit.
Idem nostra mens faciat; cum secuta sensus suos, per illos se ad
externa porrexerit; et illorum et sui potens sit, *et, ut ita dicam,
devinciat summum bonum.* Hoc modo una efficietur vis ac potestas, concors sibi, et ratio illa certa nascetur, non dissidens
nec haesitans in opinionibus conprehensionibusque, nec in sua
persuasione. Quae cum se disposuit, et partibus suis consensit,
et, ut ita dicam, concinuit, summum bonum tetigit. Nihil enim
pravi, nihil lubrici superest; nihil in quo arietet, aut labet.
Omnia faciet ex imperio suo, nihilque inopinatum accidet; sed
quidquid aget, in bonum exibit, facile et parate, et sine tergiver-
satione agentis. Nam pigritia et haesitatio pugnam et incon-
stantiam ostendit. Quare audacter licet profitearis, summum
bonum esse animi concordiam. Virtutes enim ibi esse debebunt,
ubi consensus atque unitas erit; dissident vitia.

De Vit. Beat., viii, 2–6.

358. The Value of Securing Gratitude.

Egregie mihi videtur M. Antonius apud Rabirium poëtam,
cum fortunam suam transeuntem alio videat, et sibi nihil
relictum, praeter ius mortis, id quoque si cito occupaverit, excla-
mare: 'Hoc habeo, quodcumque dedi!' O quantum habere
potuit, si voluisset! Hae sunt divitiae certae, in quacumque sortis humanae levitate, uno loco permansurae; quae quo maiores
fuerint, hoc minorem habebunt invidiam. Quid tamquam tuo
parcis? Procurator es. Omnia ista, quae vos tumidos, et supra
humana elatos, oblivisci cogunt vestrae fragilitatis, quae ferreis
claustris custoditis armati, quae ex alieno sanguine rapta vestro
defenditis; propter quae classes cruentaturas maria deducitis,
propter quae quassatis urbes, ignari, quantum telorum in adversos fortuna conparet; propter quae ruptis totiens adfinitatis,
amicitiae, collegii foederibus, inter contendentes duos terrarum
orbis elisus est, non sunt vestra; in depositi causa sunt, iam
iamque ad alium dominum spectantia, aut hostis ista, aut hostilis
animi successor, invadet. Quaeris quomodo illa tua facias?
dona dando. Consule igitur rebus tuis, et certam tibi earum
atque inexpugnabilem possessionem para, honestiores illas non
solum, sed tutiores facturus; istud quod suspicis, quo te divitem
ac potentem putas, quamdiu possides, sub nomine sordido iacet.
Domus est, servus est, nummi sunt; cum donasti, beneficium
est.

De Ben., VI, iii.

359. A Burlesque of the Deification of the Emperor Claudius.

Claudius animam agere coepit nec invenire exitum poterat.
Tum Mercurius, qui semper ingenio eius delectatus esset, unam
e tribus Parcis seducit et ait: 'Quid, femina crudelissima, hominem miserum torqueri pateris? Nec umquam tam diu cruciatus
exiet? Annus sexagesimus et quartus est, ex quo cum anima
luctatur, quid huic et rei publicae invides? Patere mathematicos
aliquando verum dicere, qui illum, ex quo princeps factus est,
omnibus annis, omnibus mensibus efferunt. Et tamen non est

mirum si errant et horam eius nemo novit; nemo enim umquam
illum natum putavit. Fac quod faciendum est:

"Dede neci, melior vacua sine regnet in aula."

Sed Clotho 'Ego mehercules' inquit 'pusillum temporis adicere
illi volebam, dum hos pauculos, qui supersunt, civitate donaret'
— constituerat enim omnes Graecos, Gallos, Hispanos, Britannos
togatos videre — 'sed quoniam placet aliquos peregrinos in semen
relinqui et tu ita iubes fieri, fiat.' Aperit tum capsulam et tres
fusos profert: unus erat Augurini, alter Babae, tertius Claudii.
'Hos' inquit 'tres uno anno exiguis intervallis temporum divisos mori iubebo, nec illum incomitatum dimittam. Non oportet
enim eum, qui modo se tot milia hominum sequentia videbat, tot
praecedentia, tot circumfusa, subito solum destitui. Contentus
erit his interim convictoribus.'

'Αποκολοκύντωσις, iii

360. DEATH OUGHT NOT TO BE FEARED.

Pauper fiam? inter plures ero. Exul fiam? ibi me natum
putabo, quo mittar. Adligabor? quid enim? nunc solutus sum?
ad hoc me natura grave corporis mei pondus adstrinxit. Moriar? hoc dicis, desinam aegrotare posse, desinam adligari posse,
desinam mori posse. Non sum tam ineptus, ut Epicuream can-
tilenam hoc loco persequar, et dicam, vanos esse inferorum metus, nec Ixionem rota volvi, nec saxum humeris Sisyphi trudi in
adversum, nec ullius viscera et renasci posse cotidie, et carpi.
Nemo tam puer est, ut Cerberum timeat et tenebras, et larvalem
habitum nudis ossibus cohaerentem. Mors nos aut consumit,
aut exuit. Emissis meliora restant, onere detracto; consumptis
nihil restat; bona pariter malaque submota sunt. Permitte
mihi referre hoc loco tuum versum, si prius admonuero, ut te iudices non aliis scripsisse ista, sed etiam tibi. Turpe est aliud
loqui, aliud sentire; quanto turpius, aliud scribere, aliud sentire?
Memini te illum locum aliquando tractasse, non repente nos in
mortem incidere, sed minutatim procedere. Cotidie morimur,
cotidie enim demitur aliqua pars vitae; et tunc quoque cum
crescimus, vita decrescit. Infantiam amisimus, deinde pueritiam,
deinde adulescentiam; usque ad hesternum, quidquid transiit

temporis, periit : hunc ipsum quem agimus diem, cum morte
dividimus. Quemadmodum clepsydram non extremum stillici-
dium exhaurit, sed quicquid ante defluxit, sic ultima hora, qua
esse desinimus, non sola mortem facit, sed sola consummat.
Tunc ad illam pervenimus, sed diu venimus. Haec cum descrip-
sisses, quo soles ore, semper quidem magnus, numquam tamen
acrior, quam ubi veritati commodas verba, dixisti :

'Mors non una venit, sed quae rapit, ultima mors est.'

Malo te legas, quam epistolam meam ; adparebit enim tibi, hanc
quam timemus mortem extremam esse, non solam.

Ep., iii, 3 (24), 17–21.

361. God is within us : the Sublime, whether in Nature or in man, is a Trace of Him.

Non sunt ad caelum elevandae manus, nec exorandus aedituus, ut nos ad aurem simulacri, quasi magis exaudiri possimus,
admittat ; prope est a te deus, tecum est, intus est. Ita dico,
Lucili, sacer intra nos spiritus sedet, malorum bonorumque nostrorum observator et custos ; hic prout a nobis tractatus est, ita
nos ipse tractat. Bonus vir sine deo nemo est. An potest aliquis supra fortunam, nisi ab illo adiutus, exsurgere ? Ille dat
consilia magnifica, et erecta. In unoquoque virorum bonorum
(quis deus, incertum est) habitat deus. Si tibi occurrerit vetustis
arboribus et solitam altitudinem egressis frequens lucus, et
conspectum caeli ramorum aliorum alios protegentium umbra
submovens : illa proceritas silvae et secretum loci, et admiratio
umbrae, in aperto tam densae atque continuae, fidem tibi numinis facit. Et si quis specus saxis penitus exesis montem suspen-
derit, non manu factus, sed naturalibus causis in tantam laxitatem
excavatus ; animum tuum quadam religionis suspicione percutiet.
Magnorum fluminum capita veneramur ; subita ex abdito vasti
amnis eruptio aras habet ; coluntur aquarum calentium fontes ;
et stagna quaedam vel opacitas vel inmensa altitudo sacravit.
Si hominem videris interritum periculis, intactum cupiditatibus,
inter adversa felicem, in mediis tempestatibus placidum, ex superiore loco homines videntem, ex aequo deos, non subibit te

veneratio eius? non dices: ista res maior est altiorque, quam ut
credi similis huic, in quo est, corpusculo possit? Vis istuc
divina descendit.

Ep., iv, xii, (41) 1–4.

362. An Account of the Cause and Formation of
the Rainbow.

Arcus nocte non fit, aut admodum raro, quia luna non habet tantum virium, ut nubes transeat, et illis colorem subfundat,
qualem accipiunt sole perstrictae. Sic enim formam arcus dis-
coloris efficiunt, quia aliae partes in nubibus tumidiores sunt,
aliae submissiores, et quaedam crassiores, quam ut solem transmittant; aliae inbecilliores, quam ut excludant. Haec inaequalitas alternis lucem umbramque permiscet, et exprimit illam mirabi-
lem arcus varietatem. Altera causa eiusmodi arcus redditur.
Videmus, cum fistula aliquo loco rupta est, aquam per tenue
foramen elidi; quae sparsa contra solem oblique positum, faciem
arcus repraesentat. Idem videbis accidere, si quando volueris
observare fullonem: cum os aqua inplevit, et vestimenta tendicu-
lis diducta leviter adspergit, adparet varios edi colores in illo aëre
adsperso, quales in arcu fulgere solent. Huius rei causam in hu-
more esse ne dubitaveris. Non fit enim umquam arcus, nisi nubilo.
Sed quaeramus quemadmodum fiat. Quidam aiunt esse aliqua
stillicidia, quae solem transmittant, quaedam magis coacta, quam
ut transluceant itaque ab illis fulgorem reddi, ab his umbram, et
sic utriusque intercursu effici arcum, in quo pars fulgeat, quae
solem recipit, pars obscurior sit, quae excludit, et ex se umbram
proximis fecit. Hoc ita esse quidam negant. Poterat enim
videri verum, si arcus duos tantum haberet colores, si ex
lumine umbraque constaret. Sed nunc videmus in eo aliquid flammei, aliquid lutei, aliquid caerulei, et alia in picturae
modum subtilibus lineis ducta, ut ait poëta, ut an dissimiles colores sint, scire non possis, nisi cum primis extrema contuleris.
Nam commissura decipit: usque eo mira arte naturae, quod a
simillimo coepit, in dissimillimo desinit. Quid ergo istic duo colores faciunt lucis atque umbrae, cum innumerabilium ratio
reddenda sit? Quidam ita existimant arcum fieri; dicunt in ea
parte, in qua iam pluit, singula stillicidia pluviae cadentis, singula

specula esse, a singulis ergo imaginem reddi solis. Deinde multas imagines, immo innumerabiles, et devexas, et in praeceps euntes confundi; itaque et arcum esse multarum imaginum solis confusiones. Hoc sic colligunt. Pelves, inquiunt, mille die sereno pone, et omnes habebunt imagines solis. In singulis foliis dispone singulas guttas: singulae habebunt imaginem solis. At contra ingens stagnum non amplius habebit quam imaginem unam. Quare? quia omnis circumscripta laevitas et circumdata suis finibus, speculum est. Itaque piscinam ingentis magnitudinis, *insertis parietibus in plures* divide: totidem illa habebit imagines solis, quot lacus habuerit. Relinque illam sicut est diffusa: semel tibi imaginem reddet. Nihil refert, quam exiguus sit humor aut lacus. Si determinatus est, speculum est. Ergo stillicidia illa infinita, quae imber cadens defert, totidem specula sunt, totidem solis facies habent. Hae contra intuenti perturbatae adparent: nec dispiciuntur intervalla, quibus singula distant, spatio prohibente discerni. Deinde pro singulis adparet una facies turbata ex omnibus. . . . Ergo cum multa stillicidia sint, totidem specula sunt. Sed quia parva sunt, solis colorem sine figura exprimunt. Deinde cum in stillicidiis innumerabilibus, et sine intervallo cadentibus, reddatur idem color, incipit facies esse non multarum imaginum intermissarum, sed unius longae atque continuae. Quomodo, inquis, tu mihi multa milia istic imaginum esse dicis, ubi ego nullam video? Et quare cum solis color unus sit, imaginum diversus est? Ut et haec quae proposuisti, refellam, et alia quae non minus refellenda sunt, illud dicam oportet: nihil acie nostra fallacius, non tantum in his, a quibus subtiliter pervidendis illam locorum diversitas submovet, sed et in his quoque, quae ad manum cernit. Remus tenui aqua tegitur et fracti speciem reddit. Poma per vitrum adspicientibus multo maiora sunt. Columnarum intervalla porticus longiores iungunt. Ad ipsum solem revertere: hunc, quem toto orbe terrarum maiorem probat ratio, acies nostra sic contraxit, ut sapientes viri pedalem esse contenderent. Quem velocissimum omnium esse scimus, nemo nostrum videt moveri, nec ire crederemus, nisi adpareret isse. Mundum ipsum praecipiti velocitate labentem, et ortus occasusque intra momentum temporis revolventem, nemo nostrum sentit procedere. Quid ergo miraris, si oculi nostri imbrium stillicidia non separant, et ingenti spatio

intuentibus minutarum imaginum discrimen interit? Illud esse
dubium nulli potest, quin arcus imago solis sit, roscida et cava
nube concepta. Quod ex hoc tibi adpareat. Numquam non adversa soli est, sublimis aut humilis, prout ille se submisit, aut
sustulit, in contrarium mota. Illo enim descendente altior est,
alto depressior. Saepe talis nubes a latere solis est, nec arcum
efficit, quia non ex recto imaginem trahit. Varietas autem non ob
aliam causam fit, quam quia pars coloris a sole est, pars a nube
illa; humor autem modo caeruleas lineas, modo virides, modo
purpurae similes, et luteas aut igneas ducit, duobus coloribus
hanc varietatem efficientibus, remisso et intento. Sic enim et
purpura eodem conchylio non in unum modum exit. Interest,
quamdiu macerata sit, crassius medicamentum, an aquatius traxe-
rit; saepius mersa sit et excocta, an semel tincta. Non est ergo
mirum, si cum duae res sint, sol et nubes, id est, corpus et speculum, si tam multa genera colorum exprimuntur, quae in multis
generibus possunt aut incitari, aut relanguescere. Alius enim est
color ex igneo lumine, alius ex obtunso et leniore. In aliis rebus
vaga inquisitio est, ubi non habemus quod manu tenere possumus,
et late coniectura mittenda est; his adparet duas causas esse
arcus, solem nubemque, quia nec sereno umquam fit, nec ita nubilo, ut sol lateat. Ergo utique ex his est, quorum sine altero
non est.

N. Q., I, iii, 1–6, 8–14.

363. Criticism of the Theory that the Overflow of
the Nile is due to the Etesian Winds.

Si Thaleti credis, Etesiae descendenti Nilo resistunt, et cursus
eius acto contra ostia mari sustinent; ita reverberatus in se
recurrit, nec crescit, sed exitu prohibitus resistit, et quacumque
mox potuit, inconcessus erumpit. Euthymenes Massiliensis testimonium dicit: 'Navigavi,' inquit, 'Atlanticum mare, unde
Nilus fluit maior, quamdiu Etesiae tempus observant; tunc enim
eicitur mare instantibus ventis. Cum resederint, et pelagus
conquiescit, minorque descendenti inde vis Nilo est. Ceterum
dulcis maris sapor est, et similes Niloticis beluae.' Quare ergo,
si Nilum Etesiae provocant, et ante illos incipit incrementum
eius, et post eos durat? Praeterea non fit maior, quo illi flavere

vehementius. Nec remittitur incitaturque, prout illis inpetus fuit: quod fieret, si illorum viribus cresceret. Quid, quod Etesiae litus Aegyptium verberant, et contra illos Nilus descendit, inde venturus, unde illi, si origo ab illis esset? Praeterea ex mari purus et caeruleus efflueret, non ut nunc turbidus veniret. Adde, quod testimonium eius testium turba coarguitur. Tunc erat mendacio locus, cum ignota essent externa, *si* libebat illis fabulas miscere. Nunc vero tota exteri maris ora mercatorum navibus stringitur, quorum nemo narrat nunc caeruleum Nilum, aut mare saporis alterius. Quod et natura credi vetat, quia dulcissimum quodque et levissimum sol trahit. Praeterea quare hieme non crescit? Et tunc potest ventis concitari mare, aliquando quidem maioribus. Nam Etesiae temperati sunt. Quod si e mari ferretur Atlantico, semel oppleret Aegyptum. At nunc per gradus crescit. Oenopides Chius ait, hieme calorem sub terris contineri; ideo et specus calidos esse, et tepidiorem puteis aquam, itaque venas interno calore siccari. Sed in aliis terris augentur imbribus flumina. Nilum, quia nullo imbre adiuvetur, tenuari, deinde crescere per aestatem; quo tempore frigent interiora terrarum, et redit vigor fontibus. Quod si verum esset, aestate flumina crescerent, omnesque putei aestate abundarent. Deinde calorem hieme sub terris esse maiorem? Aqua et specus et putei tepent, quia aëra rigentem extrinsecus non recipiunt. Ita non calorem habent, sed frigus excludunt. Ex eadem causa aestate frigescunt, quia illo remotus seductusque aër calefactus non pervenit.

N. Q., IV, ii, 22–27.

364. A Curse.

Perge, detestabilis
Umbra, et penates inpios furiis age!
Certetur omni scelere, et alterna vice
Stringatur ensis. Nec sit irarum modus
Pudorve; mentes caecus instiget furor;
Rabies parentum duret, et longum nefas
Eat in nepotes; nec vacet cuiquam vetus
Odisse crimen; semper oriatur novum,
Nec unum in uno, dumque punitur scelus,

Crescat. Superbis fratribus regna excidant,
Repetatque profugos dubia violentae domus
Fortuna. Reges inter incertos labet;
Miser ex potente fiat, ex misero potens;
Fluctuque regnum casus adsiduo ferat.
Ob scelera pulsi, cum dabit patriam deus,
In scelera redeant; sintque tam invisi omnibus
Quam sibi. Nihil sit, ira quod vetitum putet:
Fratrem expavescat frater, et gnatum parens
Gnatusque patrem; liberi pereant male
Peius tamen nascantur; inmineat viro
Infesta coniunx; bella trans pontum vehant;
Effusus omnes inriget terras cruor,
Supraque magnos gentium exsultet duces
Libido victrix; inpia stuprum in domo
Levissimum sit; fratris et fas et fides
Iusque omne pereat. Non sit a vestris malis
Inmune caelum. Cum micant stellae polo,
Flammaeque servant debitum mundo decus,
Nox atra fiat! Excidat caelo dies!
Misce penates; odia, caedes, funera
Arcesse, et inple Tantalo totam domum!

Thyest., 23–53.

365. ODE TO BACCHUS.

Effusam redimite comam nutante corymbo,
Mollia Nysaeis armatae bracchia thyrsis.
    Lucidum caeli decus, *O Lyaee*,
Huc ades votis *placidus secundis*
    Palmis supplicibus, quae tibi nobiles
    Thebae, Bacche, tuae ferunt.
    Huc adverte favens virgineum caput,
Vultu sidereo discute nubila.
    Et tristes Erebi minas
    Mitis avertas avidumque fatum,
    Te decet cingi *madidos capillos*
Floribus vernis hederave mollem
Baccare et festo religare frontem,

Te caput Tyria cohibere mitra,
Spargere effusos sine lege crines,
Rursus adducto revocare nodo.

   Qualis iratam metuens novercam
Creveras falsos imitatus artus
Crine flaventi simulata virgo
Lutea vestem retinente zona.
Inde tam molles placuere cultus
Et sinus laxi fluidumque syrma.

   Vidit aurato residere curru . . .
Veste cum longa regeres leones,
Omnis Eoae plaga vasta terrae,
Qui bibit Gangen niveumque quisquis
     Frangit Araxen.

   Te senior *pando* sequitur Silenus asello
Turgida pampineis redimitus tempora sertis.
Condita lascivi deducunt orgia mystae.

   Te Bassaridum comitata cohors
Nunc Edoni pede pulsavit
Sola Pangaei, nunc Cadmeas
Nunc Threicio vertice Pindi
Inter matres inpia Maenas
Comes Ogygio venit Iaccho
Nebride sacra praecincta latus.

                    Oed., 407–444.

366. FATE SUPREME OVER ALL THINGS.

Fatis agimur : cedite fatis.
Non sollicitatae possunt curae
Mutare rati stamina fusi.
Quicquid patimur mortale genus,
Quidquid facimus, venit ex alto ;
Servatque suae decreta colus
Lachesis, dura revoluta manu.
Omnia recto tramite vadunt,
Primusque dies dedit extremum.
Non illa deo vertisse licet,
Quae nexa suis currunt causis.

It cuique ratus, prece non ulla
Mobilis ordo.
Multis ipsum metuisse nocet.
Multi ad fatum venere suum,
Dum fata timent.

Oed., 1001–1016.

367. A Lament for Hector.

Chorus. Iam nuda vocant pectora dextras
Nunc nunc vires exprome tuas
Furiose dolor.
Rhoetea sonent litora planctu
Habitansque cavis montibus Echo
Non ut solita est extrema brevis
Verba remittat; saevite, manus;
Totos reddat Troiae gemitus.
Audiat omnis pontus et aether
Pulsu pectus tundite vasto
Non sum solito contenta sono.
Hectora flemus.
Hecuba. Tibi nostra ferit dextra lacertos,
Umerosque ferit tibi sanguineos,
Tibi nostra caput dextera pulsat
Tibi maternis ubera palma
Laniata iacent.
Fluat et multo sanguine manet
Quamcumque tuo funere feci
Rupta cicatrix.
Columen patriae, mora fatorum,
Tu praesidium Phrygibus fessis,
Tu murus eras, umerisque tuis
Stetit illa decem fulta per annos,
Tecum cecidit summusque dies
Hectoris idem patriaeque fuit.

Troad., 107–134.

368. It is a Consolation in Misery to see Others as Miserable as Ourselves.

Semper, a, semper dolor est malignus!
Gaudet in multos sua fata mitti,
Seque non solum placuisse poenae.
Ferre, quam sortem patiuntur omnes,
Nemo recusat;
Nemo se credit miserum, licet sit.
Tolle felices; removeto multo
Divites auro; removeto centum
Rura qui scindunt opulenta bubus;
Pauperi surgent animi iacentes.
Est miser nemo, nisi comparatus.
Dulce in inmensis posito ruinis,
Neminem laetos habuisse vultus.
Ille deplorat queriturque fatum,
Qui secans fluctum rate singulari
Nudus in portus cecidit petitos;
Aequior casum tulit et procellas,
Mille qui ponto pariter carinas
Obrui vidit, tabulaque litus
Naufraga terris, mare cum coactis
Fluctibus Corus prohibet reverti.
Questus est Hellen cecidisse Phrixus,
Cum gregis ductor radiante villo
Aureo fratrem simul et sororem
Sustulit tergo, medioque iactum
Fecit in ponto; tenuit querelas
Et vir et Pyrrha, mare cum viderent,
Et nihil praeter mare cum viderent,
Unici terris homines relicti.

Troad., 1023–1051

M. ANNAEUS LUCANUS, 39-65 A. D.

369. The Fruits of Civil War.

Bella per Emathios plus quam civilia campos
Iusque datum sceleri canimus, populumque potentem
In sua victrici conversum viscera dextra,
Cognatasque acies, et rupto foedere regni
Certatum totis concussi viribus orbis
In commune nefas, infestisque obvia signis
Signa, pares aquilas, et pila minantia pilis.
Quis furor, o cives, quae tanta licentia ferri,
Gentibus invisis Latium praebere cruorem?
Cumque superba foret Babylon spolianda trophaeis
Ausoniis, umbraque erraret Crassus inulta,
Bella geri placuit nullos habitura triumphos?
Heu quantum terrae potuit pelagique parari
Hoc, quem civiles hauserunt, sanguine, dextrae!
At nunc semirutis pendent quod moenia tectis
Urbibus Italiae, lapsisque ingentia muris
Saxa iacent, nulloque domus custode tenentur,
Rarus et antiquis habitator in urbibus errat,
Horrida quod dumis, multosque inarata per annos
Hesperia est, desuntque manus poscentibus arvis,
Non tu, Pyrrhe ferox, nec tantis cladibus auctor
Poenus erit; nulli penitus discindere ferro
Contigit; alta sedent civilis vulnera dextrae.
Quod si non aliam venturo fata Neroni
Invenere viam, magnoque aeterna parantur
Regna deis, caelumque suo servire Tonanti
Non nisi saevorum potuit post bella gigantum,
Iam nihil, o Superi, querimur; scelera ipsa nefasque
Hac mercede placent.

Phars., i, 1–14; 24–38.

370. Caesar and Pompey compared.

Quis iustius induit arma,
Scire nefas; magno se iudice quisque tuetur:
Victrix causa deis placuit, sed victa Catoni.
Nec coiere pares; alter vergentibus annis
In senium longoque togae tranquillior usu,
Dedidicit iam pace ducem; famaeque petitor,
Multa dare in vulgus; totus popularibus auris
Impelli, plausuque sui gaudere theatri;
Nec reparare novas vires, multumque priori
Credere fortunae. Stat magni nominis umbra;
Qualis frugifero quercus sublimis in agro
Exuvias veteres populi sacrataque gestans
Dona ducum; nec iam validis radicibus haerens,
Pondere fixa suo est; nudosque per aëra ramos
Effundens, trunco, non frondibus, efficit umbram;
At quamvis primo nutet casura sub Euro,
Tot circum silvae firmo se robore tollant,
Sola tamen colitur. Sed non in Caesare tantum
Nomen erat, nec fama ducis; sed nescia virtus
Stare loco; solusque pudor, non vincere bello.
Acer et indomitus; quo spes, quoque ira vocasset,
Ferre manum, et numquam temerando parcere ferro;
Successus urgere suos, instare favori
Numinis; impellens quidquid sibi, summa petenti,
Obstaret, gaudensque viam fecisse ruina:
Qualiter expressum ventis per nubila fulmen
Aetheris impulsi sonitu, mundique fragore
Emicuit, rupitque diem, populosque paventis
Terruit, obliqua praestringens lumina flamma,
In sua templa furit; nullaque exire vetante
Materia, magnamque cadens, magnamque revertens
Dat stragem late, sparsosque recolligit ignes.

i, 126–157

371. Caesar pillages the Temple of Saturn: Metellus stands in the Way to resist the Sacri-
lege.

     His magnam victor in iram
Vocibus accensus : ' Vanam spem mortis honestae
Concipis : haud,' inquit, ' iugulo se polluet isto
Nostra, Metelle, manus. Dignum te Caesaris ira
Nullus honos faciet. Te vindice tuta relicta est
Libertas ? Non usque adeo permiscuit imis
Longus summa dies, ut non, si voce Metelli
Serventur leges, malint a Caesare tolli.'
Dixerat, et, nondum foribus cedente tribuno,
Acrior ira subit ; saevos circumspicit enses,
Oblitus simulare togam. Tum Cotta Metellum
Compulit audaci nimium desistere coepto.
' Libertas,' inquit, ' populi, quem regna coercent,
Libertate perit ; cuius servaveris umbram,
Si, quidquid iubeare, velis. Tot rebus iniquis
Paruimus victi ; venia est haec sola pudoris,
Degenerisque metus, nil iam potuisse negari.
Ocius avertant diri mala semina belli.
Damna movent populos, si quos sua iura tuentur.
Non sibi, sed domino gravis est, quae servit, egestas.'
Protinus abducto patuerunt templa Metello.
Tunc rupes Tarpeia sonat, magnoque reclusas
Testatur stridore fores ; tunc conditus imo
Eruitur templo, multis intactus ab annis
Romani census populi, quem Punica bella,
Quem dederat Perses, quem victi praeda Philippi ;
Quod tibi, Roma, fuga Pyrrhus trepidante reliquit.
Quo te Fabricius regi non vendidit auro,
Quidquid parcorum mores servastis avorum,
Quod dites Asiae populi misere tributum,
Victorique dedit Minoia Creta Metello,
Quod Cato longinqua vexit super aequora Cypro.
Tunc Orientis opes, captorumque ultima regum
Quae Pompeianis praelata est gaza triumphis

Egeritur ; tristi spoliantur templa rapina,
Pauperiorque fuit tunc primum Caesare Roma.

iii, 134–168.

372. Afranius surrenders to Caesar.

Si me degeneri stravissent fata sub hoste,
Non deerat fortis rapiendo dextera leto ;
At nunc sola mihi est orandae causa salutis,
Dignum donanda, Caesar, te credere vita.
Non partis studiis agimur nec sumpsimus arma
Consiliis inimica tuis.   Nos denique bellum
Invenit civile duces, causaeque priori,
Dum potuit, servata fides.   Nil fata moramur ;
Tradimus Hesperias gentes, aperimus Eoas,
Securumque orbis patimur post terga relicti.
Nec cruor effusus campis tibi bella peregit,
Nec ferrum, lassaeque manus.   Hoc hostibus unum,
Quod vincas, ignosce tuis.   Nec magna petuntur.
Otia des fessis, vitam patiaris inermes
Degere, quam tribuis ; campis prostrata iacere
Agmina nostra putes ; neque enim felicibus armis
Misceri damnata decet, partemque triumphi
Captos ferre tui : turba haec sua fata peregit.
Hoc petimus, victos ne tecum vincere cogas.

iv, 344–362.

373. Caesar in a Small Boat encounters a Terrible Storm : the Danger only swells his Pride.

Credit iam digna pericula Caesar
Fatis esse suis.   ' Tantusne evertere,' dixit,
' Me superis labor est, parva quem puppe sedentem
Tam magno petiere mari ?   Si gloria leti
Est pelago donata mei, bellisque negamur,
Intrepidus, quamcunque datis mihi, numina, mortem
Accipiam.   Licet ingentes abruperit actus
Festinata dies fatis ; sat magna peregi.
Arctoas domui gentes ; inimica subegi

Arma metu; vidit Magnum mihi Roma secundum.
Iussa plebe tuli fasces per bella negatos.
Nulla meis aberit titulis Romana potestas.
Nesciat hoc quisquam, nisi tu, quae sola meorum
Conscia votorum es, me, quamvis plenus honorum
Et dictator eam Stygias et consul ad umbras,
Privatum, Fortuna, mori.   Mihi funere nullo
Est opus, o superi; lacerum retinete cadaver
Fluctibus in mediis; desint mihi busta rogusque,
Dum metuar semper, terraque exspecter ab omni.'
Haec fatum decimus, dictu mirabile, fluctus
Invalida cum puppe levat; nec rursus ab alto
Aggere deiecit pelagi, sed pertulit unda,
Scruposisque angusta vacant ubi litora saxis,
Imposuit terrae.   Pariter tot regna, tot urbes
Fortunamque suam, tacta tellure, recepit.

v, 653–677.

374. Pompey reluctantly consents to the Battle of Pharsalia.

'Si placet hoc,' inquit, 'cunctis, si milite Magno,
Non duce, tempus eget, nil ultra fata morabor.
Involvat populos una Fortuna ruina,
Sitque hominum magnae lux ista novissima parti.
Testor, Roma, tamen: Magnum, quo cuncta perirent,
Accepisse diem.   Potuit tibi vulnere nullo
Stare labor belli; potuit sine caede subactum,
Captivumque ducem violatae tradere paci.
Quis furor, o caeci, scelerum?   Civilia bella
Gesturi metuunt, ne non cum sanguine vincant?
Abstulimus terras, exclusimus aequore toto,
Ad praematuras segetum ieiuna rapinas
Agmina compulimus, votumque effecimus hosti,
Ut mallet sterni gladiis, mortesque suorum
Permiscere meis.   Belli pars magna peracta est
His, quibus effectum est, ne pugnam tiro paveret,
Si modo virtutis stimulis, iraeque calore
Signa petunt.   Multos in summa pericula misit

Venturi timor ipse mali.   Fortissimus ille est,
Qui promptus metuenda pati, si comminus instent,
Et differre potest.   Placet haec tam prospera rerum
Tradere Fortunae? gladio permittere mundi
Discrimen?   Pugnare ducem, quam vincere, malunt.
Res mihi Romanas dederas, Fortuna, regendas:
Accipe maiores, et caeco in Marte tuere.
Pompeii nec crimen erit, nec gloria bellum.'

vii, 87–112.

375. Cornelia bewails her Husband's Murder.

At non tam patiens Cornelia cernere saevum
Quam perferre nefas, miserandis aethera complet
Vocibus: 'O coniux, ego te scelerata peremi!
Letiferae tibi causa morae fuit avia Lesbos
Et prior in Nili pervenit litora Caesar.
Nam cui ius alii sceleris?   Sed, quisquis in istud
A superis immisse caput, vel Caesaris irae
Vel tibi prospiciens, nescis crudelis, ubi ipsa
Viscera sint Magni, properas, atque ingeris ictus,
Qua votum est victo.   Poenas non morte minores
Pendat, et ante meum videat caput.   Haud ego culpa
Libera bellorum, quae matrum sola per undas,
Et per castra comes, nullis absterrita fatis,
Victum, quod reges etiam timuere, recepi.
Hoc merui coniux, in tuta puppe relinqui?
Perfide, parcebas? te fata extrema petente,
Vita digna fui?   Moriar, nec munere regis.
Aut mihi praecipitem, nautae, permittite saltum,
Aut laqueum collo tortosque aptare rudentes,
Aut aliquis, Magno dignus comes, exigat ensem.
Pompeio praestare potest, quod Caesaris armis
Imputet.   O saevi, properantem in fata tenetis?
Vivis adhuc, coniux, et iam Cornelia non est
Iuris, Magne, sui.   Prohibent accersere mortem;
Servor victori.'   Sic fata, interque suorum
Lapsa manus, rapitur, trepida fugiente carina.

viii, 637–662.

376. Character of Pompey.

Non tamen ad Magni pervenit gratius umbram,
Omne quod in superos audet convicia vulgus,
Pompeiumque deis obicit, quam pauca Catonis
Verba, sed a pleno venientia pectore veri.
' Civis obit,' inquit, ' multo maioribus impar
Nosse modum iuris, sed in hoc tamen utilis aevo,
Cui non ulla fuit iusti reverentia ; salva
Libertate potens, et solus plebe parata
Privatus servire sibi, rectorque senatus,
Sed regnantis, erat. Nil belli iure poposcit ;
Quaeque dari voluit, voluit sibi posse negari.
Immodicas possedit opes ; sed plura retentis
Intulit ; invasit ferrum, sed ponere norat.
Praetulit arma togae, sed pacem armatus amavit.
Iuvit sumpta ducem, iuvit dimissa potestas.
Casta domus, luxuque carens, corruptaque numquam
Fortuna domini. Clarum et venerabile nomen
Gentibus, et multum nostrae quod proderat urbi.
Olim vera fides, Sulla Marioque receptis,
Libertatis obit ; Pompeio rebus adempto,
Nunc et ficta perit. Non iam regnare pudebit :
Nec color imperii, nec frons erit ulla senatus.
O felix, cui summa dies fuit obvia victo,
Et cui quaerendos Pharium scelus obtulit enses !
Forsitan in soceri potuisset vivere regno.
Scire mori, sors prima viris, sed proxima cogi.
Et mihi, si fatis aliena in iura venimus,
Da talem, Fortuna, Iubam. Non deprecor hosti
Servari, dum me servet cervice recisa.'

ix, 186–214.

POMPONIUS MELA, Time of Claudius.

377. A General Outline of the Geography of the Earth.

Omne igitur hoc, quidquid est, cui mundi caelique nomen
indidimus, unum id est, et uno ambitu se cunctaque amplectitur;
partibus differt. Unde sol oritur, oriens nuncupatur, aut ortus;
quo demergitur, occidens, vel occasus; qua decurrit, meridies;
ab adversa parte, septentrio. Huic medio terra sublimis cingitur
undique mari; eodemque in duo latera, quae hemisphaeria nominantur, ab oriente divisa ad occasum, zonis quinque distinguitur.
Mediam aestus infestat, frigus ultimas: reliquae habitabiles paria
agunt anni tempora, verum non pariter.   Antichthones alteram,
nos alteram incolimus.   Illius situs ob ardorem intercedentis
plagae incognitus; huius dicendus est.   Haec ergo ab ortu porrecta ad occasum, et quia sic iacet, aliquanto quam ubi latissima
est longior, ambitur omnis oceano, quattuorque ex eo maria recipit; unum a septentrione, a meridie duo, quartum ab occasu.
Suis locis illa referentur.   Hoc primum angustum, nec amplius
decem milibus passuum patens, terras aperit atque intrat; tum,
longe lateque diffusum, abigit vaste cedentia litora, iisdemque ex
diverso prope coëuntibus, adeo in artum agitur, ut minus mille
passibus pateat.   Inde se rursus, sed modice admodum, laxat;
rursusque etiam quam fuit artius exit in spatium.   Quo cum
est acceptum, ingens iterum et magno se extendit ambitu, et
magnae paludi, ceterum exiguo ore, coniungitur.   Id omne qua
venit, quaque dispergitur, uno vocabulo nostrum mare dicitur.
Angustias introitumque venientis, nos fretum, Graeci πορθμόν,
appellant.   Qua diffunditur, alia aliis locis cognomina acceptat.
Ubi primum se artat, Hellespontus vocatur; Propontis, ubi
expandit : ubi iterum pressit, Thracius Bosporus: ubi iterum
effudit, Pontus Euxinus; qua paludi committitur, Cimmerius
Bosporus; palus ipsa, Maeotis. Hoc mari et duobus inclutis
amnibus, Tanai atque Nilo, in tres partes universa dividitur.
Tanais a septentrione ad meridiem vergens, in mediam fere
Maeotida defluit; et ex diverso Nilus in Pelagus. Quod terrarum

iacet a freto ad ea flumina, ab altero latere Africam vocamus;
ab altero, Europen. Ultra quicquid est, Asia est.

De Chor., I, i.

378. An Account of the River Nile, with Suggestions as to the Cause of its Annual Overflow.

Hic ex desertis Africae missus, nec statim navigari facilis,
nec statim Nilus est; et cum diu simplex saevusque descendit,
circa Meroen, late patentem insulam, in Aethiopiam diffunditur,
alteraque parte Astabores, altera Astape dictus est. Ubi rursus
coit, ibi nomen hoc capit. Inde partim asper, partim navigia
patiens, in immanem lacum devenit; ex quo praecipiti impetu
egressus, et Tachempso, alteram insulam, amplexus, usque ad
Elephantinen urbem Aegyptiam, atrox adhuc fervensque decurrit. Tum demum placidior, et iam bene navigabilis, primum
iuxta Cercasorum oppidum triplex esse incipit. Deinde iterum
iterumque divisus ad Delta et ad Melin, it per omnem Aegyptum
vagus atque dispersus; septemque in ora se scindens, singulis
tamen grandis evolvitur. Non pererrat autem tantum eam, sed
aestivo sidere exundans etiam irrigat, adeo efficacibus aquis ad
generandum alendumque, ut praeter id, quod scatet piscibus,
quod hippopotamos crocodilosque, vastas beluas, gignit, glaebis
etiam infundat animas, ex ipsaque humo vitalia effingat. Hoc
eo manifestum est, quod, ubi sedavit diluvia, ac se sibi reddidit,
per umentes campos quaedam nondum perfecta animalia, sed
tum primum accipientia spiritum, et ex parte iam formata, ex
parte adhuc terrena, visuntur. Crescit porro, sive quod solutae
magnis aestibus nives, ex inmanibus Aethiopiae iugis, largius,
quam ripis accipi queant, defluunt; sive quod sol hieme terris
proprior, et ob id fontem eius minuens, tunc altius abit, sinitque
integrum, et ut est plenissimus, surgere; sive quod per ea
tempora flantes Etesiae, aut actas a septentrione in meridiem
nubes super principia eius imbre praecipitant; aut venienti obviae
adverso spiritu cursum descendentis impediunt; aut harenis, quas
cum fluctibus litori adplicant, ostia obducunt; fitque maior, vel
quod nihil ex semet amittit, vel quod plus, quam solet, accipit,
vel quod minus, quam debet emittit. Quod si est alter orbis,

suntque oppositi nobis a meridie Antichthones ; ne illud quidem
a vero nimium abscesserit, in illis terris ortum amnem, ubi subter maria caeco alveo penetraverit, in nostris rursus emergere, et
hac re solstitio adcrescere, quod tum hiems sit, unde oritur.

De Chor., I, ix.

Q. CURTIUS RUFUS, Time of Claudius and Nero.

379. Alexander cuts the Gordian Knot.

Phrygia erat, per quam ducebatur exercitus, pluribus vicis
quam urbibus frequens. Tunc habebat nobilem quondam Midae
regiam. Gordium nomen est urbi, quam Sangarius amnis prae-
terfluit, pari intervallo Pontico et Cilicio mari distantem. Inter
haec maria angustissimum Asiae spatium esse conperimus, utroque in artas fauces conpellente terram. Quae quia continenti
adhaeret sed magna ex parte cingitur fluctibus, speciem insulae
praebet ac, nisi tenue discrimen obiceret, quae nunc dividit maria,
committeret. Alexander urbe in dicionem suam redacta Iovis
templum intrat. Vehiculum, quo Gordium, Midae patrem vec-
tum esse constabat, aspexit, cultu haud sane a vilioribus vulgatis-
que usu abhorrens. Notabile erat iugum adstrictum compluribus
nodis in semetipsos inplicatis et celantibus nexus. Incolis deinde
adfirmantibus, editam esse oraculo sortem, Asiae potiturum, qui
inexplicabile vinculum solvisset, cupido incessit animo sortis eius
explendae. Circa regem erat et Phrygum turba et Macedonum,
illa expectatione suspensa, haec sollicita ex temeraria regis fiducia ; quippe serie vinculorum ita adstricta, ut, unde nexus inciperet quove se conderet, nec ratione nec visu perspici posset,
solvere adgressus iniecerat curam ei, ne in omen verteretur irri-
tum inceptum. Ille nequaquam diu luctatus cum latentibus
nodis, 'Nihil,' inquit, 'interest, quomodo solvantur ;' gladioque
ruptis omnibus loris oraculi sortem vel elusit vel inplevit.

Hist. Alex., III, i, 2.

380. Death of the Wife of Darius.

Interceptae deinde Darei litterae sunt, quibus Graeci milites sollicitabantur, ut regem aut interficerent aut proderent, dubitavitque, an eas pro contione recitaret, satis confisus Graecorum quoque erga se benevolentiae ac fidei. Sed Parmenio deterruit, non esse talibus promissis inbuendas aures militum adfirmans; patere vel unius insidiis regem, nihil nefas esse avaritiae. Secutus consilii auctorem castra movit. Iter facienti spado e captivis, qui Darei uxorem comitabantur, deficere eam nuntiat et vix spiritum ducere. Itineris continui labore animique aegritudine fatigata inter socrus et virginum filiarum manus conlapsa erat, deinde et extincta. Id ipsum nuntians alius supervenit. Et rex haud secus, quam si parentis mors nuntiata esset, crebros edidit gemitus lacrimisque obortis, qualis Dareus profudisset, in tabernaculum, in quo mater erat Darei, defuncto adsidens corpori, venit. Hic vero renovatus est maeror, ut prostratam humi vidit. Recenti malo priorum quoque admonita receperat in gremium adultas virgines, magna quidem mutui doloris solacia, sed quibus ipsa deberet esse solacio. In conspectu erat nepos parvulus, ob id ipsum miserabilis, quod nondum sentiebat calamitatem, ex maxima parte ad ipsum redundantem. Crederes Alexandrum inter suas necessitudines flere et solacia non adhibere, sed quaerere. Cibo certe abstinuit omnemque honorem funeri patrio Persarum more servavit, dignus, hercule, qui nunc quoque tantae et mansuetudinis et continentiae ferat fructum. Semel omnino eam viderat, quo die capta est, nec ut ipsam, sed ut Darei matrem videret, eximiamque pulchritudinem formae eius non libidinis habuerat invitamentum, sed gloriae.

Hist. Alex., IV, x, 40, 41.

L. JUNIUS MODERATUS COLUMELLA,
TIME OF CLAUDIUS AND NERO.

381. AGRICULTURE IS THE ONLY STRICTLY HONORABLE METHOD OF MAKING MONEY.

Nam cetera diversa et quasi repugnantia dissident a iustitia, nisi aequius existimamus cepisse praedam ex militia, quae nobis nihil sine sanguine et cladibus alienis affert. An bellum perosis, maris et negotiationis alea sit optabilior, ut rupto naturae foedere, terrestre animal, homo, ventorum et maris obiectus irae si fluctibus audeat credere, semperque ritu volucrum longinqui litoris peregrinus ignotum pererret orbem? An feneratio probabilior sit, etiam his invisa quibus succurrere videtur? Sed ne caninum quidem, sicut dixere veteres, studium praestantius locupletissimum quemque adlatrandi et contra innocentes et pro nocentibus, neglectum a maioribus, a nobis etiam concessum intra moenia et in ipso foro latrocinium? An honestius duxerim mercenarii salutatoris mendacissimum aucupium circumvolitantis limina potentiorum, somnumque regis sui rumoribus augurantis? neque enim roganti quid agatur intus respondere servi dignantur. An putem fortunatius a catenato repulsum ianitore saepe nocte sera foribus ingratis adiacere, miserrimoque famulatu per dedecus fascium decus et imperium profuso tamen patrimonio mercari? nam nec gratuita servitute sed donis rependitur honor. Quae si et ipsa et eorum similia bonis fugienda sunt, superest, ut dixi, unum genus liberale et ingenuum rei familiaris augendae, quod ex agricolatione contingit.

I, *Prooem.*

T. CALPURNIUS SICULUS,
Time of Nero.

382. An Amoebean Contest (Idas and Astacus).

I. O si quis Crocalen deus afferat! hunc ego terris,
Hunc ego sideribus solum regnare fatebor,
Secernamque nemus, dicamque : 'Sub arbore numen
Hac erit; ite procul, sacer est locus, ite profani.'
A. Urimur in Crocalen; si quis mea vota deorum
Audiat, huic soli, virides qua gemmeus undas
Fons agit et tremulo percurrit lilia rivo,
Inter pampineas ponetur faginus ulmos.
I. Ne contemne casas et pastoralia tecta;
Rusticus est, fateor, sed non est barbarus Idas.
Saepe vaporato mihi caespite palpitat agnus,
Saepe cadit festis devota Parilibus agna.
A. Nos quoque pomiferi Laribus consuevimus horti
Mittere primitias et figere liba Priapo,
Rorantesque favos damus et liquentia mella ;
Nec sunt grata minus, quam si caper imbuat aras.
I. Mille sub uberibus balantes pascimus agnas;
Totque Tarentinae praestant mihi vellera matres ;
Per totum niveus premitur mihi caseus annum,
Si venies, Crocale, totus tibi serviet annus.
A. Qui numerare velit, quam multa sub arbore nostra
Poma legam, citius tenues numerabit arenas ;
Semper olus metimus, nec bruma nec impedit aestas.
Si venias, Crocale, totus tibi serviet hortus.[1]

ii, 52–75.

[1] Cf. Baehrens, 'Poetae Lat. Min.,' Vol. II, pp. 75, 76.

PETRONIUS ARBITER, Time of Nero.

383. The Rhetorician Agamemnon satirizes the Prevailing Methods of Education.

Non est passus Agamemnon me diutius declamare in porticu, quam ipse in schola sudaverat, sed 'Adulescens,' inquit, ' quoniam sermonem habes non publici saporis et, quod rarissimum est, amas bonam mentem, non fraudabo te arte secreta. Nihil nimirum in his exercitationibus doctores peccant, qui necesse habent cum insanientibus furere ; nam nisi dixerint quae adulescentuli probent, ut ait Cicero, " soli in scholis relinquentur." Sicut ficti adulatores cum cenas divitum captant, nihil prius meditantur quam id quod putant gratissimum auditoribus fore : nec enim aliter impetrabunt quod petunt, nisi quasdam insidias auribus fecerint ; sic eloquentiae magister, nisi tanquam piscator eam imposuerit hamis escam, quam scierit appetituros esse pisciculos, sine spe praedae morabitur in scopulo. Quid ergo est ? parentes obiurgatione digni sunt, qui nolunt liberos suos severa lege proficere. Primum enim sic ut omnia, spes quoque suas ambitioni donant. Deinde cum ad vota properant, cruda adhuc studia in forum pellunt et eloquentiam, qua nihil esse maius confitentur, pueris induunt adhuc nascentibus. Quod si paterentur laborum gradus fieri, ut studiosi iuvenes lectione severa irrigarentur, ut sapientiae praeceptis animos componerent, ut verba atroci stilo effoderent, ut quod vellent imitari diu audirent, ut persuaderent sibi nihil esse magnificum, quod pueris placeret : iam illa grandis oratio haberet maiestatis suae pondus. Nunc pueri in scholis ludunt, iuvenes ridentur in foro, et quod utroque turpius est, quod quisque perperam didicit, in senectute confiteri non vult. Sed ne me putes inprobasse schedium Lucilianae humilitatis, quod sentio, et ipse carmine effingam.'

Sat., 3, 4.

384. Conversation at the Table of Trimalchio, a
Rich Parvenu.

Dum haec loquimur, puer speciosus vitibus hederisque redimitus modo Bromium, interdum Lyaeum Euhiumque confessus,
calathisco uvas circumtulit et poëmata domini sui acutissima
voce traduxit. Ad quem sonum conversus Trimalchio, 'Dio-
nyse,' inquit, 'liber esto.' Puer detraxit pilleum apro capitique
suo imposuit; tum Trimalchio rursus adiecit, 'Non negabitis
me,' inquit, 'habere Liberum patrem.' Laudavimus dictum
Trimalchionis et circumeuntem puerum sane perbasiamus. Ab
hoc ferculo Trimalchio ad lasanum surrexit; nos libertatem sine
tyranno nacti coepimus invitare convivarum sermones. Dama
itaque primus cum pataracina poposcisset 'Dies,' inquit, 'nihil
est; dum versas te, nox fit. Itaque nihil est melius quam de
cubiculo recta in triclinium ire. Et mundum frigus habuimus;
vix me balneus calfecit; tamen calda potio vestiarius est.
Staminatas duxi, et plane matus sum; vinus mihi in cerebrum
abit.' Excepit Seleucus fabulae partem et 'Ego,' inquit, 'non
cotidie lavor; baliscus enim fullo est, aqua dentes habet, et cor
nostrum cotidie liquescit. Sed cum mulsi pultarium obduxi
frigori laecasin dico. Nec sane lavare potui; fui enim hodie in
funus; homo bellus, tam bonus Chrysanthus animam ebulliit.
Modo, modo me appellavit: videor mihi cum illo loqui. Heu,
eheu, utres inflati ambulamus; minores quam muscae sumus;
muscae tamen aliquam virtutem habent, nos non pluris sumus
quam bullae. Et quid si non abstinax fuisset? Quinque dies
aquam in os suum non coniecit, non micam panis. Tamen abiit
ad plures: medici illum perdiderunt, immo magis malus fatus;
medicus enim nihil est aliud quam animi consolatio. Tamen
bene elatus est, vitali lecto, stragulis bonis. Planctus est optime
— manumisit aliquot — etiam si maligne illum ploravit uxor.'

Sat., 41, 42.

AUCTOR AETNAE, PROBABLY LUCILIUS JUNIOR, CONTEMPORARY OF SENECA.

385. THE PLEASURES OF PHYSICAL RESEARCH.

Nosse fidem rerum, dubiasque exquirere causas,
Ingenium sacrare, caputque attollere caelo ;
Scire, quot et quae sint magno natalia mundo ;
Principia occasus metuunt, an saecula pergunt,
Et firma aeterno religata est machina vinclo ;
Solis scire modum et quanto minor orbita lunae est,
Haec brevior cur sic bis senos pervolet orbes,
Annuus ille meet ; quae certo sidera currant
Ordine, quaeque suos servent incondita postus ;
Sex cum nocte rapi, totidem cum luce referri ;
Nubila cur Phatne caelo denuntiet imbres,
Quo rubeat Phoebe, quo frater palleat igni ;
Tempora cur varient anni, ver, prima iuventa,
Cur aestate perit, cur aestas ipsa senescit,
Autumnoque obrepit hiems et in orbe recurrit ;
Axem scire Helices et tristem nosse cometen,
Lucifer unde micet, quave Hesperus, unde Bootes ;
Saturni quae stella tenax, quae Martia pugnax ;
Quo rapiant nautae, quo sidere lintea pandant ;
Scire vias maris et caeli praedicere cursus ;
Qua luce Orion, qua Sirius excubet index,
Et quaecumque latent tanto miracula mundo,
Non congesta pati, nec acervo condita rerum,
Sed manifesta notis certa disponere sede
Singula : divina est animi ac iucunda voluptas.[1]

Aetna, 226-251

[1] Cf. Baehrens, 'Poetae Lat. Min.,' Vol. II, pp. 102-104.

C. PLINIUS SECUNDUS, 23–79 A. D.

386. The Universe confounded with God.

Mundum et hoc, quodcumque nomine alio caelum appellare libuit, cuius circumflexu degunt cuncta, numen esse credi par est,
aeternum, inmensum, neque genitum, neque interiturum umquam.
Huius extera indagare, nec interest hominum, nec capit humanae
coniectura mentis. Sacer est, aeternus, inmensus, totus in toto,
immo vero ipse totum ; infinitus, et finito similis ; omnium rerum
certus, et similis incerto ; extra, intra, cuncta conplexus in se ;
idemque rerum naturae opus, et rerum ipsa natura. Furor est,
mensuram eius animo quosdam agitasse, atque prodere ausos ;
alios rursus, occasione hinc sumpta aut his data, innumerabiles
tradidisse mundos, ut totidem rerum naturas credi oporteret :
aut, si una omnes incubarent, totidem tamen soles, totidemque
lunas, et cetera etiam in uno et inmensa et innumerabilia
sidera ; quasi non eadem quaestione semper in termino cogitationis occursura, desiderio finis alicuius, aut, si haec infinitas
naturae omnium artifici possit adsignari, non illud idem in uno
facilius sit intellegi, tanto praesertim opere. Furor est, profecto
furor, egredi ex eo, et tamquam interna eius cuncta plane iam
sint nota, ita scrutari extera, quasi vero mensuram ullius rei
possit agere, qui sui nesciat ; aut (miror !) homines videre, quae
mundus ipse non capiat.

Hist. Nat., II, i, 1.

387. How far is the Rotundity of the Earth com-
patible with the Existence of Large Bodies
of Water on its Surface ?

Sed volgo maxima haec pugna est, si coactam in verticem
aquarum quoque figuram credere cogatur. Atqui non aliud in
rerum natura aspectu manifestius. Namque et dependentes
ubique guttae parvis globantur orbibus, et pulveri inlatae, fron-
diumque lanugini inpositae, absoluta rotunditate cernuntur,
et in poculis repletis media maxime tument ; quae propter sub-

tilitatem umoris, mollitiamque in se residentem, ratione facilius,
quam visu, deprehenduntur. Idque etiam magis mirum, in poculis repletis, addito umore minimo circumfluere quod supersit ;
contra evenire ponderibus additis ad vicenos saepe denarios,
scilicet quia intus recepta liquorem in verticem attollant, at cumulo eminenti infusa delibantur. Eadem est causa, propter quam
e navibus terra non cernatur, e navium malis conspicua ; ac
procul recedente navigio, si quid, quod fulgeat, religetur in mali
cacumine, paulatim descendere videatur, et postremo occultetur.
Denique Oceanus, quem fatemur ultimum, quanam alia figura
cohaereret, atque non dicideret, nullo ultra margine includente?
Ipsum id ad miraculum redit, quonam modo etiamsi globetur,
extremum non decidat mare. Contra quod, ut sint plana maria,
et qua videntur figura, non posse id accidere, magno suo gaudio,
magnaque gloria inventores Graeci subtilitate geometrica docent.
Namque cum e sublimi in inferiora aquae ferantur, et sit haec
natura earum confessa, nec quisquam dubitet in litore ullo ac-
cessisse eas, quo longissime devexitas passa sit, procul dubio
apparere, quo quid humilius sit, propius a centro esse terrae, omnesque linias, quae emittantur ex eo ad proximas aquas, breviores fieri, quam quae ad extremum mare a primis aquis. Ergo
totas, omnique ex parte aquas vergere in centrum : ideoque non
decidere, quoniam in interiora nitantur.

II, lxv.

388. A Theory of the Tides. They are due to a Combination of Solar and Lunar Influence.

Et de aquarum natura conplura dicta sunt. Sed aestus maris
accedere et reciprocare maxime mirum ; pluribus quidem modis,
verum causa in sole lunaque. Bis inter duos exortus lunae
adfluunt, bisque remeant, vicenis quaternisque semper horis. Et
primum attollente se cum ea mundo intumescentes, mox a meridiano caeli fastigio vergente in occasum residentes ; rursusque
ab occasu subter ad caeli ima, et meridiano contraria, accedente,
inundantes ; hinc donec iterum exoriatur, se resorbentes. Nec
umquam eodem tempore, quo pridie, reflui ; ut ancillantes siderum
trahentique secum avido haustu maria, et adsidue aliunde, quam
pridie, exorienti ; paribus tamen intervallis reciproci, senisque

semper horis, non cuiusque diei aut noctis, aut loci, sed aequinoc-
tialibus ; ideoque inaequales vulgarium horarum spatio, utcumque
plures in eas aut diei aut noctis illarum mensurae cadunt, et
aequinoctio tantum pares ubique. Ingens argumentum, plenum-
que lucis ac vocis etiam diurnae, hebetes esse, qui negent subter-
meare sidera, ac rursus eadem resurgere, similemque terris, immo
vero universae naturae exinde faciem, in iisdem ortus occasusque
operibus ; non aliter sub terra manifesto sideris cursu, aliove
effectu, quam cum praeter oculos nostros feratur.

II, xcix.

389. A Comparison of Man with the Rest of the Creation.

Ante omnia unum animantium cunctorum, alienis velat opibus ;
ceteris *sua* varie tegimenta tribuit, testas, cortices, coria, spinas,
villos, saetas, pilos, plumam, pennas, squamas, vellera. Truncos
etiam arboresque cortice, interdum gemino, a frigoribus et calore
tutata est. Hominem tantum nudum, et in nuda humo, natali
die abicit ad vagitus statim et ploratum, nullumque tot animalium aliud ad lacrimas, et has protinus vitae principio. At hercule risus, praecox ille et celerrimus, ante quadragesimum diem
nulli datur. Ab hoc lucis rudimento, quae ne feras quidem inter
nos genitas, vincula excipiunt, et omnium membrorum nexus ;
itaque feliciter natus iacet, manibus pedibusque devinctis, flens,
animal ceteris imperaturum, et a suppliciis vitam auspicatur,
unam tantum ob culpam, quia natum est. Heu dementiam ab
his initiis existimantium ad superbiam se genitos ! Prima roboris
spes, primumque temporis munus quadrupedi similem facit.
Quando homini incessus ? quando vox ? quando firmum cibis os ?
quamdiu palpitans vertex, summae inter cuncta animalia inbe-
cillitatis indicium ? Iam morbi, tot atque medicinae contra mala
excogitatae, et haec quoque subinde novitatibus victae. Cetera
sentire naturam suam, alia pernicitatem usurpare, alia praepetes
volatus, alia nare : hominem scire nihil nisi doctrina, non fari,
non ingredi, non vesci ; breviterque non aliud naturae sponte,
quam flere. Itaque multi exstitere, qui non nasci optimum cen-
serent, aut quam ocissime aboleri. Uni animantium luctus est
datus, uni luxuria, et quidem innumerabilibus modis, ac per

singula membra; uni ambitio, uni avaritia, uni inmensa vivendi
cupido, uni superstitio, uni sepulturae cura, atque etiam post se
de futuro. Nulli vita fragilior, nulli rerum omnium, libido maior,
nulli pavor confusior, nulli rabies acrior. Denique cetera ani-
mantia in suo genere probe degunt; congregari videmus, et stare
contra dissimilia. Leonum feritas inter se non dimicat; serpen-
tium morsus non petit serpentes; ne maris quidem beluae ac
pisces, nisi in diversa genera, saeviunt. At hercule homini
plurima ex homine sunt mala!

VII, i.

390. The Source of Instinct is an Unsolved Mystery.

Mirum in plerisque animalium, scire quare petantur; sed et
per cuncta quid caveant. Elephans homine obvio forte in solitudine, et simpliciter oberrante, clemens placidusque etiam demonstrare viam traditur. Idem vestigio hominis animadverso
priusquam homine, intremiscere insidiarum metu, subsistere ab
olfactu, circumspectare, iras proflare, nec calcare, sed erutum
proximo tradere, illum sequenti, nuntio simili usque ad extremum, tunc agmen circumagi, et reverti, aciemque dirigi; adeo
omnium odori durare virus illud, maiore ex parte ne nudorum
quidem pedum. Sic et tigris, etiam feris ceteris truculenta, atque ipsa elephanti quoque spernens vestigia, hominis viso transferre dicitur protinus catulos. Quonam modo agnito? ubi ante
conspecto illo, quem timet? Etenim tales silvas minime fre-
quentari certum est. Sane mirentur ipsam vestigii raritatem;
sed unde sciunt timendi esse? Immo vero cur vel ipsius conspectum paveant, tanto viribus, magnitudine, velocitate praestan-
tiores? Nimirum haec est natura rerum, haec potentia eius,
saevissimas ferarum maximasque numquam vidisse quod debeant
timere, et statim intellegere cum sit timendum.

VII, v.

391. Natural History of the Lion.

Leoni tantum ex feris clementia in supplices. Prostratis parcit, et ubi saevit, in viros potius, quam in feminas fremit; in
infantes non nisi magna fame. Credit Libya, intellectum perve-

nire ad eos precum. Captivam certe Gaetuliae reducem audivi,
multorum in silvis impetum a se mitigatum adloqui ausa et
dicere se feminam, profugam, infirmam, supplicem animalis omnium generosissimi, ceterisque imperitantis, indignam eius gloria
praedam. Varia circa hoc opinio, ex ingenio cuiusque, vel casu,
mulceri adloquiis feras, quippe quoniam, serpentes extrahi cantu,
cogique in poenam, verum falsumne sit, vita non decreverit.
Leonum animi index cauda, sicut et equorum aures. Namque
et has notas generosissimo cuique natura tribuit. Inmota ergo
placido, clemens blandientique, quod rarum est; crebrior enim
iracundia, cuius in principio terra verberatur; incremento
terga, ceu quodam incitamento, flagellantur. Vis summa in
pectore. Ex omni vulnere, sive ungue inpresso, sive dente, ater
profluit sanguis. Iidem satiati, innoxii sunt. Generositas in
periculis maxime deprehenditur, non in illo tantummodo, quod
spernens tela diu se terrore solo tuetur, ac velut cogi testatur;
cooriturque non tamquam periculo coactus, sed tamquam amentiae iratus. Illa nobilior animi significatio; quamlibet magna
canum et venantium urgente vi, contemptim restitansque cedit in
campis, et ubi spectari potest; idem ubi virgulta silvasque pene-
travit, acerrimo cursu fertur, velut abscondente turpitudinem loco.
Dum sequitur, insilit saltu, quo in fuga non utitur. Vulneratus
observatione mira percussorem novit, et in quantalibet multitudine adpetit. Eum vero qui telum quidem miserit, sed tamen
non vulneraverit, correptum rotatumque sternit, nec vulnerat.
Cum pro catulis feta dimicat, oculorum aciem traditur defigere
in terram, ne venabula expavescat. Cetero dolis carent et suspicione, nec limis intuentur oculis, aspicique simili modo nolunt.
Creditum est, a moriente humum morderi, lacrimamque leto dari.
Atque hoc tale, *et* tam saevum animal, rotarum orbes circumacti,
currusque inanes, et gallinaceorum cristae, cantusque etiam magis
terrent, sed maxime ignes. Aegritudinem fastidii tantum sentit;
in qua medetur ei contumelia, in rabiem agente adnexarum las-
civia simiarum. Gustatus deinde sanguis in remedio est.

VIII, xix.

392. The Wearing and Workmanship of Gold Rings.

Pessumum vitae scelus fecit, qui aurum primus induit digitis.
Nec hoc quis fecerit traditur. Nam de Prometheo omnia fabu-
losa arbitror, quamquam illi quoque ferreum anulum dedit antiquitas; vinculumque id, non gestamen, intellegi voluit. Midae
quidem anulum, quo circumacto habentem nemo cerneret, quis
non etiam fabulosiorem fateatur? Manus et prorsus sinistrae
maxumam auctoritatem conciliavere auro, non quidem Romanae,
quarum in more ferrei erant, et virtutis bellicae insigne. De
regibus Romanis non facile dixerim. Nullum habet Romuli in
Capitolio statua, nec praeter Numae Servique Tulli alia, ac ne
L. quidem Bruti. Hoc in Tarquiniis maxume miror, quorum e
Graecia fuit origo, unde hic anulorum usus venit, quamquam
etiam nunc Lacedaemone ferreo utuntur. Sed a Prisco Tarquinio omnium primo filium, cum in praetextae annis occidisset
hostem, bulla aurea donatum constat; unde mos bullae duravit,
ut eorum qui equo meruissent filii, insigne id haberent, ceteri
lorum. Et ideo miror Tarquini eius statuam sine anulo esse.
Quamquam et de nomine ipso ambigi video; Graeci a .digitis
appellavere, apud nos prisci ungulum vocabant; postea et Graeci
et nostri symbolum. Longo certe tempore ne senatum quidem
Romanum habuisse aureos manifestum est. Siquidem iis tantum qui legati ad exteras gentes ituri essent, anuli publice
dabantur, credo, quoniam ita exterorum honoratissimi intellige-
bantur. Neque aliis uti mos fuit, quam qui ex ea causa publice
accepissent, volgoque sic triumphabant. Et cum corona ex auro
Etrusca sustineretur a tergo, anulus tamen in digito ferreus erat,
aeque triumphantis, et servi fortasse coronam sustinentis. Sic
triumphavit de Iugurtha C. Marius; aureumque non ante tertium
consulatum sumpsisse traditur. Hi quoque, qui ob legationem
acceperant aureos, in publico tantum utebantur iis; intra domos
vero ferreis. Quo argumento etiam nunc sponsae muneri ferreus anulus mittitur, isque sine gemma. . . . Non signat Oriens
aut Aegyptus etiam nunc, litteris contenta solis. Multis hoc
modis, ut cetera omnia, luxuria variavit, gemmas addendo ex-
quisiti fulgoris, censuque opimo digitos onerando, sicut dicemus
in gemmarum volumine; mox et effigies varias caelando, ut alibi

ars, alibi materia esset in pretio. Alias dein gemmas violari
nefas putavit ac, ne quis signandi causam in anulis esse intelle-
geret, solidas induit. Quasdam vero neque ab ea parte quae
digito occultatur, auro clusit, aurumque milis lapillorum vilius
fecit. Contra vero multi nullas admittunt gemmas, auroque ipso
signant; id Claudi Caesaris principatu repertum.

XXXIII, iv, vi.

393. The Chief Use of Painting in Antiquity was for
Portraits. The Invention of a Process by
which Colored Impressions were multiplied is
due to Varro.

Aliter apud maiores in atriis haec erant quae spectarentur
non signa externorum artificum, nec aera, aut marmora; ex-
pressi cera voltus singulis disponebantur armariis, ut essent
imagines quae comitarentur gentilicia funera, semperque defuncto aliquo, totus aderat familiae eius, qui umquam fuerat,
populus. Stemmata vero liniis discurrebant ad imagines pictas.
Tabulina codicibus inplebantur, et monimentis rerum in magistratu gestarum. Aliae foris et circa limina animorum ingentium
imagines erant, adfixis hostium spoliis, quae nec emptori refigere
liceret, triumphabantque etiam dominis mutatis emptae domus; erat haec stimulatio ingens, exprobrantibus tectis, cotidie
inbellem dominum intrare in alienum triumphum. Exstat
Messalae oratoris indignatio, qua prohibuit inseri genti suae
Laevinorum alienam imaginem. Similis causa Messalae seni
expressit volumina illa, quae de familiis condidit, cum Scipionis
Pomponiani transisset atrium, vidissetque adoptione testamenta-
ria Salvittonis, (hoc enim ei fuerat cognomen,) Africanorum
dedecori inrepentem Scipionum nomini. Sed, pace Messalarum
dixisse liceat, etiam mentiri clarorum imagines, erat aliquis virtutum amor, multoque honestius, quam mereri, ne quis suas
expeteret. Non est praetereundum et novicium inventum, siquidem non solum ex auro argentove, aut certe ex aere in bib-
liothecis dicantur illis, quorum inmortales animae in locis iisdem
loquuntur; quin immo etiam quae non sunt, finguntur, pariunt-
que desideria non traditos voltus, sicut in Homero id evenit. Quo
maius (ut equidem arbitror) nullum est felicitatis specimen, quam

semper omnis scire cupere, qualis fuerit aliquis.　Asini Pollio-
nis hoc Romae inventum, qui primus bibliothecam dicando,
ingenia hominum rem publicam fecit.　An priores coeperint
Alexandreae et Pergami reges, qui bibliothecas magno certamine
instituere, non facile dixerim.　Imaginum amorem flagrasse quondam testes sunt Atticus ille Ciceronis, edita de iis volumine, et
Marcus Varro benignissimo invento, insertis voluminum suorum
fecunditati, non nominibus tantum septingentorum inlustrium,
aliquo modo imaginibus ;　non passus intercidere figuras, aut
vetustatem aevi contra homines valere, inventor muneris etiam
dis invidiosi, quando inmortalitatem non solum dedit, verum
etiam in omnes terras misit, ut praesentes esse ubique ceu di
possent.

XXXV, ii.

C. VALERIUS FLACCUS, fl. 70–88 A. D.

394. Hercules appears to deliver Hesione from the Sea-Monster.

Constitit Alcides, visuque enisus in alta
Rupe truces manicas, defectaque virginis ora
Cernit, et ad primos umentia lumina fluctus.
Exanimum veluti, multo tamen arte coactum,
Maeret ebur, Pariusve notas et nomina sumpsit,
Cum lapis aut liquidi referunt miranda colores.
Ductor ait : Quod, virgo, tibi nomenque genusque ?
Quae sors ista, doce, tendunt cur vincula palmas ?
Illa tremens, tristique oculos deiecta pudore,
Non ego digna malis, inquit ; suprema parentum
Dona vides, ostro scopulos auroque frequentes.
Nos Ili felix quondam genus, invida donec
Laomedonteos fugeret Fortuna penates.
Principio morbi, caeloque exacta sereno
Temperies ; arsere rogis certantibus agri.
Tum subitus fragor, et fluctus Idaea moventes

Cum stabulis nemora. Ecce repens consurgere ponto
Belua, monstrum ingens; hanc tu nec molibus ullis,
Nec nostro metire mari; primaeva furenti
Huic manus, amplexus inter planctusque parentum,
Deditur; hoc sortes, hoc corniger imperat Hammon
Virgineam damnare animam, sortitaque Lethen
Corpora; crudelis scopulis me destinat urna.
Verum o, iam redeunt Phrygibus si numina, tuque
Ille ades, auguriis promisse et sorte deorum,
Iam cui candentes votiva in gramine pascit
Cornipedes genitor, nostrae stata dona salutis,
Adnue, meque, precor, defectaque Pergama monstris
Eripe; namque potes, neque enim tam lata videbam
Pectora, Neptunus muros cum iungeret astris,
Nec tales umeros pharetramque gerebat Apollo.

Argon., ii, 462–492.

395. JASON DESTROYS THE DRAGON'S SEED.

Ille, velut campos Libyes ac pinguia Nili
Fertilis arva secet, plena sic semina dextra
Spargere gaudet agris, oneratque novalia bello.
Martius hic primum ter vomere fusus ab ipso
Clangor, et ex omni sonuerunt cornua sulco;
Bellatrix tum gleba quati, pariterque creari
Armarique phalanx totisque insurgere campis.
Cessit et ad socios paulum se rettulit heros
Opperiens, ubi prima sibi daret agmina tellus.
At vero ut summis iam rura recedere cristis
Vidit et infesta vibrantes casside terras,
Advolat; atque imo tellus qua proxima collo,
Necdum umeri videre diem, prior ense secanti
Aequat humo truncos; rutilum thoraca levantis
Aut primas ec matre manus premit obvius ante.
Nec magis aut illis aut illis milibus ultra
Sufficit, ad dirae quam cum Tirynthius hydrae
Agmina Palladios defessus respicit ignes.
Ergo iterum ad socias convertere Colchidos artes,
Et galeae nexus ac vincula dissipat imae,

Cunctaturque tamen totique occurrere bello
Ipse cupit, spes nulla datur, sic undique densant
Terrigenae iam signa duces, clamorque, tubaeque
Iamque omnes subiere virum, iamque omnia contra
Tela volant ; tum vero amens discrimine tanto,
Quam modo Tartareo galeam Medea veneno
Infectam dederat, ususque armarat in illos,
In medios torsit ; conversae protinus hastae.
Qualis ubi attonitos maestae Phrygas annua Matris
Ira, vel exectos lacerat Bellona comatos,
Haud secus accensas subito Medea cohortes,
Implicat, et miseros agit in sua proelia fratres.
Omnis ibi Aesoniden sterni putat ; omnibus ira
Talis erat. Stupet Aeetes ultroque furentes
Ipse viros revocare cupit ; sed cuncta iacebant
Agmina, nec quisquam primus ruit, aut super ullus
Linquitur, atque hausit subito sua funera tellus.

vii, 607–643.

396. Medea leaves her Home.

At trepidam in thalamis et iam sua facta paventem
Colchida circa omnes pariter furiaeque minaeque
Patris habent ; nec caerulei timor aequoris ultra,
Nec miserae terra ulla procul ; quascumque per undas
Ferre fugam, quamcumque cupit iam scandere puppem.
Ultima virgineis tunc flens dedit oscula vittis,
Quosque fugit, conplexa toros, crinemque genasque
Ante per antiqui carpsit vestigia somni,
Atque haec inpresso gemuit miseranda cubili :
O mihi si profugae genitor nunc mille supremos
Amplexus, Aeeta, dares fletusque videres
Ecce meos ! Ne crede, pater, non carior ille est,
Quem sequimur ; tumidis utinam simul obruar undis !
Tu, precor, haec longa placidus mox sceptra senecta
Tuta geras, meliorque tibi sit cetera proles.
Dixit, et Haemonio numquam spernenda marito
Condita letiferis prodit medicamina cistis,
Virgineosque sinus ipsumque monile venenis

Implicat, ac saevum super omnibus addidit ensem.
Inde velut torto Furiarum eiecta flagello
Prosilit; attonito qualis pede prosilit Ino
In freta nec parvi meminit conterrita nati,
Quem tenet; extremum coniunx premit inritus Isthmon.

viii, 1-23.

397. Absyrtus urges his Men to recover Medea.

Absyrtus subita praeceps cum classe parentis
Advehitur, profugis infestam lampada Graiis
Concutiens 'diramque premens clamore sororem:
Heia, agite, o si quis vobis dolor iraque, Colchi,
Adcelerate viam, neque enim fugit aequore raptor
Iuppiter, aut falsi sequimur vestigia tauri.
Puppe, nefas, una praedo Phrixea reportat
Vellera; qua libuit, remeat cum virgine; nobis,
O pudor! et muros et stantia tecta reliquit.
Quid mihi deinde satis? nec quaero vellera, nec te
Accipio, germana, datam, nec foederis ulla
Spes erit, aut irae quisquam modus. Inde reverti
Patris ad ora mei tam parvo in tempore fas sit?
Quinquaginta animae me scilicet unaque mersa
Sufficiet placare ratis? te, Graecia fallax,
Persequor atque tuis hunc quasso moenibus ignem;
Nec tibi digna, soror, desum ad conubia frater;
Primus et ecce fero quatioque hanc lampada vestro
Coniugio; primus celebro dotalia sacra,
Qui potui; patriae veniam da, quaeso, senectae.
Quin omnes alii pariter populique patresque
Mecum adsunt; magni virgo ne regia Solis
Haemonii thalamos adeas despecta mariti,
Tot decuit comitare rates, tot fulgere taedas.

viii, 261-284

SILIUS ITALICUS, 25–101 A.D.

398. Juno raises a Cloud of Dust to confound the Romans at Cannæ.

At Gradivus atrox remeantis in aethera divae
Abscessu revocat mentes, fusosque per aequor
Ipse manu magna, nebulam circumdatus, acri
Restituit pugnae.   Convertunt signa, novamque
Instaurant Itali, versa formidine, caedem.
Cum ventis positus custos, cui flamina carcer
Imperio compressa tenet, caelumque ruentes
Eurique, et Boreae parent, Corique, Notique,
Iunonis precibus, promissa haud parva ferentis,
Regnantem Aetolis Vulturnum in proelia campis
Effrenat.   Placet hic irae exitiabilis ultor.
Qui, se postquam Aetnae mersit candente barathro,
Concepitque ignes, et flammea protulit ora,
Evolat horrendo stridore, ac Daunia regna
Perflat, agens caecam glomerato pulvere nubem.
Eripuere oculos aurae, vocemque, manusque :
Vortice arenoso candentes, flebile dictu,
Torquet in ora globos Italum, et bellare maniplis
Iussa laetantur rabie.   Tum mole ruinae
Sternuntur tellure et miles et arma tubaeque ;
Atque omnis retro flatu obcursante refertur
Lancea, et in tergum Rutulis cadit inritus ictus.
Atque idem flatus Poenorum tela secundant,
Et velut amento contorta hastilia turbo
Adiuvat, ac Tyrias impellit stridulus hastas.
Tum, denso fauces praeclusus pulvere, miles .
Ignavam mortem compresso maeret hiatu.

ix, 486–512.

399. Juno opens Hannibal's Eyes that he may see the Gods ranged against him.

Quo ruis, o vecors? maioraque bella capessis,
Mortali quam ferre datum? Iuno inquit, et atram
Dimovit nubem, veroque adparuit ore.
Non tibi cum Phrygio res Laurentive colono,
En, age, (namque oculis amota nube parumper,
Cernere cuncta dabo) surgit qua celsus ad auras,
Aspice, montis apex, vocitata palatia regi
Parrhasio plena tenet et resonante pharetra,
Intenditque arcum, et pugnas meditatur Apollo.
At, qua vicinis tollit se collibus altae
Molis Aventinus, viden', ut Latonia virgo
Adcensas quatiat Phlegethontis gurgite taedas,
Exsertos avidae pugnae nudata lacertos?
Parte alia, cerne, ut saevis Gradivus in armis
Inp¹erit dictum proprio de nomine campum.
Hinc Ianus movet arma manu, movet inde Quirinus,
Quisque suo de colle deus. Sed enim aspice, quantus
Aegida commoveat nimbos flammasque vomentem
Iuppiter, et quantis pascat ferus ignibus iras.
Huc vultus flecte, atque aude spectare Tonantem,
Quas hiemes, quantos concussu vertice cernis
Sub nutu tonitrus. Oculis qui fulgurat ignis!
Cede deis tandem, et Titania desine bella.

xii, 703–725.

400. Scipio on the Battle-field.

Omnia ductor
Magna adeo Ausonius maiori mole premebat.
Ut Phoebe stellas, ut fratris lumina Phoeben
Exsuperant, montesque Atlas, et flumina Nilus,
Ut pater Oceanus Neptunia caerula vincit.
Vallantem castra (obscuro nam vesper Olympo
Fundere non aequam trepidanti coeperat umbram)
Adgreditur Latius rector, subitoque tumultu

Caeduntur passim coepti munimina valli
Imperfecta.　Supercontexere herbida lapsos
Pondera, et in tumuli concessit caespes honorem.
Vix uni mens digna viro, novisse minores
Quam deceat, pretiumque operis sit tradere famae.
Cantaber ingenio membrorum et mole timeri
Vel nudus telis poterat Larus.　Hic fera gentis
More securigera miscebat proelia dextra.
Et, quamquam fundi se circum pulsa videret
Agmina, deleta gentilis pube catervae,
Caesorum inplebat solus loca, seu foret hostis
Comminus, expleri gaudebat vulnere frontis
Adversae, seu laeva acies in bella vocaret,
Obliquo telum reflexum Marte rotabat.
At, cum pone ferox aversi in terga veniret
Victor, nil trepidans retro iactare bipennem
Callebat, nulla belli non parte timendus.

xvi, 33–57.

P. PAPINIUS STATIUS, 40–96 A. D.

401. STATIUS RECEIVES AN INVITATION TO DINE WITH DOMITIAN.

Regia Sidoniae convivia laudat Elissae,
Qui magnum Aenean Laurentibus intulit arvis,
Alcinoique dapes mansuro carmine monstrat
Aequore qui lento reducem consumpsit Ulixem;
Ast ego, cui sacrae Caesar nova gaudia cenae
Nunc primum, dominaque dedit concumbere mensa,
Qua celebrem mea vota lyra, quas solvere grates
Sufficiam? non, si pariter mihi vertice laeto
Nectat adoratas et Smyrna et Mantua lauros,
Digna loquar.　Mediis videor discumbere in astris
Cum Iove et Iliaca porrectum sumere dextra
Inmortale merum; steriles transmisimus annos;

Haec aevi mihi prima dies, haec limina vitae.
Tene ego, regnator terrarum orbisque subacti
Magne parens, te, spes hominum, te, cura deorum
Cerno iacens? datur haec iuxta, data ora tueri
Vina inter mensasque, et non assurgere fas est?
Tectum augustum, ingens, non centum insigne columnis,
Sed quantae superos caelumque, Atlante remisso,
Sustentare queant. Stupet hoc vicina Tonantis
Regia, teque pari laetantur sede locatum
Numina, ne magnum properes escendere caelum;
Tanta patet moles, effusaeque impetus aulae
Liberior campo, multumque amplexus aperti
Aetheros, et tantum domino minor; ille penates
Implet et ingenti Genio iuvat. Aemulus illic
Mons Libys Iliacusque nitet; *hic* multa Syene,
Et Chios et glauca certantia Doridi saxa,
Lunaque portandis tantum suffecta columnis.
Longa supra species: fessis vix culmina prendas
Visibus auratique putes laquearia caeli.

Silv., **IV**, ii, 1–31.

402. A Shabby Present.

Est sane iocus iste, quod libellum
Misisti mihi, Grype, pro libello.
Urbanum tamen hoc potest videri,
Si posthoc aliud mihi remittes.
Nam si ludere, Gryphe, perseveras,
Non ludis. Licet ecce, computemus;
Noster purpureus novusque carta,
Et binis decoratus umbilicis,
Praeter me, mihi constitit decussis.
Tu rosum tineis situque putrem,
Quales aut Libycis madent olivis,
Aut tus Niliacum piperve servant,
Aut Byzantiacos olent lacertos;
Nec saltem tua dicta continentem
Quae trino iuvenis foro tonabas,
Aut centum prope iudices, priusquam

Te Germanicus arbitrum sequenti
Annonae dedit, omniumque late
Praefecit stationibus viarum;
Sed Bruti senis oscitationes
De capsa miseri libellionis,
Emptum plus minus asse Caiano
Donas.   Usque adeone defuerunt
Scissis pillea suta de lacernis?
Vel mantelia luridaeve mappae?
Cartae, Thebaicaeve, Caricaeve?
Nusquam turbine conditus ruenti
Prunorum globus atque cottanorum?
Nec ellychnia sicca, non replictae,
Bulborum tunicae nec ova saltim?
Nec lenes halicae nec asperum far?
Nusquam Cinyphiis vagata campis
Curvarum domus uda coclearum?
Non lardum breve debilisve perna?
Non Lucanica, non graves Falisci,
Non sal, oxyporumve, caseusve,
Aut panes viridantis aphronitri,
Vel passum psithiis suis recoctum,
Dulci defruta vel lutosa caeno?
Quantum vel dare cereos olentes,
Cultellum, tenuesve codicillos?
Ollares, rogo, non licebat uvas,
Cumano patinas vel orbe tortas,
Aut unam dare synthesin (quid horres?)
Alborum calicum, atque caccaborum?
Irascor tibi, Grype; sed valebis:
Tantum ne mihi, quo soles lepore,
Et nunc hendecasyllabos remittas.

Silv., IV, ix, 1-45, 53-55.

403. A STORM IN THE NIGHT.

Iamque per emeriti surgens confinia Phoebi
Titanis late mundo subvecta silenti
Rorifera gelidum tenuaverat aera biga.

Iam pecudes volucresque tacent; iam somnus amaris
Inrepsit curis pronusque ex aethere nutat,
Grata laboratae referens oblivia vitae.
Sed nec puniceo rediturum nubila caelo
Promisere iubar, nec rarescentibus umbris
Longa repercusso nituere crepuscula Phoebo.
Densior a terris, et nulli pervia flammae
Subtexit nox atra polos; iam claustra rigentis
Aeoliae percussa sonant, venturaque rauco
Ore minatur hiems, venti transversa frementes
Confligunt, axemque emoto cardine vellunt,
Dum caelum sibi quisque rapit. Sed plurimus Auster
Inglomerat noctem, tenebrosa volumina torquens,
Defunditque imbres, sicco quos asper hiatu
Persolidat Boreas; nec non abrupta tremiscunt
Fulgura, et attritus subita face rumpitur aether.
Iam Nemea, iam Taenariis contermina lucis
Arcadiae capita alta madent; ruit agmine facto
Inachus et gelidas surgens Erasinus in undas.
Pulverulenta prius calcataque flumina nullae
Aggeribus tenuere morae, stagnoque refusa est
Funditus et veteri spumavit Lerna veneno.
Frangitur omne nemus; rapiunt antiqua procellae
Bracchia silvarum, nullisque aspecta per aevum
Solibus umbrosi patuere aestiva Lycaei.

Theb., i, 336–363.

404. Eteocles rejects the Embassy of Polynices.

Cognita si dubiis fratris mihi iurgia signis
Ante forent nec clara odiorum arcana paterent,
Sufficeret vel sola fides, quam servo; sed illum
Mente gerens, ceu saepta novus iam moenia laxet
Fossor et hostiles inimicent classica turmas,
Praefuris; in medios si comminus orsa tulisses
Bistonas, aut refugo pallentes sole Gelonos,
Parcior eloquio et medii reverentior aequi
Inciperes. Neque te furibundae crimine mentis
Arguerem, mandata refers; nunc omnia quando

Plena minis, nec sceptra fide nec pace sequestra
Poscitis, et capulo proprior manus ; haec mea regi
Argolico nondum aequa tuis vice dicta reporta.
Quae sors iusta mihi, quae non indebitus annis
Sceptra dicavit honos, teneo longumque tenebo.
Te penes Inachiae dotalis regia dono
Coniugis et Danaae (quid enim maioribus actis
Invideam ?) cumulentur opes ; felicibus Argos
Auspiciis Lernamque regas ; nos horrida Dirces
Pascua et Euboicis artatas fluctibus oras
Non indignati miserum dixisse parentem
Oedipoden.

Theb., ii, 415-436.

405. Boxing Match between Capaneus and Alcidamas.

Ut sese permensi oculis et uterque priorem
Speravere locum, non protinus ira nec ictus,
Alternus paulum timor et permixta furori
Consilia, inclinant tantum contraria iactu
Bracchia et explorant caestus hebetantque terendo.
Doctior hic differt animam metuensque futuri
Cunctatus vires dispensat; at ille nocendi
Prodigus incautusque sui ruit omnis et ambas
Consumit sine lege manus, atque inrita frendit
Insurgens, seque ipse premit. Sed providus astu
Et patria vigil arte Lacon hos reicit ictus,
Hos cavet ; interdum nutu capitisque citati
Integer obsequio, manibus nunc obvia tela
Discutiens instat gressu vultuque recedit.
Saepe etiam iniustis conlatum viribus hostem
(Is vigor ingenio, tanta experientia dextrae est)
Ultro audax animis instatque et obumbrat, et alte
Adsilit ; ut praeceps cumulo agit unda minantes
In scopulos et fracta redit, sic ille furentem
Circuit expugnans. Levat ecce diuque minatur
In latus inque oculos ; illum rigida arma caventem
Avocat et manibus necopinum interserit ictum
Callidus, et mediam designat vulnere frontem.

Iam cruor et tepido signantur tempora rivo.
Nescit adhuc Capaneus subitumque per agmina murmur
Miratur; verum ut fessam super ora reduxit
Forte manum et summo maculas in vellere vidit,
Non leo, non iaculo tantum indignata recepto
Tigris; agit toto cedentem fervidus arvo
Praecipitatque retro iuvenem atque in terga supinat
Dentibus horrendum stridens geminatque rotatas
Multiplicatque manus. Rapiunt conamina venti.

Theb., vi, 735–766.

406. Bacchus intercedes for Thebes.

Exscindisne tuas, divum sator optime, Thebas?
Saeva adeo coniux? nec te telluris amatae,
Deceptique laris miseret cinerumque meorum?
Esto, olim invitum iaculatus nubibus ignem,
Credimus; en iterum atra refers incendia terris,
Nec Styge iurata, nec paelicis arte rogatus.
Quis modus? an nobis pater iratusque bonusque
Fulmen habes? sed non Danaeia limina talis,
Parrhasiumque nemus Ledaeasque ibis Amyclas.
Scilicet e cunctis ego neglectissima natis
Progenies? ego nempe tamen qui dulce ferenti
Pondus eram; cui tu dignatus limina vitae
Praereptumque uterum et maternos reddere menses.
Adde, quod imbellis rarisque exercita castris
Turba meas acies, mea tantum proelia norunt,
Nectere fronde comas et ad inspirata rotari
Buxa: timent thyrsos nuptarum et proelia matrum;
Unde tubas Martemque pati, qui fervidus ecce
Quanta parat? quid si ille tuos Curetas in arma
Ducat, et innocuis iubeat decernere peltis?
Quin etiam invisos (sic hostis defuit?) Argos
Elicis; o ipsis, genitor, graviora periclis
Iussa, novercales luimus ditare Mycenas!
Anne triumphatos fugiam captivus ad Indos?
Da sedem profugo! Potuit Latonia frater
Saxa (nec invideo) defigere Delon et imis

Commendare fretis; cara submovit ab arce
Hostiles Tritonis aquas; vidi ipse potentem
Gentibus Eois Epaphum dare iura, nec ullas
Cyllene secreta tubas, Minoiave curat
. Ida; quid heu tantum nostris offenderis aris?
Hic tibi (quando minor iam nostra potentia) noctes
Herculeae, placitusque vagae Nycteidos ardor,
Hic Tyrium genus, et nostro felicior igne
Taurus; Agenoreos saltem tutare nepotes.

Theb., vii, 155–177, 181–192.

M. FABIUS QUINTILIANUS, 35–95 A. D.

407. THE VALUE OF MUSIC AS AN AID TO LITERARY CULTURE.

Veterum quoque Romanorum epulis fides ac tibias adhibere moris fuit. Versus quoque Saliorum habent carmen. Quae cum omnia sint a Numa rege instituta, faciunt manifestum, ne illis quidem, qui rudes ac bellicosi videntur, curam musices, quantam illa recipiebat aetas, defuisse. Denique in proverbium usque Graecorum celebratum est, 'Indoctos a Musis atque a Gratiis abesse.' Verum quid ex ea proprie petat futurus orator, disseramus. Numeros musice duplices habet, in 'vocibus' et in 'corpore;' utriusque enim rei aptus quidam modus desideratur. 'Vocis' rationem Aristoxenus musicus dividit in ῥυθμόν et μέλος, quorum alterum 'modulatione,' alterum 'canore ac sonis' constat. Num igitur non haec omnia oratori necessaria? quorum unum ad gestum, alterum ad collocationem verborum, tertium ad flexus vocis, qui sunt in agendo quoque plurimi, pertinet. . . . Age, non habebit in primis curam vocis orator, quid tam musices proprium? Sed ne haec quidem praesumenda pars est; uno interim contenti simus exemplo C. Gracchi, praecipui suorum temporum oratoris, cui contionanti consistens post eum musicus, fistula, quam tonarion vocant, modus quibus

deberet intendi, monstrabat. Haec ei cura inter turbidissimas
actiones, vel terrenti optimates, vel iam timenti profuit.

I, x, 20–22, 27, 28.

406. The Young Romans were taught how to discuss on their Merits Questions involving some of the Broad Principles of Law.

' Legum laus' et ' vituperatio' iam maiores, ac prope summis
operibus suffecturas, vires desiderant; quae quidem suasoriis
magis an controversiis accommodata sit exercitatio, consuetudine
et iure civitatium differt. Apud Graecos enim lator earum ad
iudicem vocabatur; Romanis pro contione suadere ac dissuadere
moris fuit. Utroque autem modo pauca de his et fere certa
dicuntur. Nam et genera sunt tria, ' sacri, publici, privati iuris.'
Quae divisio ad laudem magis spectat, si quis eam per gradus
augeat, quod ' lex,' quod ' publica,' quod ' ad religionem deum
comparata' sit. Ea quidem, de quibus quaeri solet, communia
omnibus. Aut enim de iure dubitari potest eius, ' qui rogat,' ut
' de P. Clodii, qui non rite creatus tribunus arguebatur;' aut de
ipsius rogationis, quod est varium, sive ' non trino' forte ' nun-
dino' promulgata, sive ' non idoneo die,' sive ' contra interces-
sionem,' vel ' auspicia, aliudve quid, quod legitimis obstet,' dicitur
lata esse, vel ferri; sive ' alicui manentium legum repugnare.'
Sed haec ad illas primas exercitationes non pertinent; nam sunt
eae citra complexum personarum, temporum, causarum. Reliqua eadem fere, vero fictoque huiusmodi certamine, tractantur.
Nam vitium aut ' in verbis' est, aut ' in rebus.' In verbis
quaeritur, ' an satis significent? an sit in iis aliquid ambiguum?'
In rebus, ' an lex sibi ipsa consentiat? an in praeteritum ferri
debeat? an in singulos homines?' Maxime vero commune est
quaerere, ' an sit honesta? an utilis?' Nec ignoro, plures fieri
a plerisque partes; sed nos ' iustum, pium, religiosum,' ceteraque
his similia ' honesto' complectimur. ' Iusti' tamen species non
simpliciter excuti solet. Aut enim de re ipsa quaeritur, ut
' dignane poena,' vel ' praemio sit?' aut de modo praemii
poenaeve, ' qui' tam ' maior,' quam ' minor' culpari potest.
Utilitas quoque interim ' natura' discernitur, interim ' tempore.'
Quaedam ' an obtineri possint,' ambigi solet. Ne illud quidem

ignorare oportet, leges aliquando 'totas,' aliquando 'ex parte'
reprehendi solere, cum exemplum rei utriusque nobis claris
orationibus praebeatur.   Nec me fallit, eas quoque leges esse,
quae non in perpetuum rogentur, sed de honoribus aut imperiis,
qualis 'Manilia' fuit, de qua Ciceronis oratio est.

II, iv, 33–40.

409. The Chief Merit of a 'Suasoria' is to Reflect as forcibly as possible the Individuality of the Person into whose mouth the Oration is put.

Ideoque longe mihi difficillimae videntur 'prosopopoeiae' in
quibus ad reliquum suasoriae laborem accedit etiam personae
difficultas.   Namque idem illud aliter Caesar, aliter Cicero,
aliter Cato suadere debebit.   Utilissima vero haec exercitatio,
vel quod duplicis est operis, vel quod poetis quoque aut histo-
riarum futuris scriptoribus plurimum confert.   Verum et ora-
toribus necessaria.   Nam sunt multae a Graecis Latinisque
compositae orationes, quibus alii uterentur, ad quorum condicionem vitamque aptanda, quae dicebantur, fuerunt.   An
eodem modo cogitavit, aut eandem personam induit Cicero, cum
scriberet Cn. Pompeio, et cum T. Ampio, ceterisve : ac non
uniuscuiusque eorum fortunam, dignitatem, res gestas intuitus,
omnium, quibus vocem dabat, etiam imaginem expressit? ut
melius quidem, sed tamen ipsi, dicere viderentur.   Neque enim
minus vitiosa est oratio, si ab homine, quam si a re, cui accom-
modari debuit, dissidet ; ideoque Lysias optime videtur in iis,
quae scribebat indoctis, servasse veritatis fidem.   Enimvero
praecipue declamatoribus considerandum est, quid cuique personae conveniat? qui paucissimas controversias ita dicunt, ut
advocati ; plerumque filii, patres, divites, senes, asperi, lenes,
avari, denique superstitiosi, timidi, derisores fiunt ; ut vix
comoediarum actoribus plures habitus in pronuntiando con-
cipiendi sint, quam his in dicendo.   Quae omnia videri possunt
prosopopoeiae ; quam ego suasoriis subieci, quia nullo alio ab his,
quam persona, distat.   Quamquam haec aliquando etiam in
controversias ducitur, quae ex historiis compositae, certis agentium nominibus continentur.   Neque ignoro, plerumque exer-

citationis gratia poni et poeticas et historicas; ut ' Priami verba
apud Achillem,' aut 'Sullae dictaturam deponentis in contione.'
Sed haec in partem cedent trium generum, in quae causas divisi-
mus. Nam et rogare, indicare, rationem reddere, et alia, de
quibus supra dictum est, varie, atque ut res tulit, in materia
iudiciali, deliberativa, demonstrativa, solemus. Frequentissime
vero in his utimur ficta personarum, quas ipsi substituimus, oratione; ut apud Ciceronem pro Caelo Clodiam et caecus Appius
et Clodius frater, ille in castigationem, hic in hortationem vitiorum compositus, alloquitur.

III, viii, 49–54.

410. Hints on the Examination of Witnesses in Court.

Qui ' voluntarium ' producit, scire, quid is dicturus sit, potest;
ideoque faciliorem videtur in rogando habere rationem. Sed
haec quoque pars acumen ac vigilantiam poscit, providendum-
que, ne timidus, ne inconstans, ne imprudens testis sit; turban-
tur enim, et a patronis diversae partis inducuntur in laqueos,
et plus deprehensi nocent, quam firmi et interriti profuissent.
Multum igitur domi ante versandi; variis percontationibus,
quales haberi ab adversario possint, explorandi sunt. Sic fit, ut
aut constent sibi, aut, si quid titubaverint, opportuna rursus eius,
a quo producti sunt, interrogatione velut in gradum reponantur.
In his quoque adhuc, qui constiterint sibi, vitandae sunt insidiae;
nam frequenter subici ab adversario solent, et, omnia profutura
polliciti, diversa respondent, et auctoritatem habent non arguen-
tium illa, sed confitentium. Explorandum igitur, quas causas
laedendi adversarium afferant; nec id sat est, inimicos fuisse,
sed an desierint, an per hoc ipsum reconciliari velint, ne cor-
rupti sint, ne paenitentia propositum mutaverint; quod cum in
iis quoque, qui ea, quae dicturi videntur re vera sciunt, necessarium est praecavere, multo magis in iis, qui se dicturos,
quae falsa sunt, pollicentur. Nam et frequentior eorum paenitentia est; et promissum suspectius; et, si perseveraverint,
reprehensio facilior. . . . Patronorum in parte expeditior, in
parte difficilior interrogatio est. Difficilior hoc, quod raro
unquam possunt ante iudicium scire, quid testis dicturus sit;

expeditior, quod, cum interrogandus est, sciunt, quid dixerit.
Itaque, quod in eo incertum est, cura et inquisitione opus est,
quis reum premat? quas et quibus ex causis inimicitias habeat?
eaque in oratione praedicenda atque amolienda sunt, sive odio
conflatos testes, sive invidia, sive gratia, sive pecunia, videri
volumus. . . . Qua in re primum est, nosse testem; nam timidus terreri, stultus decipi, iracundus concitari, ambitiosus inflari,
longus protrahi potest; prudens vero et constans, vel tanquam
inimicus et pervicax dimittendus statim, vel non interrogatione,
sed brevi interlocutione patroni refutandus est; aut aliquo, si
continget, urbane dicto refrigerandus; aut, si quid in eius vitam
dici poterit, infamia criminum destruendus. Probos quosdam et
verecundos non aspere incessere profuit; nam saepe, qui adversus insectantem pugnassent, modestia mitigantur. Omnis autem
interrogatio aut ‘in causa est,’ aut ‘extra causam.’ ‘In causa,’
sicut accusatori praecepimus, patronus quoque altius, et unde nihil
suspecti sit, repetita percontatione, priora sequentibus applicando,
saepe eo perducit homines, ut invitis, quod prosit, extorqueat.
Eius rei sine dubio neque disciplina ulla in scholis, neque exercitatio traditur; et naturali magis acumine, aut usu contingit
haec virtus.

V, vii, 10–14, 22–23, 26–28.

411. THE POWER OF PATHOS.

Qui vero iudicem rapere, et in quem vellet habitum animi
posset perducere, quo dicto flendum et irascendum esset, rarus
fuit. Atqui hoc est, quod dominetur in iudiciis; haec eloquentiam regunt. Namque argumenta plerumque nascuntur ex
causa, et pro meliore parte plura sunt semper; ut, qui per haec
vicit, tantum, non defuisse sibi advocatum, sciat. Ubi vero
animis iudicum vis afferenda est, et ab ipsa veri contemplatione
abducenda mens, ibi proprium oratoris opus est. Hoc non docet
litigator, hoc libellis non continetur. Probationes enim efficiant
sane, ut causam nostram meliorem esse iudices putent; affectus
praestant, ut etiam velint; sed id, quod volunt, credunt quoque.
Nam cum irasci, favere, odisse, misereri coeperunt, agi iam rem
suam existimant; et, sicut amantes de forma iudicare non possunt, quia sensum oculorum praecipitat animus, ita omnem veri-

tatis inquirendae rationem iudex omittit occupatus affectibus :
aestu fertur, et velut rapido flumini obsequitur. Ita argumenta
ac testes quid egerint, pronuntiatio ostendit ; commotus autem
ab oratore iudex, quid sentiat, sedens adhuc atque audiens confitetur. An, cum ille, qui plerisque perorationibus petitur, fletus
erumpit, non palam dicta sententia est ? Huc igitur incumbat
orator, hoc opus eius, hic labor est ; sine quo cetera nuda, ieiuna,
infirma, ingrata sunt ; adeo velut spiritus operis huius atque
animus est in affectibus.

VI, ii, 3–7.

412. A Concise Summary of the Art of Rhetoric.

Nempe enim plurimum in hoc laboris exhausimus, ut osten-
deremus rhetoricen ' bene dicendi scientiam, et utilem, et artem,
et virtutem esse ; ' materiam eius ' res omnes,' de quibus dicendum esset ; eas in tribus fere generibus, ' demonstrativo,
deliberativo, iudicialique ' reperiri ; orationem porro omnem constare ' rebus et verbis ; ' in rebus intuendam ' inventionem,' in
verbis ' elocutionem,' in utraque ' collocationem ; ' quae ' memoria ' conplecteretur, ' actio ' commendaret. Oratoris officium,
' docendi, movendi, delectandi ' artibus contineri ; ex quibus ad
docendum, ' expositio et argumentatio ; ' ad movendum, ' affectus '
pertineret, quem per omnem quidem causam, sed maxime tamen
in ingressu ac fine dominari. Nam ' delectationem,' quamvis in
utroque sit eorum, magis tamen proprias in ' elocutione ' partes
habere. ' Quaestiones ' alias ' infinitas,' alias ' finitas,' quae per-
sonis, locis, temporibus continerentur. In omni porro materia
tria esse quaerenda, ' an sit ? quid sit ? quale sit ? ' His adicieba-
mus, ' demonstrativam ' laude ac vituperatione constare. In ea,
quae ab ipso, de quo diceremus, quae post eum acta essent,
intuendum. Hoc opus tractatu ' honestorum utiliumque ' constare. ' Suasoriis ' accedere tertiam partem ex coniectura, ' pos-
setne fieri ? ' et ' an esset futurum ? ' de quo deliberaretur. Hic
praecipue diximus spectandum, ' quis, apud quem, quid ? ' diceret.
' Iudicialium ' causarum alias in singulis, alias in pluribus controversiis consistere ; et in quibusdam ' intentionem ' modo ;
' depulsionem ' porro omnem infitiatione duplici, ' factumne,
et an hoc factum esset ? ' praeterea ' defensione ' ac ' transla-
tione ' constare. ' Quaestionem ' aut ex facto, aut ex scripto

esse: 'facto,' de rerum fide, proprietate, qualitate; 'scripto' de verborum vi aut voluntate; in quibus vis tum causarum, tum actionum inspici soleat, quaeque aut scripti et voluntatis, aut ratiocinativae, aut ambiguitatis, aut legum contrariarum specie continetur. In omni porro causa iudiciali quinque esse partes, quarum 'exordio' conciliari audientem, 'narratione' causam proponi, 'confirmatione' roborari, 'refutatione' dissolvi, 'peroratione' aut memoriam refici, aut animos moveri. His argumentandi et afficiendi locos, et quibus generibus concitari, placari resolvi iudices oporteret, adiecimus. Accessit ratio divisionis. Credere modo, qui discet, velit. Certa quaedam via est, in qua multa etiam sine doctrina praestare debeat per se ipsa natura, ut haec, de quibus dixi, non tam inventa a praeceptoribus, quam, cum fierent, observata esse videantur.

VIII, *Prooem.*, 6–12.

413. Criticism of Roman Tragedy and Comedy.

Tragoediae scriptores veterum Accius atque Pacuvius clarissimi gravitate sententiarum, verborum pondere, auctoritate personarum. Ceterum nitor, et summa in excolendis operibus manus, magis videri potest temporibus, quam ipsis defuisse. Virium tamen Accio plus tribuitur; Pacuvium videri doctiorem, qui esse docti affectant, volunt. Iam Varii Thyestes cuilibet Graecarum comparari potest. Ovidii Medea videtur mihi ostendere, quantum ille vir praestare potuerit, si ingenio suo temperare quam indulgere maluisset. Eorum quos viderim, longe princeps Pomponius Secundus, quem senes parum tragicum putabant, eruditione ac nitore praestare confitebantur. In comoedia maxime claudicamus; licet Varro 'Musas,' Aelii Stilonis sententia, 'Plautino' dicat 'sermone locuturas fuisse, si Latine loqui vellent;' licet Caecilium veteres laudibus ferant; licet Terentii scripta ad Scipionem Africanum referantur: quae tamen sunt in hoc genere elegantissima, et plus adhuc habitura gratiae, si intra versus trimetros stetissent. Vix levem consequimur umbram adeo ut mihi sermo ipse Romanus non recipere videatur illam solis concessam Atticis venerem, cum eam ne

Graeci quidem in alio genere linguae obtinuerint. Togatis
excellit Afranius, utinamque non inquinasset argumenta puerorum foedis amoribus, mores suos fassus.

X, i, 97–100.

414. A Comparison of Cicero with Demosthenes.

Ciceronem cuicunque eorum fortiter opposuerim. Nec ignoro,
quantam mihi concitem pugnam, cum praesertim non sit id propositi, ut eum Demostheni comparem hoc tempore; neque enim
attinet, cum Demosthenem in primis legendum, vel ediscendum
potius putem. Quorum ego virtutes plerasque arbitror similes,
consilium, ordinem dividendi, praeparandi, probandi rationem,
denique, quae sunt inventionis. In eloquendo est aliqua diversitas : densior ille, hic copiosior ; ille concludit astrictius, hic
latius ; pugnat ille acumine semper, hic frequenter et pondere ;
illi nihil detrahi potest, huic nihil adici ; curae plus in illo, in
hoc naturae. Salibus certe, et commiseratione, qui duo plurimum affectus valent, vincimus. Et fortasse epilogos illi mos
civitatis abstulerit ; sed et nobis illa, quae Attici mirantur,
diversa Latini sermonis ratio minus permiserit. In epistolis
quidem, quanquam sunt utriusque, dialogisve, quibus nihil ille,
nulla contentio est. Cedendum vero in hoc quidem, quod ille
et prior fuit, et ex magna parte Ciceronem, quantus est, fecit.
Nam mihi videtur M. Tullius, cum se totum ad imitationem
Graecorum contulisset, effinxisse vim Demosthenis, copiam Platonis, iucunditatem Isocratis. Nec vero quod in quoque optimum fuit, studio consecutus est tantum, sed plurimas, vel potius
omnes ex se ipso virtutes extulit immortalis ingenii beatissima
ubertas. Non enim 'pluvias,' ut ait Pindarus, ' aquas colligit;
sed vivo gurgite exundat,' dono quodam providentiae genitus, in
quo totas vires suas eloquentia experiretur. Nam quis docere
diligentius, movere vehementius potest ? Cui tanta unquam
iucunditas affuit ? ut ipsa illa, quae extorquet, impetrare eum
credas, et, cum transversum vi sua iudicem ferat, tamen ille non
rapi videatur, sed sequi. Iam in omnibus, quae dicit, tanta
auctoritas inest, ut dissentire pudeat ; nec advocati studium, sed
testis aut iudicis afferat fidem ; cum interim haec omnia, quae
vix singula quisquam intentissima cura consequi posset, fluunt

illaborata, et illa, qua nihil pulchrius auditu est, oratio prae se
fert tamen felicissimam facilitatem.   Quae non immerito ab
hominibus aetatis suae 'regnare in iudiciis' dictus est; apud
posteros vero id consecutus, ut Cicero iam non hominis nomen,
sed eloquentiae habeatur.   Hunc igitur spectemus, hoc propositum nobis sit exemplum; ille se profecisse sciat, cui Cicero
valde placebit.

X, i, 105–112.

415. Power of Memory in an Orator.

'Memoriam' quidam naturae modo esse munus existimave-
runt, estque in ea non dubie plurimum; sed ipsa excolendo, sicut
alia omnia, augetur, et totus, de quo diximus adhuc, inanis est
labor, nisi ceterae partes hoc velut spiritu continentur.   Nam et
omnis disciplina memoria constat, frustraque docemur, si quidquid
audimus, praeterfluat, et exemplorum, legum, responsorum, dic-
torum denique factorumque velut quasdam copias, quibus abun-
dare, quasque in promptu semper habere debet orator, eadem
illa vis repraesentat.   Neque immerito 'thesaurus' hic 'eloquentiae' dicitur.   Sed non firme tantum continere, verum etiam
cito percipere multa acturos oportet, nec quae scripseris modo
iterata lectione complecti, sed in cogitatis quoque rerum ac verborum contextum sequi, et quae sint ab adversa parte dicta,
meminisse; nec utique ea, quo dicta sunt ordine, refutare, sed
opportunis locis ponere.   Quid? extemporalis oratio nec alio
mihi videtur mentis vigore constare.   Nam dum alia dicimus,
quae dicturi sumus, intuenda sunt.   Ita cum semper cogitatio
ultra id, quod est, longius quaerit, quidquid interim repperit,
quodammodo apud memoriam deponit; quod illa, quasi media
quaedam manus, acceptum ab inventione tradit elocutioni.

XI, ii, 1–3.

SEX. JULIUS FRONTINUS, circ. 40–103 A. D.

416. Examples of Dispelling the Fear arising from Unlucky Omens.

Scipio, ex Italia in Africam transportato exercitu, cum egrediens navem prolapsus esset, et ob hoc adtonitos milites cerneret, id, quod trepidationem adferebat, constantia et magnitudine animi, in hortationem convertit et, ' Ludite,' inquit, ' milites, Africam obpressi.'

C. Caesar, cum forte conscendens navem lapsus esset, ' Teneo te, terra mater,' inquit; qua interpretatione effecit, ut repetiturus illas, a quibus proficiscebatur, terras videretur.

P. Sempronius Sophus Cos., acie adversus Picentes directa, cum subitus terrae motus utrasque partes confudisset, exhortatione confirmavit suos, et inpulit, ut consternatum superstitione invaderent hostem, adortusque devicit.

Sertorius, cum equitum scuta extrinsecus, equorumque pectora cruenta subito prodigio adparuissent, victoriam portendi interpretatus est, quoniam illae partes solerent hostili cruore respergi.

Epaminondas Thebanus, contristatis militibus, quod ex hasta eius ornamentum, infulae more dependens, ventus ablatum in sepulcrum Lacedaemonii cuiusdam depulerat, ' Nolite,' inquit, ' milites, trepidare ; Lacedaemoniis significatur interitus. Sepulcra enim muneribus ornantur.'

Idem, cum fax de caelo nocte delapsa, eos, qui adverterunt, terruisset, ' Lumen,' inquit, ' hoc numina ostendunt.'

C. Sulpicius Gallus defectum lunae inminente nocte, ne pro ostento exciperent milites, praedixit futurum, additis rationibus causisque defectionis.

Timotheus Atheniensis, adversus Corcyraeos navali proelio decertaturus, gubernatori suo, qui proficiscenti iam classi signum receptui coeperat dare, quia ex remigibus quemdam sternutantem audierat, ' Miraris,' inquit, ' ex tot milibus unum perfrixisse?'

Chabrias Atheniensis classe dimicaturus, excusso ante navem ipsius fulmine, exterritis per tale prodigium militibus ; ' Nunc,'

inquit, 'potissimum ineunda pugna est, cum deorum maximus
Iuppiter adesse numen suum classi nostrae ostendit.'

Strat., I, xii.

417. Scope of the Work on the Aqueducts of Rome.

Cum omnis res ab imperatore delegata intentiorem exigat
curam; et me, seu naturalis sollicitudo, seu fides sedula non ad
diligentiam modo, verum ad amorem quoque commissae rei
instigent; sitque mihi nunc ab Nerva Augusto, nescio diligen-
tiore, an amantiore reipublicae imperatore, aquarum iniunctum
officium, tum ad usum, tum ad salubritatem, atque etiam ad secu-
ritatem urbis pertinens, administratum per principes semper civitatis nostrae cives; primum ac potissimum existimo, sicut in
ceteris negotiis institueram, nosse quod suscepi. Ac, ne quid
ad totius rei pertinens notitiam praetermisisse videar, nomina
primum aquarum, quae in urbem Romam influunt ponam; tum
per quos quaeque earum, et quibus consulibus, quoto post urbem conditam anno, perductae sint; deinde quibus ex locis, et
a quoto miliario duci coepissent; quantum subterraneo rivo,
quantum substructione, quantum opere arcuato; post altitudinem cuiusque, modulorumque rationem, et quae erogationes
ab illis factae sint; quantum extra urbem, quantum intra urbem
unicuique regioni, pro suo modo, unaquaeque aquarum serviat;
quot castella publica, privataque sint, et ex his quantum publicis
operibus, quantum muneribus (ita enim cultiores appellant);
quantum lacibus; quantum nomine Caesaris; quantum privato-
rum usui beneficio principis detur; quod ius ducendarum tuen-
darumque sit earum; quae id sanciant poenae ex legibus,
senatusconsultis et mandatis principum inrogatae.

De Aq., Praef. i, iii.

418. Description of an Aqueduct.

Aqua Appia. M. Valerio Maximo, P. Decio Mure Coss., anno
post initium Samnitici belli XXXI, aqua Appia in urbem inducta est ab Appio Claudio Crasso censore, cui postea Caeco fuit
cognomen, qui et viam Appiam, a porta Capena usque ad urbem
Capuam, muniendam curavit. Collegam habuit C. Plautium,

cui ob inquisitas eius aquae venas Venocis cognomen datum est.
Sed quia is intra annum et sex menses, deceptus a collega tamquam invidiam facturo, abdicavit se censura, nomen aquae ad
Appii tantum honorem pertinuit ; qui multis tergiversationibus
extraxisse censuram traditur, donec et viam, et huius aquae ductum consummaret. Concipitur Appia in agro Lucullano, via
Praenestina, inter miliarium VII et VIII, diverticulo sinistror-
sus passuum DCCLXXX.   Ductus eius habet longitudinem a
capite usque ad Salinas, qui locus est ad portam Trigeminam,
passuum XI milium CLXXXX ; subterraneo rivo passuum XI
milium CXXX ; supra terram substructione, et arcuato opere
proxime ad portam Capenam passuum LX. . . . Incipit dis-
tribui Appia imo Publicii clivo ad portam Trigeminam.

De Aq., **v.**

M. VALERIUS MARTIALIS, 42–102 A.D.

419. A LAP-DOG.

Issa est passere nequior Catulli.
Issa est purior osculo columbae.
Issa est blandior omnibus puellis.
Issa est carior Indicis lapillis.
Issa est deliciae catella Publi.
Hanc tu, si queritur, loqui putabis.
Sentit tristitiamque gaudiumque.
Collo nixa cubat, capitque somnos,
Ut suspiria nulla sentiantur.
Castae tantus inest pudor catellae :
Ignorat Venerem, nec invenimus
Dignum tam tenera virum puella.
Hanc ne lux rapiat suprema totam,
Picta Publius exprimit tabella,
In qua tam similem videbis Issam,
Ut sit tam similis sibi nec ipsa.

Issam denique pone cum tabella;
Aut utramque putabis esse veram,
Aut utramque putabis esse pictam.

I, cix.

420. To a Stingy Friend who had asked for the Loan of his Book.

Occurris quotiens, Luperce, nobis,
'Vis mittam puerum,' subinde dicis,
'Cui tradas epigrammaton libellum,
Lectum quem tibi protinus remittam?'
Non est, quod puerum, Luperce, vexes.
Longum est, si velit ad Pirum venire,
Et scalis habito tribus, sed altis.
Quod quaeris, propius petas licebit.
Argi nempe soles subire letum:
Contra Caesaris est forum taberna,
Scriptis postibus hinc et inde totis,
Omnes ut cito perlegas poetas.
Illinc me pete. Nec roges Atrectum:
— Hoc nomen dominus gerit tabernae —
De primo dabit, alterove nido,
Rasum pumice, purpuraque cultum
Denaris tibi quinque Martialem.
'Tanti non es,' ais? Sapis, Luperce.

I, cxvii.

421. 'Ne sutor ultra crepidam.'

Das gladiatores, sutorum regule, cerdo,
    Quodque tibi tribuit subula, sica rapit.
Ebrius es: nec enim faceres hoc sobrius unquam,
    Ut velles corio ludere, cerdo, tuo.
Lusisti corio; sed te, mihi crede, memento
    Nunc in pellicula, cerdo, tenere tua.

III, xvi.

422. Rome is not the place for an Honest Man to get a Living.

Quae te causa trahit vel quae fiducia Romam,
    Sexte? quid aut speras, aut petis inde? refer.
'Causas,' inquis, 'agam Cicerone disertior ipso,
    Atque erit in triplici par mihi nemo foro.'
Egit Atestinus causas, et Civis; utrumque
    Noras; sed neutri pensio tota fuit.
'Si nihil hinc veniet, pangentur carmina nobis;
    Audieris, dices esse Maronis opus.'
Insanis; omnes, gelidis quicunque lacernis
    Sunt ibi, Nasones Vergiliosque vides.
'Atria magna colam.' Vix tres, aut quattuor ista
    Res aluit; pallet cetera turba fame.
'Quid faciam? suade; nam certum est vivere Romae.'
    Si bonus es, casu vivere, Sexte, potes.

III, xxxviii.

423. A Dandy.

Cotile, bellus homo es; dicunt hoc, Cotile, multi.
    Audio; sed quid sit, dic mihi, bellus homo?
'Bellus homo est, flexos qui digerit ordine crines;
    Balsama qui semper, cinnama semper olet;
Cantica qui Nili, qui Gaditana susurrat;
    Qui movet in varios brachia volsa modos;
Inter femineas tota qui luce cathedras
    Desidet, atque aliqua semper in aure sonat;
Qui legit hinc illinc missas, scribitque tabellas;
    Pallia vicini qui refugit cubiti;
Qui scit, quam quis amet, qui per convivia currit;
    Hirpini veteres qui bene novit avos.'
Quid narras? hoc est, hoc est homo, Cotile, bellus?
    Res pertricosa est, Cotile, bellus homo.

III, lxiii.

424. A Roman Day.

Prima salutantes atque altera continet hora;
   Exercet raucos tertia causidicos.
In quintam varios extendit Roma labores;
   Sexta quies lassis, septima finis erit.
Sufficit in nonam nitidis octava palaestris;
   Imperat extructos frangere nona toros.
Hora libellorum decima est, Eupheme, meorum;
   Temperat ambrosias cum tua cura dapes;
Et bonus aetherio laxatur nectare Caesar.
   Ingentique tenet pocula parca manu.
Tunc admitte iocos; gressu timet ire licenti
   Ad matutinum nostra Thalia Iovem.

IV, viii.

425. A Great-coat.

Hanc tibi Sequanicae pinguem textricis alumnam,
   Quae Lacedaemonium barbara nomen habet,
Sordida, sed gelido non aspernanda Decembri
   Dona, peregrinam mittimus endromidam;
Seu lentum ceroma teris, tepidumve trigona,
   Sive harpasta manu pulverulenta rapis,
Plumea seu laxi partiris pondera follis,
   Sive levem cursu vincere quaeris Athan:
Ne madidos intret penetrabile frigus in artus,
   Neve gravis subita te premat Iris aqua.
Ridebis ventos hoc munere tectus et imbres;
   Nec sic in Tyria sindone tutus eris.

IV, xix.

426. A Dear Little Girl.

Puella senibus dulcior mihi cygnis,
Agna Galaesi mollior Phalantini,
Concha Lucrini delicatior stagni;
Cui nec lapillos praeferas Erythraeos,

Nec modo politum pecudis Indicae dentem,
Nivesque primas, liliumque non tactum ;
Quae crine vicit Baetici gregis vellus,
Rhenique nodos, aureamque nitellam ;
Fragravit ore, quod rosarium Paesti,
Quod Atticarum prima mella cerarum,
Quod sucinorum rapta de manu gleba ;
Cui comparatus indecens erat pavo,
Inamabilis sciurus, et frequens phoenix.
Adhuc recenti tepet Erotion busto,
Quam pessimorum lex avara fatorum,
Sexta peregit hieme, nec tamen tota,
Nostros amores, gaudiumque, lususque.
Et esse tristem me meus vetat Paetus ;
Pectusque pulsans, pariter et comam vellens :
‘ Deflere non te vernulae pudet mortem ?
Ego coniugem,’ inquit, ‘ extuli, et tamen vivo,
Notam, superbam, nobilem, locupletem.’
Quid esse nostro fortius potest Paeto ?
Ducenties accepit, et tamen vivit.

V, xxxvii.

427. The Fate which a Bore deserves.

Quisquis stolaeve purpuraeve contemptor,
Quos colere debet, laesit impio versu :
Erret per urbem pontis exul et clivi,
Interque raucos ultimus rogatores
Oret caninas panis improbi buccas
Illi December longus, et madens bruma,
Clususque fornix triste frigus extendat.
Vocet beatos clamitetque felices,
Orciniana qui feruntur in sponda :
Et, cum supremae fila venerint horae,
Diesque tardus, sentiat canum litem,
Abigatque moto noxias aves panno ;
Nec finiantur morte supplicis poenae,
Sed, modo severi sectus Aeaci loris,
Nunc inquieti monte Sisyphi pressus,

Nunc inter undas garruli senis siccus,
    Delasset omnes fabulas poetarum ;
Et, cum fateri Furia iusserit verum,
    Prodente clamet conscientia, ' Scripsi.'

X, v.

428. Oh, for a Quiet Life !

Sidera iam Tyrius Phrixei respicit agni
    Taurus, et alternum Castora fugit hiems.
Ridet ager, vestitur humus, vestitur et arbos ;
    Ismarium paelex Attica plorat Ityn.
Quos, Faustine, dies, quales tibi Roma recessus
    Abstulit ?   O soles, o tunicata quies !
O nemus, o fontes, solidumque madentis harenae
    Litus, et aequoreis splendidus Anxur aquis,
Et non unius spectator lectulus undae,
    Qui videt hinc puppes fluminis, inde maris !
Sed nec Marcelli, Pompeianumque, nec illic
    Sunt triplices thermae, nec fora iuncta quater.
Nec Capitolini summum penetrale Tonantis,
    Quaeque nitent caelo proxima templa suo.
Dicere te lassum quotiens ego credo Quirino :
    ' Quae tua sunt, tibi habe ; quae mea, redde mihi.'

X, li.

429. Some Farms are not worth the Price of a Dinner.

Donasti, Lupe, rus sub urbe nobis :
Sed rus est mihi maius in fenestra.
Rus hoc dicere, rus potes vocare,
In quo ruta facit nemus Dianae,
Argutae tegit ala quod cicadae,
Quod formica die comedit uno,
Clusae cui folium rosae corona est ;
In quo non magis invenitur herba,
Quam Cosmi folium, piperve crudum ;
In quo nec cucumis iacere rectus,

Nec serpens habitare tota possit?
Urucam male pascit hortus unam;
Consumpto moritur culix salicto;
Et talpa est mihi fossor atque arator.
Non boletus hiare, non mariscae
Ridere, aut violae patere possunt.
Fines mus populatur, et colono
Tanquam sus Calydonius timetur,
Et sublata volantis ungue Prognes
In nido seges est hirundinino;
Et cum stet sine falce mentulaque,
Non est dimidio locus Priapo.
Vix implet cochleam peracta messis,
Et mustum nuce condimus picata.
Errasti, Lupe, littera sed una:
Nam quo tempore praedium dedisti,
Mallem tu mihi prandium dedisses.

XI, xviii.

430. MOVING DAY.

O Iuliarum dedecus Kalendarum,
Vidi, Vacerra, sarcinas tuas; vidi:
Quas non retentas pensione pro bima
Portabat uxor rufa crinibus septem,
Et cum sorore cana mater ingenti.
Furias putavi nocte Ditis emersas.
Has tu priores frigore et fame siccus,
Et non recenti pallidus magis buxo
Irus tuorum temporum sequebaris.
Migrare clivum crederes Aricinum.
Ibat tripes grabatus, et bipes mensa,
Et cum lucerna corneoque cratere
Matella curto rupta latere meiebat.
Foco virenti suberat amphorae cervix;
Fuisse gerres, aut inutiles maenas
Odor impudicus urcei fatebatur,
Qualis marinae vix sit aura piscinae.
Nec quadra deerat casei Tolosatis.

Quadrima nigri nec corona pulei,
Calvaeque restes allioque cepisque,
Nec plena turpi matris olla resina,
Summoenianae qua pilantur uxores.
Quid quaeris aedes, vilicosque derides,
Habitare gratis, o Vacerra, cum possis ?
Haec sarcinarum pompa convenit ponti.

XII, xxxii.

SULPICIA, TIME OF DOMITIAN.

431. THE POETESS ADDRESSES THE MUSE ON THE EXPULSION OF THE PHILOSOPHERS BY DOMITIAN.

Dic mihi, Calliope, quidnam pater ille deorum
Cogitat ? an terras et patria saecula mutat,
Quasque dedit quondam, morientibus eripit artes,
Nosque iubet tacitos et iam rationis egentes
Non aliter, primo quam cum surreximus arvo,
Glandibus et purae rursus procurrere lymphae ?
An reliquas terras conservat amicus et urbes,
Sed genus Ausonium Romulique exturbat alumnos ?
Quid ? reputemus enim ; duo sunt, quibus extulit ingens
Roma caput : virtus belli et sapientia pacis.
Sed virtus, agitata domi et socialibus armis,
In freta Sicaniae et Carthaginis exilit arces
Ceteraque imperia et totum simul abstulit orbem ;
Deinde, velut stadio victor qui solus Achaeo
Languet et immota secum virtute facessit,
Sic itidem Romana manus, contendere postquam
Destitit et pacem longis frenavit habenis,
Ipsa domi leges et Graia inventa retractans
Omnia bellorum terra quaesita marique
Praemia consilio et molli ratione regebat.
Stabat in his ; neque enim poterat constare sine ipsis,
Aut frustra uxori mendaxque Diespiter olim,

'Imperium sine fine dedi,' dixisse probatur.
Nunc igitur qui res Romanas imperat inter,
Non trabe sed tergo prolapsus et ingluvie albus,
Et studia et sapiens hominum nomenque genusque
Omnia abire foras atque urbe excedere iussit.
Quid facimus? Graios hominumque relinquimus urbes,
Ut Romana foret magis his instructa magistris;
Nunc, Capitolino veluti turbante Camillo
Ensibus et trutina Galli fugere relicta,
Sic nostri palare senes dicuntur et ipsi
Ut ferale suos onus extirpare libellos.
Ergo Numantinus Libycusque erravit in isto
Scipio, qui Rhodio crevit formante magistro,
Cetera et illa manus bello facunda secundo,
Quos inter prisci sententia dia Catonis
Scire deos magni fecisset, utrumne secundis
An magis adversis staret Romana propago.
Scilicet adversis; nam cum defendier armis
Suadet amor patriae et captiva penatibus uxor,
Convenit, ut vespis, quarum domus arce movente,
Turba tegens strictis per lutea corpora telis;
Ast ubi apes secura redit, oblita suorum
Plebs fraterque una somno moriuntur obeso.
Romulidarum igitur longa et gravis exitium pax.

Sat., 12-57.

D. JUNIUS JUVENALIS, CIRC. 60–140 A. D.

432. REASONS FOR WRITING SATIRE.

Cur tamen hoc potius libeat decurrere campo,
Per quem magnus equos Auruncae flexit alumnus,
Si vacat et placidi rationem admittitis, edam.
Cum tener uxorem ducat spado, Mevia Tuscum
Figat aprum et nuda teneat venabula mamma;
Patricios omnis opibus cum provocet unus,

Quo tondente gravis iuveni mihi barba sonabat;
Cum pars Niliacae plebis, cum verna Canopi
Crispinus, Tyrias umero revocante lacernas,
Ventilet aestivum digitis sudantibus aurum,
Nec sufferre queat maioris pondera gemmae,
Difficile est saturam non scribere. Nam quis iniquae
Tam patiens urbis, tam ferreus, ut teneat se,
Causidici nova cum veniat lectica Mathonis
Plena ipso? post hunc magni delator amici
Et cito rapturus de nobilitate comesa
Quod superest, quem Massa timet, quem munere palpat
Carus et a trepido Thymele summissa Latino?
Haec ego non credam Venusina digna lucerna?
Cum fas esse putet curam sperare cohortis,
Qui bona donavit praesepibus et caret omni
Maiorum censu, dum pervolat axe citato
Flaminiam puer Automedon; nam lora tenebat
Ipse, lacernatae cum se iactaret amicae?
Nonne libet medio ceras implere capaces
Quadruvio cum iam sexta cervice feratur
Hinc atque inde patens ac nuda paene cathedra
Et multum referens de Maecenate supino
Signator, falso qui se lautum atque beatum
Exiguis tabulis et gemma fecerat uda?
Occurrit matrona potens, quae, molle Calenum
Porrectura viro miscet sitiente rubetam,
Instituitque rudes melior Lucusta propinquas
Per famam et populum nigros efferre maritos.
Si natura negat, facit indignatio versum.

                              i, 19-36, 51, 58-72, 79.

433. THE GREEKS AT ROME.

Ingenium velox, audacia perdita, sermo
Promptus, et Isaeo torrentior. Ede, quid illum
Esse putes; quem vis hominem, secum attulit ad nos:
Grammaticus, rhetor, geometres, pictor, aliptes,
Augur, schoenobates, medicus, magus; omnia novit
Graeculus esuriens; in caelum iusseris, ibit.

In summa, non Maurus erat neque Sarmata nec Thrax,
Qui sumpsit pinnas, mediis sed natus Athenis.
Quid, quod adulandi gens prudentissima laudat
Sermonem indocti, faciem deformis amici,
Et longum inva'idi collum cervicibus aequat
Herculis, Antaeum procul a tellure tenentis,
Miratur vocem angustam, qua deterius nec
Ille sonat, quo mordetur gallina marito?
Haec eadem licet et nobis laudare ; sed illis
Creditur. An melior, cum Thaida sustinet, aut, cum
Uxorem comoedus agit, vel Dorida nullo
Cultam palliolo? mulier nempe ipsa videtur.
Nec tamen Antiochus, nec erit mirabilis illic
Aut Stratocles, aut cum molli Demetrius Haemo ;
Natio comoeda est. Rides? maiore cachinno
Concutitur ; flet, si lacrimas conspexit amici,
Nec dolet; igniculum brumae si tempore poscas,
Accipit endromidem ; si dixeris ' aestuo,' sudat.

iii, 73–80, 86–95, 98–103.

434. A Pot-valiant Hero.

Ebrius ac petulans, qui nullum forte cecidit,
Dat poenas ; noctem patitur lugentis amicum
Pelidae, cubat in faciem, mox deinde supinus.
Somnum rixa facit. Sed quamvis inprobus annis
Atque mero fervens, cavet hunc, quem coccina laena
Vitari iubet, et comitum longissimus ordo,
Multum praeterea flammarum et ahenea lampas ;
Me, quem luna solet deducere vel breve lumen
Candelae, cuius dispenso et tempero filum,
Contemnit. Miserae cognosce prooemia rixae,
Si rixa est. ubi tu pulsas, ego vapulo tantum.
Stat contra starique iubet : parere necesse est.
Nam quid agas, cum te furiosus cogat et idem
Fortior ? ' Unde venis?' exclamat; 'cuius aceto,
Cuius conche tumes? quis tecum sectile porrum
Sutor et elixi vervecis labra comedit?
Nil mihi respondes? Aut dic, aut accipe calcem !

Ede ubi consistas; in qua te quaero proseucha?'
Dicere si temptes aliquid, tacitusve recedas,
Tantumdem est; pariter feriunt; vadimonia deinde
Irati faciunt. Libertas pauperis haec est:
Pulsatus rogat, et pugnis concisus adorat,
Ut liceat paucis cum dentibus inde reverti.

iii, 278–301

435. A Group of Courtiers.

Venit et Crispi iucunda senectus,
Cuius erant mores, qualis facundia, mite
Ingenium. Maria ac terras populosque regenti
Quis comes utilior, si clade et peste sub illa
Saevitiam damnare et honestum adferre liceret
Consilium? Sed quid violentius aure tyranni,
Cum quo de pluviis aut aestibus aut nimboso
Vere locuturi fatum pendebat amici?
Ille igitur numquam direxit bracchia contra
Torrentem; nec civis erat, qui libera posset
Verba animi proferre, et vitam inpendere vero.
Sic multas hiemes atque octogensima vidit
Solstitia, his armis illa quoque tutus in aula.
Proximus eiusdem properabat Acilius aevi
Cum iuvene indigno quem mors tam saeva maneret
Et domini gladiis tam festinata. Sed olim
Prodigio par est in nobilitate senectus.
Unde fit, ut malim fraterculus esse gigantis.
Profuit ergo nihil misero, quod comminus ursos
Figebat Numidas, Albana nudus harena
Venator. Quis enim iam non intellegat artes
Patricias? quis priscum illud miretur acumen,
Brute, tuum? Facile est barbato inponere regi.
Nec melior vultu, quamvis ignobilis, ibat
Rubrius, offensae veteris reus atque tacendae,
Et tamen inprobior saturam scribente cinaedo.
Montani quoque venter adest, abdomine tardus,
Et matutino sudans Crispinus amomo,
Quantum vix redolent duo funera; saevior illo

Pompeius tenui iugulos aperire susurro ;
Et, qui vulturibus servabat viscera Dacis,
Fuscus, marmorea meditatus proelia villa,
Et cum mortifero prudens Veiento Catullo,
Qui numquam visae flagrabat amore puellae,
Grande et conspicuum nostro quoque tempore **monstrum**,
Caecus adulator dirusque a ponte satelles,
Dignus Aricinos qui mendicaret ad axes,
Blandaque devexae iactaret basia raedae.

iv, 81–118.

436. A Fashionable Lady and her Maid.

Praefectura domus Sicula non mitior aula.
Nam si constituit solitoque decentius optat
Ornari, et properat, iamque exspectatur in hortis,
Aut apud Isiacae potius sacraria lenae,
Disponit crinem laceratis ipsa capillis
Nuda umero Psecas infelix, nudisque mamillis.
' Altior hic quare cincinnus ? '   Taurea punit
Continuo flexi crimen facinusque capilli.
Quid Psecas admisit ? quaenam est hic culpa puellae,
Si tibi displicuit nasus tuus ?   Altera laevum
Extendit pectitque comas et volvit in orbem.
Est in consilio matrona, admotaque lanis,
Emerita quae cessat acu : sententia prima
Huius erit : post hanc aetate atque arte minores
Censebunt, tamquam famae discrimen agatur
Aut animae ; tanta est quaerendi cura decoris.
Tot premit ordinibus, tot adhuc compagibus altum
Aedificat caput.   Andromachen a fronte videbis :
Post minor est : aliam credas.   Cedo, si breve parvi
Sortita est lateris spatium, breviorque videtur
Virgine Pygmaea, nullis adiuta cothurnis,
Et levis erecta consurgit ad oscula planta ?

vi, 486–507.

437. Intellectual Culture in the Time of Juvenal no longer held in Esteem.

Declamare doces? O ferrea pectora Vetti,
Cui perimit saevos classis numerosa tyrannos!
Nam quaecumque sedens modo legerat, haec eadem stans
Perferet, atque eadem cantabit versibus isdem.
Occidit miseros crambe repetita magistros.
Quis color et quod sit causae genus, atque ubi summa
Quaestio, quae veniant diversae forte sagittae,
Nosse volunt omnes, mercedem solvere nemo.
' Mercedem appellas? Quid enim scio?' ' Culpa docentis
Scilicet arguitur, quod laeva parte mamillae
Nil salit Arcadico iuveni, cuius mihi sexta
Quaque die miserum dirus caput Hannibal implet.'
Di maiorum umbris tenuem et sine pondere terram
Spirantisque crocos et in urna perpetuum ver,
Qui praeceptorem sancti voluere parentis
Esse loco! Metuens virgae iam grandis Achilles
Cantabat patriis in montibus; et cui non tunc
Eliceret risum citharoedi cauda magistri?
Sed Rufum atque alios caedit sua quemque iuventus,
Rufum, quem totiens Ciceronem Allobroga dixit.
Quis gremio Celadi doctique Palaemonis adfert,
Quantum grammaticus meruit labor? et tamen ex hoc,
Quodcumque est, (minus est autem quam rhetoris aera)
Discipuli custos praemordet acoenonoetus
Et, qui dispensat, frangit sibi. Cede, Palaemon,
Et patere inde aliquid decrescere, non aliter, quam
Institor hibernae tegetis niveique cadurci,
Dummodo non pereat, mediae quod noctis ab hora
Sedisti, qua nemo faber, qua nemo sederet,
Qui docet obliquo lanam deducere ferro;
Dummodo non pereat totidem olfecisse lucernas.
Quot stabant pueri, cum totus decolor esset
Flaccus, et haereret nigro fuligo Maroni.

vii, 150–161, 207–227.

438. The Fickleness of the Mob.

Pone domi laurus, duc in Capitolia magnum
Cretatumque bovem; Seianus ducitur unco
Spectandus; gaudent omnes. ' Quae labra, quis illi
Vultus erat! Numquam, si quid mihi credis, amavi
Hunc hominem. Sed quo cecidit sub crimine? Quisnam
Delator? Quibus indicibus? quo teste probavit?'
'Nil horum; verbosa et grandis epistula venit
A Capreis.' ' Bene habet; nil plus interrogo. Sed quid
Turba Remi?' Sequitur Fortunam, ut semper, et odit
Damnatos. Idem populus, si Nortia Tusco
Favisset, si oppressa foret secura senectus
Principis, hac ipsa Seianum diceret hora
Augustum. Iam pridem, ex quo suffragia nulli
Vendimus, effudit curas. Nam qui dabat olim
Imperium, fasces, legiones, omnia, nunc se
Continet, atque duas tantum res anxius optat,
Panem et circenses. ' Perituros audio multos.'
'Nil dubium; magna est fornacula.' ' Pallidulus mi
Brutidius meus ad Martis fuit obvius aram.
Quam timeo, victus ne poenas exigat Aiax,
Ut male defensus! Curramus praecipites et,
Dum iacet in ripa, calcemus Caesaris hostem.'

x, 65-86

439. The Vanity of Human Wishes.

Expende Hannibalem; quot libras in duce summo
Invenies? Hic est, quem non capit Africa, Mauro
Percussa Oceano, Niloque admota tepenti,
Rursus ad Aethiopum populos aliosque elephantos.
Additur imperiis Hispania: Pyrenaeum
Transilit. Opposuit natura Alpemque nivemque:
Diducit scopulos, et montem rumpit aceto.
Iam tenet Italiam: tamen ultra pergere tendit.
'Actum,' inquit, ' nihil est, nisi Poeno milite portas
Frangimus, et media vexillum pono Subura.'

O qualis facies et quali digna tabella,
Cum Gaetula ducem portaret belua luscum!
Exitus ergo quis est?   O gloria! vincitur idem
Nempe, et in exsilium praeceps fugit, atque ibi magnus
Mirandusque cliens sedet ad praetoria regis,
Donec Bithyno libeat vigilare tyranno.
Finem animae, quae rês humanas miscuit olim,
Non gladii, non saxa dabunt, nec tela, sed ille
Cannarum vindex ac tanti sanguinis ultor,
Anulus. I, demens, et saevas curre per Alpes
Ut pueris placeas et declamatio fias!
Unus Pellaeo iuveni non sufficit orbis;
Aestuat infelix angusto limite mundi,
Ut Gyari clausus scopulis parvaque Seripho.
Cum tamen a figulis munitam intraverit urbem,
Sarcophago contentus erit.   Mors sola fatetur,
Quantula sint hominum corpuscula.

                                                   x, 147–173.

440. What we ought to pray for.

'Nil ergo optabunt homines?'   Si consilium vis,
Permittes ipsis expendere numinibus, quid
Conveniat nobis, rebusque sit utile nostris.
Nam pro iucundis aptissima quaeque dabunt di.
Carior est illis homo, quam sibi.   Nos, animorum
Inpulsu et caeca magnaque cupidine ducti,
Coniugium petimus, partumque uxoris; at illis
Notum, qui pueri qualisque futura sit uxor.
Ut tamen et poscas aliquid, voveasque sacellis
Exta, et candiduli divina tomacula porci,
Orandum est, ut sit mens sana in corpore sano.
Fortem posce animum, mortis terrore carentem,
Qui spatium vitae extremum inter munera ponat
Naturae, qui ferre queat quoscumque labores,
Nesciat irasci, cupiat nihil, et potiores
Herculis aerumnas credat saevosque labores
Et Venere et cenis et pluma Sardanapalli. — cf. Dante, Par. XV, 1
Monstro, quod ipse tibi possis dare; semita certe

Tranquillae per virtutem patet unica vitae.
Nullum numen habes, si sit prudentia; nos te
Nos facimus, Fortuna, deam, caeloque locamus.

x, 346–366.

441. Good Faith and Reverence have fled with the Golden Age.

Tu quamvis levium minimam exiguamque maloium
Particulam vix ferre potes, spumantibus ardens
Visceribus, sacrum tibi quod non reddat amicus
Depositum. Stupet haec, qui iam post terga reliquit
Sexaginta annos, Fonteio Consule natus?
An nihil in melius tot rerum proficit usus?
Magna quidem, sacris quae dat praecepta libellis
Victrix Fortunae sapientia. Ducimus autem
Hos quoque felices, qui ferre incommoda vitae,
Nec iactare iugum, vita didicere magistra.
Quae tam festa dies, ut cesset prodere furem,
Perfidiam, fraudes atque omni ex crimine lucrum
Quaesitum, et partos gladio vel pyxide nummos?
Rari quippe boni; numero vix sunt totidem, quot
Thebarum portae, vel divitis ostia Nili.

. . . .

Quondam hoc indigenae vivebant more, priusquam
Sumeret agrestem, posito diademate, falcem
Saturnus fugiens; tunc, cum virguncula Iuno
Et privatus adhuc Idaeis Iuppiter antris;

. . . .

Inprobitas illo fuit admirabilis aevo,
Credebant quo grande nefas et morte piandum,
Si iuvenis vetulo non assurrexerat, et si
Barbato cuicumque puer, licet ipse videret
Plura domi fraga, et maiores glandis acervos.
Tam venerabile erat, praecedere quattuor annis,
Primaque par adeo sacrae lanugo senectae!
Nunc, si depositum non infitietur amicus,
Si reddat veterem cum tota aerugine follem,
Prodigiosa fides et Tuscis digna libellis,

Quaeque coronata lustrari debeat agna.
Egregium sanctumque virum si cerno, bimembri
Hoc monstrum puero et mirandis sub aratro
Piscibus inventis, et fetae conparo mulae,
Sollicitus, tamquam lapides effuderit imber,
Examenque apium longa consederit uva
Culmine delubri, tamquam in mare fluxerit amnis
Gurgitibus miris et lactis vertice torrens.

xiii, 13-27, 38-41, 53-70.

442. The Stings of Conscience.

Spartano cuidam respondit Pythia vates:
Haud inpunitum quondam fore, quod dubitaret
Depositum retinere et fraudem iure tueri
Iurando. Quaerebat enim, quae numinis esset
Mens, et an hoc illi facinus suaderet Apollo?
Reddidit ergo metu, non moribus; et tamen omnem
Vocem adyti dignam templo veramque probavit,
Extinctus tota pariter cum prole domoque
Et, quamvis longa deductis gente, propinquis.
Has patitur poenas peccandi sola voluntas.
Nam scelus intra se tacitum qui cogitat ullum,
Facti crimen habet. Cedo, si conata peregit?
Perpetua anxietas, nec mensae tempore cessat,
Faucibus ut morbo siccis interque molares
Difficili crescente cibo. Sed vina misellus
Expuit; Albani veteris pretiosa senectus
Displicet. Ostendas melius, densissima ruga
Cogitur in frontem, velut acri ducta Falerno.
Nocte brevem si forte indulsit cura soporem,
Et toto versata toro iam membra quiescunt;
Continuo templum et violati numinis aras
Et, quod praecipuis mentem sudoribus urguet,
Te videt in somnis; tua sacra et maior imago
Humana turbat pavidum, cogitque fateri.
Hi sunt, qui trepidant et ad omnia fulgura pallent,
Cum tonat, exanimis primo quoque murmure caeli;

Non quasi fortuitus, nec ventorum rabie, sed
Iratus cadat in terras et iudicet ignis.

xiii, 199–226.

443. THE SON IS SURE TO EXCEED THE MEASURE OF
WICKEDNESS ADVOCATED BY HIS FATHER.

' Neu credas ponendum aliquid discriminis inter
Unguenta et corium. Lucri bonus est odor ex re
Qualibet. Illa tuo sententia semper in ore
Versetur, dis atque ipso Iove digna poeta:
" Unde habeas, quaerit nemo; sed oportet habere,"
Hoc monstrant vetulae pueris repentibus assae,
Hoc discunt omnes ante alpha et beta puellae.'
Talibus instantem monitis quemcumque parentem
Sic possem adfari : ' Dic, o vanissime, quis te
Festinare iubet? Meliorem praesto magistro
Discipulum. Securus abi ; vinceris, ut Aiax
Praeteriit Telamonem, ut Pelea vicit Achilles.

.   .   .   .

Elatam iam crede nurum, si limina vestra
Mortifera cum dote subit. Quibus illa premetur
Per somnum digitis ! Nam quae terraque marique
Adquirenda putas, brevior via conferet illi ;
Nullus enim magni sceleris labor. " Haec ego numquam
Mandavi," dices olim, " nec talia suasi."
Mentis causa malae tamen est et origo penes te.
Nam quisquis magni census praecepit amorem,
Et laevo monitu pueros producit avaros
Et qui per fraudes patrimonia conduplicare
Dat libertatem et totas effundit habenas
Curriculo ; quem si revoces, subsistere nescit.
Et te contempto rapitur, metisque relictis.
Nemo satis credit tantum delinquere, quantum
Permittas ; adeo indulgent sibi latius ipsi.
Cum dicis iuveni stultum, qui donet amico,
Qui paupertatem levet attollatque propinqui,
Et spoliare doces, et circumscribere, et omni
Crimine divitias adquirere, quarum amor in te.

.   .   .   .

Ergo ignem, cuius scintillas ipse dedisti,
Flagrantem late et rapientem cuncta videbis.
Nec tibi parcetur misero, trepidumque magistrum
In cavea magno fremitu leo tollet alumnus.

xiv, 203–214, 220–238, 244–247.

CORNELIUS TACITUS, CIRC. 55–120 A. D.

444. Criticism of the Oratory of Calvus.

Ipse mihi Calvus, cum unum et viginti, ut puto, libros relique-
rit, vix in una aut altera oratiuncula satisfacit. Nec dissentire
ceteros ab hoc meo iudicio video. Quotus enim quisque Calvi
in Asitium aut in Drusum legit? At hercle in hominum stu-
diosorum manibus versantur accusationes, quae in Vatinium
inscribuntur; ac praecipue secunda ex his oratio. Est enim
verbis ornata et sententiis, auribusque iudicum accommodata;
ut scias, ipsum quoque Calvum intellexisse, quid melius esset,
nec voluntatem ei, quo sublimius et cultius diceret, sed ingenium
ac vires, defuisse.

Or., xxi.

445. There are two Sorts of Composition practised in the Schools, the Suasoria and the Controversia.

Ipsae vero exercitationes magna ex parte contrariae. Nempe
enim duo genera materiarum apud rhetores tractantur, suasoriae
et controversiae. Ex his suasoriae quidem, tamquam plane
leviores et minus prudentiae exigentes, pueris delegantur; controversiae robustioribus adsignantur: quales, per fidem! et quam
incredibiliter compositae! Sequitur autem, ut materiae abhor-
renti a veritate declamatio quoque adhibeatur. Sic fit, ut
tyrannicidarum praemia, aut vitiatarum electiones, aut pes-
tilentiae remedia, aut incesta matrum, aut quidquid in schola

cotidie agitur, in foro vel raro vel numquam, ingentibus verbis persequantur ; cum ad veros iudices ventum est, . . . nec rem cogitare, nec eloqui possint.

Or., xxxv.

446. Account of the Climate and Products of Britain.

Caelum crebris imbribus ac nebulis foedum ; asperitas frigorum abest. Dierum spatia ultra nostri orbis mensuram ; nox clara et extrema Britanniae parte brevis, ut finem atque initium lucis exiguo discrimine internoscas. Quodsi nubes non officiant, aspici per noctem solis fulgorem, nec occidere et exsurgere, sed transire adfirmant. Scilicet extrema et plana terrarum humili umbra, non erigunt tenebras, infraque caelum et sidera nox cadit. Solum, praeter oleam vitemque et cetera calidioribus terris oriri sueta, patiens frugum, fecundum. Tarde mitescunt, cito proveniunt. Eadem utriusque rei causa, multus umor terrarum caelique. Fert Britannia aurum et argentum et alia metalla, pretium victoriae. Gignit et Oceanus margarita, sed subfusca ac liventia. Quidam artem abesse legentibus arbitrantur. Nam in rubro mari viva ac spirantia saxis avelli, in Britannia, prout expulsa sint, conligi. Ego facilius crediderim, naturam margaritis deesse, quam nobis avaritiam.

Agr. xii.

447. Calgacus, a British Patriot, stirs up his Countrymen to throw off the Roman Yoke.

' Raptores orbis, postquam cuncta vastantibus defuere terrae, iam et mare scrutantur ; si locuples hostis est, avari ; si pauper, ambitiosi : quos non Oriens, non Occidens satiaverit. Soli omnium opes atque inopiam pari adfectu concupiscunt. Auferre, trucidare, rapere, falsis nominibus imperium, atque, ubi solitudinem faciunt, pacem adpellant. Liberos cuique ac propinquos suos natura carissimos esse voluit. Hi per delectus, alibi servituri, auferuntur ; coniuges sororesque, etiam si hostilem libidinem effugiant, nomine amicorum atque hospitum polluuntur. Bona fortunaeque in tributum, ager atque annus in frumentum,

corpora ipsa ac manus silvis ac paludibus emuniendis, verbera
inter ac contumelias, conteruntur. Nata servituti mancipia
semel veneunt, atque ultro a dominis aluntur ; Britannia servitutem suam cotidie emit, cotidie pascit. Ac, sicut in familia
recentissimus quisque servorum etiam conservis ludibrio est ·
sic, in hoc orbis terrarum vetere famulatu, novi nos et viles in
excidium petimur. Neque enim arva nobis, aut metalla, aut
portus sunt, quibus exercendis reservemur. Virtus porro ac
ferocia subiectorum ingrata imperantibus ; et longinquitas ac
secretum ipsum quo tutius, eo suspectius. Ita, sublata spe
veniae, tandem sumite animum, tam quibus salus, quam quibus
gloria carissima est.'

Agr., xxx, xxxi.

448. Reflections on the Death of Agricola.

Et ipse quidem, quamquam medio in spatio integrae aetatis
ereptus, quantum ad gloriam, longissimum aevum peregit.
Quippe et vera bona, quae in virtutibus sita sunt, impleverat, et
consularibus ac triumphalibus ornamentis praedito, quid aliud
adstruere fortuna poterat ? Opibus nimiis non gaudebat, speci-
osae contigerant. Filia atque uxore superstitibus, potest videri
etiam beatus, incolumi dignitate, florente fama, salvis adfinitati-
bus et amicitiis, futura effugisse. Nam sicuti *non licuit* durare
in hac beatissimi saeculi luce, ac principem Traianum videre,
quod augurio votisque apud nostras aures ominabatur, ita festi-
natae mortis grande solatium tulit, evasisse postremum illud
tempus, quo Domitianus, non iam per intervalla ac spiramenta
temporum, sed continuo et velut uno ictu, rempublicam exhausit.
Non vidit Agricola obsessam curiam, et clausum armis senatum
et eadem strage tot consularium caedes, tot nobilissimarum feminarum exsilia et fugas. Una adhuc victoria Carus Metius cen-
sebatur, et intra Albanam arcem sententia Messalini strepebat,
et Massa Baebius iam tum reus erat. Mox nostrae duxere
Helvidium in carcerem manus ; nos Maurici Rusticique visus,
nos innocenti sanguine Senecio perfudit. Nero tamen subtraxit
oculos, iussitque scelera, non spectavit : praecipua sub Domitiano
miseriarum pars erat, videre et aspici, cum suspiria nostra sub-
scriberentur, cum denotandis tot hominum palloribus sufficeret
saevus ille vultus et rubor, quo se contra pudorem muniebat.

Tu vero felix, Agricola, non vitae tantum claritate, sed etiam opportunitate mortis.

Agr., xliv, xlv.

449. The First Traces of Chivalry in Germany.

Quodque praecipuum fortitudinis incitamentum est, non casus nec fortuita conglobatio turmam aut cuneum facit, sed familiae et propinquitates. Et in proximo pignora, unde feminarum ululatus audiri, unde vagitus infantium. Hi cuique sanctissimi testes, hi maximi laudatores. Ad matres, ad coniuges vulnera ferunt; nec illae numerare aut exigere plagas pavent. Cibosque et hortamina pugnantibus gestant. Memoriae proditur, quasdam acies inclinatas iam et labantes a feminis restitutas, constantia precum et obiectu pectorum, et monstrata comminus captivitate, quam longe impatientius feminarum suarum nomine timent; adeo, ut efficacius obligentur animi civitatum, quibus inter obsides puellae quoque nobiles imperantur. Inesse quin etiam sanctum aliquid et providum putant; nec aut consilia earum aspernantur, aut responsa neglegunt. Vidimus, sub divo Vespasiano, Veledam diu apud plerosque numinis loco habitam. Sed et olim Albrunam et compluris alias venerati sunt, non adulatione, nec tamquam facerent deas.

Germ., vii, viii.

450. Purity of German Home Life.

Dotem non uxor marito, sed uxori maritus, offert. Intersunt parentes et propinqui, ac munera probant, munera non ad delicias muliebres quaesita, nec quibus nova nupta comatur, sed boves et frenatum equum et scutum cum framea gladioque. In haec munera uxor accipitur, atque invicem ipsa armorum aliquid viro adfert. Hoc maximum vinculum, haec arcana sacra, hos coniugales deos arbitrantur. Ne se mulier extra virtutum cogitationes extraque bellorum casus putet, ipsis incipientis matrimonii auspiciis admonetur, venire se laborum periculorumque sociam, idem in pace, idem in proelio passuram ausuramque. Hoc iuncti boves, hoc paratus equus, hoc data arma denuntiant. Sic vivendum, sic pereundum: accipere se, quae liberis inviolata ac digna

reddat, quae nurus accipiant, rursusque ad nepotes referantur.
Ergo saepta pudicitia agunt, nullis spectaculorum inlecebris, nullis
conviviorum irritationibus corruptae. . . . Nemo enim illic vitia
ridet : nec corrumpere et corrumpi saeculum vocatur. Melius
quidem adhuc eae civitates, in quibus tantum virgines nubunt, et
cum spe votoque uxoris semel transigitur. Sic unum accipiunt
maritum, quomodo unum corpus unamque vitam, ne ulla cogitatio ultra, ne longior cupiditas, ne tamquam maritum, sed tamquam
matrimonium, ament. Numerum liberorum finire, aut quemquam ex adgnatis necare, flagitium habetur. Plusque ibi boni
mores valent, quam alibi bonae leges. In omni domo nudi ac
sordidi, in hos artus, in haec corpora, quae miramur, excrescunt.

Germ., xviii–xx.

451. The Death of Germanicus.

Tum ad uxorem versus, ' per memoriam sui, per communes
liberos,' oravit, ' exueret ferociam, saevienti fortunae submitteret
animum ; neu regressa in urbem aemulatione potentiae validiores
inritaret.' Haec palam, et alia secreto ; per quae ostendere cre-
debatur metum ex Tiberio. Neque multo post exstinguitur,
ingenti luctu provinciae et circumiacentium populorum. Indol-
uere exterae nationes regesque ; tanta illi comitas in socios, man-
suetudo in hostis ; visuque et auditu iuxta venerabilis, cum
magnitudinem et gravitatem summae fortunae retineret, invidiam
et adrogantiam effugerat. Funus sine imaginibus et pompa, per
laudes et memoriam virtutum eius celebre fuit. Et erant, qui
formam, aetatem, genus mortis, ob propinquitatem etiam locorum, in quibus interiit, Magni Alexandri fatis adaequarent.
' Nam utrumque corpore decoro, genere insigni, haud multum
triginta annos egressum, suorum insidiis, externas inter gentes
occidisse, sed hunc mitem erga amicos, modicum voluptatum,
uno matrimonio, certis liberis egisse ; neque minus proeliatorem,
etiamsi temeritas afuerit, praepeditusque sit perculsas tot victo-
riis Germanias servitio premere. Quodsi solus arbiter rerum, si
iure et nomine regio fuisset, tanto promptius adsecuturum gloriam militiae, quantum clementia, temperantia, ceteris bonis artibus praestitisset.' Corpus antequam cremaretur, nudatum in
foro Antiochensium, qui locus sepulturae destinabatur, praetule-

ritne veneficii signa, parum constitit. Nam, ut quis misericordia
in Germanicum, et praesumpta suspicione aut favore in Pisonem
pronior, diversi interpretabantur.

Ann., II, lxxii, lxxiii.

452. BEGINNING OF THE REIGN OF LAW.

Vetustissimi mortalium, nulla adhuc mala libidine, sine probro,
scelere, eoque sine poena aut coercitionibus agebant; neque praemiis opus erat, cum honesta suopte ingenio peterentur, et, ubi
nihil contra morem cuperent, nihil per metum vetabantur. At,
postquam exui aequalitas, et pro modestia ac pudore ambitio et
vis incedebat, provenere dominationes, multosque apud populos
aeternum mansere. Quidam statim, aut postquam regum per-
taesum, leges maluerunt. Hae primo, rudibus hominum animis,
simplices erant; maximeque fama celebravit Cretensium, quas
Minos, Spartanorum, quas Lycurgus; ac mox Atheniensibus
quaesitiores iam et plures Solo perscripsit. Nobis Romulus, ut
libitum, imperitaverat; dein Numa religionibus et divino iure
populum devinxit; repertaque quaedam a Tullo et Anco; sed
praecipuus Servius Tullius sanctor legum fuit, quis etiam reges
obtemperarent.

Ann., III, xxvi.

453. THE TORTURES OF A GUILTY CONSCIENCE.

Nec multo post litterae adferuntur, quibus, in modum defen-
sionis, repetito inter se atque Cottam amicitiae principio, cre-
brisque eius officiis commemoratis, ne verba prave detorta, neu
convivalium fabularum simplicitas in crimen duceretur, postu-
lavit. Insigne visum est earum Caesaris litterarum initium.
Nam his verbis exorsus est: 'Quid scribam vobis, P. C., aut
quomodo scribam, aut quid omnino non scribam hoc tempore,
di me deaeque peius perdant, quam perire me cotidie sentio,
si scio.' Adeo facinora atque flagitia sua ipsi quoque in supplicium verterant. Neque frustra praestantissimus sapientiae
firmare solitus est, si recludantur tyrannorum mentes, posse
aspici laniatus et ictus; quando, ut corpora verberibus, ita
saevitia, libidine, malis consultis, animus dilaceretur. Quippe

Tiberium non fortuna, non solitudines protegebant, quin tormenta pectoris suasque ipse poenas fateretur.

Ann., VI, v, vi.

454. Natural History of the Phoenix.

Paulo Fabio, L. Vitellio coss., post longum saeculorum am-
bitum, avis phoenix in Aegyptum venit praebuitque materiem
doctissimis indigenarum et Graecorum, multa super eo miraculo
disserendi.   De quibus congruunt, et plura ambigua, sed cog-
nitu non absurda, promere libet.   Sacrum Soli id animal, et ore
ac distinctu pinnarum a ceteris avibus diversum, consentiunt, qui
formam eius effinxere.   De numero annorum varia traduntur.
Maxime vulgatum quingentorum spatium.   Sunt, qui adseverent,
mille quadringentos sexaginta unum interici; prioresque alios
tres Sesoside primum, post Amaside dominantibus, dein Ptole-
maeo, qui ex Macedonibus tertius regnavit, in civitatem, cui
Heliopolis nomen, advolavisse, multo ceterarum volucrum comitatu, novam faciem mirantium.   Sed antiquitas quidem obscura :
inter Ptolemaeum ac Tiberium minus ducenti quinquaginta anni
fuerunt.   Unde nonnulli falsum hunc phoenicem, neque Ara-
bum e terris credidere, nihilque usurpavisse ex his, quae vetus
memoria firmavit.   Confecto quippe annorum numero, ubi mors
propinquet, suis in terris struere nidum, eique vim genitalem ad-
fundere, ex qua fetum oriri : et primam adulto curam sepeliendi
patris ; neque id temere, sed sublato murrae pondere, tentato-
que per longum iter, ubi par oneri. par meatui sit, subire patrium
corpus, inque Solis aram perferre atque adolere.   Haec incerta
et fabulosis aucta.   Ceterum aspici aliquando in Aegypto eam
volucrem non ambigitur.

Ann., VI, xxviii.

455. Character of Tiberius.

Sic Tiberius finivit, octavo et septuagesimo aetatis anno.
Pater ei Nero, et utrimque origo gentis Claudiae, quamquam
mater in Liviam et mox Iuliam familiam adoptionibus transierit.
Casus prima ab infantia ancipites.   Nam proscriptum patrem
exul secutus, ubi domum Augusti privignus introiit, multis

aemulis conflictatus est, dum Marcellus et Agrippa, mox Gaius
Luciusque Caesares, viguere. Etiam frater eius Drusus prospe-
riore civium amore erat. Sed maxime in lubrico egit, accepta
in matrimonium Iulia, inpudicitiam uxoris tolerans, aut decli-
nans. Deinde Rhodo regressus, vacuos principis penates duodecim annis, mox rei Romanae arbitrium tribus ferme et viginti
obtinuit. Morum quoque tempora illi diversa; egregium vita
famaque, quoad privatus, vel in imperiis sub Augusto fuit;
occultum ac subdolum fingendis virtutibus, donec Germanicus ac
Drusus superfuere. Idem inter bona malaque mixtus, incolumi
matre; intestabilis saevitia, sed obtectis libidinibus, dum Seianum dilexit timuitve; postremo in scelera simul ac dedecora
prorupit, postquam remoto pudore et metu, suo tantum ingenio
utebatur.

Ann., VI, 1, li.

456. Seneca, anticipating Nero's Displeasure, implores
     to be allowed to retire into a Private Sta-
     tion. — Nero's Reply.

' Ego quid aliud munificentiae tuae adhibere potui, quam studia, ut sic dixerim, in umbra educata? at quibus claritudo venit,
quod iuventae tuae rudimentis adfuisse videor, grande huius rei
pretium. At tu gratiam inmensam, innumeram pecuniam cir-
cumdedisti; adeo, ut plerumque intra me ipse volvam: Egone,
equestri et provinciali loco ortus, proceribus civitatis adnumeror?
Inter nobiles, et longa decora praeferentes, novitas mea enituit?
Ubi est animus ille, modicis contentus? Talis hortos exstruit, et
per haec suburbana incedit, et tantis agrorum spatiis, tam lato
faenore exuberat? Una defensio occurrit, quod muneribus tuis
obniti non debui. Sed uterque mensuram inplevimus, et tu,
quantum princeps tribuere amico posset, et ego, quantum amicus
a principe accipere. Cetera invidiam augent; quae quidem, ut
omnia mortalia, infra tuam magnitudinem iacet, sed mihi incum-
bit; mihi subveniendum est. Quomodo in militia, aut via,
fessus adminiculum orarem; ita, in hoc itinere vitae, senex, et
levissimis quoque curis inpar, cum opes meas ultra sustinere non
possim, praesidium peto. Iube rem per procuratores tuos administrari, in tuam fortunam recipi. Nec me in paupertatem ipse

detrudam; sed traditis, quorum fulgore praestringor, quod temporis hortorum aut villarum curae seponitur, in animum revocabo. Superest tibi robur, et tot per annos visum summi fastigii regimen; possumus seniores amici quietem poscere. Hoc quoque in tuam gloriam cedet, eos ad summa vexisse qui et modica tolerarent.'

Ad quae Nero sic ferme respondit: ' Quod meditatae orationi tuae statim occurram, id primum tui muneris habeo, qui me non tantum praevisa, sed subita expedire docuisti. Abavus meus, Augustus, Agrippae et Maecenati usurpare otium post labores concessit, sed in ea ipsa aetate, cuius auctoritas tueretur, quidquid illud et qualecumque tribuisset; ac tamen neutrum datis a se praemiis exuit. Bello et periculis meruerant; in iis enim iuventa Augusti versata est. Nec mihi tela et manus tuae defuissent, in armis agenti. Sed quod praesens condicio poscebat, ratione, consilio, praeceptis pueritiam, dein iuventam meam fovisti. Et tua quidem erga me munera, dum vita suppetet, aeterna erunt; quae a me habes, horti et faenus et villae, casibus obnoxia sunt. Ac, licet multa videantur, plerique, haudquaquam artibus tuis pares, plura tenuerunt. Pudet referre libertinos, qui ditiores spectantur. Unde etiam rubori mihi est, quod praecipuus caritate, nondum omnes fortuna antecellis. Verum et tibi valida aetas, rebusque et fructui rerum sufficiens, et nos prima imperii spatia ingredimur; nisi forte aut te Vitellio ter consuli, aut me Claudio postponis. Sed, quantum Volusio longa parsimonia quaesivit, tantum in te mea liberalitas explere non potest. Quin, si qua in parte lubricum adolescentiae nostrae declinat, revocas; ornatumque robur subsidio inpensius regis. Non tua moderatio, si reddideris pecuniam, nec quies, si reliqueris principem, sed mea avaritia, meae crudelitatis metus in ore omnium versabitur. Quodsi maxime continentia tua laudetur, non tamen sapienti viro decorum fuerit, unde amico infamiam paret, inde gloriam sibi recipere.' His adicit complexum et oscula, factus natura et consuetudine exercitus, velare odium fallacibus blanditiis.

Ann., XIV, liii–lvi.

457. NERO'S CRUELTY TOWARDS THE CHRISTIANS.

Mox petita dis piacula, aditique Sibullae libri, ex quibus sup-
plicatum Volcano et Cereri Proserpinaeque, ac propitiata Iuno
per matronas, primum in Capitolio, deinde apud proximum mare,
unde hausta aqua templum et simulacrum deae perspersum est;
et sellisternia ac pervigilia celebravere femiuae, quibus mariti
erant. Sed non ope humana, non largitionibus principis aut
deum placamentis decedebat infamia, quin iussum incendium
crederetur. Ergo abolendo rumori Nero subdidit reos, et
quaesitissimis poenis adfecit, quos per flagitia invisos, vulgus
Christianos appellabat. Auctor nominis eius Christus, Tiberio
imperitante, per procuratorem Pontium Pilatum supplicio adfec-
tus erat. Repressaque in praesens exitiabilis superstitio rursus
erumpebat, non modo per Iudaeam, originem eius mali, sed per
urbem etiam, quo cuncta undique atrocia aut pudenda confluunt
celebranturque. Igitur primo correpti, qui fatebantur, deinde,
indicio eorum, multitudo ingens, haud proinde in crimine incen-
dii, quam odio humani generis, convicti sunt. Et pereuntibus
addita ludibria, ut ferarum tergis contecti, laniatu canum interi-
rent, multi crucibus adfixi aut usti, aliique, ubi defecisset dies,
in usum nocturni luminis urerentur. Hortos suos ei spectaculo Nero obtulerat, et circense ludicrum edebat, habitu auri-
gae permixtus plebi, vel curriculo insistens. Unde quamquam
adversus sontes et novissima exempla meritos, miseratio orie-
batur, tamquam non utilitate publica, sed in saevitiam unius,
absumerentur.

Ann., XV, xliv.

458. DEATH OF SENECA.

Ubi haec atque talia in commune disseruit, complectitur uxorem, et, paululum adversus praesentem formidinem mollitus, rogat oratque, 'temperaret dolori, nec aeternum susciperet, sed in
contemplatione vitae per virtutem actae desiderium mariti sola-
ciis honestis toleraret.' Illa contra sibi quoque destinatam mortem adseverat, manumque percussoris exposcit. Tum Seneca,
gloriae eius non adversus, simul amore, ne sibi unice dilectam

ad iniurias relinqueret: ' Vitae,' inquit, ' delenimenta monstrave-
ram tibi, tu mortis decus mavis. Non invidebo exemplo. Sit
huius tam fortis exitus constantia penes utrosque par, claritudinis
plus in tuo fine.' Post quae eodem ictu brachia ferro exsolvunt.
Seneca, quoniam senile corpus et parvo victu tenuatum lenta
effugia sanguini praebebat, crurum quoque et poplitum venas
abrumpit. Saevisque cruciatibus defessus, ne dolore suo animum
uxoris infringeret, atque ipse visendo eius tormenta ad impatien-
tiam delaberetur, suadet in aliud cubiculum abscedere. Et
novissimo quoque momento suppeditante eloquentia, advocatis
scriptoribus, pleraque tradidit, quae, in vulgus edita eius verbis,
invertere supersedeo. . . . Interim, durante tractu et lentitudine
mortis, Statium Annaeum, diu sibi amicitiae fide et arte medicinae probatum, orat, provisum pridem venenum, quo damnati
publico Atheniensium iudicio exstinguerentur, promeret; adla-
tumque hausit frustra, frigidus iam artus, et cluso corpore adversum vim veneni. Postremo stagnum calidae aquae introiit,
respergens proximos servorum, addita voce, libare se liquorem
illum Iovi liberatori. Exim balneo inlatus, et vapore eius
exanimatus, sine ullo funeris sollemni crematur.

Ann., XV, lxiii, lxiv.

459. Death and Character of Galba.

Viso comminus arma°orum agmine, vexillarius comitatae Gal-
bam cohortis (Atilium Vergilionem fuisse tradunt) dereptam
Galbae imaginem solo adflixit. Eo signo manifesta in Othonem
omnium militum studia, desertum fuga populi forum, destricta
adversus dubitantes tela. Iuxta Curtii lacum trepidatione fe-
rentium Galba proiectus e sella ac provolutus est. Extremam
eius vocem, ut cuique odium aut admiratio fuit, varie prodidere.
Alii, suppliciter interrogasse, ' Quid mali meruisset?' et paucos
dies exsolvendo donativo deprecatum ; plures, obtulisse ultro per-
cussoribus iugulum, ' Agerent ac ferirent, si ita e republica videretur.' Non interfuit occidentium, quid diceret. De percussore
non satis constat. Quidam Terentium evocatum, alii Laecanium ;
crebrior fama tradidit Camurium XV legionis militem, inpresso
gladio, iugulum eius hausisse. Ceteri crura brachiaque (nam
pectus tegebatur) foede laniavere ; pleraque vulnera feritate et
saevitia trunco iam corpori adiecta.

Hunc exitum habuit Ser. Galba, tribus et septuaginta annis quinque principes prospera fortuna emensus, et alieno imperio felicior, quam suo. Vetus in familia nobilitas, magnae opes; ipsi medium ingenium, magis extra vitia, quam cum virtutibus. Famae nec incuriosus, nec venditator. Pecuniae alienae non adpetens, suae parcus, publicae avarus. Amicorum libertorum- que, ubi in bonos incidisset, sine reprehensione patiens; si mali forent, usque ad culpam ignarus. Sed claritas natalium et metus temporum obtentui, ut, quod segnitia erat, sapientia vocaretur. Dum vigebat aetas, militari laude apud Germanias floruit. Pro consule Africam moderate; iam senior, citeriorem Hispaniam pari iustitia continuit; maior privato visus, dum privatus fuit, et omnium consensu capax imperii, nisi imperasset.

Hist., I, xli, xlix.

460. VITELLIUS GAZES ON THE BATTLEFIELD OF BEDRIACUM.

Inde Vitellius Cremonam flexit, et, spectato munere Caecinae, insistere Bedriacensibus campis, ac vestigia recentis victoriae lustrare oculis concupivit. Foedum atque atrox spectaculum. Intra quadragesimum pugnae diem lacera corpora, trunci artus, putres virorum equorumque formae, infecta tabo humus, protritis arboribus ac frugibus dira vastitas. Nec minus inhumana pars viae, quam Cremonenses lauru rosisque constraverant, extruc- tis altaribus caesisque victimis, regium in morem; quae, laeta in praesens, mox perniciem ipsis fecere. Aderant Valens et Caecina, monstrabantque pugnae locos : ' Hinc inrupisse legi- onum agmen, hinc equites coortos ; inde circumfusas auxiliorum manus.' Iam tribuni praefectique, sua quisque facta extollentes, falsa, vera, aut maiora vero miscebant. Vulgus quoque militum clamore et gaudio deflectere via, spatia certaminum recognoscere, aggerem armorum, strues corporum intueri, mirari. Et erant, quos varia fors rerum, lacrimaeque et misericordia subiret. At non Vitellius flexit oculos, nec tot milia insepultorum civium exhorruit. Laetus ultro, et tam propinquae sortis ignarus, instaurabat sacrum dis loci.

Hist., II, lxx.

461. Portents during the Siege of Jerusalem.

Evenerant prodigia, quae neque hostiis neque votis piare fas
habet gens superstitioni obnoxia, religionibus adversa. Visae
per caelum concurrere acies, rutilantia arma, et subito nubium
igne conlucere templum. Expassae repente delubri fores, et
audita maior humana vox, 'Excedere deos ;' simul ingens motus
excedentium. Quae pauci in metum trahebant ; pluribus per-
suasio inerat,` antiquis sacerdotum litteris contineri, eo ipso
tempore fore, ut valesceret Oriens profectique Iudaea rerum
poterentur. Quae ambages Vespasianum ac Titum praedixerat.
Sed vulgus, more humanae cupidinis, sibi tantam fatorum magnitudinem interpretati, ne adversis quidem ad vera mutabantur.
Multitudinem obsessorum, omnis aetatis, virile ac muliebre
secus, sescenta milia fuisse accepimus. Arma cunctis, qui ferre
possent ; et plures, quam pro numero, audebant. Obstinatio
viris feminisque par ; ac, si transferre sedes cogerentur, maior
vitae metus, quam mortis.

Hist., V, xiii.

C. PLINIUS CAECILIUS SECUNDUS,
62–113 A. D.

462. An Ill-bred Host.

Longum est, altius repetere, nec refert, quemadmodum acciderit, ut homo minime familiaris cenarem apud quendam, ut sibi
videbatur, lautum et diligentem, ut mihi, sordidum, simul et
sumptuosum. Nam sibi et paucis opima quaedam ; ceteris vilia
et minuta ponebat. Vinum etiam parvolis lagunculis in tria
genera descripserat, non ut potestas eligendi, sed ne ius esset recusandi ; aliud sibi et nobis, aliud minoribus amicis
(nam gradatim amicos habet), aliud suis nostrisque libertis.
Animadvertit, qui mihi proximus recumbebat, et, an probarem,
interrogavit. Negavi. 'Tu ergo,' inquit, 'quam consuetudinem sequeris ?' 'Eadem omnibus pono. Ad cenam enim, non

ad notam, invito ; cunctisque rebus exaequo quos mensa et toro
aequavi.' ' Etiamne libertos ? ' ' Etiam. Convictores enim
tunc, non libertos, puto.' Ille : ' Magno tibi constat ? ' ' Minime.' ' Qui fieri potest ? ' ' Quia scilicet liberti mei non idem
quod ego bibunt, sed idem ego quod liberti.' Et hercule, si
gulae temperes non est onerosum, quo utaris ipse, communicare
cum pluribus. Illa ergo reprimenda, illa quasi in ordinem redi-
genda est, si sumptibus parcas, quibus aliquanto rectius tua
continentia, quam aliena contumelia, consulas. Quorsus haec?
Ne tibi optimae indolis iuveni quorundam in mensa luxuria
specie frugalitatis inponat.

Ep., II, vi, 1–6.

463. Anecdotes of a celebrated Legacy-Hunter.

Verania Pisonis graviter iacebat ; huius dico Pisonis, quem
Galba adoptavit. Ad hanc Regulus venit. Primum inpuden-
tiam hominis, qui venerit ad aegram, cuius marito inimicissimus,
ipsi invisissimus fuerat. Esto, si venit tantum ; at ille etiam
proximus toro sedit ; quo die, qua hora nata esset, interrogavit.
Ubi audivit, componit vultum, intendit oculos, movet labra,
agitat digitos, computat — nihil ; ut diu miseram exspectatione
suspendit, ' Habes,' inquit, ' climactericum tempus, sed evades.
Quod ut tibi magis liqueat, aruspicem consulem, quem sum frequenter expertus.' Nec mora ; sacrificium facit, adfirmat exta
cum siderum significatione congruere. Illa, ut in periculo, cre-
dula, poscit codicillos, legatum Regulo scribit. Mox ingravescit ;
clamat moriens, ' O hominem nequam, perfidum, ac plus etiam
quam periurum ! ' qui sibi per salutem filii peierasset. Facit
hoc Regulus non minus scelerate quam frequenter, quod iram
deorum, quos ipse cotidie fallit, in caput infelicis pueri detestatur. Velleius Blaesus ille locuples, consularis, novissima vale-
tudine conflictabatur, cupiebat mutare testamentum. Regulus,
qui speraret aliquid ex novis tabulis, quia nuper captare eum
coeperat, medicos hortari, rogare, quoquo modo spiritum homini
prorogarent. Postquam signatum est testamentum, mutat personam, vertit adlocutionem, isdemque medicis, ' Quousque miserum cruciatis ? quid invidetis bona morte, cui dare vitam non
potestis ? ' Moritur Blaesus, et tamquam omnia audisset, Regulo

ne tantulum quidem. Sufficiunt duae fabulae. An scholastica
lege tertiam poscis? Est unde fiat. Aurelia, ornata femina,
signatura testamentum, sumpserat pulcherrimas tunicas. Regulus cum venisset ad signandum, 'Rogo,' inquit, 'has mihi
leges.' Aurelia ludere hominem putabat; ille serio instabat.
Ne multa; coegit mulierem aperire tabulas, ac sibi tunicas,
quas erat induta, legare; observavit scribentem, inspexit, an
scripsisset. Et Aurelia quidem vivit; ille tamen istud tamquam morituram coegit.

Ep., II, xx, 2–11.

464. On learning of the Death of Martial.

Audio Valerium Martialem decessisse, et moleste fero. Erat
homo ingeniosus, acutus, acer, et qui plurimum in scribendo et
salis haberet et fellis, nec candoris minus. Prosecutus eram
viatico secedentem. Dederam hoc amicitiae, dederam etiam
versiculis, quos de me composuit. Fuit moris antiqui, eos, qui
vel singulorum laudes, vel urbium scripserant, aut honoribus
aut pecunia ornare; nostris vero temporibus, ut alia speciosa et
egregia, ita hoc in primis exolevit. Nam postquam desimus
facere laudanda, laudari quoque ineptum putamus. Quaeris,
qui sint versiculi, quibus gratiam rettuli? Remitterem te ad
ipsum volumen, nisi quosdam tenerem; tu, si placuerint hi,
ceteros in libro requires. Adloquitur Musam, mandat, ut domum meam Esquilis quaerat, adeat reverenter:

> Sed, ne tempore non tuo disertam
> Pulses ebria ianuam, videto.
> Totos dat tetricae dies Minervae,
> Dum centum studet auribus virorum
> Hoc, quod saecula posterique possint
> Arpinis quoque comparare chartis.
> Seras tutior ibis ad lucernas.
> Haec hora est tua, cum furit Lyaeus,
> Cum regnat rosa, cum madent capilli.
> Tunc me vel rigidi legant Catones.

Meritone eum, qui haec de me scripsit, et tunc dimisi amicis-
sime, et nunc, ut amicissimum, defunctum esse doleo? Dedit

enim mihi, quantum maximum potuit, daturus amplius, si potuisset. Tametsi quid homini potest dari maius quam gloria et
laus et aeternitas? At non erunt aeterna quae scripsit. Non
erunt fortasse; ille tamen scripsit tamquam essent futura. Vale.

Ep., III, xxi.

465. Eruption of Vesuvius.

Nec multo post illa nubes descendere in terras, operire maria.
Cinxerat Capreas et absconderat; Miseni quod procurrit, abstu-
lerat. Tum mater orare, hortari, iubere, quoquo modo fugerem:
posse enim iuvenem; se et annis et corpore gravem bene morituram, si mihi causa mortis non fuisset. Ego contra, salvum
me, nisi una, non futurum, deinde manum eius amplexus, addere
gradum cogo. Paret aegre, incusatque se, quod me moretur.
Iam cinis; adhuc tamen rarus. Respicio; densa caligo tergis
imminebat, quae nos, torrentis modo infusa terrae, sequebatur.
' Deflectamus,' inquam, ' dum videmus, ne in via strati, comitan-
tium turba in tenebris obteramur.' Vix consideramus, et nox,
non qualis inlunis aut nubila, sed qualis in locis clausis lumine
extincto. Audires ululatus feminarum, infantum quiritatus,
clamores virorum. Alii parentes, alii liberos, alii coniuges vocibus requirebant, vocibus noscitabant. Hi suum casum, illi suorum miserabantur. Erant qui metu mortis mortem precarentur.
Multi ad deos manus tollere; plures, nusquam iam deos ullos,
aeternamque illam et novissimam noctem mundo interpretabantur. Nec defuerunt, qui fictis mentitisque terroribus vera pericula augerent. Aderant, qui Miseni illud ruisse, illud ardere,
falso, sed credentibus, nuntiabant. Paulum reluxit; quod non
dies nobis, sed adventantis ignis indicium videbatur. Et ignis
quidem longius substitit; tenebrae rursus, cinis rursus multus
et gravis. Hunc identidem adsurgentes excutiebamus; operti
alioqui atque etiam oblisi pondere essemus. Possem gloriari,
non gemitum mihi, non vocem parum fortem in tantis periculis
excidisse, nisi me cum omnibus, omnia mecum perire, misero,
magno tamen mortalitatis solacio credidissem. Tandem illa
caligo tenuata quasi in fumum nebulamve decessit; mox dies
verus, sol etiam effulsit, luridus tamen, qualis esse, cum deficit,
solet. Occursabant trepidantibus adhuc oculis mutata omnia,

altoque cinere, tamquam nive, obducta. Regressi Misenum,
curatis utcumque corporibus, suspensam dubiamque noctem spe
ac metu exegimus.

Ep., VI, xx, 11–19.

466. The High Estimation in which Tacitus and Pliny were held by their Contemporaries.

Frequenter agenti mihi evenit, ut centumviri, cum diu se
intra iudicum auctoritatem gravitatemque tenuissent, omnes
repente quasi victi coactique consurgerent laudarentque. Frequenter e senatu famam, qualem maxime optaveram, rettuli;
numquam tamen maiorem cepi voluptatem, quam nuper ex
sermone Corneli Taciti. Narrabat, sedisse cum quodam Circen-
sibus proximis; hunc post varios eruditosque sermones requi-
sisse, ‘Italicus es, an provincialis?’ se respondisse, ‘Nosti me,
et quidem ex studiis.’ Ad hoc illum, ‘Tacitus es, an Plinius?’
Exprimere non possum, quam sit iucundum mihi, quod nomina
nostra, quasi litterarum propria, non hominum, litteris red-
duntur; quod uterque nostrum his etiam ex studiis notus, quibus
aliter ignotus est. Accidit aliud ante pauculos dies simile.
Recumbebat mecum vir egregius, Fabius Rufinus; super eum
municeps ipsius, qui illo die primum venerat in urbem; cui
Rufinus, demonstrans me, ‘Vides hunc?’ Multa deinde de
studiis nostris. Et ille, ‘Plinius est,’ inquit. Verum fatebor,
capio magnum laboris mei fructum. An, si Demosthenes iure
laetatus est, quod illum anus Attica ita noscitavit Οὗτός ἐστι
Δημοσθένης, ego celebritate nominis mei gaudere non debeo?
Ego vero et gaudeo, et gaudere me dico. Neque enim vereor,
ne iactantior videar, cum de me aliorum iudicium, non meum,
profero; praesertim apud te, qui nec ullius invides laudibus,
et faves nostris. Vale.

Ep., IX, xxiii.

467. Trajan's Excellent Government.

Quam utile est, ad usum secundorum per adversa venisse!
Vixisti nobiscum, periclitatus es, timuisti, quae tunc erat innocentium vita. Scis et expertus es, quantopere detestentur malos

principes etiam, qui malos faciunt. Meministi, quae optare
nobiscum, quae sis queri solitus. Nam privato iudicio principem
geris, meliorem immo te praestas, quam tibi alium precabare.
Itaque sic imbuti sumus, ut, quibus erat summa votorum melior
pessimo princeps, iam non possimus nisi optimum ferre. Nemo
est ergo tam tui, tam ignarus sui, ut locum istum post te concu-
piscat. Facilius est, ut esse aliquis successor tuus possit, quam
ut velit. Quis enim curae tuae molem sponte subeat? quis
comparari tibi non reformidet? Expertus et ipse es, quam sit
onerosum succedere bono principi, et adferebas excusationem
adoptati. An prona parvaque sunt ad aemulandum, quod
nemo incolumitatem turpitudine rependit? Salva est omnibus
vita, et dignitas vitae; nec iam consideratus ac sapiens, qui
aetatem in tenebris agit. Eadem quippe sub principe virtutibus
praemia, quae in libertate ; nec benefactis tantum ex conscientia
merces. Amas constantiam civium, rectosque ac vividos animos
non, ut alii, contundis ac deprimis sed foves et attollis. Prodest
bonos esse, cum sit satis abundeque, si non nocet; his honores,
his sacerdotia, his provincias offers ; hi amicitia tua, hi iudicio
florent. Acuuntur isto integritatis et industriae pretio similes,
dissimiles adliciuntur ; nam praemia bonorum malorumque bonos
ac malos faciunt. Pauci adeo ingenio valent, ut non turpe ho-
nestumque, prout bene ac secus cessit, expetant fugiantve; ceteri,
ubi laboris inertiae, vigilantiae somno, frugalitatis luxuriae merces datur, eadem ista, quibus alios artibus adsecutos vident, con-
sectantur ; qualesque sunt illi, tales esse et videri volunt; et
dum volunt, fiunt.

Pan., xliv.

468. PLINY CONSULTS TRAJAN ABOUT THE CHRISTIANS.

Sollemne est mihi, domine, omnia, de quibus dubito, ad te
referre. Quis enim potest melius vel cunctationem meam regere,
vel ignorantiam extruere ? Cognitionibus de Christianis inter-
fui numquam ; ideo nescio, quid et quatenus aut puniri soleat,
aut quaeri. Nec mediocriter naesitavi, sitne aliquod discrimen
aetatum, an quamlibet teneri nihil a robustioribus differant ;
detur paenitentiae venia, an ei, qui omnino Christianus fuit,
desisse non prosit; nomen ipsum, etiamsi flagitiis careat, an

flagitia cohaerentia nomini puniantur. Interim in iis, qui ad
me tamquam Christiani deferebantur, hunc sum secutus modum.
Interrogavi ipsos, ' an essent Christiani ? ' Confitentes iterum
ac tertio interrogavi, supplicium minatus ; perseverantes duci
iussi. Neque enim dubitabam, qualecumque esset, quod fate-
rentur, pertinaciam certe, et inflexibilem obstinationem debere
puniri. Fuerunt alii similis amentiae ; quos, quia cives Romani
erant, adnotavi in urbem remittendos. Mox ipso tractatu, ut
fieri solet, diffundente se crimine, plures species inciderunt.
Propositus est libellus sine auctore, multorum nomina continens.
Qui negabant se esse Christianos, aut fuisse, cum, praeeunte me,
deos appellarent, et imagini tuae, quam propter hoc iusseram
cum simulacris numinum adferri, ture ac vino supplicarent, praeterea maledicerent Christo, quorum nihil cogi posse dicuntur,
qui sunt revera Christiani, dimittendos esse putavi. Alii ab
indice nominati, esse se Christianos dixerunt, et mox negave-
runt ; fuisse quidem, sed desisse, quidam ante plures annos,
non nemo etiam ante viginti quoque. Omnes et imaginem
tuam, deorumque simulacra venerati sunt ; ii et Christo male-
dixerunt. Adfirmabant autem, hanc fuisse summam vel culpae
suae, vel erroris, quod essent soliti stato die ante lucem convenire, carmenque Christo, quasi deo, dicere secum invicem, seque sacramento non in scelus aliquod obstringere, sed
ne furta, ne latrocinia, ne adulteria committerent, ne fidem
fallerent, ne depositum appellati abnegarent ; quibus peractis
morem sibi discedendi fuisse, rursusque coeundi ad capiendum
cibum, promiscuum tamen, et innoxium ; quod ipsum facere
desisse post edictum meum, quo secundum mandata tua hetaerias
esse vetueram. Quo magis necessarium credidi, ex duabus
ancillis, quae ministrae dicebantur, quid esset veri et per tormenta quaerere. Sed nihil aliud inveni, quam superstitio-
nem pravam, inmodicam. Ideo, dilata cognitione, ad consulendum te decurri. Visa est enim mihi res digna consultatione,
maxime propter periclitantium numerum. Multi enim omnis
aetatis, omnis ordinis, utriusque sexus etiam, vocantur in periculum, et vocabuntur. Neque enim civitates tantum, sed vicos
etiam atque agros superstitionis istius contagio pervagata est ;
quae videtur sisti et corrigi posse. Certe satis constat prope
iam desolata templa coepisse celebrari, et sacra sollemnia diu

intermissa repeti; pastumque venire victimas, quarum adhuc
rarissimus emptor inveniebatur. Ex quo facile est opinari, quae
turba hominum emendari possit, si sit paenitentiae locus.

Ep., Trai., (X.) xcvi.

TRAJANUS IMPERATOR.

469. Answer to Pliny's Inquiries concerning the Christians. (112 A. D.)

Actum, quem debuisti, mi Secunde, in excutiendis causis
eorum, qui Christiani ad te delati fuerant, secutus es. Neque
enim in universum aliquid, quod quasi certam formam habeat,
constitui potest. Conquirendi non sunt; si deferantur et argu-
antur, puniendi sunt, ita tamen, ut, qui negaverit se Christianum
esse, idque re ipsa manifestum fecerit, id est, supplicando diis
nostris, quamvis suspectus in praeteritum fuerit, veniam ex paenitentia inpetret. Sine auctore vero propositi libelli, in nullo
crimine locum habere debent. Nam et pessimi exempli, nec
nostri saeculi est.

In Plin. Ep., Trai., (X.) xcvii.

FLORUS, FL. CIRC. 120 A. D.

470. The War with Porsenna.

Pulsis ex urbi regibus, prima pro libertate arma corripuit.
Nam Porsenna, rex Etruscorum, ingentibus copiis aderat, et Tar-
quinios manu reducebat. Hunc tamen, quamvis et armis et
fame urgueret, occupatoque Ianiculo ipsis urbis faucibus incubaret,
sustinuit, reppulit, novissime etiam tanta admiratione perculit, ut
superior ultro cum paene victis amicitiae foedera feriret. Tunc
illa Romani nominis prodigia atque miracula, Horatius, Mucius,
Cloelia; qui nisi in annalibus forent, hodie fabulae viderentur.

Quippe Horatius Cocles postquam hostes undique instantes solus summovere non poterat, ponte rescisso transnatat Tiberim, nec arma dimittit. Mucius Scaevola regem per insidias in castris ipsius adgreditur; sed ubi frustrato circa purpuratum eius ictu tenetur, ardentibus focis inicit manum, terroremque geminat dolo. ' En, ut scias,' inquit, ' quem virum effugeris, idem trecenti iuravimus, ' cum interim, inmane dictu, hic interritus, ille trepidaret, tamquam manus regis arderet. Sic quidem viri. Sed ne qui sexus a laude cessaret, ecce et virginum virtus. Una ex opsidibus regi datis, elapsa custodiam, Cloelia, per patrium flumen equitabat. Et rex quidem tot tantisque virtutum territus monstris valere liberosque esse iussit. Tarquinii tamen tamdiu dimicaverunt, donec Arruntem filium regis manu sua Brutus occidit, superque ipsum mutuo volnere expiravit; plane quasi adulterum ad inferos usque sequeretur.

Epit. Rer. Rom., I, iv, (x).

471. The Tribunician Power was the Cause of Civil Dissensions.

Seditionum omnium causas tribunicia potestas excitavit; quae specie quidem plebis tuendae, cuius in auxilium comparata est, re autem dominationem sibi adquirens, studium populi ac favorem agrariis, frumentariis, iudiciariis legibus aucupabatur. Inerat omnibus species aequitatis. Quid enim tam iustum, quam recipere plebem ius suum a patribus, ne populus, gentium victor, orbisque possessor, extorris aris ac focis ageret? Quid tam aequum, quam inopem populum vivere ex aerario suo? Quid ad ius libertatis aequandae magis efficax, quam ut, senatu regente provincias, ordinis equestris auctoritas saltem iudiciorum regno niteretur? Sed haec ipsa in perniciem redibant, et misera respublica in exitium sui merces erat. Nam et a senatu in equitem translata iudiciorum potestas vectigalia, id est, imperii patrimonium subprimebat, et emptio frumenti, ipsos reipublicae nervos, exhauriebat aerarium, et reduci plebs in agros unde poterat sine possidentium eversione, qui ipsi pars populi erant, et tamen relictas sibi a maioribus sedes aetate, quasi iure possidebant?

Epit. Rer. Rom., II, i, (III, xiii.)

C. SUETONIUS TRANQUILLUS, 75–160 A. D.

472. Historical and other Writings of Julius Caesar.

Relinquit et rerum suarum commentarios, Gallici civilisque
belli Pompeiani. Nam Alexandrini Africique et Hispaniensis
incertus auctor est. Alii Oppium putant, alii Hirtium ; qui
etiam Gallici belli novissimum imperfectumque librum suppleve-
rit. De commentariis Cicero in eodem Bruto sic refert: 'Commentarios scripsit, valde quidem probandos; nudi sunt, recti et
venusti, omni ornatu orationis tamquam veste detracta. Sed dum
voluit, alios habere parata, unde sumerent, qui vellent scribere
historiam, ineptis gratum fortasse fecit, qui illa volent calamistris
inurere, sanos quidem homines a scribendo deterruit.' De isdem commentariis Hirtius ita praedicat: 'Adeo probantur
omnium iudicio, ut praerepta, non praebita, facultas scriptoribus
videatur. Cuius tamen rei maior nostra, quam reliquorum, est
admiratio. Ceteri enim, quam bene atque emendate, nos etiam,
quam facile atque celeriter eos perscripserit, scimus.' Pollio
Asinius parum diligenter parumque integra veritate compositos
putat, cum Caesar pleraque, et quae per alios erant gesta, temere
crediderit, et, quae per se, vel consulto vel etiam memoria
lapsus, perperam ediderit ; existimatque rescripturum et cor-
recturum fuisse. Reliquit et 'de Analogia,' libros duos, et
'Anticatones' totidem, ac praeterea poema, quod inscribitur
'Iter.' Quorum librorum primos in transitu Alpium, cum ex
citeriore Gallia, conventibus peractis, ad exercitum rediret;
sequentes sub tempus Mundensis proelii fecit ; novissimum, dum
ab urbe in Hispaniam ulteriorem quarto et vicensimo die pervenit. 'Epistulae' quoque eius 'ad senatum' extant, quas primus videtur ad paginas et formam memorialis libelli convertisse,
cum antea consules et duces nonnisi transversa charta mitterent
scriptas. Extant et 'ad Ciceronem,' item 'ad familiares'
domesticis de rebus ; in quibus si qua occultius perferenda erant,
per notas scripsit, id est, sic structo litterarum ordine, ut nullum
verbum effici posset. Quae si quis investigare et persequi volet,
quartam elementorum litteram, id est, 'd' pro 'a' et perinde

24

reliquas commutet. Feruntur et a puero et ab adulescentulo
quaedam scripta, ut ' Laudes Herculis,' tragoedia ' Oedipus,' item
' Dicta collectanea.' Quos omnes libellos vetuit Augustus pub-
licari in epistula, quam brevem admodum ac simplicem ad
Pompeium Macrum, cui ordinandas bibliothecas delegaverat,
misit.

Iul., lvi.

473. LOYALTY OF CAESAR'S SOLDIERS.

Ingresso civile bellum centuriones cuiusque legionis singulos
equites e viatico suo obtulerunt; universi milites gratuitam et
sine frumento stipendioque operam, cum tenuiorum tutelam
locupletiores in se contulissent. Neque in tam diuturno spatio
quisquam omnino descivit; plerique capti concessam sibi sub
conditione vitam, si militare adversus eum vellent, recusarunt.
Famem et ceteras necessitates, non cum obsiderentur modo, sed
et si alios ipsi obsiderent, tantopere tolerabant, ut Dyrrachina
munitione Pompeius, viso genere panis ex herba, quo sustine-
bantur, cum feris sibi rem esse dixerit, amoverique ocius nec
cuiquam ostendi iusserit, ne patientia et pertinacia hostis animi
suorum frangerentur. Quanta fortitudine dimicarint, testimo-
nio est, quod, adverso semel apud Dyrrachium proelio, poenam
in se ultro depoposcerunt; ut consolandos eos magis imperator
quam puniendos habuerit. Ceteris proeliis innumeras adversariorum copias, multis partibus ipsi pauciores, facile superarunt.
Denique una sextae legionis cohors, praeposita castello, quattuor
Pompei legiones per aliquot horas sustinuit, paene omnis con-
fixa multitudine hostilium sagittarum, quarum centum ac triginta milia intra vallum reperta sunt. Nec mirum, singulorum
si quis facta respiciat, vel Cassi Scaevae centurionis, vel Gai
Acili militis, ne de pluribus referam. Scaeva, excusso oculo,
transfixus femore et humero, centum et viginti ictibus scuto
perforato, custodiam portae commissi castelli retinuit. Acilius
navali ad Massiliam proelio, iniecta in puppem hostium dextra,
et abscisa, memorabile illud apud Graecos Cynaegiri exemplum
imitatus, transiluit in navem, umbone obvios agens.

Iul., lxviii.

474. Assassination of Caesar.

Ea vero nocte, cui inluxit dies caedis, et ipse sibi visus est
per quietem interdum supra nubes volitare, alias cum Iove
dextram iungere; et Calpurnia uxor imaginata est, conlabi
fastigium domus, maritumque in gremio suo confodi; ac subito
cubiculi fores sponte patuerunt. Ob haec simul et ob infirmam
valitudinem diu cunctatus, an se contineret, et, quae apud senatum proposuerat agere, differret; tandem Decimo Bruto ad-
hortante, ne frequentis ac iamdudum opperientis destitueret,
quinta fere hora progressus est; libellumque insidiarum indicem, ab obvio quodam porrectum, libellis ceteris, quos sinistra
manu tenebat, quasi mox lecturus, commiscuit. Dein pluribus
hostiis caesis, cum litare non posset, introiit curiam, spreta
religione, Spurinnamque irridens, et ut falsum arguens, quod
sine ulla sua noxa Idus Martiae adessent; quamquam is, venisse quidem eas, diceret, sed non praeterisse. Assidentem
conspirati, specie officii, circumsteterunt; ilicoque Cimber Til-
lius, qui primas partes susceperat, quasi aliquid rogaturus,
propius accessit; renuentique et gestu in aliud tempus diffe-
renti ab utroque umero togam adprehendit; deinde clamantem,
'Ista quidem vis est,' alter e Cascis aversum vulnerat, paulum
infra iugulum. Caesar Cascae brachium arreptum graphio
traiecit; conatusque prosilire, alio vulnere tardatus est. Utque
animadvertit, undique se strictis pugionibus peti, toga caput
obvolvit; simul sinistra manu sinum ad ima crura deduxit,
quo honestius caderet, etiam inferiore corporis parte velata.
Atque ita tribus et viginti plagis confossus est, uno modo ad
primum ictum gemitu sine voce edito. Etsi tradiderunt quidam, M. Bruto irruenti dixisse, Καὶ σύ, τέκνον. Exanimis,
diffugientibus cunctis, aliquamdiu iacuit, donec lecticae impo-
situm, dependente brachio, tres servoli domum retulerunt.

Iul., lxxxi, lxxxii.

475. PERSONAL FEATURES OF AUGUSTUS.

Forma fuit eximia, et per omnes aetatis gradus venustissima ;
quamquam et omnis lenocinii neglegens, et in capite comendo
tam incuriosus, ut raptim compluribus simul tonsoribus operam
daret, ac modo tonderet, modo raderet barbam, eoque ipso tempore aut legeret aliquid aut etiam scriberet. Vultu erat, vel in
sermone vel tacitus, adeo tranquillo serenoque, ut quidam e pri-
moribus Galliarum confessus sit inter suos, eo se inhibitum ac
remollitum, quo minus, ut destinarat, in transitu Alpium, per
simulationem conloquii propius admissus, in praecipitium propel-
leret. Oculos habuit claros ac nitidos, quibus etiam existimari
volebat inesse quiddam divini vigoris ; gaudebatque, si quis sibi
acrius contuenti, quasi ad fulgorem solis, vultum summitteret :
sed in senecta sinistro minus vidit. Dentes raros et exiguos et
scabros ; capillum leniter inflexum et subflavum ; supercilia coniuncta ; mediocres aures ; nasum et a summo eminentiorem et
ab imo deductiorem ; colorem inter aquilum candidumque ; sta-
turam brevem (quam tamen Iulius Marathus, libertus et a
memoria eius, quinque pedum et dodrantis fuisse tradit), sed
quae commoditate et aequitate membrorum occuleretur, ut nonnisi ex comparatione astantis alicuius procerioris intellegi posset.

Aug., lxxix.

476. CRITICISM OF THE ORATORY OF AUGUSTUS.

Eloquentiam studiaque liberalia ab aetate prima cupide et
laboriosissime exercuit. Mutinensi bello, in tanta mole rerum,
et legisse et scripsisse et declamasse cotidie traditur. Nam
deinceps neque in senatu neque apud populum neque apud
milites locutus est umquam, nisi meditata et composita oratione,
quamvis non deficeret ad subita extemporali facultate. Ac ne
periculum memoriae adiret aut in ediscendo tempus adsumeret,
instituit recitare omnia. Sermones quoque cum singulis, atque
etiam cum Livia sua graviores, nonnisi scriptos et e libello
habebat, ne plus minusve loqueretur ex tempore. Pronunciabat
dulci et proprio quodam oris sono, dabatque assidue phonasco
operam. Genus eloquendi secutus est elegans et temperatum,

vitatis sententiarum ineptiis atque inconcinnitate et 'recondi-
torum verborum,' ut ipse dicit, 'fetoribus.' Praecipuamque
curam duxit, sensum animi quam apertissime exprimere. Quod
quo facilius efficeret, aut necubi lectorem vel auditorem obturba-
ret ac moraretur, neque praepositiones urbibus addere, neque
coniunctiones saepius iterare dubitavit, quae detractae afferunt
aliquid obscuritatis, etsi gratiam augent. Cacozelos et antiqua-
rios, ut diverso genere vitiosos, pari fastidio sprevit.

Aug., lxxxiv, lxxxvi.

477. Claudius is made Emperor.

Per haec ac talia maxima aetatis parte transacta, quinqua-
gesimo anno imperium cepit, quantumvis mirabili casu. Exclu-
sus inter ceteros ab insidiatoribus Gai, cum, quasi secretum
eo desiderante, turbam submoverent, in diaetam, cui nomen est
Hermaeum, recesserat. Neque multo post, rumore caedis
exterritus, prorepsit ad solarium proximum, interque praetenta
foribus vela se abdidit. Latentem discurrens forte gregarius
miles, animadversis pedibus, e studio sciscitandi, quisnam esset,
adgnovit, extractumque, et prae metu ad genua sibi adcidentem,
imperatorem salutavit. Hinc ad alios commilitones, fluctuantis
nec quicquam adhuc quam frementis, perduxit. Ab his lecticae
impositus, et, quia sui diffugerant, vicissim succollantibus in castra delatus est, tristis ac trepidus, miserante obvia turba, quasi
ad poenam raperetur insons. Receptus intra vallum, inter
excubias militum pernoctavit, aliquanto minore spe quam fiducia.
Nam consules cum senatu et cohortibus urbanis forum Capitoli-
umque occuparant, asserturi communem libertatem; accitusque
et ipse per tribunum plebis in curiam ad suadenda, quae viderentur,
tur, ' Vi se et necessitate teneri ' respondit. Verum postero die,
et senatu segniore in exequendis conatibus, per taedium ac dis-
sensionem diversa censentium, et multitudine, quae circumsta-
bat, unum rectorem iam et nominatim exposcente, armatos pro
contione iurare in nomen suum passus est; promisitque singulis quina dena sestertia, primus Caesarum fidem militis etiam
praemio pigneratus.

Cl., x.

478. Death of Nero.

Tunc unoquoque hinc inde instante, ut quam primum se im-
pendentibus contumeliis eriperet, scrobem coram fieri imperavit,
dimensus ad corporis sui modulum; componique simul, si qua
invenirentur, frusta marmoris, et aquam simul ac ligna conferri,
curando mox cadaveri, flens ad singula, atque identidem dictitans,
· Qualis artifex pereo ! ' Inter moras perlatos a cursore Phaon-
ti codicillos praeripuit, legitque, ' se hostem a senatu iudicatum,
et quaeri, ut puniatur more maiorum : ' interrogavitque, quale
esset id genus poenae. Et cum comperisset, nudi hominis cervi-
cem inseri furcae, corpus virgis ad necem caedi, conterritus,
duos pugiones, quos secum tulerat, arripuit, temptataque utriusque
acie rursus condidit, causatus, ' nondum adesse fatalem horam.'
Ac modo Sporum hortabatur, ut lamentari ac plangere inciperet ;
modo orabat, ut se aliquis ad mortem capessendam exemplo
iuvaret ; interdum segnitiem suam his verbis increpabat : ' Vivo
deformiter, turpiter : οὐ πρέπει Νέρωνι, οὐ πρέπει· νήφειν δεῖ ἐν
τοῖς τοιούτοις· ἄγε ἔγειρε σεαυτόν.' Iamque equites appropinqua-
bant, quibus praeceptum erat, ut vivum eum adtraherent. Quod
ut sensit, trepidanter effatus :

> Ἵππων μ' ὠκυπόδων ἀμφὶ κτύπος οὔατα βάλλει,

ferrum iugulo adegit, iuvante Epaphrodito a libellis. Semiani-
misque adhuc irrumpenti centurioni, et paenula ad vulnus
adposita, in auxilium se venisse simulanti, non aliud respondit,
quam, ' Sero !' et, ' Haec est fides ! ' Atque in ea voce defecit,
extantibus rigentibusque oculis usque ad horrorem formidinem-
que visentium. Nihil prius aut magis a comitibus exegerat,
quam ne potestas cuiquam capitis sui fieret, sed ut, quoquo
modo, totus cremaretur. Permisitque hoc Icelus, Galbae libertus, non multo ante vinculis exolutus, in quae primo tumultu
coniectus fuerat.

Nero, xlix.

479. **THERE WAS A TRADITION THAT TERENCE RECEIVED ASSISTANCE IN THE COMPOSITION OF HIS PLAYS FROM SCIPIO AND LAELIUS.**

Non obscura fama est, adiutum Terentium in scriptis a Laelio et Scipione, quibuscum familiariter vixit. Eandem ipse auxit, numquam nisi leviter, refutare conatus; ut in prologo Adelphorum :

> ' Nam quód isti dicunt málevoli, homines nóbilis
> Hunc ádiutare, assídueque una scríbere,
> Quod illí maledictum véhemens esse exístumant,
> Eam laúdem hic ducit máximam, quom illís placet,
> Qui vóbis univérsis et populó placent ;
> Quorum ópera in bello, in ótio, in negótio,
> Suo quísque tempore úsu'st sine supérbia.'

Videtur autem se levius defendisse, quia sciebat, Laelio et Scipioni non ingratam esse hanc opinionem ; quae tamen magis et usque ad posteriora tempora valuit. C. Memmius in oratione pro se ait : ' P. Africanus, qui a Terentio personam mutuatus, quae domi luserat ipse, nomine illius in scenam detulit.' Nepos auctore certo comperisse se ait, C. Laelium quondam in Puteolano Kalendis Martiis admonitum ab uxore, temporius ut discumberet, petiisse ab ea, ne interpellaretur, serioque tandem ingressum triclinium dixisse, non saepe in scribendo magis successisse sibi ; deinde rogatum, ut scripta illa proferret, pronuntiasse versus, qui sunt in Heautontimorumeno :

> ' Satis pól proterve mé Syri promíssa huc induxérunt.'

Santra Terentium existimat, si modo in scribendo adiutoribus indiguerit, non tam Scipione et Laelio uti potuisse, qui tunc adolescentuli fuere, quam C. Sulpicio Gallo, homine docto, et cuius consularibus ludis initium fecerit fabularum dandarum, vel Q. Fabio Labeone et M. Popillio, consulari utroque ac poeta. Ideo ipsum non iuvenes designare, qui se adiuvisse dicerentur, sed viros, quorum operam et in bello et in otio et in negotio populus sit expertus.

Vit. Ter., ii–iv.

480. The Grammarian was at first styled 'Litteratus.'

Appellatio ' grammaticorum' Graeca consuetudine invaluit; sed initio ' litterati ' vocabantur. Cornelius quoque Nepos libello, quo distinguit litteratum ab erudito, ' Litteratos quidem vulgo appellari ' ait ' eos, qui diligenter et acute scienterque possint aut dicere aut scribere ; ceterum proprie sic appellandos poetarum interpretes, qui a Graecis γραμματικοί nominentur.' Eosdem ' litteratores' vocitatos, Messalla Corvinus in quadam epistola ostendit, ' Non esse sibi,' dicens, ' rem cum Furio Bibaculo, ne cum Tigida quidem, aut litteratore Catone ;' significat enim haud dubie Valerium Catonem, poetam simul grammaticumque notissimum. Sunt qui litteratum a litteratore distinguant, ut Graeci grammaticum a grammatista ; et illum quidem absolute, hunc mediocriter doctum existiment, quorum opinionem Orbilius etiam exemplis confirmat. Namque ' Apud maiores,' ait, ' cum familia alicuius venalis produceretur, non temere quem litteratum in titulo, sed litteratorem inscribi solitum esse ; quasi non perfectum litteris, sed imbutum.'

De Ill. Gr., iv.

481. The Study of Rhetoric was long viewed with Suspicion in Rome.

Rhetorica quoque apud nos, perinde atque grammatica, fere recepta est, paulo etiam difficilius ; quippe quam constet nonnumquam etiam prohibitam exerceri. Quod ne cui dubium sit, vetus senatusconsultum, item censorium edictum, subiciam. ' C. Fannio Strabone, M. Valerio Messalla consulibus, M. Pomponius praetor senatum consuluit. Quod verba facta sunt de philosophis et rhetoribus, de ea re ita censuerunt : ut M. Pomponius praetor animadverteret, curaretque, uti ei e republica fideque sua videretur, ut Romae ne essent.' De eisdem interiecto tempore Cn. Domitius Aenobarbus et L. Licinius Crassus censores ita edixerunt : ' Renuntiatum est nobis, esse homines, qui novum genus disciplinae instituerunt, ad quos iuventus in ludum conveniat ; eos sibi nomen imposuisse Latinos rhetoras ; ibi homines

adulescentulos totos dies desidere. Maiores nostri, quae liberos
suos discere, et quos in ludos itare vellent, instituerunt. Haec
nova, quae praeter consuetudinem ac morem maiorum fiunt,
neque placent, neque recta videntur. Quapropter et iis, qui eos
ludos habent, et iis, qui eo venire consuerunt, videtur faciendum
ut ostendamus nostram sententiam, nobis non placere.' Paulatim et ipsa utilis honestaque apparuit; multique eam et praesidii
causa et gloriae appetiverunt.

De Rhet., i.

M. CORNELIUS FRONTO, 100–175 A. D.

482. STORY OF ARION.

Arion Lesbius, proinde quod Graecorum memoria est, cithara
et dithyrambo primus, Corintho, ubi frequens incolebat, secundum quaestum profectus, magnis divitiis per oram Siciliae atque
Italiae paratis Corinthum Tarento regredi parabat. Socios
navalis Corinthios potissimum delegit; eorum navem audacter
re bona maxime onerat. Nave in altum provecta cognovit
socios, qui veherent cupidos potiri, necem sibi machinari. Eos
precibus fatigat, aurum omne sibi haberent, unam sibi animam
sinerent. Postquam id frustra orat, aliam tamen veniam impe-
travit, in exitu vitae quantum posset cantaret. Id praedones in
lucro ducere, praeter spolia summum artificem audire, cuius vocem praeterea nemo umquam post illa auscultaret. Ille vestem
induit auro intextam itemque citharam insignem. Tunc pro
puppi aperto maxime atque edito loco constitit, sociis inde consulto per navem ceteram dispersis. Ibi Arion studio inpenso
cantare orditur scilicet mari et caelo artis suae supremum com-
memoramentum. Carminis fine cum verbo in mare desilit; del-
phinus excipit, sublimem avehit, navi praevortit, Taenaro expo-
nit, quantum delphino fas erat, in extimo litore. Arion inde
Corinthum proficiscitur; et homo et vestis et cithara et vox incolumis; Periandrum regem Corinthum, cui per artem cognitus
acceptusque diu fuerat, accedit; ordine memorat rem gestam

in navi et postea in mari. Rex homini credere, miraculo addu-
bitare, navem et socios navalis, dum reciperent, opperiri. Postquam novit portum invectos, sine tumultu accipi iubet; voltu
comi, verbis lenibus percontatur, numquidnam super Arione
Lesbio comperissent. Illi facile respondent Tarenti vidisse
fortunatissimum mortalem, secundo rumore populi florere, pre-
tioque esse cithara cantare. Cum haec ita dicerent, Arion inru-
pit, ita ut in puppi steterat, cum veste auro intexta et cithara
insigni. Praedones inopino visu territi, tum neque quicquam
post illa negare aut non credere aut deprecari ausi sunt.

Ep., ed. Naber, 237, 238.

483. The Praises of Negligence.

Quod autem quis intutam et expositam periculis neglegentiam
putet, mihi omne contra videtur, multo multoque diligentiam
magis periculis obnoxiam esse. Namque neglegentiae haud
quisquam magnopere insidias locat, existimans etiam sine insi,
diis semper et ubique et ubi libeat negligentem hominem in
proclivi fore fallere; adversus diligentis vero et circumspectos
et exsultantis opibus fraudes et captiones et insidiae parantur.
Ita ferme neglegentia contemptu tutatur, diligentia astu oppu-
gnatur. Iam illud a poetis saeculum aureum memoratum, si
cum animo reputes, intellegas neglegentiae saeculum fuisse,
cum ager neglectus fructus uberes ferret, omniaque utensilia
neglegentibus nullo negotio suppeditaret. Hisce argumentis
neglegentia bono genere nata, dis accepta, sapientibus probata,
virtutum particeps, indulgentiae magistra, tuta ab insidiis, grata-
que bene factis, excusata ingratis, et ad postremum aurea
declaratur. Mallet de Favorini nostri pigmentis fuci quisnam
appingeremus? Licet. Ut quaeque mulier magis facie freta est,
ita facilius cutem et capillum neglegere, plerisque autem, ut sese
magnopere exornent, diffidentia formae diligentiae inlecebras
creari.

Ep., ed Naber, 214, 215.

484. The Affection between Fronto and his Pupil, the young Marcus Aurelius.

Igitur, ut argumentum aliquod prolixiori epistulae reperiam, quod, oro te, ob meritum me sic amas? quid iste Fronto tantum boni fecit, ut eum tanto opere tu diligas? caput suum pro te aut parentibus tuis devovit? Succidaneum se pro vestris periculis subdidit? provinciam aliquam fideliter administravit? exercitum duxit? nihil eorum. Ne cotidianis quidem istis officiis circa te praeter ceteros fungitur. Nam neque domum vestram diluculo ventitat, neque cotidie salutat, neque ubique comitatur nec semper spectat, (v. l. exspectat). Vide igitur ut, siquis interroget, cur Frontonem ames, habeas in promptu quod facile respondeas. At ego nihil quidem malo quam amoris erga me tui nullam extare rationem. Nec omnino mihi amor videtur, qui ratione oritur et iustis certis de causis copulatur; amorem ego illum intellego fortuitum et liberum et nullis causis servientem, inpetu potius quam ratione conceptum, qui non officiis, uti ignis, sed sponte ortis vaporibus caleat. Baiarum ego calidos specus malo quam istas fornaculas balnearum, in quibus ignis cum sumptu atque fumo accenditur brevique restinguitur. At illi ingenui vapores puri perpetuique sunt, grati pariter et gratuiti. Tuus igitur iste amor incultus et sine ratione exortus, spero, cum cedris porro adolescet et aesculis; qui si officiorum ratione coleretur, non ultra myrtos laurusque procresceret, quibus satis odoris parum roboris. Et omnino quantum fortuna rationi, tantum amor fortuitus officioso amori antistat. Quis autem ignorat, rationem humani co.silii vocabulum esse, fortunam autem deam dearumque praecipuam? templa, fana, delubra passim fortunae dicata; rationi nec simulacrum nec aram usquam consecratam? non fallor igitur qui malim amorem erga me tuum fortuna potius quam ratione genitum. Neque vero umquam ratio fortunam aequiperat, neque maiestate, neque usu, neque dignitate. Nam neque aggeres manu ac ratione constructos montibus comparabis, neque aquaeductus amnibus, neque receptacula fontibus. Tum ratio consiliorum prudentia appellatur, vatum impetus divinatio nuncupatur. Nec quisquam prudentissimae feminae consiliis potius accederet quam vaticinationibus

Sibyllae. Quae omnia quorsum tendunt? ut ego recte malim impetu et forte potius quam ratione ac merito meo diligi. Quam ob rem, etiamsi qua iusta ratio est amoris erga me tui, quaeso, Caesar, sedulo demus operam ut ignoretur et lateat; sine homines ambigant, disserant, disputent, coniectent, requirant, ut Nili caput, ita nostri amoris originem. Sed iam hora decima tangit et tabellarius tuus mussat; finis igitur sit epistulae. Vale.

Ep. ad M. Caes., I, iii, *ed. Naber,* 6-8.

485. ARGUMENTS AGAINST A TESTAMENTARY LAW OF A PROCONSUL, ADDRESSED TO MARCUS AURELIUS WHILE HEIR APPARENT.

Si hoc decretum tibi proconsulis placuerit, formam dederis omnibus omnium provinciarum magistratibus, quid in eiusmodi causis decernant. Quid igitur eveniet? Illud scilicet, ut testamenta omnia ex longinquis transmarinisque provinciis Romam ad cognitionem tuam deferantur. Filius exeredatum se suspicabitur, postulabit ne patris tabulae aperiantur. Idem filia postulabit, nepos, abnepos, frater, consobrinus, patruus, avunculus, amita, matertera, omnia necessitudinum nomina hoc privilegium invadent, ut tabulas aperiri vetent, ipsi possessione iure sanguinis fruantur. Causa denique Romam remissa quid eveniet? Heredes scripti navigabunt, exheredati autem in possessione remanebunt, diem de die ducent, dilationes petentes fora variis excusationibus trahent. Hiemps est et crudum mare hibernum est; adesse non potuit. Ubi hiemps praeterierit, vernae tempestates incertae et dubiae moratae sunt. Ver exactum est; aestas est calida et sol navigantis urit et homo nauseat. Autumnus sequitur; poma culpabuntur et languor excusabitur. Fingo haec et comminiscor? quid? in hac causa nonne hoc ipsum evenit? Ubi est adversarius, qui iampridem ad agendam causam adesse debuerat? 'In itinere est.' Quo tandem in itinere? 'Ex Asia venit.' Et est adhuc in Asia. 'Magnum iter et festinatum.' Navibusne an equis an diplomatibus facit haec tam velocia stativa? Cum interim cognitione proposita, semel a te, Caesar, petita dilatio et impetrata; proposita cognitione rursum, a te duum mensium petitur

dilatio. Duo menses exacti sunt idibus proximis et dies medii
isti aliquot. Venit tandem? Si nondum venit, at saltem adpropinquat? Si nondum adpropinquat, at saltem profectus ex
Asia est? Si nondum profectus est, at saltem cogitat. Quid
ille cogitat aliud quam bonis alienis incubare, fructus diripere,
agros vastare, rem omnem dilapidare? Non ille ita stultus est,
ut malit venire ad Caesarem et vinci quam remanere in Asia
et possidere. Qui mos si fuerit inductus, ut defunctorum testamenta ex provinciis transmarinis Romam mittantur, indignius
et acerbius testamentorum periculum erit quam si corpora mittantur defunctorum.

Ep. ad M. Caes. et Invicem, I, vi, *ed. Naber,* 14-16.

486. A Letter to the Emperor Marcus Aurelius.

Quom accepi litteras tuas, ita rescribere coeperam ; ama me ut
amas, inquis. Huic verbo respondere paulo verbis pluribus in
animo est ; prolixius enim rescribere tibi tempore illo solebam,
quo amatum te a me, satis compertum tibi esse tute ostendis.
Vide, quaeso, ne temet ipse defrudes et detrimentum amoris
ultro poscas ; amplius enim tanto amari te a me velim credas
mihi, quanto omnibus in rebus potior est certus praesens fructus
quam futuri spes incerta. Egone qui indolem ingenii tui in
germine etiam tum et in herba et in flore dilexerim, nunc frugem ipsam maturae virtutis nonne multo multoque amplius
diligam? tum ego stolidissimus habear agrestium omnium omniumque aratorum, si mihi cariora sint sata messibus. Ego vero
quae optavi quaeque vovi compos optatorum votorumque meorum damnatus atque multatus sum ; in eam multam dupli-
catum amorem tuum desero ; non ut antiquitus multas inrogari
mos fuit mille minus dimidio. Assae nutricis est infantem
magis diligere quam adultum ; suscensere etiam pubertati stulta
nutrix solet, puerum de gremio sibi abductum et campo aut foro
traditum. Litteratores etiam isti discipulos suos, quoad puerilia
discunt et mercedem pendunt, magis diligunt. Ego quom ad
curam cultumque ingenii tui accessi, hunc te speravi fore qui
nunc es ; in haec tua tempora amorem meum intendi. Lucebat in
pueritia tua virtus insita, lucebat etiam magis in adulescentia ;
sed ita ut cum serenus dies inluculascit lumine incohato. Nunc

iam virtus integra orbe splendido exorta est et radiis disseminata
est; tu me ad pristinam illam mensuram luciscentis amoris tui
revocas et iubes matutina dilucula lucere meridie. Audi, quaeso,
quanto ampliore nunc sis virtute, quam antea fueris; quo facilius credas quanto amplius amoris merearis, et poscere desinas
tantundem.

Ep. ad Anton. et Inv., I, v, *ed. Naber*, 102, 103.

M. AURELIUS ANTONINUS IMPERATOR.

487. LETTERS WRITTEN WHEN ABOUT TWENTY, TO HIS PRE-
CEPTOR FRONTO. — AN ACCOUNT OF A RIDE.

M. Caesar Magistro suo. Sed quae, inquis, fabula? Ut pater
meus a vineis domum se recepit, ego solito more equom inscendi,
et in viam profectus sum, et paululum provectus. Deinde ibi in
via sic oves multae conglobatae adstabant, ut locus solitarius, et
canes quattuor, et duo pastores, sed nihil praeterea. Tum pastor
unus ad alterum pastorem, postquam plusculos equites vidit,
' Vide tibi istos equites,' inquit, ' nam illi solent maximas rapina-
tiones facere.' Ubi id audivi, calcar equo subringo ecum in
ovis inigo. Oves consternatae disperguntur; aliae alibi palantes
balantesque oberrant. Pastor furcam intorquet; furca in equitem, qui me sectabatur, cadit. Nos aufugimus. Eo pacto, qui
metuebat ne ovis amitteret, furcam perdidit. Fabulam existimas? Res vera est. At etiam plura erant, quae de ea re
scriberem, nisi iam me nuntius in balneum arcesseret. Vale,
mi magister dulcissime, homo honestissime et rarissime, suavi-
tas, et caritas et voluptas mea.

In Front. Ep ad M. Caes. et Invicem, II, xii, *ed. Naber*, 35, 36.

488. A BIRTHDAY CONGRATULATION.

Have, mi Magister optime! Scio natali die quoiusque pro eo,
quoius is natalis dies est, amicos vota suscipere; ego tamen, quia
te iuxta ac memet ipsum amo, volo hac die, tuo natali, mihi

bene precari. Deos igitur omnis, qui usquam gentium vim suam
praesentem promptamque hominibus praebent, qui vel somniis
vel mysteriis vel medicina vel oraculis usquam iuvant atque
pollent, eorum deorum unumquemque mihi votis advoco, meque
pro genere cuiusque voti in eo loco constituo, de quo deus ei rei
praeditus facilius exaudiat. Igitur iam primum Pergamei arcem
ascendo et Aesculapio supplico, uti valetudinem magistri mei
bene temperet vehementerque tueatur. Inde Athenas degredior,
Minervam genibus nixus obsecro atque oro, si quid ego umquam
litterarum sciam, ut id potissimum ex Frontonis ore in pectus
meum commigret. Nunc redeo Romam, deosque viales et pro-
marinos votis inploro, uti mihi omne iter tua praesentia comita-
tum sit, neque ego tam saepe tam saevo desiderio fatiger.
Postremo omnis omnium populorum praesides deos, atque ipsum
locum, qui Capitolium montem strepit, quaeso tribuat hoc nobis
ut istum diem, quo mihi natus es, tecum, firmo te laetoque,
concelebrem.

In Front. Ep. ad M. Caes. et Invicem, III, ix, *ed. Naber,* 47, 48.

489. A Day's Doings.

Have mihi magister dulcissime. Nos valemus. Ego aliquantum prodormivi propter perfrictiunculam, quae videtur sedata
esse. Ergo ab undecima noctis in tertiam diei partim legi ex
Agricultura Catonis, partim scripsi, minus misere mehercule
quam heri. Inde salutato patre meo, aqua mulsa sorbenda
usque ad gulam et reiectanda fauces fovi potius quam dicerem
'gargarissavi,' nam et ad Novium credo et alibi. Sed faucibus
curatis abii ad patrem meum et immolanti adstiti. Deinde ad
merendam itum. Quid me censes prandisse? panis tantulum,
cum conchim, caepas et maenas bene praegnates alios vorantes
viderem. Deinde uvis metendis operam dedimus, et consudavi-
mus, et iubilavimus, et 'aliquot,' ut ait auctor, 'reliquimus
altipendulos vindemiae superstites.' Ab hora sexta domum
redimus; paululum studui atque id ineptum. Deinde cum
matercula mea supra torum sedente multum garrivi. Meus
sermo hic erat; quid existimas modo meum Frontonem facere?
Tum illa: Quid autem tu meam Gratiam? Tum ego: Quid
autem passerculam nostram Gratiam minusculam? Dum ea

fabulamur atque altercamur, uter alterum vestrum magis amaret,
discus crepuit, id est pater meus in balneam transisse nuntiatus
est. Loti igitur in torculari cenavimus ; non loti in torculari,
sed loti cenavimus ; et rusticos cavillantes audivimus libenter.
Inde reversus, priusquam me in latus converto ut stertam,
meum pensum explico et diei rationem meo suavissimo magistro reddo, quem si possem magis desiderare, libenter plusculum
macerarer.

In Front. Ep. ad M. Caes. et Invicem, IV, vi, *ed. Naber*, 69, 70.

AUCTOR INCERTUS PERVIGILII VENERIS,
PROBABLY TIME OF ANTONINUS PIUS.

490. THE ALL-PERVADING POWER OF LOVE.

Cras amet, qui numquam amavit, quique amavit, cras amet!
Ipsa Troianos penates in Latinos transtulit.
Ipsa Laurentem puellam coniugem nato dedit ;
Moxque Marti de sacello dat pudicam virginem ;
Romuleas ipsa fecit cum Sabinis nuptias ;
Unde Ramnes et Quirites, proque prole posterum
Romuli, matrem crearet et nepotem Caesarem.
Cras amet, qui numquam amavit, quique amavit, cras amet !
Rura fecundat voluptas, rura Venerem sentiunt.
Ipse Amor puer Dionae rure natus dicitur.
Hunc ager cum parturiret, ipsa suscepit sinu ;
Ipsa florum delicatis educavit osculis.
Cras amet, qui numquam amavit, quique amavit, cras amet!
Ecce iam supter genastas explicant tauri latus,
Quisque laetus, quo tenetur, coniugali foedere.
Subter umbras cum maritis ecce balantum greges !
Et canoras non tacere diva iussit alites.
Iam loquaces ore rauco stagna cycni perstrepunt,
Adsonat Terei puella subter umbram populi ;
Ut putes motus amoris ore dici musico,

Et neges queri sororem de marito barbaro.
Illa cantat; nos tacemus ? Quando ver venit meum ?
Quando faciam uti chelidon, vel tacere desinam ?
Perdidi Musam tacendo, nec me Phoebus respicit.
Sic Amyclas, cum tacerent, perdidit silentium.
Cras amet, qui numquam amavit, quique amavit, cras amet ! [1]

Pervigilium Veneris, 68–93.

AULUS GELLIUS, BORN CIRC. 130 A. D.

**491. SUGGESTIONS AS TO THE USE WHICH GRACCHUS MADE
OF THE PIPE WHICH WAS PLAYED WHILST HE WAS
SPEAKING.**

Ecce autem, per tibicinia Laconica, tibiae quoque illius con-
tionariae in mentem venit, quam C. Graccho, cum populo
agente, praeisse ac praeministrasse modulos ferunt. Sed nequaquam sic est, ut a vulgo dicitur, canere tibia solitum, qui pone
eum loquentem staret, et variis modis tum demulcere animum
actionemque eius, tum intendere. Quid enim foret ista re inep-
tius, si, ut planipedi saltanti, ita Graccho contionanti numeros et
modos et frequentamenta quaedam varia tibicen incineret ? Sed
qui hoc compertius memoriae tradiderunt, stetisse in circum-
stantibus dicunt occultius, qui fistula brevi sensim graviusculum
sonum inspiraret ad reprimendum sedandumque inpetus vocis
eius effervescentes ; namque inpulsu et instinctu extraneo naturalis illa Gracchi vehementia indiguisse, non, opinor, existimanda
est. Marcus tamen Cicero fistulatorem istum utrique rei adhi-
bitum esse a Graccho putat, ut sonis tum placidis tum citatis
aut demissam iacentemque orationem eius erigeret, aut ferocien-
tem saevientemque cohiberet. Verba ipsius Ciceronis apposui :
' Itaque idem Gracchus, quod potes audire, Catule, ex Licinio
cliente tuo litterato homine, quem servum sibi habuit ille ad
manum, cum eburnea solitus est habere fistula, qui staret post
ipsum occulte, cum contionaretur, peritum hominem ; qui in-

---

[1] Cf. Baehrens, ' Poetae Lat. Min.,' Vol. IV, pp. 296, 297.

flaret celeriter eum sonum, qui illum aut remissum excitaret,
aut a contentione revocaret.

I, xi, 10–16.

492. A QUESTION OF VERGILIAN EXEGESIS.

Versus istos ex Georgicis Vergilii plerique omnes sic legunt :

> ' At sapor indicium faciet manifestus, et ora
> Tristia temptantum sensu torquebit amaro.'

Hyginus autem, non hercle ignobilis grammaticus, in commentariis, quae in Vergilium fecit, confirmat et perseverat, non hoc
a Vergilio relictum, sed, quod ipse invenerit in libro, qui fuerat
ex domo atque familia Vergilii, —

> ' Et ora
> Tristia temptantum sensu torquebit amaror.'

Neque id soli Hygino, sed doctis quibusdam etiam viris com-
placitum, quoniam videtur absurde dici, 'sapor sensu amaro
torquet ;' cum ipse, inquiunt, sapor sensus sit, non alium in
semet ipso sensum habeat, ac proinde sit quasi dicatur, ' sensus sensu amaro torquet.' Sed enim cum Favorino Hygini com-
mentarium legissem, atque ei statim displicita esset insolentia
et insuavitas illius : 'sensu torquebit amaro,' risit, et : ' Iovem
lapidem,' inquit, 'quod sanctissimum iusiurandum est habitum,
paratus sum ego iurare, Vergilium hoc numquam scripsisse, sed
Hyginum ego verum dicere arbitror. Non enim primus finxit
hoc verbum Vergilius insolenter, sed in carminibus Lucreti
invento usus est, non aspernatus auctoritatem poetae, ingenio
et facundia praecellentis.' Verba ex quarto Lucreti haec sunt :

> ' Denique in os salsi venit umor saepe saporis,
> Cum mare versamur propter ; dilutaque contra
> Cum tuimur misceri absinthia, tangit amaror.'

Non verba autem sola, sed versus prope totos et locos quoque
Lucreti plurimos sectatum esse Vergilium videmus.

I, xxi.

493. On the Phrase 'Pedarii Senatores.'

Non pauci sunt, qui opinantur, ' pedarios senatores' appellatos,
qui sententiam in senatu non verbis dicerent, sed in alienam sententiam pedibus irent. Quid igitur? Cum senatusconsultum
per discessionem fiebat, nonne universi senatores sententiam pedibus ferebant? Atque haec etiam vocabuli istius ratio dicitur,
quam Gavius Bassus in commentariis suis scriptam reliquit.
Senatores enim dicit in veterum aetate, qui curulem magistratum
gessissent, curru solitos honoris gratia in curiam vehi; in quo
curru sella esset, super quam considerent, quae ob eam causam
' curulis' appellaretur; sed eos senatores, qui magistratum curulem nondum ceperant, pedibus itavisse in curiam; propterea
senatores, nondum maioribus honoribus functos ' pedarios' nomi-
natos. Marcus autem Varro in Satira Menippea, quae Ἱπποκύων
inscripta est, equites quosdam dicit ' pedarios' appellatos, vide-
turque eos significare, qui nondum a censoribus in senatum
lecti, senatores quidem non erant, sed, quia honoribus populi usi
erant, in senatum veniebant et sententiae ius habebant. Nam
et curulibus magistratibus functi, qui nondum a censoribus in
senatum lecti erant, senatores non erant, et quia in postremis
scripti erant, non rogabantur sententias, sed, quas principes
dixerant, in eas discedebant. Hoc significabat edictum, quo
nunc quoque consules, cum senatores in curiam vocant, servandae consuetudinis causa tralaticio utuntur. Verba edicti haec
sunt: Senatores, Quibusque In Senatu Sententiam Dicere Licet. Versum quoque Laberii, in quo id vocabulum
positum est, notari iussimus, quem legimus in mimo, qui Stric-
turae inscriptus est, —

' Caput sine lingua pedani sententia est.'

Hoc vocabulum a plerisque barbare dici animadvertimus. Nam
pro ' pedariis,' ' pedaneos' appellant.

III, xviii.

494. On the Genitive and Dative Singular of Nouns of the U Declension.

M. Varronem et P. Nigidium, viros Romani generis doctissimos, comperimus non aliter elocutos esse et scripsisse, quam 'senatuis,' et 'domuis,' et 'fluctuis,' qui est patrius casus ab eo, quod est 'senatus,' 'domus,' 'fluctus;' huic, 'senatui,' 'domui,' 'fluctui,' ceteraque is consimilia pariter dixisse. Terentii quoque comici versus in libris veteribus itidem scriptus est, —

> 'Eius anuis, opinor, causa, quae est emortua.'

Hanc eorum auctoritatem quidam e veteribus grammaticis ratione etiam firmare voluerunt, quod omnis dativus singularis littera finitus 'i,' si non similis est genitivi singularis, 's' littera addita genitivum singularem facit, ut : 'Patri patris,' 'duci ducis,' 'caedi caedis.' Cum igitur, inquiunt, in casu dandi 'huic senatui' dicamus, genitivus ex eo singularis 'senatuis' est, non 'senatus.' Set non omnes concedunt, in casu dativo 'senatui' magis dicendum, quam 'senatu.' Sicut Lucilius in eodem casu 'victu' et 'anu' dicit, non 'victui' nec 'anui,' in hisce versibus, —

> 'Quod sumptum atque epulas victu praeponis honesto;'

et alio in loco : 'Anu noceo' inquit. Vergilius quoque in casu dandi 'aspectu' dicit, non 'aspectui,' —

> 'Teque aspectu ne subtrahe nostro;'

et in Georgicis, —

> 'Quod nec concubitu indulgent.'

Gaius etiam Caesar, gravis auctor linguae Latinae, in Anticatone : 'Unius,' inquit, 'arrogantiae superbiaeque dominatuque;' item in Dolabellam actionis I, lib. I : 'Isti quorum in aedibus fanisque posita et honori erant et ornatu.' In libris quoque Analogicis omnia istiusmodi sine 'i' littera dicenda censet.

IV, xvi.

495. Another Question of Vergilian Exegesis.

> ' Ipse Quirinali lituo parvaque sedebat
>   Subcinctus trabea ; laevaque ancile gerebat.'

In his versibus errasse Vergilium Hyginus scripsit, tamquam non animadverterit deesse aliquid hisce verbis, —

> ' Ipse Quirinali lituo.'

Nam si nihil, inquit, deesse animadvertimus, videtur ita dictum, ut fiat : ' lituo et trabea subcinctus ;' quod est, inquit, absurdissimum, quippe cum lituus sit virga brevis, in parte, qua rubustior est, incurva, qua augures utuntur ; quonam modo ' subcinctus lituo ' videri potest? Immo ipse Hyginus parum animadvertit, sic hoc esse dictum, ut pleraque dici per defectionem solent. Veluti cum dicitur : ' M. Cicero homo magna eloquentia,' et, ' Q. Roscius histrio summa venustate,' non plenum hoc utrumque, neque perfectum est ; sed enim pro pleno atque perfecto auditur. Ut Vergilius alio in loco : —

> ' Victorem Buten inmani corpore,'

id est, corpus inmane habentem ; et item alibi, —

> ' In medium geminos inmani pondere caestus
>   Proiecit.'

Ac similiter, —

> ' Domus sanie dapibusque cruentis,
>   Intus opaca, ingens.'

Sic igitur id quoque videri dictum debet ' Picus Quirinali lituo erat,' sicuti dicimus, ' statua grandi capite erat.' Et ' est' autem, et ' erat,' et ' fuit' plerumque absunt, cum elegantia, sine detrimento sententiae. Et, quoniam facta ' litui ' mentio est, non praetermittendum est, quod posse quaeri animadvertimus, utrum lituus auguralis a tuba, quae ' lituus ' appellatur, an tuba a lituo augurum ' lituus ' dicta sit. Utrumque enim pari forma et pariter incurvum est. Sed si, ut quidam putant, tuba a sonitu ' lituus ' appellata est ex illo Homerico verbo Λίγξε βιός, necesse est ita accipi, ut virga auguralis a tubae similitudine 'lituus' vocetur.   Utitur autem vocabulo isto Ver gilius et pro tuba, —

     'Et lituo pugnas insignis obibat et hasta.'
V, viii.

496. The Roman Theory and Practice of Adoption.

Cum in alienam familiam inque liberorum locum extranei sumuntur, aut per praetorem fit, aut per populum. Quod per praetorem fit, adoptatio dicitur ; quod per populum, adrogatio. Adoptantur autem, cum a parente, in cuius potestate sunt, tertia mancipatione in iure ceduntur ; atque ab eo, qui adoptat, apud eum, apud quem legis actio est, vindicantur. Adrogan tur hi, qui, cum sui iuris sunt, in alienam sese potestatem tra dunt, eiusque rei ipsi auctores fiunt. Sed adrogationes non temere nec inexplorate committuntur. Nam comitia, arbitris pontificibus, praebentur, quae curiata appellantur ; aetas quo que eius, qui adrogare vult, an liberis potius gignundis idonea sit, bonaque eius qui adrogatur ne insidiose adpetita sint, con sideratur ; iusque iurandum a Q. Mucio pontifice maximo con ceptum dicitur, quod in adrogando iuraretur. Sed adrogari non potest, nisi iam vesticeps. Adrogatio autem dicta, quia genus hoc in alienam familiam transitus per populi rogationem fit. Eius rogationis verba haec sunt : ' Velitis iubeatis, uti Lucius Valerius Lucio Titio tam iure legeque filius siet, quam si ex eo patre matreque familias eius natus esset, utique ei vitae necisque in eum potestas siet, uti patri endo filio est. Haec ita uti dixi ita vos, Quirites, rogo.' Neque pupillus autem, neque mulier, quae in parentis potestate non est, adrogari pos sunt, quoniam et cum feminis nulla comitiorum communio est ; et tutoribus in pupillos tantam esse auctoritatem potestatemque fas non est, ut caput liberum fidei suae commissum alienae con dicioni subiciant. Libertinos vero ab ingenuis adoptari quidem iure posse, Masurius Sabinus scripsit. Sed id neque permitti dicit, neque permittendum esse umquam putat, ut homines libertini or dinis per adoptationem in iura ingenuorum invadant. Alioquin, inquit, si iuris ista antiquitas servetur, etiam servus a domino per praetorem dari in adoptionem potest. 'Idque,' ait, ' plerosque iuris veteris auctores posse fieri scripsisse.' Animadvertimus in

oratione P. Scipionis, quam censor habuit ad populum de moribus, inter ea, quae reprehendebat quod contra maiorum instituta
fierent, id etiam eum culpavisse, quod filius adoptivus patri
adoptatori inter praemia patrum prodesset. Verba ex ea oratione haec sunt : ' In alia tribu patrem, in alia filium suffra-
gium ferre ; filium adoptivum tam procedere, quam si se natum
habeat ; absentis censeri iubere, ut ad censum nemini necessus
sit venire.'

V, xix.

497. ARGUMENTS ADDUCED BY NIGIDIUS TO SHOW THE
NATURAL AS DISTINCT FROM THE CONVENTIONAL
ORIGIN OF LANGUAGE.

Nomina verbaque non positu fortuito, sed quadam vi et
ratione naturae facta esse, P. Nigidius in Grammaticis Commentariis docet ; rem sane in philosophiae dissertationibus
celebrem. Quaeri enim solitum aput philosophos, φύσει τὰ
ὀνόματα sint, ἢ θέσει. In eam rem multa argumenta dicit,
cur videri possint verba esse naturalia magis, quam arbitraria.
Ex quibus hoc visum est lepidum et festivum : ' Vos,' inquit,
' cum dicimus, motu quodam oris conveniente cum ipsius verbi
demonstratione utimur, et labeas sensim primores emovemus,
ac spiritum atque animam porro versum, et ad eos, quibuscum
sermocinamur, intendimus. At contra cum dicimus nos, neque
profuso intentoque flatu vocis, neque proiectis labris pronun-
tiamus, sed et spiritum et labeas quasi intra nosmet ipsos coerce-
mus. Hoc idem fit et in eo, quod dicimus tu, ego, et tibi et
mihi. Nam sicuti, cum adnuimus et abnuimus, motus quidam
ille vel capitis vel oculorum a natura rei, quam significat, non
abhorret ; ita iam his vocibus quasi gestus quidam oris et spiritus
naturalis est. Eadem ratio est in Graecis quoque vocibus, quam
esse in nostris animadvertimus.'

X, iv.

498. The Use of Rare Words a Sign of Bad Taste.

Est adeo id vitium plerumque serae eruditionis, quam
Graeci ὀψιμαθίαν appellant, ut, quod numquam didiceris, diu
ignoraveris, cum id scire aliquando coeperis, magni facias quo
in loco cumque et quacumque in re dicere.   Veluti Romae,
nobis praesentibus, vetus celebratusque homo in causis, sed
repentina et quasi tumultuaria doctrina praeditus, cum apud
praefectum urbi verba faceret, et dicere vellet, inopi quendam
miseroque victu vivere et furfureum panem esitare, vinumque
eructum et fetidum potare: 'Hic,' inquit, 'eques Romanus
apludam edit, et flocces bibit.'   Aspexerunt omnes, qui aderant, alius alium, primo tristiores turbato et requirente vultu,
quidnam illud utriusque verbi foret; post deinde, quasi nescio
quid Tusce aut Gallice dixisset, universi riserunt.   Legerat
autem ille, 'apludam' veteres rusticos frumenti furfurem dixisse; idque a Plauto in comoedia, si ea Plauti est, quae
Astraba inscripta est, positum esse.   Item 'flocces' audierat
prisca voce significare vini faecem e vinaceis expressam, sicuti
fraces ex oleis; idque aput Caecilium in Polumenis legerat,
eaque sibi duo verba ad orationum ornamenta servaverat.
Alter quoque, a lectionibus id genus paucis ἀπειρόκαλος, cum
adversarius causam differri postularet: 'Rogo, praetor,' inquit,
'subveni, succurre; quonam usque nos bovinator hic demora-
tur?'   Atque id voce magna ter quaterque inclamavit, 'bovinator est.'   Commurmuratio fieri coepta est a plerisque, qui
aderant, quasi monstrum verbi admirantibus.   At ille, iactans
et gestiens: 'Non enim Lucilium,' inquit, 'legistis, qui ter-
giversatorem bovinatorem dicit.'   Est autem in Lucili undecimo versus hic:

'Si tricosus bovinatorque ore improbus duro.'

XI, vii, 3–9.

499. A Quarrel between two Grammarians as to the Vocative of 'Egregius.'

Defessus ego quondam diutina commentatione, laxandi levandique animi gratia, in Agrippae campo deambulabam, atque ibi duos forte grammaticos conspicatus non parvi in urbe Roma nominis, certationi eorum acerrimae adfui, cum alter in casu vocativo 'vir egregi' dicendum contenderet, alter 'vir egregie.' Ratio autem eius, qui 'egregi' oportere dici censebat, huiuscemodi fuit: 'Quaecumque,' inquit, 'nomina seu vocabula recto casu numero singulari 'us' syllaba finiuntur, in quibus ante ultimam syllabam posita est 'i' littera, ea omnia casu vocativo 'i' littera terminantur, ut 'Caelius Caeli,' 'modius modi,' 'tertius terti,' 'Accius Acci,' 'Titius Titi,' et similia omnia; sic igitur 'egregius,' quoniam 'us' syllaba in casu nominandi finitur, eamque syllabam praecedit 'i' littera, habere debebit in casu vocandi 'i' litteram extremam, et idcirco 'egregi,' non 'egregie' rectius dicetur. Nam 'divus' et 'rivus' et 'clivus' non 'us' syllaba terminantur, sed ea, quae per duo 'u' scribenda est; propter cuius syllabae sonum declarandum, reperta erat nova littera, quae digamma appellabatur.' Hoc ubi ille alter audivit: 'O,' inquit, 'egregie grammatice, vel, si id mavis, egregiissime, dic, oro te, 'inscius' et 'impius' et 'sobrius' et 'ebrius' et 'proprius' et 'propitius' et 'anxius' et 'contrarius,' quae 'us' syllaba finiuntur, in quibus ante ultimam syllabam 'i' littera est, quem casum vocandi habent? Me enim pudor et verecundia tenet, pronuntiare ea secundum tuam definitionem.' Sed cum ille paulisper, opposítu horum vocabulorum commotus, reticuisset, et mox tamen se conlegisset, eandemque illam, quam definierat, regulam retineret et propugnaret, diceretque, et 'proprium' et 'propitium' et 'anxium' et 'contrarium' itidem in casu vocativo dicendum, ut 'adversarius' et 'extrarius' diceretur, 'inscium' quoque et 'impium' et 'ebrium' et 'sobrium' insolentius quidem paulo, sed rectius per 'i' litteram, non per 'e,' in casu eodem pronuntiandum; eaque inter eos contentio cum longius duceretur, non arbitratus ego operae pretium esse eadem ista haec diutius audire, clamantes conpugnantesque illos reliqui.

XIV, v.

500. Amatory Verses by a Friend of Gellius, based on an Epigram by Plato.

Hoc δίστιχον amicus meus 'οὐκ ἄμουσος adulescens' in plures versiculos licentius liberiusque vertit. Qui quoniam mihi quidem visi sunt non esse memoratu indigni, subdidi, —

> Cum semihiulco savio
> Meo puellum savior,
> Dulcemque florem spiritus
> Duco ex aperto tramite ;
> Anima *mea* aegra et saucia
> Cucurrit ad labeas mihi,
> Rictumque in oris pervium
> Et labra pueri mollia,
> Rimata itineri transitus,
> Ut transiliret, nititur.
> Tum si morae quid plusculae,
> Fuisset in coetu osculi
> Amoris igni percita
> Transisset, et me linqueret :
> Et mira prorsum res foret,
> Ut ad me fierem mortuus
> Ad puerum *ut* intus viverem.

XIX, xi, 3, 4.

L. APULEIUS, fl. circ. 160 A. D.

501. The Reason of the Reflection in a Mirror.

Nam saepe oportet non modo similitudinem suam, verum etiam similitudinis ipsius rationem considerare, num, ut ait Epicurus, profectae a nobis imagines, velut quaedam exuviae, iugi fluore a corporibus manantes, cum leve aliquid et solidum offenderunt, illisae reflectantur et retro expressae contra versum respondeant ; an, uti alii philosophi disputant, radii nostri, seu

mediis oculis proliquati et lumini extrario mixti atque inuniti,
uti Plato arbitratur ; seu tantum oculis profecti sine ullo foris
adminiculo, ut Archytas putat; seu intentu aeris fracti, ut
Stoici rentur ; cum alicui corpori incidere spisso et splendido
et levi, paribus angulis, quibus inciderant, resultent ad faciem
suam reduces, atque ita quod extra tangant et visant, id intra
speculum imaginentur. Videnturne vobis debere philosophi
haec omnia vestigare et inquirere, et cuncta specula vel uda vel
suda soli videre ? Quibus, praeter ista quae dixi, etiam illa
ratiocinatio necessaria est, cur in planis quidem speculis ferme
pares obtutus et imagines videantur ; in tumidis vero et globosis
omnia defectiora ; at contra in cavis auctiora ; ubi, et cur laeva
cum dexteris permutentur ; quando se imago eodem speculo
tum recondat penitus, tum foras exerat; cur cava specula, si
exadversum soli retineantur, appositum fomitem accendunt;
qui fiat uti arcus in nubibus varie, duo soles aemula similitudine visantur alia praeterea eiusdem modi plurima, quae tractat
volumine ingenti Archimedes Syracusanus, vir in omni quidem
geometria multum ante alios admirabili subtilitate ; sed haud
sciam an propter hoc vel maxime memorandus, quod inspexerat
speculum saepe ac diligenter.

Apol., 426–429.

502. Poverty is more Conducive to Virtue than
Riches.

Enim paupertas olim philosophiae vernacula est, frugi, sobria,
parvo potens, aemula laudis, adversum divitias possessa, habitu
secura, cultu simplex, consilio benesuada; neminem umquam
superbia inflavit, neminem impotentia depravavit, neminem
tyrannide efferavit; delicias ventris et sensuum neque vult ullas
neque potest. Quippe haec et alia flagitia divitiarum alumni
solent. Maxima quaeque scelera si ex omni memoria hominum
percenseas, nullum in illis pauperem reperies ; uti contra, haud
temere inter illustres viros divites comparent; sed quemcumque in aliqua laude miramur, eum paupertas ab incunabulis
nutricata est. Paupertas, inquam, prisca apud saecula omnium
civitatum conditrix, omnium artium repertrix, omnium peccatorum inops, omnis gloriae munifica, cunctis laudibus apud omnes

nationes perfuncta. Eadem enim est paupertas apud Graecos
in Aristide iusta, in Phocione benigna, in Epaminonda strenua,
in Socrate sapiens, in Homero diserta. Eadem paupertas etiam
populo Romano imperium a primordio fundavit, proque eo in
hodiernum diis immortalibus simpulo et catino fictili sacrificat.
Erras, Aemiliane, et longe huius animi frustra es, si Claudium
Maximum ex fortunae indulgentia non ex philosophiae censura
metiris ; si virum tam austerae sectae tamque diutinae militiae
non putas amiciorem esse coercitae mediocritati quam delicatae
opulentiae ; fortunam, velut tunicam, magis concinnam quam
longam probare. Quippe etiam ea si non gestetur et trahatur,
nihilo minus quam lacinia praependens impedit et praecipitat.
Etenim in omnibus ad vitae munia utendis quicquid aptam mo-
derationem supergreditur oneri potius quam usui exuberat. Igitur et immodicae divitiae velut ingentia et enormia gubernacula
facilius mergunt quam regunt, quod habent irritam copiam,
noxiam nimietatem.

Apol., 433–436.

503. GYMNOSOPHISTS OF INDIA.

Est apud illos genus, qui nihil amplius quam bubulcitare
novere, ideoque cognomen illis bubulcis inditum. Sunt et
mutandis mercibus calidi et obeundis proeliis strenui, vel sagittis eminus vel ensibus comminus. Est praeterea genus apud
illos praestabile ; gymnosophistae vocantur. Hos ego maxime
admiror, quod homines sunt periti, non propagandae vitis, nec
inoculandae arboris, nec proscindendi soli ; non illi norunt
arvum colere, vel uvam colare, vel equum domare, vel taurum
subigere, vel ovem vel capram tondere vel pascere. Quid igitur
est ? Unum pro his omnibus norunt. Sapientiam percolunt,
tam magistri senes quam discipuli minores. Nec quicquam
apud illos aeque laudo, quam quod torporem animi et otium
oderunt. Igitur ubi, mensa posita, priusquam edulia apponan-
tur, omnes adolescentes ex diversis locis et officiis ad dapem
conveniunt, magistri perrogant, quod factum a lucis ortu ad
illud diei bonum fecerit. Hic alius se commemorat inter duos
arbitrum delectum, sanata simultate, reconciliata gratia, purgata
suspicione, amicos ex infensis reddidisse ; inde alius, sese pa-

rentibus quidpiam imperantibus oboedisse; et alius, aliquid meditatione sua reperisse, vel alterius demonstratione didicisse.
Denique ceteri commemorant. Qui nihil habet afferre, cur
prandeat, impransus ad opus foras extruditur.

Flor., I, *num.* vi, 2, 3.

504. A Renowned Travelling Sophist.

Is Hippias e numero sophistarum est, artium multitudine
prior omnibus, eloquentia nulli secundus. Aetas illi cum Socrate,
patria Elis; genus ignoratur. Gloria vero magna, fortuna modica; sed ingenium nobile, memoria excellens, studia varia,
aemuli multi. Venit Hippias iste quondam certamine Olympio
Pisam, non minus cultu visendus, quam elaboratu mirandus.
Omnia, secum quae habebat, nihil eorum emerat, sed suis sibi
manibus confecerat; et indumenta, quibus indutus, et calcea-
menta, quibus erat inductus, et gestamina, quibus erat conspicuus.
Habebat indutui ad corpus tunicam interulam tenuissimo textu,
triplici licio, purpura duplici: ipse eam sibi solus domi texuerat.
Habebat cinctui balteum, quod genus pictura Babylonica, miris
coloribus variegatum; nec in hac eum opera quisquam adiuverat.
Habebat amictui pallium candidum, quod superne circumicerat;
id quoque pallium comperitur ipsius laborem fuisse. Etiam
pedum integumenta crepidas sibimet compegerat, et anulum in
laeva aureum faberrimo signaculo, quem ostentabat; ipse eius
anuli et orbiculum circulaverat, et palam clauserat, et gemmam
insculpserat. Nondum eius omnia commemoravi. Enim non
pigebit me commemorare, quod illum non puditum est ostentare;
qui magno in coetu praedicavit, fabricatam sibimet ampullam
quoque oleariam, quam gestabat, lenticulari forma, tereti ambitu,
pressula rotunditate; iuxtaque honestam strigileculam, recta
fastigatione clausulae, flexa tubulatione ligulae. ut et ipsa in
manu capulo motaretur, et sudor ex ea rivulo laberetur. Quis
autem non laudabit hominem tam numerosa arte multiscium?
totiugi scientia magnificum? tot utensilium peritia Daedalum?
Quin et ipse Hippiam laudo; sed ingenii eius fecunditatem malo
doctrina, quam supellectilis multiformi instrumento aemulari,
fateorque me sellularias quidem artes minus callere; vestem de
textrina emere, baxeas istas de sutrina praestinare; enimvero

anulum nec gestare ; gemmam et aurum iuxta ac plumbum et
lapillos nulli aestimare, strigilem et ampullam, ceteraque balnei
utensilia nundinis mercari.   Prorsum enim non eo infitias, nec
radio, nec subula, nec lima, nec torno, nec id genus ferramentis
uti nosse ; sed pro his praeoptare me fateor, uno chartario calamo
me reficere poemata omne genus, apta virgae, lyrae, socco,
cothurno, item satiras ac griphos, item historias varias rerum ;
nec non orationes laudatas disertis, nec non dialogos laudatos
philosophis, atque haec et alia eiusdem modi tam Graeca, quam
Latina, gemino voto, pari studio, simili stylo.

Flor., II, *num.* ix, 1–3.

505. THE FOX AND THE CROW.

Corvus et vulpis unam offulam simul viderant, eamque rap-
tam festinabant pari studio, impari celeritate ; vulpis cursu,
corvus volatu.   Igitur ales bestiam praevenit, et secundo flatu,
propassis utrimque pennis praelabitur, et anticipat, atque ita
praeda simul et victoria laetus, sublime evectus, in quadam
proxima quercu, in summo eius cacumine tutus sedit.   Eo tum
vulpis, quia illuc pedem nequibat, dolum iecit ; namque eandem
arborem successit, et subsistens, cum superne raptorem praeda
ovantem videret, laudare astu adorsa est : ' Ne ego inscita, quae
cum alite Apollinis frustra certaverim ; quippe cui iampridem
corpus tam concinnum est, ut neque oppido parvum, neque
nimis grande sit, sed quantum satis ad usum decoremque ; pluma
mollis, caput argutum, rostrum validum.   Iam ipse oculis per-
sequax, unguibus pertinax ; nam de colore quid dicam ?   Nam
cum duo colores praestabiles forent, piceus et niveus, quibus
inter se nox cum die differunt, utrumque colorem Apollo suis
alitibus condonavit ; candidum olori, nigrum corvo.   Quod utinam sicuti cycno cantum indulsit, ita huic quoque vocem tribuisset ! ne tam pulchra ales, quae ex omni avitio longe praecellit,
voce viduata, deliciae facundi dei, muta viveret et elinguis.'   Id
vero ubi corvus audit, hoc solum sibi prae ceteris deesse, dum
vult clarissime clangere, ut ne istoc saltem olori concederet,
oblitus offulae, quam mordicus retinebat, toto rictu hiavit ; atque
ita, quod volatu pepererat, cantu amisit ; enimvero vulpis, quod

cursu amiserat, astu reciperavit. Eandem istam fabulam in
pauca cogamus, quautum potest fieri cohibiliter. Corvus ut se
vocalem probaret, quod solum deesse tantae eius formae vulpis
simulaverat, crocire adorsus, praedae, quam ore gestabat, induc-
tricem compotivit.

Flor., IV, *num.* xxiii, 3-4.

506. Psyche's Husband, who is Invisible, bids her
    not seek to behold him. She disobeys, and
    finds that he is the God of Love.

Tunc Psyche et corporis et animi aliquid infirma, fati tamen
saevitia subministrante viribus roboratur, et prolata lucerna et
arrepta novacula sexum audacia mutavit. Sed cum primum
luminis oblatione tori secreta claruerunt. Videt omnium ferarum mitissimam dulcissimamque bestiam, ipsum illum Cupidinem
formosum deum formose cubantem, cuius aspectu lucernae quoque lumen hilaratum increbuit et acuminis sacrilegi novacula
praenitebat. At vero Psyche tanto aspectu deterrita et impos
animi, marcido pallore defecta tremensque desedit in imos
poplites et ferrum quaerit abscondere, sed in suo pectore. Quod
profecto fecisset nisi ferrum timore tanti flagitii manibus teme-
rariis delapsum evolasset. Iamque lassa, salute defecta dum
saepius divini vultus intuetur pulchritudinem, recreatur animi.
Videt capitis aurei genialem caesariem ambrosia temulentam,
cervices lacteas genasque purpureas pererrantes crinium globos
decoriter impeditos, alios antependulos, alios retropendulos quorum splendore nimio fulgurante iam et ipsum lumen lucernae
vacillabat. Per humeros volatilis dei pinnae roscidae micanti flore
candicant et quamvis alis quiescentibus extimae plumulae tenel-
lae ac delicatae tremule resultantes inquieta lasciviunt. Ceterum
corpus glabellum atque luculentum et quale peperisse Venerem
non paeniteret. Ante lectuli pedes iacebat arcus, et pharetra
et sagittae, magni dei propitia tela. Quae dum insatiabili animo
Psyche satis et curiosa rimatur atque pertractat et mariti sui
miratur arma, depromit unam de pharetra sagittam et puncto
pollicis extremam aciem periclitabunda trementis etiam nunc
articuli nisu fortiore pupugit altius, ut per summam cutem
roraverint parvulae sanguinis rosei guttae. Sic ignara Psyche

sponte in Amoris incidit amorem. Tunc magis magisque cupidine
flagrans Cupidinis prona in eum efflictim inhians patulis ac petu-
lantibus saviis festinanter ingestis de somni mensura metuebat.
Sed dum bono tanto percita saucia mente fluctuat, lucerna illa,
sive perfidia pessima sive invidia noxia sive quod tale corpus
contingere et quasi basiare et ipsa gestiebat, evomuit de summa
luminis sui stillam ferventis olei super humerum dei dextrum.
Hem audax et temeraria lucerna et amoris vile ministerium!
ipsum ignis totius deum aduris, cum te scilicet amator aliquis, ut diutius cupitis etiam nocte potiretur, primus invenerit.
Sic inustus exsiluit deus visaque detectae fidei colluvie prorsus
ex oculis et manibus infelicissimae coniugis tacitus avolavit.

Met., v. 23 (102, 103).

507. The Phenomena of Religion explained by the Agency of Intermediate Spirits.

Sed et haec cuncta, et id genus cetera, daemonum mediocritati rite congruunt. Sunt enim inter nos ac deos, ut loco
regionis, ita ingenio mentis intersiti, habentes communem cum
superis immortalitatem, cum inferis passionem. Nam, proinde
ut nos, pati possunt omnia animorum placamenta vel incita-
menta; ut et ira incitentur, et misericordia flectantur, et donis
invitentur, et precibus leniantur, et contumeliis exasperentur,
et honoribus mulceantur, aliisque omnibus ad similem nobis
modum varientur. Quippe, ut fine comprehendam, daemones
sunt genere animalia, ingenio rationabilia, animo passiva, corpore aëria, tempore aeterna. Ex his quinque, quae commemoravi, tria a principio eadem nobiscum, quartum proprium,
postremum commune cum diis immortalibus habent; sed differunt ab his passione. Quae propterea passiva non absurde,
ut arbitror, nominari, quod sunt iisdem, quibus nos, pertur-
bationibus mentis obnoxii. Unde etiam religionum diversis
observationibus, et sacrorum variis suppliciis fides impertienda
est. Et sunt nonnulli ex hoc divorum numero, qui nocturnis
vel diurnis promptis vel occultis, laetioribus vel tristioribus
hostiis, vel caerimoniis, vel ritibus gaudeant; uti Aegyptia
numina ferme plangoribus, Graeca plerumque choreis, barbara
autem strepitu cymbalistarum et tympanistarum et chorau-

larum. Itidem pro regionibus et cetera in sacris differunt longa
varietate, pomparum agmina, mysteriorum silentia, sacerdotum
officia, sacrificantium obsequia ; item deorum effigies et exuviae,
templorum religiones et regiones, hostiarum cruores et colores.
Quae omnia pro cuiusque more loci sollemnia et rata sunt, ut
plerumque somniis et vaticinationibus et oraculis comperimus
saepenumero indignata numina, si quid in sacris socordia vel
superbia neglegatur, cuius generis mihi exempla affatim sup-
petunt ; sed adeo celebrata et frequentata sunt, ut nemo ea
commemorare adortus sit, quin multo plura omiserit quam
recensuerit. Idcirco supersedebo impraesentiarum in his rebus
orationem occupare ; quae si non apud omnes certam fidem, at
certe penes cunctos notitiam promiscuam possident.

De Deo Socratis, 684–686.

M. MINUCIUS FELIX, FL. CIRC. 190 A. D.

**508. IDOLS WROUGHT BY MEN'S HANDS ARE WORTHY TO
RECEIVE REVERENCE FROM NEITHER MAN NOR BEAST.**

Quis ergo dubitat, deorum imagines consecratas vulgus orare
et publice colere, dum opinio et mens imperitorum artis con-
cinnitate decipitur, auri fulgore praestringitur, argenti nitore
et candore eboris hebetatur ? Quodsi in animum quis inducat,
tormentis quibus et quibus machinis simulacrum omne formetur,
erubescet timere se materiem ab artifice, ut deum faceret, in-
lisam. *Deus* enim ligneus, rogi fortasse vel infelicis stipitis
portio, suspenditur, *caeditur,* dolatur, runcinatur ; et deus aereus
vel argenteus de immundo vasculo, ut accepimus factum Aegyp-
tio regi, conflatur, tunditur malleis et *in* incudibus figuratur ; et
lapideus deus caeditur, scalpitur, et ab impurato homine levigatur,
nec sentit suae nativitatis iniuriam, ita ut nec postea de vestra
veneratione culturam. Nisi forte nondum deus saxum est vel
lignum vel argentum. Quando igitur hic nascitur ? ecce fundi-
tur, fabricatur, sculpitur ; nondum deus est ! ecce plumbatur,

construitur, erigitur; nec adhuc deus est! ecce ornatur, consecratur, oratur; tunc postremo deus est, cum homo illum
voluit et dedicavit.

Quam acute vero de diis vestris animalia muta naturaliter
indicant! mures, hirundines, milvi non sentire eos sciunt;
rodunt, inculcant, insident, ac, nisi abigatis, in ipso dei vostri
ore nidificant; araneae vero faciem eius intexunt et de ipso
capite sua fila suspendunt. Vos tergetis, mundatis, eraditis et
illos, quos facitis et protegitis, timetis, dum unusquisque vestrum non cogitat prius se debere deum nosse quam colere, dum
inconsulte gestiunt parentibus oboedire, dum fieri malunt alieni
erroris accessio quam sibi credere, dum nihil ex his, quae timent,
norunt. Sic in auro et argento avaritia consecrata est, sic
statuarum inanium consignata forma, sic nata Romana superstitio. Quorum ritus si percenseas, ridenda quam multa, *quam
multa* etiam miseranda sunt!

Octav., **xxiii**, 9–xxiv, 2.

Q. SEPTIMIUS FLORENS TERTULLIANUS,
CIRC. 150–230 A. D.

509. IF CHRISTIANS ARE MALEFACTORS, THEY SHOULD
UNDERGO TRIAL AS SUCH.

Respondendi, altercandi facultas patet, quando nec liceat
indefensos et inauditos omnino damnari. Sed Christianis solis
nihil permittitur loqui, quod causam purget, quod veritatem
defendat, quod iudicem non faciat iniustum. Sed illud solum
exspectatur quod odio publico necessarium est, confessio nominis, non examinatio criminis; quando si de aliquo nocente
cognoscitis, non statim confesso eo nomen homicidae, vel sacrilegi, vel incesti, vel publici hostis (ut de nostris elogiis loquar),
contenti sitis ad pronuntiandum nisi et consequentia exigatis,
qualitatem facti, numerum, locum, modum, tempus, conscios,
socios. De nobis nihil tale. cum aeque extorqueri oporteret,
quodcumque falso iactatur, quot quisque iam infanticidia degus-

tasset, quot incesta contenebrasset, qui coci, qui canes affuissent.
O quanta illius praesidis gloria, si eruisset aliquem, qui centum
iam infantes comedisset! Atquin invenimus inquisitionem quoque in nos prohibitam.

Plinius enim Secundus cum provinciam regeret, damnatis
quibusdam Christianis, quibusdam gradu pulsis, ipsa tamen
multitudine perturbatus, quid de cetero ageret, consuluit tunc
Traianum imperatorem, allegans praeter obstinationem non sacri-
ficandi, nihil aliud se de sacramentis eorum comperisse, quam
coetus antelucanos ad canendum Christo ut deo et ad confoede-
randam disciplinam, homicidium, adulterium, fraudem, perfidiam,
et cetera scelera prohibentes. Tunc Traianus rescripsit, hoc
genus inquirendos quidem non esse, oblatos vero puniri oportere. O sententiam necessitate confusam! Negat inquirendos
ut innocentes et mandat puniendos ut nocentes. Parcit et
saevit, dissimulat et animadvertit. Quid temetipsum censura
circumvenis? Si damnas, cur non et inquiris? Si non inquiris,
cur non et absolvis? Latronibus vestigandis per universas
provincias militaris statio sortitur; in reos maiestatis et pub-
licos hostes omnis homo miles est, ad socios, ad conscios usque
inquisitio extenditur. Solum Christianum inquiri non licet,
offerri licet, quasi aliud esset actura inquisitio quam oblationem.

Adv. Gentes, ii.

510. The Christian's Blamelessness is due to his Reverence for God.

Nos ergo soli innocentes. Quid mirum, si necesse est?
Enimvero necesse est. Innocentiam a Deo edocti, et perfecte
eam novimus ut a perfecto magistro revelatam, et fideliter
custodimus, ut ab incontemptibili dispectore mandatam. Vobis
autem humana aestimatio innocentiam tradidit, humana item
dominatio imperavit; inde nec plenae nec adeo timendae estis
disciplinae ad innocentiae veritatem. Quanta est prudentia
hominis ad demonstrandum quid vere bonum? quanta auctoritas ad exigendum? tam illa falli facilis, quam ista contemni.
Atque adeo quid plenius dictum est; non occides, an vero,
ne irascaris quidem? Quid perfectius prohibere adulterium,
an etiam ab oculorum solitaria concupiscentia arcere? Quid

eruditius de maleficio, an et de maleloquio interdicere? Quid
instructius, iniuriam non permittere, ac nec vicem iniuriae
sinere? dum tamen sciatis ipsas quoque leges vestras, quae
videntur, ad innocentiam pergere, de divina lege ut antiquiore
formam mutuatas. Diximus iam de Mosis aetate. Sed quanta
auctoritas legum humanarum, cum illas et evadere homini
contingat, et plerumque in admissis delitescere, et aliquando
contemnere ex voluntate vel necessitate delinquendi, recogitata
etiam brevitate supplicii cuiuslibet, non tamen ultra mortem
remansuri? sic et Epicurus omnem cruciatum doloremque de-
pretiat, modicum quidem contemptibilem pronuntiando, magnum
vero non diuturnum. Enimvero nos qui sub Deo omnium
speculatore dispungimur, quique aeternam ab eo poenam providemus, merito soli innocentiae occurrimus, et pro scientiae
plenitudine, et pro latebrarum difficultate, et pro magnitudine
cruciatus, non diuturni, verum sempiterni, eum timentes, quem
timere debebit et ipse qui timentes iudicat, Deum, non pro-
consulem timentes.

Adv. Gentes, xlv.

511. The Worship of the Gods, as of the Dead, is Venal and Senseless.

Dei vero, qui magis tributarii, magis sancti; immo qui
magis sancti, magis tributarii. Maiestas constituitur in quaestum, negotiatio religione proscribitur, sanctitas locationem
mendicat; exigitis mercedem pro solo templi, pro aditu sacri,
pro stipitibus, pro ostiis; venditis totam divinitatem, non licet
eam gratis coli; plus denique publicanis reficitur, quam sacerdotibus. Non suffecerat vectigalium deorum contumelia, de
contemptu scilicet aestimanda, nec contenti estis diis honorem
non habuisse, nisi etiam quemcumque habetis, depretietis aliqua
indignitate. Quid enim omnino ad honorandos eos facitis, quod
etiam non mortuis vestris ex aequo praebeatis? Exstruitis
diis templa, aeque mortuis templa; exstruitis aras diis, aeque
mortuis aras; eisdem titulis superscribitis litteras, easdem statuis
inducitis formas, ut cuique ars aut negotium aut aetas fuit;
senex de Saturno, imberbis de Apolline, virgo de Diana figuratur, et miles in Marte, et Vulcano faber ferri consecratur.

Nihil itaque mirum si hostias easdem mortuis, quas et diis caeditis, eosdemque odores crematis.

Ad Nationes, I, x, 34, 35.

512. Can the Prison seem Grievous to the Christian?

Sit nunc, benedicti, carcer etiam Christianis molestus? Vocati sumus ad militiam Dei vivi iam tunc, cum in sacramenti verba respondimus. Nemo miles ad bellum cum deliciis venit; nec de cubiculo ad aciem procedit, sed de papilionibus expeditis et substrictis, ubi omnis duritia et imbonitas et insuavitas constitit. Etiam in pace, labore et incommodis bellum pati iam ediscunt, in armis deambulando, campum decurrendo, fossam moliendo, testudinem densando. Sudore omnia constant, ne corpora atque animi expavescant; de umbra ad solem, de sole ad caelum, de tunica ad loricam, de silentio ad clamorem, de quiete ad tumultum. Proinde vos, benedicti, quodcumque hoc durum est, ad exercitationem virtutum animi et corporis deputate.

Bonum agonem subituri estis, in quo agonothetes Deus vivus est; xystarches, Spiritus sanctus; corona aeternitatis, brabium angelicae substantiae, politia in caelis, gloria in saecula saeculorum. Itaque Epistates vester Christus Iesus, qui vos Spiritu unxit, ad hoc scamma produxit, voluit vos ante diem agonis ad duriorem tractationem a liberiore condicione seponere, ut vires corroborarentur in vobis. Nempe enim et athletae segregantur ad strictiorem disciplinam, ut robori aedificando vacent; continentur a luxuria, a cibis laetioribus, a potu iucundiore. Coguntur, cruciantur, fatigantur; quanto plus in exercitationibus laboraverint, tanto plus de victoria sperant. Et illi, inquit Apostolus, ut coronam corruptibilem consequantur, nos aeternam consecuturi. Carcerem nobis pro palaestra interpretemur, ut ad stadium tribunalis bene exercitati incommodis omnibus producamur; quia virtus duritia exstruitur, mollitia vero destruitur.

Ad Martyr., iii.

513. The Christian Woman should dress plainly.

Non supergrediendum ultra quam simplices et sufficientes
munditiae concupiscunt, ultra quam Domino placet. In illum
enim delinquunt, quae cutem medicaminibus ungunt, genas ru-
bore maculant, oculos fuligine collinunt. Displicet nimirum
illis plastica Dei, in ipsis redarguunt, reprehendunt artificem omnium. Reprehendunt enim, cum emendant, cum adiciunt, utique
ab adversario artifice sumentes additamenta ista, id est diabolo.
Nam quis corpus mutare monstraret, nisi qui et hominis spiritum
malitia transfiguravit? Ille indubitate huius modi ingenia con-
cinnavit, ut in nobis quodam modo manus Deo inferret. Quod
nascitur, opus Dei est; ergo quod fingitur, diaboli negotium est.
Divino operi Satanae ingenia superducere quam scelestum est!
Servi nostri ab inimicis nostris nihil mutuantur; milites ab
hoste imperatoris sui nihil concupiscunt. De adversario enim
eius, in cuius manu sis, aliquid usui postulare, transgressio est.
Christianus a malo illo adiuvabitur in aliquo? Nescio an hoc
nomen ei perseveret. Erit enim eius, de cuius doctrina instrui
concupiscit. Quantum autem a vestris disciplinis et professio-
nibus aliena sunt, quam indigna nomine Christiano faciem fictam
gestare, quibus simplicitas omnis indicitur; effigie mentiri, quibus
lingua non licet; appetere, quod datum non sit, quibus alienum
abstinentiam in specie exercere, quibus studium pudicitiae est!
Credite, benedictae, quomodo praecepta Dei custodietis, linea-
menta eius in vobis non custodientes?

De Cultu Fem., II, v.

THASCIUS CAECILIUS CYPRIANUS,
circ. 200–255 A. D.

514. The Gods are but deified Rulers.

Deos non esse, quos colit vulgus, hinc notum est. Reges olim
fuerunt, qui ob regalem memoriam coli apud suos postmodum
etiam in morte coeperunt. Inde illis instituta templa, inde, ad

defunctorum vultus per imaginem detinendos, expressa simulacra; et immolabant hostias, et dies festos dando honore celebrabant. Inde posteris facta sunt sacra, quae primis fuerant assumpta solatia. Et videamus an stet haec apud singulos veritas.

Melicertes et Leucothea praecipitantur in maria, et fiunt postmodo maris numina. Castores alternis moriuntur ut vivant. Aesculapius, ut in deum surgat, fulminatur. Hercules, ut hominem exuat, Oeteis ignibus concrematur. Apollo Admeti pecus pavit. Laomedonti muros Neptunus instituit, nec mercedem operis infelix structor accepit. Antrum Iovis in Creta visitur, et sepulchrum eius ostenditur, et ab eo Saturnum fugatum esse manifestum est. Inde Latium de latebra eius nomen accepit. Hic litteras imprimere, hic signare nummos in talia, primus instituit; inde aerarium Saturni vocatur. Et rusticitatis hic cultor fuit; inde falcem ferens senex pingitur. Hunc fugatum hospitio Ianus exceperat; de cuius nomine Ianiculum dictum est, et mensis Ianuarius institutus est. Ipse bifrons exprimitur, quod in medio constitutus, annum incipientem pariter et recedentem spectare videatur. Mauri vero manifeste reges colunt nec ullo velamento hoc nomen obtexunt. Inde per gentes et provincias singulas varia deorum religio mutatur, dum non unus ab omnibus deus colitur, sed propria cuique maiorum suorum cultura servatur.

De Idol. Van., i–iii.

M. AURELIUS OLYMPIUS NEMESIANUS,
FL. CIRC. 285 A. D.

515. Lament of Idas for Donace.

Quae colitis silvas, Dryades, quae antra, Napaeae,
Et quae marmoreo pede, Naiades, uda secatis
Litora purpureosque alitis per gramina flores;
Dicite, quo Donacen prato, qua forte sub umbra
Inveniam, roseis stringentem lilia palmis?
Nam mihi iam trini perierunt ordine soles,

Ex quo consueto Donacen expecto sub antro.
Interea, tamquam nostri solamen amoris
Hoc foret aut nostros posset medicare furores,
Nulla meae trinis tetigeruut gramina vaccae
Luciferis, nullo libarunt amne liquores ;
Siccaque fetarum lambentes ubera matrum
Staut vituli et teneris mugitibus aethera complent.
Ipse ego nec iunco molli nec vimine lento
Perfeci calathos cogendi lactis in usus.
Quid tibi, quae nosti, referam? scis mille iuvencas
Esse mihi, nosti numquam mea mulctra vacare.
Ille ego sum, Donace, cui dulcia saepe dedisti
Oscula nec medios dubitasti rumpere cantus
Atque inter calamos errantia labra petisti.
Eheu! nulla meae tangit te cura salutis ?
Pallidior buxo violaeque simillimus erro ;
Omnes ecce cibos et nostri pocula Bacchi
Horreo, nec placido memini concedere somno.
Te sine, vae misero, mihi lilia nigra videntur
Pallentesque rosae nec dulce rubens hyacinthus,
Nullos nec myrtus nec laurus spirat odores !
At tu si venias, et candida lilia fient
Purpureaeque rosae, dulce atque rubens hyacinthus,
Tunc mihi cum myrto laurus spirabit odores.
Nam dum Pallas amat turgentes sanguine bacas,
Dum Bacchus vites, Deo sata, poma Priapus,
Pascua laeta Pales, Idas te diligit unam.

Ecl., II, 20–52.

ARNOBIUS, FL. CIRC. 295 A. D.

516. WHY RAGE AGAINST THE CHRISTIANS?

Et tamen, o magni cultores atque antistites numinum, cur ut irasci populis Christianis augustissimos illos asseveratis deos, ita non advertitis, non videtis, affectus quam turpes, quam indecoras numinibus attribuatis insanias? Quid est enim aliud

irasci, quam insanire, quam furere, quam in ultionis libidinem
ferri, et in alterius doloris cruces, efferati pectoris alienatione
bacchari? Hoc ergo dii magni norunt, perpetiuntur, et sentiunt, quod ferae, quod beluae, quod mortiferae continent vene-
nato in dente natrices. Quod levitas in homine, quod terreno
in animante culpabile est, praestans illa natura, et in perpetuae
virtute firmitatis consistens, scire asseveratur a nobis. Et quid
ergo sequitur necessario, nisi, ut ex eorum luminibus scintillae
emicent, flammae aestuent, anhelum pectus spiritum iaciat ex
ore, et ex verbis ardentibus labrorum siccitas inalbescat?

Adv. Gentes, I, xvii.

517. The Death of Christ compared with that of Pythagoras and Socrates.

Sed patibulo affixus interiit. Quid istud ad causam? Neque
enim qualitas et deformitas mortis dicta eius immutat aut facta,
aut eo minor videbitur disciplinarum eius auctoritas, quia vinculis corporis non naturali dissolutione digressus est, sed vi illata
discessit. Pythagoras Samius suscipione dominationis iniusta
vivus concrematus in fano est: numquid ea, quae docuit, vim
propriam perdiderunt, quia non spiritum sponte, sed crudelitate
appetitus effudit? Similiter Socrates, civitatis suae iudicio damnatus, capitali affectus est poena: numquid irrita facta sunt,
quae sunt ab eo de moribus, virtutibus, et officiis disputata, quia
iniuria expulsus e vita est? Innumerabiles alii gloria, et virtute, et existimatione pollentes, acerbissimarum mortium experti
sunt formas, ut Aquilius, Trebonius, Regulus: numquid idcirco
post vitam iudicati sunt turpes, quia non publica lege fatorum,
sed mortis asperrimo genere lacerati, excruciatique perierunt?
Nemo umquam innocens male interemptus infamis est; nec
turpitudinis alicuius commaculatur nota, qui non suo merito
poenas graves, sed cruciatoris perpetitur saevitate.

Adv. Gentes, I, xl.

518. The True and the False Sacrifice.

Haec cum ita se habeant, cumque sit opinionum tanta nostrarum vestrarumque diversitas, ubi aut nos impii, aut vos pii;

cum ex partium sensibus pietatis debeat atque impietatis ratio
ponderari ? Non enim simulacrum qui sibi aliquod conficit,
quod pro deo veneretur ; aut qui pecus trucidat innoxium, sacrisque incendit altaribus, is habendus est rebus deditus esse divinis.
Opinio religionem facit, et recta de diis mens ; ut nihil eos existimem contra decus praesumptae sublimitatis appetere. Cum
enim cuncta, quae his dantur, sub oculis hic nostris videamus
absumi, quid ad eos aliud ab nobis dicendum est pervenire, nisi
opiniones diis dignas et eorum convenientissimas nomini ? Haec
sunt dona certissima, sacrificia haec vera ; nam pulticulae, tura
cum carnibus rapacium alimenta sunt ignium, et parentalibus
coniunctissima mortuorum.

Adv. Gentes, VII, li.

FLAVIUS VOPISCUS, FL. CIRC. 310 A. D.

519. TRIUMPH OF AURELIAN.

Non absque re est cognoscere, qui fuerit Aureliani triumphus.
Fuit enim speciosissimus. Currus regii tres fuerunt, in his
unus Odenati, argento auro gemmis operosus atque distinctus,
alter, quem rex Persarum Aureliano dono dedit, ipse quoque
pari opere fabricatus, tertius, quem sibi Zenobia composuerat,
sperans se urbem Romanam cum eo visuram. Quod illam non
fefellit, nam cum eo urbem ingressa est victa et triumphata.
Fuit alius currus quattuor cervis iunctus, qui fuisse dicitur regis
Gothorum. Quo, ut multi memoriae tradiderunt, Capitolium
Aurelianus invectus est, ut illic caederet cervos, quos cum
eodem curru captos vovisse Iovi optimo maximo ferebatur.
Praecesserunt elephanti viginti, ferae mansuetae Libycae, Pa-
laestinae diversae ducentae, quas statim Aurelianus privatis
donavit, ne fiscum annonis gravaret ; tigrides quattuor, camelo-
pardali, alces, cetera talia per ordinem ducta ; gladiatorum paria
octingenta, praeter captivos gentium barbarum Blemmyes Ex-
ometae, Arabes, Eudaemones, Indi, Bactrani, Hiberi, Saraceni,
Persae, cum suis quique muneribus ; Gothi, Halani, Roxolani

Sarmatae, Franci, Suevi, Vanduli, Germani, religatis manibus captivi.

Praecesserunt inter hos etiam Palmyreni qui superfuerant principes civitatis et Aegyptii ob rebellionem.

Ductae sunt et decem mulieres, quas virili habitu pugnantes inter Gothos ceperat, cum multae essent interemptae, quas de Amazonum genere titulus indicabat; praelati sunt tituli gentium nomina continentes.

Inter haec fuit Tetricus clamide coccea, tunica galbina, bracis Gallicis ornatus, adiuncto sibi filio, quem imperatorem in Gallia nuncupaverat.

Aurel., xxxiii, xxxiv, 1, 2.

LACTANTIUS FIRMIANUS, FL. CIRC. 320 A. D.

520. THE UNIVERSE REVEALS ONE GOD.

Dicat fortasse aliquis, ne fabricari quidem tam immensum opus mundi, nisi a pluribus potuisse; quamlibet multos, quamlibet magnos faciat, quidquid in multis magnitudinis, potestatis, virtutis, maiestatisque posuerit, id totum in unum confero, et in uno esse dico; ut tantum in eo sit istarum rerum, quantum nec cogitari nec dici potest.

Qua in re quoniam et sensu deficimus et verbis; quia neque tantae intelligentiae lucem pectus humanum, neque explanationem tantarum rerum capit lingua mortalis; id ipsum intelligere nos oportet ac dicere.

Video rursus quid e contrario dici possit; tales esse illos plures, qualem nos volumus unum. At hoc fieri nullo pacto potest, quod singulorum potestas progredi longius non valebit, occurrentibus sibi potestatibus ceterorum. Necesse est enim ut suos quisque limites aut transgredi nequeat, aut si transgressus fuerit, suis alterum finibus pellat. Non vident, qui deos multos esse credunt, fieri posse ut aliqui diversum velint; ex qua re disceptatio inter eos et certamen oriatur; sicut Homerus bellantes inter se deos finxit, cum alii Troiam capi vellent,

alii repugnarent.   Unius igitur arbitrio mundum regi necesse
est.   Nisi enim singularum partium potestas ad unam provi-
dentiam referatur, non poterit summa ipsa constare ; unoquoque
nihil curante amplius, quam quod ad eum proprie pertinet ;
sicut ne res quidem militaris, nisi unum habeat ducem atque
rectorem.   Quod si in uno exercitu tot fuerint imperatores,
quot legiones, quot cohortes, quot cunei, quot alae, primum nec
instrui poterit acies, unoquoque periculum recusante ; nec regi
facile aut temperari, quod suis propriis consiliis utantur omnes,
quorum diversitate plus noceant, quam prosint ; sic in hoc rerum
naturae imperio, nisi unus fuerit, ad quem totius summae cura
referatur, universa solventur, et corruent.

Divin. Instit., I, iii.

521. The Spirit of the Martyrs.

Si ergo ipsi, cum deos sibi arbitrantur iratos, tamen donis et
sacrificiis, et odoribus placari eos credunt ; quid est tandem, cur
deum nostrum tam immitem, tam implacabilem putent, ut videatur is iam Christianus esse non posse, qui diis eorum coactus
invitusque libaverit ?   Nisi forte contaminatos semel putant
animum translaturos ; ut sua sponte iam facere incipiant, quod
per tormenta fecerunt.   Quis id officium libens obeat, quod ab
iniuria coepit ?   Quis cum videat laterum suorum cicatrices, non
magis oderit deos, propter quos aeterna poenarum insignia, et
impressas visceribus suis notas gestet ?   Ita fit ut, data divinitus
pace, et qui fuerint aversi, redeant, et alius propter miraculum
virtutis novus populus accedat.   Nam cum videat vulgus lacerari
homines variis tormentorum generibus, et inter fatigatos carnifices invictam tenere patientiam, existimant, id quod res est, non
consensum tam multorum, nec perseverantiam morientum vanam
esse, nec ipsam patientiam sine deo cruciatus tantos posse superare.   Latrones et robusti corporis viri eiusmodi lacerationes
perferrre nequeunt ; exclamant, et gemitus edunt ; vincuntur
enim dolore, quia deest illis inspirata patientia.   Nostri autem
(ut de viris taceam) pueri, et mulierculae, tortores suos taciti
vincunt ; et exprimere illis gemitum nec ignis potest.   Eant
Romani, et Mutio glorientur, aut Regulo ; quorum alter necan-
dum se hostibus tradidit, quod captivum puduit vivere ; alter ab

hostibus deprehensus, cum videret se mortem vitare non posse,
manum foco iniecit, ut pro suo facinore satisfaceret hosti, quem
voluit occidere, eaque poena veniam, quam non meruerat, accepit. Ecce sexus infirmus, et fragilis artos dilacerari se toto corpore urique perpetitur, non necessitate, quia licet vitare, si
vellent, sed voluntate, quia confidunt Deo.[1]

Divin. Instit., V, xiii.

DECIMUS MAGNUS AUSONIUS, 310–395 A. D.

522. EPHEMERIS.

Mane iam clarum reserat fenestras,
Iam strepit nidis vigilax hirundo;
Tu velut primam mediamque noctem,
　　Parmeno, dormis.

Dormiunt glires hiemem perennem,
Sed cibo parcunt; tibi causa somni,
Multa quod potas nimiaque caedis
　　Mole saginam.

Inde nec flexas sonus intrat aures,
Et locum mentis sopor altus urget
Nec coruscantis oculos lacessunt
　　Fulgura lucis.

Annuam quondam iuveni quietem,
Noctis et lucis vicibus manentem,
Fabulae fingunt, cui Luna somnos
　　Continuarit.

Surge, nugator, lacerande virgis;
Surge, ne longus tibi somnus, unde
Non times, detur; rape membra molli,
　　Parmeno, lecto.

[1] For references on Lactantius and the other late writers, see Kelsey's
'Topical Outline of Latin Literature,' pp. 25–32.

Fors et haec somnum tibi cantilena
Sapphico suadet modulata versu?
Lesbiae depelle modum quietis,
    Acer iambe.

523. THE POET TO HIS READER.

Carminis incompti tenuem lecture libellum,
    Pone supercilium.
Seria contractis expende poemata rugis;
    Nos Thymelen sequemur.

Bissula in hoc scedio cantabitur, haut Erasinus,
    Admoneo, ante bibas.
Ieiunis nil scribo; meum post pocula si quis
    Legerit, hic sapiet.
Sed magis hic sapiet, si dormiet et putet ista
    Somnia missa sibi.

AMMIANUS MARCELLINUS 330–400 A. D.

524. DESCRIPTION OF THE CROCODILE.

Inter aquatiles autem bestias crocodilus ubique per eos tractus
abundat, exitiale quadrupes malum, adsuetum elementis am-
bobus, lingua carens, maxillam superiorem commovens solum,
ordine dentium pectinato, perniciosis morsibus quicquid conti-
gerit pertinaciter petens, per ova edens fetus anserinis similia.
Utque armatus est unguibus, si haberet etiam pollices, ad evertendas quoque naves sufficeret viribus magnis; ad cubitorum
enim longitudinem octodecim interdum extentus, noctibus quie-
scens per undas, diebus humi versatur confidentia cutis, quam
ita validam gerit, ut eius terga cataphracta vix tormentorum
ictibus perforentur. Et saevientes semper eaedem ferae quasi
pacto foedere quodam castrensi per septem caerimonios dies

mitescunt ab omni saevitia desciscentes, quibus sacerdotes
Memphi natales celebrant Nili. Praeter eos autem, qui fortuita pereunt morte, alii dirumpuntur suffossis alvis mollibus
serratis ferarum dorsalibus cristis, quas delphinis similes nutrit
fluvius ante dictus, alii exitio intereunt tali. Trochilus avicula
brevis dum escarum minutias captat, circa cubantem feram voli-
tans blande, genasque eius iuritatatius titillando pervenit ad
usque ipsam viciniam gutturis. Quod factum contuens enhy-
drus ichneumonis genus oris aditum penetrat alite praevia pate-
factum et populato ventre, vitalibus dilancinatis erumpit. Audax
tamen crocodilus monstrum fugacibus; ubi audacem senserit,
timidissimum, et in terra acutius cernens, per quattuor menses
hibernos nullo vesci dicitur cibo.

XXII, xv, 15-20.

HIERONYMUS, 331–420 A. D.

525. A Hebrew Prophecy.

Et ibunt populi multi, et dicent:
Venite, ascendamus ad montem Domini, et ad domum Dei
  Iacob,
  et docebit nos vias suas,
  et ambulabimus in semitis eius;
Quia de Sion exibit lex,
  et verbum Domini de Ierusalem,
Et iudicabit gentes,
  et arguet populos multos;
  et conflabunt gladios suos in vomeres,
  et lanceas suas in falces;
Non levabit gens contra gentem gladium,
  nec exercebuntur ultra ad proelium.
Domus Iacob, venite,
  ambulemus in lumine Domini.
Proiecisti enim populum tuum, domum Iacob;
  quia repleti sunt ut olim
  et augures habuerunt ut Philisthim,
  et pueris alienis adhaeserunt.

Repleta est terra argento et auro,
  et non est finis thesaurorum eius;
Et repleta est terra eius equis,
  et innumerabiles quadrigae eius.
Et repleta est terra eius idolis;
  opus manuum suarum adoraverunt, quod fecerunt digiti
    eorum.
Et incurvatus est homo, et humiliatus est vir;
  ne ergo dimittas eis.
Ingredere in petram;
  abscondere fossa humo a facie timoris Domini,
  et a gloria maiestatis eius.
Oculi sublimis hominis humiliati sunt,
  et incurvabitur altitudo virorum,
  exaltabitur autem Dominus solus in die illa
Quia dies Domini exercituum super omnem superbum, et
    excelsum,
  et super omnem arrogantem, et humiliabitur;
Et super omnes cedros Libani sublimes et erectas,
  et super omnes quercus Basan;
Et super omnes montes excelsos,
  et super omnes colles elevatos;
Et super omnem turrem excelsam,
  et super omnem murum munitum;
Et super omnes naves Tharsis,
  et super omne quod visu pulchrum est.
Et incurvabitur sublimitas hominum,
  et humiliabitur altitudo virorum,
  et elevabitur Dominus solus in die illa;
  et idola penitus conterentur.
Et introibunt in speluncas petrarum et in voragines terrae,
    a facie formidinis Domini, et a gloria maiestatis eius,
  cum surrexerit percutere terram.

Lib. Isaiae, II, A–C.

AMBROSIUS, CIRC. 340–397 A. D.

526. DEATH A BLESSING.

Nunc illud specta: si vita oneri, mors absolutioni; si vita
supplicio, mors remedio; aut si iudicium post mortem, etiam vita
post mortem. Vita igitur hic non est bona; aut si hic vita bona,
quomodo mors illic non est bona, cum ibi nullus supersit terribilis
iudicii metus? Sed ipsa hic vita bona si est, quibus rebus bona
est? Virtute utique, et bonis moribus. Non ergo secundum
animae et corporis copulam bona est; sed quia per virtutem quod
malum est suum repellit; quod autem bonum est mortis, adipi-
scitur; ut quod animae est, magis quam id quod contubernii et
coniunctionis operetur.

Quod si vita bona, quae animae se a corpore separantis est
speculum, etsi anima bona quae se elevat atque abducit a corporis
contubernio; et mors utique est bonum, quae animam a societate carnis huius absolvit et liberat.

Omnifariam igitur mors est bonum; et quia compugnantia
dividit, ne se invicem impugnent; et quia portus quidam est
eorum qui magno vitae istius iactati salo, fidae quietis stationem
requirunt; et quia deteriorem statum non efficit; sed qualem in
singulis invenerit, talem iudicio futuro reservat, et quiete ipsa
fovet, et praesentium invidiae subducit, et futurorum exspectatione componit. Accedit eo, quod frustra homines mortem timent,
quasi finem naturae. Nam si recolamus quod Deus mortem non
fecerit; sed postquam homo lapsus in flagitium est praevari-
cationis et fraudis, sententia eum comprehenderit, ut in terram
suam terra remearet, inveniemus mortem finem esse peccati;
ne quo esset vita diuturnior, eo fieret culpa numerosior. Passus
est igitur Dominus subintrare mortem, ut culpa cessaret. Sed
ne iterum naturae finis esset in morte, data est resurrectio
mortuorum; ut per mortem culpa deficeret, per resurrectionem
autem perpetuaretur natura. Ideoque mors haec transitus uni-
versorum est. Opus est, ut constanter transeas. Transitus autem
a corruptione ad incorruptionem, a mortalitate ad immortalitatem,
a perturbatione ad tranquillitatem. Non igitur nomen te mortis

offendat, sed boni transitus beneficia delectent. Quid est enim
mors, nisi sepultura vitiorum, virtutum suscitatio? Unde et ille
ait: *Moriatur anima mea in animis iustorum,* id est, conse-
peliatur, ut sua vitia deponat, iustorum assumat gratiam qui
mortificationem Christi in corpore suo atque anima circumferunt.
Mortificatio autem Christi, remissio peccatorum, abolitio criminum, erroris oblivio, assumptio gratiarum est. Quid autem de
bono mortis plenius possumus dicere, quam quod mors est quae
mundum redemit?

De Bono Mortis, iv, 14, 15.

527. TITUS AT THE SIEGE OF JERUSALEM.

Fatigatus itaque clamoribus Caesar, gradum retulit, cum
flamma adhuc conclavia templi depascebatur. Quibus deustis, in
ipsam aedem se furens intulit. Qua specie plerique exanimati;
alii se in ipsos misere ignes, quorum oculi ferre non poterant, ut
superstites templo reservarentur. Rursus concurrit Titus cupiens cuiusmodi aedis esset circumspectare. Cuius gratia motus,
praecellentiorem omnium templorum fuisse operibus fatebatur.
Mirabatur saxorum magnitudinem, metalli nitorem, venustatem
operis, gratiam pulchritudinis. Nec immerito tantam fuisse loci
celebritatem pronuntiabat, ut eo ex locis omnibus conveniretur,
quia tantum non nisi summi Dei crederetur esse domicilium.
Adiungebat honos fidem religionis, quo etiam barbarorum gentes
templum illud venerabantur; et inferebant munera praedones
religionis, quae tamen tunc diripiebant sui, et disperdebant
latrones, irruentes in omnia quae deposita viduarum fuerant vel
pupillorum, tamquam de victoribus vindicaretur, si quid ex
praeda Romanis minueretur.

Templum quoque ardere conspicientes, ipsi incendebant cetera.
ne quod excidio templi superstes esset aedificium; religioni
deputantes, si omnia cum templo perirent. Nec adhuc tamen
Iudaei perfidiam deponebant; quae causa maioris excidii fuit.
Nam cum animi multorum inflecterentur, ut se facto agmine Romanis traderent, pseudopropheta quidam iactare coepit in excessu
mentis suae, templo divina praesidia non defutura, vocare
populum ad se velut quodam oraculo, adhuc se in templo suo
manere illico repulsurum hostium cuneos, flammarum incendia.

Sic miseri dum infeliciter falsis circumventionibus credunt, dedecores atque inulti sicut pecora trucidabantur. Qui si voluissent credere, evidentia imminentis signa excidii habebant; quibus veluti claris vocibus admonebantur, finem sibi affore.

De Excid. Hieros., V, xliii.

AURELIUS VICTOR, FL. CIRC. 360 A. D.

528. THE ACCESSION OF CLAUDIUS.

Interim dum senatus decreto gentem Caesarum, etiam muliebri sexu, omnemque affinitatem armati persequuntur, forte unus, ortus Epiri, e cohortibus, quae palatium per opportunos locos obsidebant, Tib. Claudium occultantem se reperit deformi latebra; protractoque eo, exclamat apud socios, si sapiant adesse principem. Et sane quia vecors erat, mitissimus videbatur imprudentibus; quae res adversum nefariam patrui Neronis mentem auxilio, neque apud fratris filium invidiae fuit; quin etiam militares plebisque animos conciliaverat, dum, flagrante suorum dominatione, ipse contemptui miserabilior haberetur. Talia plerisque memorantibus, repente eum, nullo retractante, quae aderant turbae circumsistunt, simulque affluebant reliqui militum et vulgi magna vis. Quod ubi patres accepere, mittunt ocius ausum comprimere. Sic postquam variis tetrisque seditionibus civitas cunctique ordines lacerabantur, tamquam ex imperio omnes dedere se. Ita Romae regia potestas firmata, proditumque apertius, mortalium conatus vacuos a fortuna cassosque esse.

De Caes., iii, 15–19.

EUTROPIUS, FL. CIRC. 375 A. D.

529. CHARACTER OF CONSTANTINE.

Vir primo imperii tempore optimis principibus, ultimo
mediis comparandus. Innumerae in eo animi corporisque
virtutes claruerunt. Militis gloriae appetentissimus, fortuna in
bellis prospera fuit, verum ita, ut non superaret industriam.
Nam etiam Gothos post civile bellum varie profligavit, pace ad
postremum data, ingentemque apud barbaras gentes memoriae
gratiam collocavit. Civilibus artibus et studiis liberalibus deditus, affectator iusti amoris, quem omni sibi et liberalitate et do-
cilitate quaesivit, sicut in nonnullos amicos dubius, ita in reliquos
egregius, nihil occasionum praetermittens, quo opulentiores eos
clarioresque praestaret.

Multas leges rogavit, quasdam ex bono et aequo, plerasque
superfluas, nonnullas severas ; primusque urbem nominis sui ad
tantum fastigium evehere molitus est, ut Romae aemulam
faceret. Bellum adversus Parthos moliens, qui iam Mesopota-
miam fatigabant, uno et trigesimo anno imperii, aetatis sexto et
sexagesimo, Nicomediae in villa publica obiit. Denuntiata
mors eius etiam per crinitam stellam. quae inusitatae magnitudinis aliquamdiu fulsit; eam Graeci κομήτην vocant. Atque
inter divos meruit referri.

X, vii, viii.

Q. AURELIUS SYMMACHUS, 345–415 A. D.

530. A Letter to his Father.

In metu fuimus, ne vos imber inhiberet. Sed verum est illud, quod poeta noster scriptum reliquit : iter durum vicisse pietatem. Quare adventum vestri in diem placitam praestolamur. Dii modo auctores sint, ut quae animo destinatis, nullis causationibus obstrepantur. Vale.

I, ix.

531. Letter to Ausonius.

Aiunt cochleas, cum sitiunt aeris, atque illis de caelo nihil liquitur, succo proprio victitare. Ea res mihi usu venit, qui desertus eloquii tui pastu, meo adhuc rore sustentor.

Diu scribendi operam protulisti et vereor ne forte in nos parentis claudat affectio. Si falsum me opinio habet, facito ceteris negotiis tuis respondendi cura praevertat. Vale.

I, xxxiii

532. Letter to Rufinus.

Adhuc siles. Sed loquacitas mea non cohibetur exemplo, et est otium mihi ad verborum copiam commodum. Nam ruri sum, nec tamen rusticor. Tantum de ripa Tiberis (nam per fines meos fluvius elabitur) onusta specto navigia ; non iam sollicitus, ut ante, de fame civium. Versus est namque ex inopia in gaudium publicus metus, postquam venerabilis pater patriae Macedonicis commeatibus Africae damna pensavit ; quem nunc omnes altorem generis humani deum diligunt. Nihil enim passus est austris contumacibus adversus Romam licere. Ergo de mei agris speculo peregrinarum navium numero transcursus, et gaudeo victum populi Romani, non fata provinciarum, devotione, qua soles non occulere bonum publicum.

Merito parcius loquor, tuae facundiae relinquens, ut haec ornatius, si ita placebit, insinues, quae nos inculta veritate narravimus. Vale.

III, lxxxii.

FLAVIUS VEGETIUS RENATUS,
FL. CIRC. 400 A. D.

533. EXPERIENCE, NOT STRENGTH, BRINGS SUCCESS IN WAR.

In omni autem proelio non tam multitudo et virtus indocta quam ars et exercitium solent praestare victoriam. Nulla enim alia re videmus populum Romanum orbem subegisse terrarum nisi armorum exercitio, disciplina castrorum usuque militiae. Quid enim adversus Gallorum multitudinem paucitas Romana valuisset? Quid adversus Germanorum proceritatem brevitas potuisset audere? Hispanos quidem non tantum numero sed et viribus corporum nostris praestitisse manifestum est. Afrorum dolis atque divitiis semper impares fuimus. Graecorum artibus prudentiaque nos vinci nemo dubitavit. Sed adversus omnia profuit tironem sollerter eligere, ius, ut ita dixerim, armorum docere, cotidiano exercitio roborare, quaecumque evenire in acie atque proeliis possunt, omnia in campestri meditatione praenoscere, severe in desides vindicare. Scientia enim rei bellicae dimicandi nutrit audaciam. Nemo facere metuit quod se bene didicisse confidit. Etenim in certamine bellorum exercitata paucitas ad victoriam promptior est, rudis et indocta multitudo exposita semper ad caedem.

Epit. Rei Militaris, I, i.

CLAUDIUS CLAUDIANUS, FL. CIRC. 400 A. D.

534. DOUBT AS TO THE EXISTENCE OF THE GODS.

Saepe mihi dubiam traxit sententia mentem,
Curarent superi terras, an nullus inesset
Rector, et incerto fluerent mortalia casu.
Nam cum dispositi quaesissem foedera mundi,
Praescriptosque mari fines, annisque meatus,
Et lucis noctisque vices; tunc omnia rebar

Consilio firmata Dei, qui lege moveri
Sidera, qui fruges diverso tempore nasci,
Qui variam Phoeben alieno iusserit igni
Compleri, solemque suo ; porrexerit undis
Litora ; tellurem medio libraverit axe.
Sed cum res hominum tanta caligine volvi
Aspicerem, laetosque diu florere nocentes,
Vexarique pios, rursus labefacta cadebat
Religio, causaeque viam non sponte sequebar
Alterius, vacuo quae currere semina motu
Affirmat, magnumque novas per inane figuras
Fortuna, non arte regi ; quae numina sensu
Ambiguo vel nulla putat, vel nescia nostri.

In Rufinum, I, 1–19.

535. DESCRIPTION OF AETNA.

In medio scopulis se porrigit Aetna perustis ;
Aetna Giganteos numquam tacitura triumphos,
Enceladi bustum, qui saucia terga revinctus
Spirat inexhaustum flagranti pectore sulfur ;
Et quotiens detrectat onus cervice rebelli
In dextrum laevumque latus, tunc insula fundo
vellitur, et dubiae nutant cum moenibus urbes.

Aetnaeos apices solo cognoscere visu,
Non aditus tentare, licet ; pars cetera frondet
Arboribus ; teritur nullo cultore cacumen.
Nunc vomit indigenas nimbos, piceaque gravatum
Foedat nunc diem ; nunc molibus astra lacessit
Terrificis, damnisque suis incendia nutrit.
Sed, quamvis nimio fervens exuberet aestu,
Scit nivibus servare fidem, pariterque favillis
Durescit glacies, tanti secura vaporis,
Arcano defensa gelu ; fumoque fideli
Lambit contiguas innoxia flamma pruinas.

Quae scopulos tormenta rotant ? quae tanta cavernas
Vis glomerat ? quo fonte ruit Volcanius amnis ?
Sive quod obiicibus discurrens ventus opertis
Offenso per saxa furit rimosa meatu.

Dum scrutatur iter, libertatemque reposcens
Putria multivagis populatur flatibus antra;
Seu mare sulfurei ductum per viscera montis
Oppressis ignescit aquis, et pondera librat.

De Rapt. Proserp., I, 151–176.

536. On an Old Man of Verona.

Felix, qui patriis aevum transegit in agris,
　Ipsa domus puerum quem videt, ipsa senem;
Qui baculo nitens, in qua reptavit arena;
　Unius numerat saecula longa casae.
Illum non vario traxit Fortuna tumultu,
　Nec bibit ignotas mobilis hospes aquas.
Non freta mercator tremuit, non classica miles;
　Non rauci lites pertulit ille fori.
Indocilis rerum, vicinae nescius urbis,
　Aspectu fruitur liberiore poli.
Frugibus alternis, non consule, computat annum;
　Autumnum pomis, ver sibi flore notat.
Idem condit ager soles, idemque reducit;
　Metiturque suo rusticus orbe diem
Ingentem meminit parvo qui germine quercum
　Aequaevumque videt consenuisse nemus.
Proxima cui nigris Verona remotior Indis,
　Benacumque putat litora rubra lacum.
Sed tamen indomitae vires, firmisque lacertis
　Aetas robustum tertia cernit avum.
Erret, et extremos alter scrutetur Hiberos.
　Plus habet hic vitae, plus habet ille viae.

Epig, **II.**

AURELIUS PRUDENTIUS CLEMENS,
348–410 A. D.

537. The Martyrdom of Cyprian.

Fama retert, foveam campi in medio patere iussam,
Calce vaporifera summos prope margines refertam ;
Saxa recocta vomunt ignem niveusque pulvis ardet,
Urere tacta potens et mortifer ex odore flatus.
Adpositam memorant aram fovea stetisse summa
Lege sub hac, salis aut micam iecur aut suis litarent
Christicolae, aut mediae sponte inruerent in ima fossae.
Prosiluere alacres cursu rapido simul trecenti ;
Gurgite pulvereo mersos liquor aridus voravit,
Praecipitemque globum fundo tenus inplicavit imo,
Corpora candor habet, candor vehit ad superna mentes,
Candida Massa dehinc dici meruit per omne seclum.
Laetior interea iam Thascius ob diem suorum
Sistitur indomiti proconsulis eminus furori.
Edere iussus erat, quid viveret, ' Unicultor,' inquit,
' Trado salutiferi mysteria consecrata Christi.'
Ille sub haec : ' Satis est iam criminis, ipse confitetur
Thascius, ipse Iovis fulmen negat, expedite ferrum,
Carnifices ; gladio poenam luat hostis idolorum.'
Ille Deo meritas grates agit et canit triumphans.
Flevit obire virum maesta Africa, quo docente facta est
Cultior, eloquio cuius sibi docta gloriatur,
Mox tumulum lacrimans struxit cineresque consecravit.
Desine flere bonum tantum, tenet ille regna caeli,
Nec minus involitat terris, nec ab hoc recedit orbe,
Disserit, eloquitur, tractat, docet, instruit, prophetat.
Nec Libyae populos tantum regit, exit usque in ortum
Solis et usque obitum ; Gallos fovet, inbuit Britannos,
Praesidet Hesperiae, Christum serit ultimis Hiberis.
Denique doctor humi est, idem quoque martyr in supernis,
Instruit hic homines, illinc pia dona dat patronus.

Peristephanon, xiii, 76–106.

AURELIUS AUGUSTINUS, 354–430 A. D.

538. The Charm of Pagan Learning.

Quid autem erat causae cur Graecas litteras oderam, quibus puerulus imbuebar, ne nunc quidem mihi satis exploratum est. Adamaveram enim Latinas, non quas primi magistri, sed quas docent qui grammati vocantur. Nam illas primas ubi legere et scribere et numerare discitur, non minus onerosas poenalesque habebam, quam omnes Graecas. Unde tamen et hoc nisi de peccato et vanitate vitae, quia caro eram, et spiritus ambulans et non revertens? Nam utique meliores, quia certiores erant primae illae litterae, quibus fiebat in me, et factum est, et habeo illud ut et legam si quid scriptum invenio, et scribam ipse si quid volo, quam illae quibus tenere cogebar Aeneae nescio cuius errores, oblitus errorum meorum; et plorare Didonem mortuam, quia se occidit ob amorem, cum interea me ipsum in his a te morientem, Deus vita mea, siccis oculis ferrem miserrimus.

Quid enim miserius misero non miserante seipsum, et flente Didonis mortem, quae fiebat amando Aeneam; non flente autem mortem suam, quae fiebat non amando te, Deus, lumen cordis mei, et panis oris intus animae meae, et virtus maritans mentem meam et sinum cogitationis meae? Non te amabam, et fornicabar abs te, et fornicanti sonabat undique, Euge, euge. Amicitia enim mundi huius, fornicatio est abs te, et Euge, euge dicitur, ut pudeat si non ita homo sit. Et haec non flebam, sed flebam Didonem *exstinctam, ferroque extrema* secutam, sequens ipse extrema condita tua, relicto te, et terra iens in terram; et si prohiberer ea legere, dolerem, quia non legerem quod dolerem. Talis dementia honestiores et uberiores litterae putantur, quam illae quibus legere et scribere didici.

Sed nunc in anima mea clamet, Deus meus, et veritas tua dicat mihi: non est ita, non est ita; melior est prorsus doctrina illa prior. Nam ecce paratior sum oblivisci errores Aeneae, atque omnia eiusmodi, quam scribere et legere. At enim vela pendent liminibus grammaticarum scholarum; sed non illa magis honorem secreti, quam tegumentum erroris significant. Non

clament adversus me, quos iam non timeo, dum confiteor tibi
quae vult anima mea, Deus meus, et acquiesco in reprehensione
malarum viarum mearum, ut diligam bonas vias tuas.   Non
clament adversum me venditores grammaticae, vel emptores;
quia si proponam eis, interrogans utrum verum sit quod Aeneam
aliquando Carthaginem venisse poeta dicit; indoctiores se nescire respondebunt, doctiores autem etiam negabunt verum esse.
At si quaeram quibus litteris scribatur Aeneae nomen, omnes
mihi, qui haec didicerunt, verum respondebunt; secundum id
pactum et placitum, quo inter se homines ista signa firmarunt.
Item, si quaeram quid horum maiore vitae huius incommodo,
quisque obliviscatur, legere et scribere, an poetica illa figmenta;
quis non est penitus oblitus sui? Peccabam ergo puer cum illa
inania istis utilioribus amore praeponebam, vel potius ista
oderam, illa amabam.   Iamvero unum et unum duo, duo et duo
quattuor, odiosa cantio mihi erat; et dulcissimum spectaculum
vanitatis equus ligneus plenus armatis, et Troiae incendium,
atque ipsius umbrae Creusae.

Confess., I, xiii.

539. The Decline of Rome before the Coming of Christ.

Ecce Romana res publica (quod non ego primus dico, sed
auctores eorum, unde haec mercede didicimus, tanto ante dixerunt ante Christi adventum) ' paulatim mutata ex pulcherrima
atque optima pessima atque flagitiosissima facta est.'   Ecce
ante Christi adventum, post deletam Carthaginem 'maiorum
mores non paulatim, ut antea, sed torrentis modo praecipitati,
adeo iuventus luxu atque avaritia corrupta est.'   Legant nobis
contra luxum et avaritiam praecepta deorum suorum populo
Romano data; cui utinam tantum casta et modesta reticerent,
ac non etiam ab illo probrosa et ignominiosa deposcerent, quibus
per falsam divinitatem perniciosam conciliarent auctoritatem !

Legant nostra et per prophetas et per sanctum evangelium,
et per apostolicos actus et per epistulas tam multa contra avaritiam atque luxuriam ubique populis ad hoc congregatis quam
excellenter, quam divine, non tamquam ex philosophorum con-
certationibus strepere, sed tamquam ex oraculis et Dei nubibus

intonare. Et tamen luxu atque avaritia saevisque ac turpibus moribus ante adventum Christi rem publicam pessimam ac flagitiosissimam factam non inputant diis suis ; adflictionem vero eius, quamcumque isto tempore superbia deliciaeque eorum perpessae fuerint, religioni increpitant Christianae. Cuius praecepta de iustis probisque moribus si simul audirent et curarent reges terrae et omnes populi, principes et omnes iudices terrae, iuvenes et virgines, seniores cum iunioribus, aetas omnis capax et uterque sexus, et quos baptista Iohannes adloquitur, exactores ipsi et milites ; et terras vitae praesentis ornaret sua felicitate res publica, et vitae aeternae culmen beatissime regnatura conscenderet. Sed quia iste audit, ille contemnit, pluresque vitiis male blandientibus quam utili virtutum asperitati sunt amiciores ; tolerare Christi famuli iubentur, sive sint reges sive principes sive iudices, sive milites sive provinciales, sive divites sive pauperes, sive liberi sive servi, utriuslibet sexus, etiam pessimam, si ita necesse est, flagitiosissimamque rem publicam et in illa angelorum quadam sanctissima atque augustissima curia caelestique re publica, ubi Dei voluntas lex est, clarissimum sibi locum etiam ista tolerantia comparare.

De Civ. Dei, II, xix.

540. The Power of the Almighty.

Deus igitur ille felicitatis auctor et dator, quia solus est verus Deus, ipse dat regna terrena et bonis et malis, neque hoc temere et quasi fortuito, quia Deus est, non fortuna, sed pro rerum ordine ac temporum occulto nobis, notissimo sibi ; cui tamen ordini temporum non subditus servit, sed eum ipse tamquam dominus regit moderatorque disponit ; felicitatem vero non dat nisi bonis. Hanc enim possunt et non habere et habere servientes, possunt et non habere et habere regnantes ; quae tamen plena in ea vita erit, ubi nemo iam serviet. Et ideo regna terrena et bonis ab illo dantur, et malis, ne eius cultores adhuc in provectu animi parvuli haec ab eo munera quasi magnum aliquid concupiscant. Et hoc est sacramentum veteris testamenti, ubi occultum erat novum, quod illic promissa et dona terrena sunt, intellegentibus et tunc spiritalibus, quamvis

nondum in manifestatione praedicantibus, et quae illis tempo-
ralibus rebus significaretur aeternitas et in quibus Dei donis esset
vera felicitas.

De Civ. Dei, IV, xxxiii.

541. THE HAPPINESS OF HEAVEN.

Quanta erit illa felicitas, ubi nullum erit malum, nullum late-
bit bonum, vacabitur Dei laudibus, qui erit omnia in omnibus!
Nam quid aliud agatur, ubi neque ulla desidia cessabitur neque
ulla indigentia laborabitur, nescio. Admoneor etiam sancto
cantico, ubi lego vel audio: *Beati, qui habitant in domo tua, in
saecula saeculorum laudabunt te.* Omnia membra et viscera
incorruptibilis corporis, quae nunc videmus per usus necessitatis
varios distributa, quoniam tunc non erit ipsa necessitas, sed
plena certa, secura sempiterna felicitas, proficient in laudibus
Dei. Omnes quippe illi, de quibus iam sum locutus, qui nunc
latent, harmoniae corporalis numeri non latebunt, intrinsecus et
extrinsecus per corporis cuncta dispositi; et cum ceteris rebus,
quae ibi magnae atque mirabiles videbuntur, rationales mentes
in tanti artificis laudem rationabilis pulchritudinis delectatione
succendent. Qui motus illic talium corporum sint futuri, temere
definire non audeo, quod excogitare non valeo: tamen et motus
et status, sicut ipsa species, decens erit, quicumque erit, ubi
quod non decebit non erit. Certe ubi volet spiritus, ibi erit
protinus corpus; nec volet aliquid spiritus, quod nec spiritum
posset decere nec corpus. Vera ibi gloria erit, ubi laudantis
nec errore quisquam nec adulatione laudabitur; verus honor,
qui nulli negabitur digno, nulli deferetur indigno; sed nec ad
eum ambiet ullus indignus, ubi nullus permittetur esse nisi dignus; vera pax, ubi nihil adversi nec a se ipso nec ab aliquo
quisque patietur. Praemium virtutis erit ipse, qui virtutem
dedit eique se ipsum, quo melius et maius nihil possit esse,
promisit. Quid est enim aliud quod per prophetam dixit: *Ero
illorum Deus, et ipsi erunt mihi plebs,* nisi: 'Ego ero unde
satientur, ego ero quaecumque ab hominibus honeste desideran-
tur, et vita et salus, et victus, et copia et gloria et honor et pax
et omnia bona?' Sic enim et illud recte intellegitur, quod ait
apostolus: *Ut sit Deus omnia in omnibus.* Ipse finis erit desi-

deriorum nostrorum, quod sine fine videbitur, sine fastidio amabitur, sine fatigatione laudabitur. Hoc munus, hic affectus, hic actus profecta erit omnibus, sicut ipsa vita aeterna, communis.

De Civ. Dei, XXII, xxx.

MARTIANUS CAPELLA, FL. CIRC. 410 A. D.

542. THE PRONUNCIATION OF THE ROMAN LETTERS.

Namque A sub hiatu oris congruo solo spiritu memoramus.

B labris per spiritus impetum reclusis edicimus.

C molaribus super linguae extrema appulsis exprimitur.

D appulsu linguae circa superiores dentes innascitur.

E spiritus facit lingua paululum pressiore.

F dentes labrum inferius deprimentes.

G spiritus cum palato.

H contractis paululum faucibus ventus exhalat.

I spiritus prope dentibus pressis.

K faucibus palatoque formatur.

L lingua palatoque dulcescit.

M labris inprimitur.

N lingua dentibus appulsa conlidit.

O rotundi oris spiritu conparatur.

P labris spiritu erumpit.

Q appulsu palati ore restricto.

R spiritum lingua crispante conraditur.

S sibilum facit dentibus verberatis.

T appulsu linguae dentibusque inpulsis extruditur.

V ore constricto labrisque prominulis exhibetur.

X quicquid C atque S formavit exsibilat.

Y appressis labris spirituque procedit.

Z vero idcirco Appius Claudius detestatur quod dentes mortui dum exprimitur imitatur.

iii. 261.

PAULUS OROSIUS, fl. circ. 415 A. D.

543. The Tyrant Phalaris.

Ea tempestate Phalaris Siculus Agrigentinos arrepta tyrannide populabatur. Qui crudelis mente, commentis crudelior,
omnia nefaria in innocentes agens, invenit aliquando quam iuste
puniret iniustus. Nam Perillus quidam aeris opifex affectans
tyranni amicitiam, aptum munus crudelitati illius ratus, taurum
aeneum fecit, cui fabricae ianuam latere composuit, quae ad
contrudendos damnatos receptui foret; ut cum inclusus ibidem
subiectis ignibus torreretur, sonum vocis extortae capacitas con-
cavi aeris augeret, pulsuque ferali competens imagini murmur
emitteret nefarioque spectaculo mugitus pecudis, non hominis
gemitus videretur. Sed Phalaris, factum amplexus, factorem
exsecratus, et ultioni materiam praebuit, et crudelitati; nam
ipsum opificem sua inventione punivit. Fuerat etiam paulo
superiore tempore apud Latinos rex Aremulus, qui per annos
octodecim flagitiis impietatibusque crescens, ad postremum divino
iudicio fulmine interceptus, matura supplicia immotura aetate
disso.vit. Eligant nunc (si videtur) Latini et Siculi, utrum in
diebus Aremuli et Phalaridis esse maluissent, innocentum vitas
poenis extorquentium, an his temporibus Christianis, cum imperatores Romani ipsa in primis religione compositi, post
comminutas rei publicae bono tyrannides, ne ipsorum quidem
iniurias exigunt tyrannorum.

Hist., I, xx.

CLAUDIUS RUTILIUS NAMATIANUS,
fl. circ. 416 A. D.

544. The Glory of Rome.

Erige crinales lauros seniumque sacrati
    Verticis in virides, Roma, refinge comas.
Aurea turrigero radient diademata cono,
    Perpetuosque ignes aureus umbo vomat.

Abscondat tristem deleta inuria casum ;
 Contemptus solidet vulnera clausa dolor.
Adversis solemne tuis sperare secunda.
 Exemplo caeli ditia damna subis.
Astrorum flammae renovant occasibus ortus ;
 Lunam finiri cernis, ut incipiat.
Victoris Brenni non distulit Allia poenam ;
 Samnis servitio foedera saeva luit,
Post multas Pyrrhum clades superata fugasti ;
 Flevit successus Hannibal ipse suos.
Quae mergi nequeunt, nisu maiore resurgunt,
 Exiliuntque imis altius acta vadis.
Utque novas vires fax inclinata resumit,
 Clarior ex humili sorte superna petis.
Porrige victuras Romana in saecula leges,
 Solaque fatales non vereare colos,
Quamvis sedecies denis et mille peractis
 Annus praeterea iam tibi nonus eat.

De Reditu suo, I, 115–136.

JOANNES CASSIANUS, circ. 360–435 A. D.

545. Yield not to Anger!

Qualibet ex causa iracundiae motus effervescens excaecat
oculos cordis et acumini visus exitialem validioris morbi ingerens
trabem, solem iustitiae non sinit intueri. Nihil interest, utrum
aurea lamina, plumbeave, seu cuiuslibet metalli, oculorum ob-
tutibus imponatur ; differentiam caecitatis non facit pretiositas
metallorum. Habemus sane irae ministerium satis commode
nobis insertum, ad quod solum eam recipere utile nobis est et
salubre, cum contra lascivientes cordis nostri motus indignantes
infremimus, et ea quae agere confundimur coram hominibus, vel
proloqui, in latebras ascendisse nostri pectoris indignamur ;
angelorum scilicet ac Dei ipsius praesentiam ubique et omnia

penetrantis, oculumque eius tota formidine tremiscentes, quem
nequaquam possunt conscientiae nostrae latere secreta.

De Coenob. Instit., VIII, vi.

SALVIANUS MASSILIENSIS, circ. 440 A. D.

546. The Roman Power crumbling before the Barbarian.

Nihil nobis de pace et prosperitate pristina reliquum est, nisi
sola omnino crimina quae prosperitatem non esse fecerunt.   Ubi
namque sunt antiquae Romanorum opes ac dignitates?   Fortissimi quondam Romani erant, nunc sine viribus.   Timebantur
Romani veteres, nos timemus.   Vectigalia illis solvebant populi
barbarorum, nos vectigales barbaris sumus.   Vendunt nobis
hostes lucis usuram.   Tota admodum salus nostra commercium
est.   O infelicitates nostras! ad quid devenimus!   Et pro hoc
gratias barbaris agimus, a quibus nos ipsos pretio comparamus?
Quid potest esse nobis vel abiectius vel miserius?   Et vivere
nos post ista credimus, quibus vita sic constat!   Insuper etiam
ridiculos ipsi nos facimus; aurum quod pendimus, munera
vocamus.   Dicimus donum esse quod pretium est, et quidem
pretium conditionis durissimae et miserrimae.   Omnes quippe
captivi, semel redempti fuerint, libertate potiuntur.   Nos semper
redimimur, et numquam liberi sumus.   Illorum more dominorum
nobis cum barbari agunt qui mancipia obsequiis suis non
necessaria mercedibus dependendis locant.   Similiter enim nos
numquam ab hac sumus liberi functione quam pendimus.   Ad hoc
quippe mercedes iugiter solvimus, ut sine cessatione solvamus.

De Gubern. Dei, VI, xviii.

LEO MAGNUS, FL. CIRC. 450 A. D.

547. LETTER TO THE BISHOP OF SICILY ON A QUESTION
OF CONDUCT.

Leo papa universis episcopis per Siciliam constitutis.

Occasio specialium querellarum, curam nobis providentiae
generalis indicit, ut quod in duabus provinciae vestrae ecclesiis
improbe gestum, iniusteque praesumptum est, id constitutione
perpetua ab omnium episcoporum usurpatione resecemus. Tauro-
minitanis enim clericis ecclesiae deplorantibus nuditatem, eo quod
omnia eius praedia, vendendo, donando, et diversis modis alie-
nando, episcopus dissiparet; etiam Panormitani clerici, quibus
nuper est ordinatus antistes, similem querimoniam in sancta
synodo, cui praesidebamus, de usurpatione prioris episcopi retulerunt. Quamvis ergo iam ordinatum a nobis sit quemadmodum utriusque ecclesiae utilitatibus consulatur, ne tamen hoc
perniciosum nequissimae depraedationis exemplum cuiquam posthac fiat imitabile, hanc praecepti nostri formam apud dilectionem;
vestram volumus esse perpetuam; qua sine exceptione decernimus
ut ne quis episcopus de ecclesiae suae rebus audeat quidquam vel
donare, vel commutare, vel vendere; nisi forte ita aliquid horum
faciat, ut meliora prospiciat, et cum totius cleri tractatu atque
consensu id eligat, quod non sit dubium ecclesiae profuturum.
Nam presbyteri, vel diaconi, aut cuiuscumque ordinis clerici, qui
conniventiam in ecclesiae damna miscuerint, sciant se et ordine
et communione privandos; quia plenum iustitiae est, fratres
carissimi, ut non solum episcopi, sed etiam totius cleri studio,
ecclesiasticae utilitatis incrementa serventur, et eorum munera
illibata permaneant, qui pro animarum suarum salute propriam
substantiam ecclesiis contulerunt. Data XII Kalend. Novem-
bris, Calepio V. C. Cons.

Epist. XVII.

ANICIUS MANLIUS TORQUATUS SEVERINUS BOETHIUS. 480–524 A. D.

548. An Eventful Life, unhappy in its Decline.

Carmina qui quondam studio florente peregi,
    Flebilis heu maestos cogor inire modos.
Ecce mihi lacerae dictant scribenda camenae
    Et veris elegi fletibus ora rigant.
Has saltim nullus potuit pervincere terror,
    Ne nostrum comites prosequerentur iter.
Gloria felicis *quondam* viridisque iuventae
    Solantur maesti nunc mea fata senis.
Venit enim properata malis inopina senectus
    Et dolor aetatem iussit inesse suam.
Intempestivi funduntur vertice cani
    Et tremit effeto corpore laxa cutis.
Mors hominum felix quae se nec dulcibus annis
    Inserit et maestis saepe vocata venit.
Eheu quam surda miseros avertitur aure
    Et flentes oculos claudere saeva negat.
Dum levibus male fida bonis fortuna faveret,
    Paene caput tristis merserat hora meum.
Nunc quia fallacem mutavit nubila vultum,
    Protrahit ingratas impia vita moras.
Quid me felicem totiens iactastis, amici?
    Qui cecidit, stabili non erat ille gradu.

De Philos. Consol., I, i.

549. The Good have their Reward; the Evil, due Recompense.

Videsne igitur quanto in caeno probra volvantur, qua probitas luce resplendeat? In quo perspicuum est numquam bonis praemia, numquam sua sceleribus deesse supplicia. Rerum etenim quae geruntur, illud propter quod unaquaeque res geritur, eiusdem rei praemium esse non iniuria videri potest; uti cur-

rendi in stadio propter quam curritur iacet praemium corona.
Sed beatitudinem eius idem ipsum bonum propter quod omnia
geruntur ostendimus.   Est igitur humanis actibus ipsum bonum
veluti praemium commune praepositum.   Atqui hoc a bonis non
potest separari neque enim bonus ultra iure vocabitur qui careat
bono; quare probos mores sua praemia non relinquunt.   Quan-
tumlibet igitur saeviant mali, sapienti tamen corona non decidet,
non arescet.   Neque enim probis animis proprium decus aliena
decerpit improbitas.   Quod si extrinsecus accepto laetaretur,
poterat hoc vel alius quispiam vel ipse etiam qui contulisset,
auferre; sed quoniam id sua cuique probitas confert, tum suo
praemio carebit, cum probus esse desierit.   Postremo cum omne
praemium idcirco appetatur, quoniam bonum esse creditur, quis
boni compotem praemii iudicet expertem?   At cuius praemii?
omnium pulcherrimi maximique.   Memento etenim corollarii
illius quod paulo ante praecipuum dedi ac sic collige: Cum ipsum
bonum beatitudo sit, bonos omnes eo ipso quod boni sint fieri
beatos liquet.   Sed qui beati sint deos esse convenit.   Est
igitur praemium bonorum, quod nullus deterat dies, nullius mi-
nuat potestas, nullius fuscet improbitas deos fieri.   Quae cum ita
sint, de malorum quoque inseparabili poena dubitare, sapiens
nequeat.

De Philos. Consol., IV, in

CORPUS IURIS CIVILIS, circ. 534 A. D.

550. Definition of Justice, Precepts of Law.

Iustitia est constans et perpetua voluntas ius suum cuique
tribuens.   Iurisprudentia est divinarum atque humanarum rerum notitia, iusti atque iniusti scientia.

Iuris praecepta sunt haec: honeste vivere, alterum non laedere, suum cuique tribuere.   Huius studii duae sunt positiones,
publicum et privatum.   Publicum ius est, quod ad statum rei
Romanae spectat; privatum, quod ad singulorum utilitatem
pertinet.

Instit, I, i.

551. Decisions touching Certain Cases of Theft.

1. *Impp. Severus et Antoninus AA. Theogeni.* Si pecunia tua mandantibus servis quidam praedia comparaverunt, eligere debes, utrum furti actionem et condictionem an mandati potius inferre debeas. Neque enim aequitas patitur, ut et criminis causam persequaris et bonae fidei contractum impleri postules. *D. XI k. Mai. Severo A. II et Victorino conss.*

2. *Idem AA. negotiatoribus.* Incivilem rem desideratis, ut agnitas res furtivas non prius reddatis, quam pretium fuerit solutum a dominis. Curate igitur cautius negotiari, ne non tantum in damna huiusmodi, sed etiam in criminis suspicionem incidatis. *PP. III k. Dec. Cilone et Libone conss.*

3. *Imp. Antoninus A. Secundo.* Si nondum rem templo divino dedicatam vitricus tuus furto abstulit, habes adversus eum furti actionem. *PP. VI id. Sept. Laeto II et Cereale conss.*

Cod., VI, ii, 1–3.

552. The Early Jurists; the Responses of the Jurists.

Iuris civilis scientiam plurimi et maximi viri professi sunt; sed qui eorum maximae dignationis apud populum Romanum fuerunt, eorum in praesentia mentio habenda est, ut appareat, a quibus et qualibus haec iura orta et tradita sunt. Et quidem ex omnibus, qui scientiam nancti sunt, ante Tiberium Coruncanium publice professum neminem traditur; ceteri autem ad hunc vel in latenti ius civile retinere cogitabant solumque consultatoribus vacare potius quam discere volentibus se praestabant. Fuit autem in primis peritus Publius Papirius, qui leges regias in unum contulit. Ab hoc Appius Claudius unus ex decemviris, cuius maximum consilium in duodecim tabulis scribendis fuit. Post hunc Appius Claudius eiusdem generis maximam scientiam habuit; hic Centemmanus appellatus est, Appiam viam stravit et aquam Claudiam induxit et de Pyrrho in urbe non recipiendo sententiam tulit. Hunc etiam actiones scripsisse traditum est primum de usurpationibus. qui liber non exstat; idem Appius Claudius qui videtur ab hoc processisse, R litteram invenit ut pro Valesiis Valerii essent, et pro Fusiis Furii. . . .

Et, ut obiter sciamus, ante tempora Augusti publice respondendi ius non a principibus dabatur, sed qui fiduciam studiorum
suorum habebant, consulentibus respondebant ; neque responsa
utique signata dabant, sed plerumque iudicibus ipsi scribebant,
aut testabantur qui illos consulebant.   Primus divus Augustus,
ut maior iuris auctoritas haberetur, constituit, ut ex auctoritate
eius responderent ; et ex illo tempore peti hoc pro beneficio
coepit.   Et ideo optimus princeps Hadrianus, cum ab eo viri
praetorii peterent, ut sibi liceret respondere, rescripsit eis hoc
non peti, sed praestari solere et ideo, si quis fiduciam sui haberet,
delectari se populo ad respondendum se praepararet.

Dig., I, ii, 35, 36, 49.